DATE DUE			

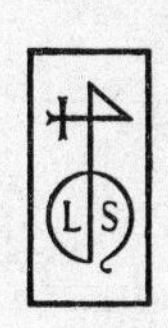

STURM UND DRANG

DRAMATISCHE SCHRIFTEN I

STURM UND DRANG

DRAMATISCHE SCHRIFTEN

ERSTER BAND

HEIDELBERG

VERLAG LAMBERT SCHNEIDER

PLAN UND AUSWAHL VON

ERICH LOEWENTHAL (1895–1944)

UND LAMBERT SCHNEIDER

INHALTSVERZEICHNIS

HEINRICH WILHELM VON GERSTENBERG

UGOLINO. EINE TRAGÖDIE IN FÜNF AUFZÜGEN 9

JOHANN WOLFGANG GOETHE

PROMETHEUS 63
JAHRMARKTSFEST ZU PLUNDERSWEILERN. EIN SCHÖNBARTSPIEL 77
EIN FASTNACHTSSPIEL VOM PATER BREY 89
SATYROS, ODER DER VERGÖTTERTE WALDTEUFEL 101
GÖTTER, HELDEN UND WIELAND 117
PROLOG ZU DEN NEUESTEN OFFENBARUNGEN GOTTES 131

JAKOB MICHAEL REINHOLD LENZ

DER HOFMEISTER ODER VORTEILE DER PRIVATERZIEHUNG. EINE KOMÖDIE 135
DER NEUE MENOZA ODER GESCHICHTE DES KUMBANISCHEN PRINZEN TANDI. EINE KOMÖDIE 215
DIE SOLDATEN. EINE KOMÖDIE 279
DIE FREUNDE MACHEN DEN PHILOSOPHEN. EINE KOMÖDIE 333
DRAMATISCHE ENTWÜRFE 375
DER TUGENDHAFTE TAUGENICHTS 377
CATO 399
DER MAGISTER 401
FRAGMENT AUS EINER FARCE 405
PANDAEMONIUM GERMANICUM 407
LUSTSPIELE NACH DEM PLAUTUS 433
DIE AUSSTEUER 435
DIE ENTFÜHRUNGEN 471
DIE BUHLSCHWESTER 515

INHALTSVERZEICHNIS

JOHANN ANTON LEISEWITZ

JULIUS VON TARENT 555
DRAMATISCHE SZENEN UND ENTWÜRFE 615
DIE PFANDUNG 617
DER BESUCH UM MITTERNACHT 619
SELBSTGESPRÄCH EINES STARKEN GEISTES IN DER NACHT 621

BIBLIOGRAPHISCHE ANGABEN 625

HEINRICH WILHELM VON GERSTENBERG

UGOLINO

EINE TRAGÖDIE IN FÜNF AUFZÜGEN

★

HAMBURG UND BREMEN

BEI J. H. CRAMER

1768

VORBERICHT

Die Geschichte dieses Drama ist aus dem Dante bekannt.

Ugolino, Graf von Gherardesca, und seine drei Söhne sind die Personen.

Die Zeit der Vorstellung eine stürmische Nacht.

Die Szene ein schwach erleuchtetes Zimmer im Turm.

ERSTER AUFZUG

ANSELMO: Hilf dem armen Gaddo, mein Vater! Sein Anblick dringt mir ans Herz.

UGOLINO: Guten Mut, mein wackrer Anselmo. – Armer Gaddo!

GADDO: Ach, mein Vater!

ANSELMO: Ich dachte nicht, daß es so böse Menschen auf der Welt geben könnte. Warum hat der Turmwärter dem armen Gaddo nichts zu essen gebracht? Ein tückischer Mann, der Turmwärter!

UGOLINO: Er kann krank sein; es kann ihn ein Unglück betroffen haben. Er ist unschuldig an unserm Hunger.

ANSELMO: Hungert dich denn auch, mein Vater?

UGOLINO: Dich nicht, mein Lieber?

ANSELMO: Mich dünkt, daß mich weniger hungern würde, wenn der arme Gaddo zu essen hätte. Ich kann sein eingefallnes bleiches Gesicht nicht ohne Schmerz ansehen. (Umarmt Gaddo)

UGOLINO: Armer Gaddo!

GADDO: Sei nicht traurig, mein Vater.

ANSELMO: Sieh, mein Vater, ich bin nicht traurig (Trocknet sich die Augen ab) Ich bin nur müde.

UGOLINO: Und müßt ihr meine Tröster sein? Ha! es ist bitter.

ANSELMO: Du sagtest, dem Turmwärter sei ein Unglück begegnet. Ist denn niemand, der ihm den Liebesdienst tun könne, statt seiner zu kommen? Es ist doch unbillig, daß Gaddo nicht essen soll. Kein Weib, keine Tochter, kein Blutsfreund?

UGOLINO: Ich hoffe, mein Anselmo, daß jemand für ihn kommen werde.

ANSELMO: Die Bedauernswürdigen haben unsrer vielleicht über dem Unglück des Mannes vergessen.

UGOLINO: So ist's.

ANSELMO: Ich bedaure sie von Herzen.

UGOLINO: Gott wird dich wieder bedauern, mein Geliebter.

ANSELMO: Und den kranken Gaddo.

UGOLINO: Uns alle.

ANSELMO: Dich? Und ein Gott müßt' es nur sein, der dich bedauerte. Von der Welt braucht ein so großer Mann wie du nicht bedauert zu werden. Meine Mutter hat mir oft gesagt, daß du ein sehr großer Mann bist; jedermann sagt es. Wenn ich ein Mann wäre, ich will nicht träumen, ein großer Mann – denn was habe ich, ich Pflanze! getan, daß ich ein Mann sein könnte wie du? – aber wenn ich ein Mann wäre, niemand sollte mich bedauern.

UGOLINO: Wie das?

ANSELMO: Doch itzt besinne ich mich: ich müßte auch ein freier Mann sein; nicht im finstern Turm eingesperrt sitzen; frei müßt' ich sein; frei meine Hand (sie würde dann Nerve haben); frei dieser Arm – ha!

UGOLINO: Du schweigst? du glühst? Rede weiter, mein Sohn Anselmo.

ANSELMO: Mein Vater! (Seinen Arm um seinen Vater schlingend) Großer Mann! schäme dich meiner nicht, daß ich erröte! Ah, Gherardesca, nenne mich noch einmal deinen Sohn Anselmo!

UGOLINO: Mein geliebter, mein edler Sohn Anselmo! Mein männlicher Sohn Anselmo!

ANSELMO (auf und ab gehend): Ich bin nur dreizehn Jahre alt: aber Ugolino Gherardesca hat mich seinen Sohn genannt. Männlicher Sohn ist zuviel: aber genug, Gherardesca hat mich seinen Sohn genannt! Zittre du, o du, den ich itzt denke, zittre vor dem Sohne Gherardescas, wenn er ein Mann sein wird!

UGOLINO: Welch großer Gedanke drängt sich und keimt auf in deiner zarten Seele? Bewundernswürdig!

ANSELMO: Ein Sprung vom Turme, sagte Francesco, ist ein kühner Gedanke; allein ein kühner Gedanke, setzte er hinzu, ist ein angenehmer Gedanke. Es ist wahr; je höher ich mir den Turm denke, desto höher erhebt sich meine Seele.

UGOLINO: Nun?

ANSELMO: Wie ärgert's mich, daß Francesco mir darin zuvorkommen mußte?

UGOLINO: Was schwärmst du, Knabe? Worin zuvorkommen?

ANSELMO: Das zu denken! ach! – In jedem entzückenden gefahrvollen Gedanken läßt er mich hinter sich. Du würdest mich nicht so mit der Miene Knabe nennen: würdest du? Es schmerzt mich, mein Vater!

UGOLINO: Ruggieri, laß deinen Grimm diesen Weg nehmen! (Auf sein Herz zeigend) Feind meiner Seele, laß ihn diesen Weg nehmen!

ANSELMO (erschrocken): Wen nanntest du? Ah, mein Vater!

GADDO: Ruggieri? O sieh, sieh, mein Vater, (hält ihm seinen Nacken hin) so hat er mich geschlagen!

UGOLINO: Traurig! jammervoll! wie sie in meiner Seele wütet! o diese Erinnerung!

GADDO: Er schlug mich! So hob er seine Hand auf! – Dann schlug er mich. Weder mein Vater noch meine Mutter haben mich geschlagen. Meine Mutter wollte mich in ihrem Busen verbergen, und der eiserne Erzbischof traf auch sie.

UGOLINO: Und wo war ich bei dieser schändlichen grausamen Szene? Ah, Barbar! das ist es! das schmerzt! Daß deine Büttel mich unter der schwärzesten aller Nächte (verbannt sei sie auf ewig aus meinem Gedächtnisse!) niederdrücken mußten, daß ich nicht um mich her schauen, nicht in dem gerechten Zorne meiner Seele mich erheben, dich nicht zwischen meine ausgestreckten Hände fassen, dir nicht das verruchte Herz aus dem Leibe drücken konnte! Doch du tatst wohl, daß du den Bären aus seiner Höhle entferntest, und Dank sei deiner Weisheit! Beruhigt euch, meine Kinder! Wie ist's, Gaddo?

GADDO: Sage mir, mein Vater, warum ward dieses Fenster so klein gemacht?

ANSELMO: Daß man nicht durchschlüpfe, Gaddo.

GADDO: Ein glücklicher Einfall! Man hat vorausgesehen, daß der Erzbischof versuchen würde, zu uns zu kommen, und darum hat man das Fenster so klein gemacht. Ein guter Einfall! Ich wunderte mich schon, daß er uns so lange in Ruhe gelassen hat.

ANSELMO: Wollte Gott, er käme!

GADDO: Pfui, Anselmo!

ANSELMO: Ich sage noch einmal, wollte Gott, er käme.

GADDO: Das Blut stockt mir in den Adern, du böser Anselmo.

ANSELMO: Aber wohl zu verstehen, durch dies kleine Fenster: den Kopf voran, und die übrige Schlange strotzte draußen im Freien und könnte sich nicht nachwinden!

und ich stünde hinter ihm an der Wand! ungesehen! Hei, Gaddo! (Umarmt Gaddo)

GADDO: Mutwilliger! Er würde seine Büttel mit sich bringen.

ANSELMO: Die möchten wieder heimkehren. Ich wünsche keinem Menschen Arges als ihm.

GADDO: Hat er dich auch geschlagen?

ANSELMO: Was Schlimmers, Gaddo. Er hat mich gehöhnt.

GADDO: Gehöhnt?

ANSELMO: Er hob mich auf seine verhaßten Arme, als wär' ich ein Säugling, setzte mir sein Barett auf den Kopf und nannte mich Prinz von Pisa.

GADDO: Prinz von Pisa? Was ist das?

ANSELMO: Merkst du denn nicht, daß er unsers großen Vaters spotten wollte?

GADDO: So scheint's. Und du?

ANSELMO: Ich zitterte. »Bischof!« stammelte ich, »Bischof! warum? wie? für was diese Krönung? Ich mache keine Ansprüche darauf, Bischof. Ich lege das Diadema – zu deinen Füßen.« – Weg flog das Barett.

GADDO: Gut war's, daß du das Barett nicht behieltest. Wer weiß, es könnt' ihn gereut haben; und so hätt' er dich auch geschlagen.

UGOLINO: Ihr Kinder macht mich lächeln. Wie, mein kleiner Freund, du warfst ihm das Barett vor die Füße? Was sagte der Mann da?

ANSELMO: Seine plumpen Augen schwollen ihm ganz dick im Kopf auf, recht so, wie ich's an der Kröte gesehen habe, die Francesco mit dem Wurf einer Orange traf. Er preßte mich fest an sich, kniff blaue Mäler in meinen Arm, biß die Lippen zusammen und ließ sie dann hangen, sprach kein Wörtchen, nahm das Barett langsam vom Boden auf. Traun, er kam mir so hölzern vor, daß ich ihn im Bücken von mir stieß und mit einem Schwunge seinen Armen entsprang.

GADDO: Was für boshafte Menschen es gibt! Er kniff dich doch, ob du ihm gleich das Barett zurückgabst!

ANSELMO: Nun fand er die Sprache. Er rief seinen Sbirren, mich, den Buben (so schalt seine Wut), meinem Vater (ich verschweige den Namen seiner Vergiftung: was über seine Zunge geht, wird ein Greuel) –

UGOLINO: Er hat keine andre Waffen.

ANSELMO: – nachzuschleppen, mich aus dem Drachenneste hinweg in den Turmkerker zu schleppen. »Ich danke dir«, antwortete ich mit einer Verbeugung, »ein Drachennest ward diese Wohnung erst, da du sie mit deiner Brut betratst.« Ich wollte mehr sagen; die Sklaven aber bebten, wie Totengerippe, mit mir davon. Nun bin ich hier; drum sei nicht traurig, mein Vater.

UGOLINO: Ach, Anselmo, du süßer Knabe, kannst du –

ANSELMO: Du wendest deine teuren Augen von mir weg, mein Vater?

UGOLINO: Kannst du – und du, mein sanfter Gaddo, – könnt' ihr mir vergeben, meine Kinder?

ANSELMO (zu Gaddo): Unser Vater ist wunderbar bewegt. Wie er mir die Hand drückt!

UGOLINO: Nur dies noch! – Ihr Unschuldigen, vergebt mir!

GADDO: Ach! er zürnt, unser Vater. Was mag er meinen?

ANSELMO: Er riß sich mit Gewalt von uns los. Er wollte noch etwas sagen; ich sah's; er zwang die Sprache zurück in seine männliche Brust: eine hohle dumpfichte Sprache, wie eines Schluchzenden –

GADDO (weinend): Ah!

ANSELMO: Fürchterlich!

GADDO: Erblasse nicht so, Anselmo! Du erschreckst mich nur mehr.

ANSELMO: Er wendet sich zu uns. Holdseliger Vater! wie er uns anlächelt!

UGOLINO (setzt sich): Komm her, mein Gaddo – wenn die Entkräftung dir noch so viel Schritte erlaubt – geliebtes Kind – (Hebt ihn auf seinen Schoß)

GADDO: Ich? ich sollte entkräftet sein? (Seines Vaters Hände küssend)

ANSELMO: Nein, Vater, belebende Kraft geht von deinem Antlitze aus; das ist gewiß.

UGOLINO: Wie alt bist du, Gaddo? weißt du's?

GADDO: Zwölf Jahre, wo mir recht ist.

ANSELMO: Einfältiger Gaddo! kaum sechs.

UGOLINO: Laß ihn, Anselmo. Jammer und Elend haben seinen kleinen Lebenslauf schnell beflügelt. Er zählt besser, als du glaubst.

ANSELMO: Wie, mein Vater? Ich selbst bin wenig über zwölf Jahre alt. Ich müßte doch drum wissen.

UGOLINO: Wahr ist's. Deine reifern Tage haben viel Freude

gekannt. O du liebevolle Genügsamkeit! Du hassest Ruggieri, sagst du? sprich nicht, daß du ihn hassest.

ANSELMO: Ihn? Er ist mir ein Grauen! dir nicht, Gaddo? Hassest du ihn nicht? Sprich.

GADDO: Ich fürcht' ihn, Anselmo. Daß ich ihn hasse, kann ich nicht sagen. Ich weiß nicht, was das ist.

UGOLINO: Gaddo liebt mich.

ANSELMO: Nicht mehr als ich dich liebe; nicht mehr als ich deinetwegen Ruggieri hasse!

UGOLINO: Meinetwegen?

ANSELMO: Deinetwegen: deiner zerstörten Glückseligkeit wegen, du Befreier von Pisa! laß mich dich dies erstemal mit diesem Namen nennen, großer Mann! Aber auch meiner Mutter wegen; ihrer vielen Tränen wegen! Aber auch Gaddos wegen! sollt' ich den Feind deiner Ehre, den Urheber deines Verderbens nicht hassen? Mein Vater, so müßt' ich mich selbst hassen; vergib mir.

UGOLINO: Nicht weiter! nicht weiter, grausamer junger Mensch. Du bist schwerer zu ertragen als ein unruhiges Gewissen.

ANSELMO: Mein Vater!

UGOLINO: Geh!

ANSELMO: Den Urheber –

UGOLINO: Geh, sag' ich, entfleuch!

ANSELMO: Vergib mir. Den Störer deiner Ruhe –

UGOLINO: Verstumme! Zittre!

ANSELMO: Den Herrschsüchtigen –

UGOLINO: Zittre, du hassest mich! Der Urheber eures Verderbens, der Störer eurer Ruhe, der Herrschsüchtige, der Verräter, der bin ich! Genug, Schmerzenssohn! Du hast nicht verdient, was du für mich leiden mußt.

ANSELMO (zu Gaddo): Neue Wolken gehn in unsers Vater Augen auf. Ich für ihn leiden? Ach, mit Wonne! mit Wonne! wenn nur er dann nicht litte! Nicht wahr, Gaddo, du wolltest auch für unsern Vater leiden? wolltest du?

GADDO: O ja! viel lieber als ihn so traurig sehn.

ANSELMO: Und worüber so traurig? sind wir nicht hier bei dem besten Manne? Du auf seinem Schoße, ich in seinen Arm gelehnt? Wenn jemand sich zu beklagen hat, so ist's unsre Mutter –

GADDO: Der der Mann mit dem traurigen Namen so unfreundlich begegnete –

ANSELMO: Recht, daß er sie allein im Palaste zurückließ. Hier hätt' er sie herschicken sollen, und wir wären eine Welt der Freude für einander gewesen. Dies einzige ist's, glaube mir, Gaddo, denn was könnt' es sonst sein, was unsern Vater so traurig macht? Husch! da kommt Francesco. (Läuft ihm entgegen) O mein anmutiger Bruder! immer so heiter! so emporwallend! Dein Kommen ist mir erwünschter als der jugendliche Morgen. Aber unser Vater ist traurig.

FRANCESCO (leise zu Anselmo): Freue dich, Anselmo, der Entwurf ist reif; und er soll ausgeführt werden.

ANSELMO: Ist irgendein Beinbruch oder Armbruch oder so was damit verbunden?

FRANCESCO: Nein, das ist eben das Schlimme, daß die Sache so gar leicht ist. Nicht die mindeste Gefahr, auf mein Wort.

ANSELMO: Erkläre dich.

FRANCESCO: Du hast die Öffnung gesehn –

ANSELMO: Was? die Öffnung in der Spitze des Turms? Du schwärmst, Francesco!

FRANCESCO: Haha! schwindelt dir so früh?

ANSELMO: Die Öffnung, sagst du, oben an der Spitze des Turms! Geh doch! geh! dieser Gedanke ist so erhaben, daß ich ihn dir nicht nachdenken kann: um desto mehr aber bewundre ich ihn.

FRANCESCO: Schmeichler!

ANSELMO: Ganz wider meine Absicht. Überdem getraut' ich mir kaum, ein Bein hindurchzubringen.

FRANCESCO: Nicht gestritten! Ich sage dir, Bübchen, die Öffnung ist so groß, daß sie beide durchschlüpfen, Kopf und Arme hinterdrein.

ANSELMO: Und wie hast du das gemacht?

FRANCESCO: Wie macht man's? Erst hab' ich einen Stein gelöst, dann wieder einen, dann noch einen und abermals einen gelöst; genug, Schwätzer, wenn du mir nicht glaubst, komm und sieh.

ANSELMO: Dann springst du von oben mit einem Sprunge aufs Pflaster herunter! Patsch! war's nicht so?

FRANCESCO: Nicht völlig so. Mit Absätzen spring' ich, wie das Eichhörnchen vom Ahornbaum. Du hast's ja wohl gesehen.

ANSELMO: Ich springe doch mit, Lieber? Nun du mir davon

sprichst, wird's mir ja ganz warm im Kopfe. Nicht? ich springe doch mit, Francesco?

FRANCESCO: Nicht doch! Du schreitest mit aller Gemächlichkeit zur Turmtüre hinaus. Was ist begreiflicher, als daß ich die Turmtüre öffne, wenn ich unten bin? Doch dies muß seine Zeit haben. So viel verspreche ich, ehe der Morgen kömmt, seid ihr frei, frei, wie euch Gott erschaffen hat; oder ich heiße nicht Francesco.

GADDO (horchend): Ach, lieber Gott! dann wird gegessen werden!

ANSELMO (traurig): Und ich soll unten wie ein armseliger Tropf zur Turmtüre hinausschreiten? was sag' ich schreiten? schleichen! Eher soll man mich bei den Haaren hinausschleppen! Merke dir's, Stolzer, ich springe!

FRANCESCO: Tor, wird unser Vater nicht auch hinausschreiten?

GADDO (der seines Vaters Schoß verläßt und Anselmo am Rock zupft): Sprich, daß du schreiten willst. Was ist daran gelegen? Geht's doch hinauswärts!

UGOLINO (auffahrend): Was habt ihr, Kinder?

FRANCESCO: Mein Vater, es findet sich im Turm eine Öffnung – eine Öffnung – von der ich dein Urteil wissen möchte.

UGOLINO: Der heftige Sturm, der über uns im Gewölbe kracht und die Spitze schüttelt, hat vermutlich die Mauer zerrissen. Ist der Riß so tief, daß man auf die Gasse sehen kann? Es würde mir ein neuer schöner Anblick sein, auch außer diesen Wänden Menschen, das Bild Gottes, zu erblicken; so wenig die in Pisa es um mich verdient haben.

FRANCESCO: O Himmel, einen Riß nennst du's, mein Vater? Komm, komm, du sollst Wunder sehn.

UGOLINO: Ha! ist's mehr als ein bloßer Riß?

FRANCESCO: Einen Schlund nenn' es, mein Vater; wofern man das einen Schlund nennen kann, was den Leib eines Menschen durchläßt –

UGOLINO: Was sagst du, Jüngling? Du treibst mir das Herz an den Hals hinauf! Ha! geschwind laß mich sehn.

FRANCESCO (winkt Anselmo): Gib acht, Bübchen, unser Vater wird's nicht nur verstatten: er wird mich drum bitten.

UGOLINO: Hurtig! hurtig! (Geht mit Francesco ab)

ANSELMO: Bemerktest du den Übermut unsers Bruders? O Gaddo, es ist ein unerträglicher Gedanke!

GADDO: Ein unerträglich süßer Gedanke! Nun kann ich's kaum abwarten.

ANSELMO: Er der Erretter des Gherardesca? Wie wird's des Übermütigen Herz aufschwellen, wenn unsere Mutter mit dem Finger hinzeigt, sprechend: »Seht, dies ist mein Erstgeborner, der seinen Vater und seine beiden Brüder befreite!« Von uns aber sagt man kein Wörtchen!

GADDO: Wenn unsre Mutter das spricht, so wird mir's so lieb sein, als spräche sie es von mir: warum? es gebührt ihm so!

ANSELMO: Allerdings. Aber hätt' ich nicht machen können, daß es mir auch so gebührte?

GADDO: Schäme dich, Anselmo. Du liebst Francesco nicht, wenn du ihn nicht loben hören magst.

ANSELMO: O Gaddo, ich lieb' ihn gewiß mehr als du: denn ich möcht' ihm gleich sein.

(Ugolino und Francesco kommen zurück)

UGOLINO (schnell auf und ab gehend): Wenn diese Öffnung so tief unten wäre, als sie hoch oben ist! –

FRANCESCO: Glaube nicht, mein Vater, daß sie zu hoch oben ist. Du wirst die Zinnen draußen an der Mauer bemerkt haben.

UGOLINO: Gram und Alter haben mich schwerfällig gemacht. O Ruggieri! Verworfner! nur einmal dich so unter meiner Hand zu wissen! so dein Schlangenhaar zu ergreifen! so dein Leben an die Spitze meines Fußes zu heften! so dir die höllische Seele aus dem Leibe zu treten!

FRANCESCO: Königlicher Anblick! was wollt' ihr drum geben!

ANSELMO: Der Zorn schwellt ihm die Lippen!

UGOLINO: Gib mir Geduld! Gott im Himmel! Gib mir Geduld! Wartet hier, meine Kinder. Ich komme gleich zu euch. (Geht ab)

FRANCESCO: Er wird die Öffnung näher untersuchen wollen. Wenn er sich nur nicht im edlen Grimm seines Herzens auf das Ungeheuer herabstürzt, gleich dem erhabnen Vogel, der sich ins Steintal wirft, wo er einen Drachen erblickte.

ANSELMO: Fürchte das nicht, Francesco. So aufgebracht unser Vater wider Ruggieri ist, so ist er's doch noch mehr wider sich selbst. Mir zwar ein Rätsel.

FRANCESCO: O es ist ein großer, ein wunderbar großer Geist, der in diesem Manne, unserm Vater, wohnt! Er schmälert seine Verdienste, um sein Schicksal zu rechtfertigen.

ANSELMO: Sie schmälern, die kein Sterblicher zu schmälern wagt? Sie selbst schmälern? Wie kann er's?

FRANCESCO: Pisa seufzte unter dem Joche eines Tyrannen. Gherardesca stand auf und rächte die Seufzende.

ANSELMO: War es nicht edel? war es nicht göttlich?

FRANCESCO: Was war es nicht! Aber nun blies ihm Ruggieri, schon lange sein heimlicher Neider, nun blies ihm der Gesandte des Abgrundes, der, um sichrer zu verschlingen, im priesterlichen Mantel der Religion umherschleicht, der blies ihm den Gedanken ein, Pisas Wohl erfordre einen Beherrscher, niemand habe ein höheres Recht auf Pisas Diadema als Gherardesca. Gherardesca wagte den kühnen Schritt, den er sich nie verzeihen wird; und Gherardesca ward unglücklich.

ANSELMO: Wußte der Heimtückische ihn so zu verwickeln? Ist das die Welt? Nun, bei der heiligen Mutter Gottes, ich verabscheue sie!

FRANCESCO: Die Gualandi, die Sismondi, die Lanfranchi, die Buondelmonti, die Cavicciulli, alle seine Freunde und Bewundrer, sie alle verließen ihn. Noch mehr: sie schwuren seinen Fall. So fiel Gherardesca.

ANSELMO: Durch seine Freunde! O es ist unerhört! es ist unerhört! Francesco, wir sind Gherardescas Söhne!

FRANCESCO: Und ehe der Morgen kömmt, Gherardescas freie Söhne!

ANSELMO: Gib mir deine Hand, Francesco! Bei dieser brüderlichen Hand! gehüllt ins Dunkel dieser schauernden Mitternachtstunde! schwör' ich! und so möge lautes Hohngelächter mir auf der Ferse folgen, wenn ich vergebens schwöre! ich will den Namen Gherardesca rächen! rächen! rächen!

FRANCESCO: Gaddo weint? warum weint mein Gaddo?

GADDO: Jawohl, eine schauernde Mitternachtstunde! Muß ich so was von meinem Bruder Anselmo hören! Geht weg von mir; ihr macht mich fürchten.

UGOLINO (tritt an die Szene): Ich wollte dir nur sagen Francesco, daß du nicht weiter daran denkst. Gherardesca soll nicht flüchten, als wär' er ein Bandit. Überdem ist der Sprung unmöglich; und unten lauern Kundschafter.

(Geht ab)

Francesco (bestürzt): Eine Donnerstimme!

Anselmo: Glück zu. Dir verbot es unser Vater: aber ich darf den Sprung wagen, und ich will. Lebe wohl, guter Francesco. Denke du der Donnerstimme nach: unterdes steh' ich draußen an der Turmtüre.

Francesco: Kundschafter in dieser Totenstunde? In diesem Sturme, der die Erde aus ihren Angeln zu reißen droht? Wozu Kundschafter?

Anselmo: Sie sind nicht dumm!

Francesco: Nein, mein Vater, flüchten soll Gherardesca nicht, als wär' er ein Bandit! Noch haben wir Freunde! Dank sei es der Vorsicht! Die Häuser der Ruccelai, der Cerrettieri und der Cavalcanti sind noch alle auf unsrer Seite. Hast du nicht selbst vor zwei Tagen, in dem Briefe an meine Mutter, den der Turmwärter zu bestellen übernahm, diese mächtigen Häuser aufgeboten? Und soll der Befreier von Pisa hier im abscheulichen Turmkerker umkommen? Nein, nein, mein Vater, meine Gegenwart ist unentbehrlich, und Francesco soll dich retten. Nenn' ihn ungehorsam, vermessen, wie du willst; Francesco soll dich retten!

Anselmo: Gib dir keine Mühe: er hat der Söhne mehr.

Francesco: Komm, Anselmo, du magst mich zurechtweisen, wenn ich an der Mauer herabklimme.

Anselmo: Und ich soll das Nachsehn behalten? soll ich?

Francesco: Du bist ein Geck. Die Sache ist zu ernsthaft, um ein Wortspiel daraus zu machen. Erinnre du dich deines Schwurs, mir überlasse den Sprung: so sind wir beide Gherardesca!

(Gehen ab. Gaddo legt sich auf den Boden nieder)

—

ZWEITER AUFZUG

Anselmo (läuft zu Gaddo hin): Schläfst du? Daß der Wind mich nur nicht überhole! Hei, beim Sankt Stephan, ich bin flüchtiger als ein junges Reh! (Läuft) Hi! hi! hi! o daß ich recht auslachen dürfte! Schläft er denn immer? (Läuft wieder zu Gaddo hin) O mir! wie es so wohl tut! hüpfen möcht' ich, ja hüpfen, wie ein Lamm der Herde! (Hüpft und läuft fort. Gaddo erwacht)

GADDO: Wie ist mir? Ich bin gespeist und getränkt und vergesse das Gratias? (Knieend) Dank sei dir, heilige Mutter Gottes, für Speise und Trank! Du hast wohl an mir getan, Madonna: denn deinem armen Knaben hungerte sehr. Laß dir das Gebet meiner Einfalt gefallen und gib mir noch etwas drüber! Dank sei dir auch, heilige Jungfrau, für die Speisung meines lieben Vaters und meines lieben Bruders Francesco und meines lieben Bruders Anselmo. Ich danke dir. Du hast viel Gutes getan uns allen.

ANSELMO (kommt zurück): Der anmutige Knabe betet. Was mag er beten? Ich will ihn nicht stören.

GADDO: Du störst mich nicht, Anselmo: ich hatte das Gratias vergessen.

ANSELMO: So weißt du sie denn schon, die fröhliche Neuigkeit?

GADDO: Wie sollt' ich sie nicht wissen?

ANSELMO: Du hast uns belauscht, Schalk. War's nicht ein köstlicher Anblick? eine bezaubernde Augenweide?

GADDO: Eine bezaubernde Mundsweide!

ANSELMO: Auch das, Gaddo. Eins folgt aus dem andern. Doch wünscht' ich, daß du davon nicht zuviel erwähntest.

GADDO: Wie das?

ANSELMO: Unter uns gesagt, meine Eßbegierde ist nie unruhiger gewesen.

GADDO: Ich konnt' es merken. Du fielst grausam über die Schüsseln her.

ANSELMO: Ich fiel nicht, Gaddo, sondern ich möchte fallen.

GADDO: Dich hungert schon wieder? Eine seltsame Eßbegierde!

ANSELMO: Das ist lustig!

GADDO: Ungemein!

ANSELMO: Ha, ha, ha!

GADDO: Hi, hi, hi!

ANSELMO: Immer lustiger. Du bist leichter zu sättigen als ich, Gaddo.

GADDO: Ich bin zufrieden, Anselmo; ich habe mein Teil genossen. (Sich über den Mund streichelnd)

ANSELMO: Wenn's aufs Genießen ankömmt, so ist eine gute Aussicht mir bei weitem nicht zureichend.

GADDO: Ich denke, ich denke, Anselmo, du bliebst bei der guten Aussicht nicht stehen. Hi, hi, hi!

ANSELMO (ernsthaft): Ich blieb? Wovon redest du, Gaddo?

GADDO: Nein, wenn du mir von Aussichten sprichst, Anselmo, als ob du nur ein Zuschauer gewesen wärst, da ich doch das Gegenteil weiß!

ANSELMO: Wahrlich, Gaddo, nun versteh' ich dich nicht.

GADDO: Wie? du möchtest mich wohl überreden, du wärst so mäßig gewesen .–

ANSELMO: Weil sie schlecht war, deine Mahlzeit: nicht so?

GADDO: Ah, sie ging doch mit. Der Smerlen und des Geflügels viel! An Gebacknem kein Mangel! Zuckerbrot und Früchte von allerlei Art. Ich kann mich nicht rühmen, daß diese Augen je eine besser besetzte Tafel gesehen hätten.

ANSELMO: Vermutlich auch der süßen Weine nicht wenig?

GADDO: Freilich nicht. Aber du weißt, daß ich keinen Wein genieße.

ANSELMO: Ich hätte doch geglaubt. Wie, Gaddo, sollst du deinen ältern Bruder necken?

GADDO: Was gibt's hier zu necken? als ob du es nicht wüßtest!

ANSELMO: Du sprachst also im Ernst?

GADDO: Man kann nicht ernsthafter.

ANSELMO: Beim Himmel, so bist du der seltsamste Gaddo auf Erden.

GADDO: Und du der Ungenügsamste unter den Anselmos. Eine solche Tafel schlecht zu nennen!

ANSELMO: Und wo hast du diese köstliche Tafel ausgefunden?

GADDO: Wie, im Hause unsers Vaters. Sind wir nicht im Hause unsers Vaters?

ANSELMO: Du träumst, Gaddo. Sieh dich um. Ist dies ein Zimmer im Hause unsers Vaters?

GADDO: Das ist sonderbar. Aber ich will sterben, wenn ich weiß, wie ich nun schon wieder hierhergekommen bin.

ANSELMO: Du bist nicht vom Fleck gekommen, Gaddo. Du hast geschlafen. Besinne dich. Du hast geträumt.

GADDO: Geträumt? Possen! Fühl' ich's denn etwa nicht, daß ich satt bin? Und vor kurzem hungerte mich noch so sehr!

ANSELMO: Recht so habe ich von Leuten gehört, die aus Hunger geträumt hatten, sie äßen, und beim Erwachen hungerte sie nicht. Ich wünsche dir Glück zu deinem Traum; auch zweifle ich keineswegs an der guten Vorbedeutung. Wenn du nicht gegessen hast, Gaddo, so bist du doch auf dem Wege zu essen. Du weißt, daß es Francesco gelungen ist, uns vielleicht noch in dieser Nacht zu befreien.

GADDO: Ich? ich weiß kein Wort davon.

ANSELMO: Du sagtest mir eben itzt, daß du es wüßtest.

GADDO: Sagte ich's? Ja, so ist's offenbar, daß ich nur geträumt habe. Ich dummer Gaddo! Fast möcht' ich weinen.

ANSELMO: Warum weinen? Hörst du denn nicht, kleiner Träumer, daß du noch in dieser Nacht essen sollst?

GADDO: Ist der Turmwärter wieder da? Der gute Turmwärter! Wo ist er? Ich sehe ihn nicht.

ANSELMO: Nicht der Turmwärter, sondern Francesco, bringt Speise und Trank und Freiheit und Freude.

GADDO: Wenn's nur gebracht wird! Zwar von Francescos Hand wird es mir noch besser schmecken. Ich liebe Francesco sehr.

ANSELMO: Du haftest noch überall an der Schüssel. Francesco bringt nicht bloß Speise, sondern Freiheit.

GADDO: Was geht mich Freiheit an! Hab' ich doch zu essen!

ANSELMO: Welch ein Gedanke! Gehn dich die aromatischen Blumenfelder, geht dich die Villa Gherardesca, geht dich der neue Himmel, die neue Sonne, die neue Erde nichts an?

GADDO: Nichts, Anselmo; ich esse.

ANSELMO: Unersättlicher! du issest? – Nichts die luftige Grotte? Nichts die weißschäumende Zisterne? Nichts die kristallnen Forellbäche?

GADDO: Ah! die Forellbäche!

ANSELMO: Nichts der gesangvolle Park, der stillere See, die jähen Ufer, vom Getön der Gondeln hallend, das Scherzen der vorüberhüpfenden Rudel, der brausende Auerhahn, die zirpenden Weinvögel, Heidelerchen und Ortolane, der Fasan, die Turteltaube vor dir her und unter dir die leichte Sardelle, die Alose, der Goldfisch, die schmelzende Lamprete –

Gaddo (hält ihm den Mund zu): Sprich nicht mehr davon, Anselmo; du hast mich ganz.

Anselmo: O Gaddo! mein Gaddo! mein geliebter Gaddo! stelle dir die Wonne, das Entzücken vor.

Gaddo: Ach! so lebhaft!

Anselmo: Wir baden unter dem blumigten Abhange im Silberquell; sieh, die langen Aale schweben im Schatten der Weinrebe; und nun schlüpfen sie dahin; schneller schlüpfen sie dahin als der Schilfpfeil von der Darmsenne!

Gaddo: Laß mich, laß mich!

Anselmo: Was gibt's?

Gaddo: Ich will ihnen nachschwimmen. Ich will sie einholen.

Anselmo: Hab' ich dich, Schalk? Gut! unsre Mutter kömmt. Die edle Mutter!

Gaddo: Die freundliche Mutter!

Anselmo: »Anselmo!« ruft sie. »Gaddo!« ruft sie. Halb zitternd.

Gaddo: Warum zittert sie?

Anselmo: In ebendiesem Bade zog unsern Bruder Francesco ein zuckender Krampf unters Wasser bis zur Tiefe. Sie warf ihm einen Kastanienast nach; sonst war er verloren.

Gaddo: Die gütige Mutter! Sie liebt uns auch, Anselmo.

Anselmo: Allerdings; eben darum zittert sie. Wir pflücken purpurne Waldblumen jenseits am Ufer und binden ihr einen Kranz, von Zypressenlaub umwunden. Lächelnd nimmt sie den Kranz und drückt ihn mir auf die Stirne.

Gaddo: Nein, mir.

Anselmo: Nicht doch, Gaddo; ich habe ihn ja geflochten.

Gaddo: Und ich die Blumen gesammelt.

Anselmo: Gut! wir wollen ihrer zwei machen. Aus Freude sing' ich ihr ein Frühlingslied in die Laute.

Gaddo: Und ich zeichne ihr einen dritten bessern Kranz von Amaranten, Anemonröschen, Tausendschön und Stockrosen.

Anselmo: Weg mit den Stockrosen!

Gaddo: Weg mit den Stockrosen? Ich sage dir, es gehört Kunst dazu, eine Stockrose zu malen.

Anselmo: Und ich sage dir, weg mit den Stockrosen! Stockrosen in einen Kranz? Unser Vater macht sich unterdessen zum Herrn von Pisa. Er versteht sich aufs Herrschen.

GADDO: Ja, und es ist süß, kann ich dir sagen, von unserm Vater beherrscht zu werden. Geht nicht dorthin, spricht er, du fällst; tritt nicht gegen die Flamme, Gaddo, sie brennt. Unter uns, man geht am sichersten, wenn man ihm gehorcht.

ANSELMO: Da schenkt er uns dann irgendein Ländchen von einer nicht geringen Strecke in die Länge und in die Breite, um Federvieh und Kaninchen zu unterhalten.

GADDO: Sind auch Wälder dabei?

ANSELMO: Ohne Zweifel. Die aber behalt' ich für mich, der Rehe wegen. Du weißt, daß ich ein Liebhaber von Rehen bin.

GADDO: Und ich von Nestern. Ich eigne mir die Nester darin zu.

ANSELMO: In meinem Holze?

GADDO: Mein oder dein: im Holze.

ANSELMO: Es ist wider die Ordnung. In mein Holz mußt du mir nicht kommen.

GADDO: Ich nicht in dein Holz kommen?

ANSELMO: Nein, Gaddo, keinen Fuß breit, außer wenn ich dir's erlaube.

GADDO: Wer will mir's wehren? Ich gehe hinein.

ANSELMO: Ich lass' es einhegen.

GADDO: Ich steige über.

ANSELMO: Über mein Gehege?

GADDO: Über dein Gehege.

ANSELMO (erhitzt): Was? über mein Gehege wolltest du steigen?

GADDO: Ohne Umstände.

ANSELMO: Eher will ich unter Heiden und Sarazenen wohnen als diese Ungerechtigkeit dulden.

GADDO (bewegt): Anselmo!

ANSELMO: Reize mich nicht. Ich bin zornig.

GADDO: Anselmo!

ANSELMO: Laß mich.

GADDO: Nimm die Nester denn nur: ich mag sie nicht.

ANSELMO: Wie? die Nester?

GADDO: Nein, Anselmo, es tut mir leid, daß du die Wälder bloß meinetwegen einhegen sollst. Ich bin ein Liebhaber von Nestern: aber ich liebe dich mehr, Anselmo.

Anselmo: Großmütiger Gaddo! Wie du mich rührst, Gaddo! Du schenktest mir die Nester; ich aber verbot dir, in mein Holz zu kommen. Nein, Gaddo, behalt die Nester, nimm die Rehe dazu, nimm die Wälder –

Gaddo: Du beschämst mich, Anselmo! Ferne sei es von mir –

Anselmo: Ich bitte, ich flehe, ich beschwöre dich!

Gaddo: Niemals, niemals –

Anselmo: O du brüderliche Zärtlichkeit!

(Fällt ihm um den Hals und weint: sie weinen beide)

Ugolino (tritt auf): Ja wohl brüderliche Zärtlichkeit! Welch ein holder Anblick! O ihr teuren Zartfühlende beide! ihr weint?

Gaddo: Lauter Freude!

Ugolino: Du warst doch vorher nicht eben freudig.

Gaddo: Aber itzt bin ich's, mein Vater: denn nun Francesco entsprungen ist, haben wir ja Essen die Fülle. Haben wir nicht?

Anselmo: Pisch!

Ugolino: Francesco entsprungen! Was sagst du, Gaddo?

Anselmo (zupft Gaddo und droht ihm): Hm!

Ugolino: Unmöglich! Wo ist Francesco?

Gaddo: Mum!

Ugolino: Antworte du mir, Anselmo. Wo ist Francesco?

Anselmo: Um Vergebung, mein Vater – ich will gleich wieder hier sein.

Ugolino: Rufe mir Francesco augenblicklich her. Du zögerst?

Anselmo: Mein Vater, Francesco – ist vom Turm gesprungen.

Ugolino: Was? was? vom Turm gesprungen? vom Turm wär' er gesprungen? Unglücklicher! er ist zerschmettert! er ist Staub!

Anselmo: Dafür ist gesorgt. Ich bin mehr Staub als er; laß mich dir das sagen, mein Vater, er lebt, wie unsereiner, und besser. Er gab mir das Zeichen mit den drei Steinwürfen. Ich höre sie noch von den Dachziegeln rollen. Ein so musikalisches Rollen, als ich eins in meinem Leben gehört habe. Ich will dir's auf der Laute machen. O mein Vater, deine Söhne sind klüger, als sich zu zerschmettern.

Gaddo: Mach's nur nicht auf der Laute. Mich dünkt, ich höre das Rollen schon so.

UGOLINO: Ich hatt' es dem Ungehorsamen verboten –

ANSELMO: Daran zu denken, mein Vater: darum tat er es rasch.

UGOLINO: Du mißfällst mir. Du bist zu kühn.

ANSELMO (kleinlaut): Ach nein! nein! mein Vater! Francesco ist kühner. Mit diesem Worte hast du alle meine Aufwallungen versenkt. Ich kühn?

UGOLINO: Was soll ich sagen? Erstaunen und Bewunderung! Aber wie konnt' er? Von dieser Höhe, sagst du? Es war unsinnig! Und doch scheint's mir edel! Nicht wahr, Anselmo, du halfst deinem Bruder?

ANSELMO: Erst küsse mich, mein Vater, daß ich Herz fasse, dir's zu sagen.

UGOLINO: Aber verschweige mir nichts.

ANSELMO: Bei diesem Kuß! es war ein edler Sprung! Freilich! ich war dabei; ich behielt das Nachsehn. Zwar wenn ich neidisch wäre, so gäbe ich vor, der Sturm habe das Beste dabei getan. Es ist wahr, fast schien es, als ob der Wirbelwind die Turmspitze ganz seinetwegen so tief gegen die Erde neigte. Oder vielmehr, damit ich ihm nicht unrecht tue, Francesco schien den Orkan, wie der Autor es von der Gelegenheit sagt, an der Stirn zu fassen und die Turmspitze hinter sich zu spornen und auf dem Rücken des Windes davonzureiten.

GADDO: O Geschwätz!

ANSELMO: Kurz, mein Vater, um dich nicht zu lange aufzuhalten, Francesco umarmte mich und empfahl sich Gott –

UGOLINO: Nach Art aller Unbesonnenen, die erst der Vorsehung trotzen, dann ihren Beistand auffordern.

ANSELMO: Ein schwachdämmerndes Licht aus einem der nächsten Häuser half ihm die erste, dann die zweite, dann die letzte Zinne, dann den anstoßenden Giebel erreichen –

GADDO: Dröhnt's mir doch bis in die Fußsohlen hinunter!

ANSELMO: Und da ich ihn bald darauf ins Finstre verlor, klirrten Steine dreimal vom Dach. Ich wiederhol' es, mein Vater, ich kenne keine lieblichere Melodie, als die mir diese drei Steine machten.

GADDO: Sie klirrten! Ein gutes lebhaftes Wort das! Ich weiß kaum, ob ich's dem Rollen nicht vorziehe.

UGOLINO: Wann geschah dies alles?

Anselmo: Gleich, da du ihm das Denken untersagtest. Wer weiß, ist er nicht gar schon an der Turmtüre! O ich muß geschwind hinabgucken. (Geht hurtig ab)

Ugolino (indem er sich die Hände reibt): Ein großer Schritt. Welch ein Jüngling! Hat der Brief an mein Weib gewirkt, und fangen den allzu kühnen jungen Menschen die schleichenden Hunde nur nicht auf, so läßt sich was hoffen, Gherardesca! Ha, Ruggieri! zwei Tage lang ließest du diese Unschuldigen hungern! Ungeheur, das die Hölle von sich ausgespien hat! Komm's über dein Haupt, Verruchter! Diese zwei Tage sollst du mit einer Ewigkeit büßen!

Gaddo: Küsse mich auch, mein Vater!

Ugolino (ihn küssend): Frisch, mein Gaddo! Du bist ein starker Knabe!

Gaddo: Kein Wunder! ich träumte einen so nahrhaften Traum! Ach! daß ich ihn wieder träumen könnte! Itzt hungert mich mehr als zuvor!

Anselmo (keuchend): Sind sie noch nicht da? ich glaubte sie hier zu finden. (Will wieder abgehen)

Ugolino: Was ist's?

Anselmo: Lang sah ich, mit langgestrecktem Halse, durch die Öffnung. Mir war! ich kann dir nicht sagen, mein Vater, wie mir war! Ich dachte, Francesco riefe mir, und ich müßte ihm nach. Da kam's mir plötzlich vor, als säh' ich den jungen Antonio Cerrettieri nebst vielen andern mit Äxten und Hebebäumen längs der Gasse heraufkommen, immer näher, immer näher. Da bückte ich mich mit halbem Leibe vorüber, sah aber immer weniger, immer weniger; und zuletzt sah ich gar nichts mehr. Da hofft' ich, sie wären im Turm, und glaubte sie hier zu finden. Unten müssen sie doch schon sein. (Will abgehen)

Ugolino: Wohin?

Anselmo: Gehst du mit, Gaddo? Wir müssen den jungen Antonio an der Tür empfangen.

Gaddo: Wäre nur die Menge von Stufen nicht! Überdem bin ich eben itzt einigermaßen kraftlos.

Ugolino: Bleibt hier, ihr Kinder. Ich will selbst gehn. (Geht ab)

Anselmo (hebt Gaddo in die Höhe): Heida, Gaddo! ich bin trunken von übermäßiger Freude! Du auch?

Gaddo: Heida! Wenn ich nur erst zu essen hätte!

ANSELMO: Es will nicht recht fort mit dir. Wie nun? Du hängst mir wie Blei am Arme!

GADDO (mit schwacher Stimme): Heida! Mir wird sehr übel.

ANSELMO: Soll ich dich hinlegen?

GADDO: Tu es.

ANSELMO: Du bist kränker, als du gestehn willst.

GADDO: O mein Herz! (Heftig): Mein Herz!

UGOLINO (tritt auf): Du hast dich geirrt. Ich hörte nichts als das Geheul der Winde und das Geklatsch des Regens.

ANSELMO (traurig): Ach! warum mußt' ich mich irren! Sie werden doch nun bald kommen? Werden sie nicht, mein Vater? Sieh, Gaddo ist kränker.

UGOLINO (mit einem Seufzer): Ich denke, mir ist nicht viel besser! (Sieht schüchtern nach Gaddo hin) Anselmo, singe mir das Lied in die Laute, das deine Mutter dich jüngst an ihrem letzten Geburtstage lehrte.

ANSELMO (singt): Stillen Geists will ich dir flehen!
Weisheit, blick' aus deinen Höhen,
Blicke sanft auf mich herab!
Leite mich im finstern Tale,
Quell des Lichts! mit deinem Strahle!
Sende mir dein Licht herab!

Um und um von Nacht umflossen,
Ach! von Schauern übergossen,
Wall' ich bebend an mein Grab!
Leite mich im finstern Tale,
Quell des Lichts! mit deinem Strahle!
Blicke mild auf mich herab!

UGOLINO: Ich danke dir, mein Sohn. Ich wollte dich bitten, es noch einmal zu singen: aber ich bin diesmal zu weich. Geht auf einige Augenblicke heraus, meine Kinder. (Er weint heftig) Doch nein, bleibt. Diese Silbertropfen waren willkommen, ihr Geliebten! Es gibt Augenblicke, da die Natur in einer Art von tauber Fühllosigkeit hinsinkt: es ist nicht Erkrankung; es ist nicht Schmerz: sonst empfände sie; Beklemmung ist Traurigkeit, und ich wollte nicht, daß ihr mich für traurig hieltet. »Schwere« ist das Wort, ihr Kinder; ein mittlerer Zustand zwischen Freude ohne Namen und – Ernst ohne Namen. Wie nun?

Die Wolke ist noch einmal reif. (Weint wieder) Weint nicht, ihr sanften mitfühlenden Herzen, weint nicht! Die Natur bedarf einer Erquickung. Weint nicht! Ich hoffe, dieser herabrollende Tau ist der Bote eines goldnen Morgens. Die Natur bedarf einer Erquickung. Sie scheint einen süßen Schlaf einzuladen; er ist mir willkommen.

GADDO: Segne mich, mein Vater! Schon wird mir bänger.

UGOLINO: Gott der Allmächtige segne dich! Gott der Allmächtige segne euch beide! Harrt nicht des Menschen Hülfe, ihr Lieben; vertraut Gott: sein heiliger Wille geschehe! (Im Abgehen) Noch einmal, ihr Unschuldigen, vergebt mir! (Geht ab)

ANSELMO: Du schweigst, Gaddo?

GADDO: Was kann ich sagen? Bete für mich. Ich entschlummre.

ANSELMO: Ich will zur Turmspitze hinaufgehen, wo Francesco sich Gott empfahl, und da für dich beten!

(Küßt Gaddo und geht langsam ab)

—

DRITTER AUFZUG

Gaddo in einer Ecke des Zimmers schlafend. Einige Männer tragen zween Särge über das Theater, die sie Gaddo gegenüber hinstellen, daß nur der vorderste gesehn wird. Gaddo erwacht und betrachtet ihn mit vieler Aufmerksamkeit

GADDO: Dieser große Kasten sieht natürlich aus wie ein Totenkasten. Wenn ich den Kasten betrachte, richtet sich mein Haar ganz langsam in die Höhe; weh mir, und ein Fieber klappert in meinen Zähnen! Holla! spricht hier niemand als der kranke Gaddo? (Es wird ein starkes Pochen im vordersten Sarge gehört) Ach, heilige Jungfrau! was ist das? (Eine dumpfe Stimme ruft: »Gaddo! Gaddo!«) Hilf mir, mein Vater! Mein Vater! Anselmo!

UGOLINO (ohne die Särge zu sehn): Was ist dir, Gaddo?

GADDO: O mir! Die Gebeine haben sich geregt! rufen: »Gaddo! Gaddo!«

ANSELMO (im Hereinlaufen): Wartet, wartet, ihr Männer. Nehmt mich und Gaddo auch mit. Wir sind Francescos Brüder. (Stößt auf den Sarg) Ah!

UGOLINO (sieht sich nach Anselmo um): Welch ein Traum ist dies? Ein Sarg? (Pochen im Sarg. Ugolino tritt zurück) Nun, beim wunderbaren Gott, das ist seltsam! (Die Stimme ruft: »Hülfe!«) Der Deckel dieses Sarges ist nicht befestigt. (Er hebt den Deckel auf und fährt zurück) Ha! (Francesco steigt heraus. Nachdem sie einander lange mit Erstaunen betrachtet haben, fällt Francesco seinem Vater zu Füßen)

FRANCESCO: Der Blinde lehnte sich wider den Sehenden auf. Ich bin bestraft, mein Vater.

UGOLINO: Ich erwartete nicht, dich so wiederzusehen. Wo bist du gewesen?

FRANCESCO: Wollte Gott, ich dürfte nicht sagen, im Hause Gherardescas.

UGOLINO: Du erfandst einen Sprung vom Turme; Ruggieri eine neue Art, dich wieder herzubringen: wer unter euch beiden ist der sinnreichste, mich zu quälen?

FRANCESCO: Dies ist so strenge – so erstaunlich strenge, mein Vater –

UGOLINO: Du warst frei. Die Kühnheit deiner Unternehmung ließ mich hoffen, daß der Ausgang weniger schimpflich sein würde. In einen Sarg rafft man Gherardescas Erstgebornen; und er vergißt seiner Hände – Doch ich tue dir unrecht, du brauchtest sie zum Pochen im Sarge.

FRANCESCO: Ich erdulde deine Streiche ohne Murren.

UGOLINO: Murren, Knabe? Wer bist du? Ha?

FRANCESCO: Dein Sohn, mein Vater; ein zwanzigjähriger Jüngling; nie bisher von dir verachtet; und ich wage hinzuzusetzen, noch itzt deiner Verachtung nicht würdig.

UGOLINO: Redseliger! Der Hülflose, der in diesem Kasten wimmerte, sollte bescheidner sprechen. Ich habe keine Geduld mit dir. Geh zurück, wo du hergekommen bist.

FRANCESCO: Und bald! meine Sprache soll dich nicht lange beleidigen. Ah! kann Gherardesca ungerecht gegen seinen Francesco sein? Anselmo, er muß nicht wissen, wie ungerecht er ist.

ANSELMO: Francesco, ich hatte alle meine besten Hoffnungen auf dich gesetzt, und nun nennst du unsern Vater ungerecht? Ach Gaddo! wir sind betrogen! (Ringt die Hände)

GADDO: Gib mir Speise, Francesco, oder ich sterbe!

ANSELMO: Speise her! Speise! Francesco! Ich bin standhaft gewesen, weil ich auf deine Zusage baute. Aber nun kann ich's nicht länger aushalten, Gott ist mein Zeuge!

UGOLINO: Oh, es dringt tief in die Seele! Unglücklicher! was hast du gemacht!

ANSELMO: Gaddo wird dich vor Gottes Richterstuhl verklagen, wenn du ihn hier verschmachten lässest.

GADDO: Ach ich Verlassner, soll ich denn Hungers sterben?

FRANCESCO: Es ist grausam! oh, es ist grausam! Der Gott, den ihr zum Zeugen wider euren Bruder anruft, er weiß es, daß ich unschuldig bin.

ANSELMO: Was kümmert mich deine Unschuld? Solltest du zurückkommen, ohne einen Bissen Brot für deine hungernden Brüder mitzubringen, du?

GADDO: Er weint, Anselmo. Vielleicht ist er unschuldig. Gott vergebe ihm, daß er uns betrogen hat!

ANSELMO: Sprich wenigstens, teurer Francesco! sprich, daß der Turmwärter noch einmal, nur einmal! kommen wird! Du hast Empfindung, mein Bruder: ach, bei allen Heiligen im Himmel! sprich, daß du den Turmwärter zu deinen armen Brüdern hergewiesen hast!

FRANCESCO: Nichts, nichts darf ich sagen! Wenn der große Erbarmer nicht einen Engel vom Himmel herabschickt, euch Speise zu bringen, ach so – so –

UGOLINO: Daß ein Todesengel vom Himmel herabsteige, deine Zunge zu lähmen, der du meine fürchterlichen Ahndungen zur Wahrheit machst! Verstumme, verstumme auf ewig!

FRANCESCO: Warum fluchst du mir, mein Vater? Was ich dir zu erzählen hatte, würde warme Tränen hervorlocken: darum verschwieg ich's; und stille sei mein Geheimnis wie das Grab.

UGOLINO: Komm seitwärts. Was hattest du mir zu erzählen?

FRANCESCO: Nichts.

UGOLINO: Seit wann bin ich dir der Schwache, dem du sein Unglück verbergen müßtest?

FRANCESCO: Du bist Mensch, Gemahl und Vater.

UGOLINO: Ha! du hast deine Mutter gesehn? Hurtig! sie ist doch sicher?

FRANCESCO: Ihr Friede ist unzerstörbar.

UGOLINO: Das ist mehr als das Los einer Sterblichen. Sprich deutlicher. Deine weggewandte Augen, diese Glut auf deiner Stirne sind treuere Erzähler als deine Lippen. Du ängstigst mich.

FRANCESCO: Frage mich nicht, Vater.

UGOLINO: Keine Geheimnisse, junger Mensch.

ANSELMO (schreit erschrocken).

UGOLINO: Schon wieder? was nun, Anselmo?

ANSELMO: Ach! Sieh! sieh! mein Vater!

UGOLINO: Wo? was?

ANSELMO: Wenn mich kein Gesicht täuscht, so steht hier noch ein Sarg.

FRANCESCO: Anblick des Entsetzens! den Sarg kenn' ich!

UGOLINO (tritt herzu): Lebt's in diesem Sarge auch?

(Will den Deckel abschieben: Francesco hält ihm den Arm)

FRANCESCO: Tu es nicht, mein bester, mein teurer Vater!

UGOLINO: Nicht? nicht?

FRANCESCO: Um Gottes willen? Ich will dir alles erzählen.

UGOLINO (reißt sich von ihm los und schiebt den Deckel ab): Mein Weib! o Himmel und Erde!

FRANCESCO: Warum zerschmetterte ich mir nicht das Gehirn? Warum zerstiebten die Sturmwinde den Spreu nicht? Warum ward ich geboren?

(Reißt sich die Haare aus)

ANSELMO (wirft sich bei Gaddo auf den Boden hin und verhüllt sich das Gesicht).

UGOLINO: Sie schweigt. Bleich ist ihr schöner Mund. Kalt der Schnee ihrer Brust.

FRANCESCO: Kann ich's, muß ich's überleben?

UGOLINO: Ach nein! nein! du bist nicht tot! Beim Himmel! ich will's nicht glauben! (Er faßt Francesco vor die Brust) Verderben ergreife dich, du Todesbote! Warum ließest du mich nicht zweifelhaft? Warum brachtest du diese unseligste Gewißheit vor meine Augen? Warum kamst du, wie das Grab gerüstet, meine goldnen Träume zu verscheuchen?

FRANCESCO: Dein Raub – und des Todes – zerreiße mich vollends.

UGOLINO: Nicht einsam stand ich da und schaute von meinem Turme herab, Ich war stolz: denn ich hoffte. Ein lieblicher Betrug. Verderben ergreife dich, du Todesbote! (Schüttelt ihn heftig)

FRANCESCO: Vollende dein Werk; du hast mich dem Verderben gezeugt.

UGOLINO (zum Sarge gehend): Und ist sie tot? O Gianetta! bist du tot? Tot? tot?

FRANCESCO: Rede du zu unserm Vater, Anselmo. Rede zu ihm.

UGOLINO: Was hier? Mein Bild an ihrem Herzen? Ach! sie war lauter Liebe und erhabne Gütigkeit! Sie vergab mir mit dem letzten stillen Seufzer ihres Busens. Es ist feucht, dies Bild; feucht von ihrem Sterbekuß. (Er küßt das Bild) Und küßte meine Gianetta ihren Ugolino in der richterlichen Stunde? Wie freundlich war das! wie ganz Gianetta! Ihr Tod muß sanft gewesen sein, mein lieber Francesco.

FRANCESCO: Ihr Tod war ein sanfter Tod.

UGOLINO: Gott sei gelobt! Ihr Tod war ein sanfter Tod. Ich danke dir, Francesco. Sie küßte ihren Ugolino in der Stunde ihres sanften Todes. Aber sieh her, Francesco. Dies Bild gleicht deinem Vater nicht recht. Das Auge ist zu hell, die Backe zu rot und voll. Ihr seid die Abdrücke dieses Bildes; aber keine Wange unter diesen Wangen ist rot und voll. Ihr seid blaß und hohl, wie die Geister der Mitternachtstunde. Ihr gleicht diesem Ugolino, nicht dem. Ah! ich muß hierher sehen.

FRANCESCO: Wir sind vergnügt, mein Vater, wenn du zu uns redest.

UGOLINO: Daß sie mein Bild an ihrem Herzen trug; daß sie sich ihres Ugolino nicht schämte, mein Sohn, als sie vor ihre Schwester-Engel hintrat; sie mit ihrem Sterbekusse meine Flecken abwusch: ach, liebes Kind! wie erheitert mich das! wie gütig, wie herablassend war es! Aber sie hat mich immer geliebt. Kein pisanisches Mädchen hat zärter geliebt. Sie war die liebreichste ihres Geschlechts.

FRANCESCO: Und hier diese diamantne Haarnadel, mein Vater, mit der sie nur an dem Jahresfeste ihrer Vermählung ihr duftendes Haar zu schmücken pflegte –

UGOLINO: Es ist mein Angebinde. Geschmückt wie eine Braut entschlief meine Gianetta. Sie lud mich ein: hier liegt ein Brief an ihrem keuschen Busen. Nie ist ein Liebesbrief geschrieben worden wie dieser. Ha! es ist meine Hand! Der letzte Brief, den ich aus diesem elenden Aufenthalte an sie schrieb!

(Er will den Brief nehmen; Francesco springt zu und zerreißt ihn)

FRANCESCO: Du mußt den Brief nicht sehn, mein Vater –

UGOLINO: den Brief?

FRANCESCO: Er ist furchtbar, wie der Tod! Die Natur hat ihn getränkt.

UGOLINO: Mein Brief?

FRANCESCO: Tod ist sein Hauch.

UGOLINO: Mein Brief?

FRANCESCO: Er fiel durch die Treulosigkeit des Turmwärters in Ruggieris Hände: du weißt genug.

UGOLINO: Richter im Himmel! –

FRANCESCO: Nie hat die Hölle einen giftigern Aspik an des Arno versengten Strand ausgeworfen, als der Gherardescas Worte zur Pest machte.

UGOLINO: Oh, ich erliege! Mein Brief?

FRANCESCO: Sie trank die Züge deiner werten Hand in sich – ah Getäuschte! Sie drückte den geliebten verräterischen vergifteten Brief an ihr Herz –

UGOLINO: Widerrufe, Francesco –

FRANCESCO: Ungefürchtet wirkte die verborgne Natur fort: in jede Nerve, in jede kleinste Blutader, in jeden liebevollsten ihrer Blicke sandte Ruggieri seinen Tod, und mit dem trüb entfliegenden Tage, früher als der Abend sich neigte, eilte ihr Geist zum Himmel auf.

UGOLINO: Widerrufe, junger Mensch; widerrufe deine Verleumdungen. Mein Brief, sagst du? – Wehe mir! dem Gedanken erlieg' ich!

FRANCESCO: Ich habe dir noch zu wenig gesagt. Daß ein Blitz Gottes den Verruchten in den untersten Pfuhl der Vergiftung hinunterschleudre! hinunter! wo scheußliche Dünste siebenfachen Tod brüten; wo das Antlitz der Natur von Vulkanen und Pestilenzen versehrt ist! daß sein Leib verdorre wie eine Otterhaut und eine Gewissensangst nach der andern seine Seele ergreife! Ach, mein Vater! mein Vater!

(Er umfaßt seines Vaters Knie ängstlich)

UGOLINO: Ich errate. Deine starren Blicke in wilder Verwirrung, dein straubichtes Haar, deine schlotternden Knie, die aschgraue Verzweiflung deines Angesichts, jeder Ton, jede Bewegung lehrt mich, daß noch eine Nachricht ist, vor der die Menschlichkeit zurückbebt. Verbirg sie, mein Sohn, verbirg sie diesen Schwachen. Und du, Francesco, sei standhaft.

FRANCESCO: Mein Kelch ist geleert. Wie glücklich, wenn deine und meiner Brüder Leiden mir in die Grube folgten! Könnt' ich sie mit dir teilen, mein Vater, so wär' ich beneidenswürdig!

UGOLINO: Du bist ein edler Jüngling. Vergib mir, ich kannte deinen Wert nie bis itzt.

ANSELMO (greift Gaddo wild an): Wir sind betrogen!

GADDO: Ist's denn meine Schuld?

UGOLINO: Dieser Knabe ist heftig wie ein Mann. (Anselmo geht ab) Rede, Francesco. Komm her. Erst laß uns diesen Sarg verschließen. Ruhe wohl, heiliger Staub, bald will ich deiner würdiger sein. Genug. Nun rede.

FRANCESCO: Ah, Gherardesca! Du hast der Schritte noch viele bis ans Ziel und schwere!

UGOLINO: Gherardesca soll sie tun. Sei nicht traurig. Wie weiter?

FRANCESCO: Was kann ich, was darf ich sagen?

UGOLINO: Ist das Todesurteil über dich und deine Brüder gesprochen?

FRANCESCO: Du wirst fallen, wie der Stamm einer Eiche, alle deine Äste um dich her gebreitet.

UGOLINO: Ist es über dich und deine Brüder gesprochen?

FRANCESCO: Gesprochen über alle! Vollzogen an mir!

UGOLINO: Wie meinst du das?

FRANCESCO: Ich bin zu glücklich. Ich habe meinen Kelch geleert.

UGOLINO: Man hat dir einen Giftbecher gereicht?

FRANCESCO: Ich habe ihn geleert.

UGOLINO (mit starken Schritten auf und ab gehend): Es gibt mancherlei Todesarten, mein Sohn. Kein Geschöpf ist sinnreicher, Todesarten zu erfinden, als der Mensch. Ich will dir nur eine nennen. Der Erzfeind hätte seine Freude daran finden können, mir ein Glied nach dem andern absägen zu lassen, erst die Gelenke an den Zehen, dann die Füße, dann die Beine, dann die Schenkel; so stünde ich Torso da: und nun setzte man mir das zackichte Eisen an die Finger, die Hände, die Arme, eins nach dem andern, mit Ruhezeiten, daß der Zeitvertreib nicht zu kurz dauerte; ganz zuletzt zerstieße man mir, nicht aus Mitleid! das wunde Herz, bis ich in meinem Blute erläge, das mit viel Schweiß herabränne, aber nicht mit Tränen! Wie könnt' ich weinen? Man sollte denken, dieser Tod sei schon unterhaltend genug: allein der Erzfeind hat's besser überlegt. Hier würde ich an meinem eignen Fleische leiden: eine Kleinigkeit! Ich soll in meinen Kindern langsam sterben, eine volle Weide an eurer Marter nehmen und dann fallen! Mein Weib mußte erst fallen, durch die Worte meiner Liebe fallen, in diesem Sarge hergeschickt werden, du ihr Vorläufer, dem Tode geopfert, aber später zum Grabe reif! Oh, es ist der Hölle so würdig! Doch ich will nicht murren! Aber warum mußten diese Unschuldigen leiden? Warum du? warum mein Weib? warum durch den großen Verführer? womit hatt' ich ihn beleidigt? Pisa konnte mich strafen, um Pisa hatt' ich's verdient: aber womit um ihn? Ich hielt ihn für meinen Freund; ich hätt' ihn lieben können; allein sein teuflisches Herz enthüllte sich mir zu bald. O schändliche Eifersucht über einen dreimal schändlichern Gegenstand! Fürchtete er, daß ich Ruggieri sein könnte, wenn ich Ruggieris Macht hätte? Heimtückischer zähneblöckender Neid! Erstgeborner der Hölle! und Erstgefallner! Aber warum mußt' ich durch den großen Neider fallen? warum er nicht? warum reichte die Vorsehung ihm, unter allen Verworfensten der Schöpfung nur ihm – nur ihm – nur ihm – oh, es verwundet jeden Gedanken meiner Seele! – warum nur ihm ihre Geißel?

FRANCESCO: Um das Maß seiner Verdammnis ganz vollzufüllen.

UGOLINO: Ist es denn wahr, himmlischer Vater! Doch nein! nein! ich will nicht murren! Rechtfertige du die Wege der Vorsicht.

FRANCESCO: Innerhalb einer Stunde hoff' ich's zu können.

UGOLINO: Innerhalb einer Stunde! Glücklicher Francesco! Ich sollte mich dieser Stunde freuen. Wie konnte Ruggieri den menschlichen Gedanken fassen, deinen Tod zu beschleunigen? Es ist wundervoll, ich gesteh' es.

FRANCESCO: Bist du stark genug, meine traurige Erzählung zu hören?

UGOLINO: Ich glaube, daß ich sie hören kann.

FRANCESCO: Im Taumel meiner Wonne, Pisas Pflaster noch einmal zu betreten, floh ich augenblicklich dem Palaste meiner Mutter zu. Alle Wände hallten von der Wehklage ihrer Frauen. Ich blieb nicht lange im Zweifel. Blind vom Schrecken stürzte ich vor der Schwelle nieder. Als ich erwachte, sah ich das Zimmer voll hagerer hohnblickender Gesichter; Ruggieri war nicht unter ihnen. Ich wollt' entspringen, da ich mich umringt sah: allein ich war von ihren Riechwassern, wie sie sie nannten, schwindlicht und krank. Man riß mir die Kleider auf; man bot mir einen Becher mit kühlem Getränke dar; ich trank; meine Geister waren verwirrt. Neue Ohnmachten überfielen mich, und da ich endlich die Augen öffnete, herrschte stille Nacht um mich her, ich fühlte mich schweben, in einem engen Raume, und atmete schwerer: wo ich aber war, konnt' ich nicht erkennen. Lange vernahm ich nur ein undeutliches Geräusch in meinen Ohren: zuletzt eine Stimme. Oh, diese Stimme! Noch zittre ich. Sie hatte mich versteinert, daß ich den Gebrauch meiner Stimme verlor, bis ich, wie im Traume, Gaddo reden hörte.

UGOLINO: Was sagte diese Stimme?

FRANCESCO: Verlange nicht, es zu erfahren.

UGOLINO: Da ich das Ärgste weiß?

FRANCESCO: Wahr ist's. »Ich erwarte euch hier unten«, zischelte sie. »Ich will den Turmschlüssel selbst in den Arno werfen. Was droben ist, gehört der Verwesung: kein lebendiger Mensch soll diese Stufen nach uns betreten. Es müssen noch Schlupfwinkel im Turm sein«, sprach sie lauter; »verwahrt sie: denn der Turm ist von dieser Stund' an verflucht! ein Gebeinhaus!« –

UGOLINO: Und verflucht die Stimme, die diese Unmenschlichkeit aussprach! O Pisa! Schandfleck der Erde! geschieht das in deinen Mauern? Ich will der unerhörten Bosheit itzt nicht weiter nachsinnen. Es könnte die Weisheit selbst wahnsinnig machen. (Geht gedankenvoll) Sollen meine armen Kinder zu meinen Füßen verhungern? Verhungern? Hast du jemals dies greuliche Wort: Verhungern! recht überdacht, Francesco?

FRANCESCO: Sprich es nicht aus, mein Vater!

UGOLINO: Selbst Verhungern zu milde! Verhungern sehn! Meine Kinder verhungern sehn! Und dann verhungern! Das ist das große Gericht! Und bin ich! ich Gherardesca! ich der Sieger! ich, der ich einen Fürsten zu ehren schien, wenn ich ihn meiner Rechten an meiner Tafel würdigte! bin ich bestimmt, den Tod des Hungers zu sterben? Doch stille! Ich will, ich will des Schändlichsten, o dieses Schändlichsten Freveltücke nicht nachsinnen! Aber ach! wie bedaure ich dich, mein Francesco!

FRANCESCO: Mich?

UGOLINO: Dich. Hast du mir alles erzählt?

FRANCESCO: Alles, alles.

UGOLINO: Keinen kleinsten Umstand verschwiegen?

FRANCESCO: Keinen. Verlaß dich drauf.

UGOLINO: Überlege es wohl.

FRANCESCO: Keinen, keinen, mein Vater; nicht den mindesten.

UGOLINO: So bedaure ich dich! Bei allem, was heilig ist, ich bedaure dich!

FRANCESCO: Du setzest mich in Verwunderung.

UGOLINO: Was für Grund hattest du, zu hoffen, daß der Becher, den man dir reichte, ein Giftbecher sei?

FRANCESCO: Er kam von Ruggieri. Was konnt' er sonst sein?

UGOLINO: Siehst du? Du trautest Ruggieri Menschlichkeit und Gefühl zu. Nein, nein, mein Sohn, es war ein Erquicktrank; ich kenn' ihn besser.

FRANCESCO: Ha! wenn dem so wäre! ich dürfte mit meinem Vater ganz ausdulden! gewürdigt sein, ihn zu trösten und zu ermuntern! die Stütze seines reifern Elends! der Teilnehmer seiner Leiden! Ach ich wäre beneidenswürdig! Ich kann's nicht glauben!

UGOLINO: Francesco, was du mir itzt sagst, ist der empfindlichste Vorwurf, den mir je ein Sterblicher gemacht hat.

FRANCESCO: Ich zittre.

UGOLINO: Wie sehr hab' ich dich verkannt! Dein Herz ist ein erhabnes Herz, Francesco! Ich bewundre dich. Ich betrachte dich mit Entzücken.

FRANCESCO: Nur dein Herz ist erhaben, mein Vater. Ich bin eigennützig. Doch wage ich nicht, es zu hoffen. Mein Leben neigt sich; ich fühl' es zu sehr.

UGOLINO: Überreste deiner Ohnmacht – Du warst in einen Sarg gepreßt.

FRANCESCO: Gesegnet, gesegnet seist du mir, bester Vater! Du machst mich noch einmal glücklich!

UGOLINO: Laß uns diese Unterredung abbrechen, du große Seele; sie rührt mich zu sehr.

FRANCESCO: Wollen wir jenen Sarg nicht entfernen, der itzt meine Augen nur ärgert? Ich hoff' ihn noch lange nicht zu bewohnen.

UGOLINO: Ich bin's zufrieden. (Sie tragen Francescos Sarg ab)

—

VIERTER AUFZUG

UGOLINO: Bin ich endlich allein? (Er schiebt den Sargdeckel ab) Hier war ich König! Hier war ich Freund und Vater! Hier war ich angebetet! Ich heischte mehr. Ich wollte Sklaven im Staub meines Fußtritts sehen; und so verlor ich alles, was das parteiische Verhängnis mir geben konnte. Wenn ich mir itzt das goldne Gepränge, die Trophäen, den Stolz meiner kriegerischen Tage zurück erkaufen könnte, ach mit Entzücken gäb' ich sie alle, die geprahlten Nichtswürdigkeiten, um *ein* dankbares Lächeln ihrer errötenden Wangen, um *einen* belohnenden Blick ihrer Augen, um *einen* Ton ihrer Lippen, um *einen* Seufzer der Freude aus ihrer Brust. Ach Ugolino, du warst glücklich! Kein Sterblicher war glücklicher! Und du hättest glücklich vollenden können! Da sitzt der Stachel! Ich bin der Mörder meiner Gianetta! Wider mich hebt sie ihr bleiches Antlitz zum Himmel! Auf ihren Ugolino ruft ihr unwilliger Schatten den Richter herab! Liebenswürdiger Geist! liebenswürdig in deinem Unmut! Ist dein Antlitz ganz ernst? Ah! dein Antlitz ist ernst! Einst hab' ich dich gesehn, meine Gianetta; liebevoll und schüchtern sankst du in meine Arme. Ruggieri Ubaldini trat heran; das Gewand des Heuchlers rauschte lauter; sein bleifarbichtes wässerichtes Angesicht tobte vom Sturm seiner Seele; er wälzte seine adrichten Augen weit hervor; Tücke und Verderben lauschten nicht mehr im Schleier der Nacht! Du aber lagst furchtsam atmend an meinem Halse. Da erhob sich mein Herz! Da erkannte Ruggieri noch einmal Gherardesca, den Mann! Da waren deine Blicke mild, wie der Morgentau; und deine süßen Lippen, deine Nektarlippen, deine Wonnelippen (er küßt sie) nannten Pisas Befreier deinen Erretter! Nun bin ich gebeugt, meine Liebe! Mein Haar ist nun grau, und mein Bart ist fürchterlich, wie eines Gefangnen. Doch der große Morgen wird ja kommen! schrecklich, dunkelrot und schwül von Gewittern wird er ja kommen! In seinem schwarzen Strahle will ich erlöschen! In seiner gebärenden Wolke soll, wie Feuer vom Himmel, mein Geist über Pisa stehn! Dann erzittre *ein* Elender! aber nur *einer*. Feuer und Rache! ist meine Gianetta gefallen! (Steht tiefsinnig) Mit Gift hingerichtet haben sie meine Gianetta? Gift sogen sie aus den Worten meiner Liebe? ah! aus den Worten meiner Liebe? Einsame Erde! ich traure! Was? mit Gift hingerichtet haben sie meine Gianetta? (Geht stillschweigend) Gern möcht' ich die Stimme des Abgrundes vergessen! o daß ich sie nie gehört hätte! Ein Gebeinhaus der Verhungernden! Ein Gebeinhaus der Verhungernden! Denn der Turm ist von dieser Stund' an verflucht! ein Gebeinhaus der Verhungernden! Ha! wie er wütet, der Gedanke! wie er sich in mir umkehrt! Ich kann ihn nicht ausdenken! und mag nicht! O pfui! pfui! Brandmal für die Menschlichkeit! ewiges Brandmal! Ich kann mich deiner nicht erwehren; du Wohnhaus des Schreckens! nicht mehr Kerker meiner Erniedrigung! Gruft! Gruft der Gebeine Gherardescas! Gruft meiner Auferstehung! aber erst meiner Verwesung! ah! nicht nur meiner! Fürchterlich! hier hinsinken! hier mit dem Tode ringen! einsam! von keiner freundschaftlichen Hand unterstützt! ganz einsam! mein Weib, meine Kinder rings um mich gesammelt! dennoch ganz einsam! jeder Sinn voll ihrer Verwesung! fürchterlicher als einsam! Tod, wie keiner dich starb, o du bist fürchterlich! Ich will nicht, ich will dich nicht denken! (Er sieht Gaddo) Doch zwingt mich dieser Anblick. Ach daß ich Vater und Mensch sein muß! Steh auf, armer Gaddo! Du antwortest nicht?

GADDO: Ich bin gelähmt.

UGOLINO: Aha, war das die Ursache?

GADDO: Hilf mir, mein Vater!

UGOLINO: So!

GADDO: Lächle, trauter Vater, und hilf deinem Gaddo!

UGOLINO: So!

GADDO: Gott segne dich!

UGOLINO (hebt ihn auf seinen Schoß): Wo schmerzt es dich, mein Gaddo? Sage mir's, armes Kind.

GADDO (ihn sehr beweglich ansehend): Du wirst mich nicht Hungers sterben lassen, mein Vater!

UGOLINO: Wo sitzt deine Krankheit?

GADDO: Im Herzen, im Magen, im Kopf: ich kann's dir nicht sagen. Oh, mich ekelt!

UGOLINO: Ich habe dich nicht schreien gehört.

GADDO: Oh! der Hirnschädel wäre mir geborsten.

UGOLINO: Deine Augen sind blau und geschwollen.

GADDO: Sie wollen nicht weinen!

UGOLINO: Gewiß, gewiß, es ist sehr bitter!

GADDO: Liebt meine Mutter mich noch?

UGOLINO: Sie liebt dich immer: wir lieben dich beide.

GADDO: Ha! wenn dem so wäre! Es ist unglaublich.

UGOLINO: Warum unglaublich, mein Gaddo? Sprich! Ich bin dein liebender Vater.

GADDO: Sie hat mich an ihrem Busen genährt; itzt läßt sie mich verschmachten. Doch sie kann mich verschmachten lassen und doch lieben: denn du liebst mich, mein Vater; sagtest du nicht so?

UGOLINO (küßt seine Augen): Habe Mitleid, Strafenengel! o schone!

GADDO (seufzt): Ach!

UGOLINO: O nein! nein! lieber rede! daß Gott im Himmel dich höre! rede; strafe deinen Vater; girre nach deiner Mutter, Verlorner! Ärmster! nur laß mich dich süßes Kind nie wieder seufzen hören!

FRANCESCO (eilig): Es müssen Leute im Turm sein: ich hörte Fußtritte.

UGOLINO (bestürzt): Wie? Was? (Legt Gaddo hin)

ANSELMO (langsam): Du wolltest vermutlich die Männer im Turm sehen. Es sind dieselben, die ich vorher bat, mich und Gaddo mitzunehmen: Männer ohne Herz. Sie schlichen fort, da sie mich wahrnahmen, als fürchteten sie mich. Sie sind nicht mehr da.

FRANCESCO: Horch'! horch'!

ANSELMO: Auch die Öffnung ist nicht mehr. St! St!

FRANCESCO (erblaßt): Die Turmtüre! Ha!

(Man hört sie stark zuschlagen)

ANSELMO: Sie wird verschlossen. (Ein sehr langes und schreckenvolles Stillschweigen: worauf Anselmo seinen Bruder leise anstößt) Du siehst den Geist an der Mauer, Francesco! Nein, sieh nicht dorthin; sieh unsern Vater. Erstarrt? Versteinert? Bleich war das Antlitz unsers Vaters; aber sieh, Francesco, itzt ist's schrecklich. Weh mir! ihm ins rote, ins unbewegliche Auge zu sehn, schaudert mich! Ach mein Vater! (Küßt seine Hand) Und auch du, Francesco? Du schweigst? seufzest? auch du, Francesco? und schluchzest? Mein Vater! (Küßt seine Hand noch einmal, sieht auf und erschrickt) Auf dich wirft er einen schnell zurückgezognen Blick und auf mich und auf Gaddo! Blut strömt vom gewaltigen Biß seiner Lippen! Seine Gesichtsmuskeln stehn aufwärts gedrängt und starr! Mein Vater! (Wirft sich ihm zu Füßen)

Francesco: Sei ruhig, Anselmo, ich bitte dich! (Er richtet ihn auf)

Anselmo (mit Heftigkeit): Mein Vater! mein Vater! (Ugolino geht ab) Mein Vater! (Mit den Füßen stampfend) Mein Vater! (Ängstlich schreiend)

Francesco: Was ängstigt dich, mein Anselmo? Was schreckt dich, Lieber? ach! laß unsern Vater nichts von dieser Heftigkeit sehn! sei gelassen! sei ruhig!

Anselmo: Gut, Mann! entferne dich nur! aber schnell! schnell aus meinen Augen! wenn dein Leben dir lieb ist, Mann!

Francesco: Ich darf ihn itzt nicht verlassen, nein. Und mein Vater! o ewige Vorsicht!

Anselmo: Ich irrte mich. Dieser da ist keiner von ihnen. (Sieht sich furchtsam nach allen Seiten um) Ach! (Indem er die Hände ringt) Nun ist es gewiß. Weggeführt haben die Priesterskiaven das Opfer! und die Reihe wird an mich kommen: aber desto besser.

Francesco: Gib dich zufrieden, Anselmo. Kennst du mich nicht?

Anselmo: Dich? (Mißt ihn mit den Augen)

Francesco: Kennst du mich?

Anselmo: Ha! ha! ha! Wie sollt' ich dich nicht kennen. Du bist ja Er, der aus dem Abgrunde heraufkam. Ich sah dich aus deiner Grotte steigen: eine Grotte, wie ich mir keine wünsche, schmal und eckicht. Hatte sie keinen giftigen Einwohner als dich?

Francesco: Er redet vom Sarge, und seine Geister scheinen sich zu sammeln. Beruhige dich, Anselmo; ich bin dein Bruder Francesco, und ich lebe.

Anselmo: Wohl dir, daß du lebst! Draußen, ach weh! drohn die Gefahren! man kann dir nicht schuld geben, daß du ihnen nicht Zeit genug ausgewichen seist. Willkommen, Turmspringer! Sicherheit ist die Blume des Lebens.

Francesco: Ich vergebe dir den Spott. Turmspringer nennst du mich? Wollte Gott, ich hätte den unseligen Sprung nicht gewagt! Alles wäre gut gewesen! Keins unter euch hätte viel gehofft noch viel gefürchtet! Wie wund muß euer Gefühl sein! Wie sehr vergrößert sich meine Übereilung! Vergib mir, mein Bruder, o vergib mir! die Absicht war nicht unedel.

GADDO (ruft): Francesco!

ANSELMO: Gut! sei gerichtet nach deinen Taten! (Er geht auf und ab, bald schnell, bald langsam)

GADDO: Francesco!

FRANCESCO: Was verlangt mein Gaddo?

GADDO: Sei mein Fürsprecher, Francesco. Ich bin dir auch gut.

FRANCESCO: Bei wem, du geliebter Gaddo? Sprich.

GADDO: Bin ich dein geliebter Gaddo? Ich frage nicht umsonst.

FRANCESCO: Ja! Gott weiß es!

GADDO: Ach! Jedermann liebt mich, und ich liebe jedermann, und doch hilft mir keiner. Hilf du mir, geliebter Francesco. Vertritt mich bei Anselmo; du giltst viel bei ihm.

FRANCESCO: Worin, Gaddo, worin soll ich dich vertreten?

GADDO: Erst bitt' ich dich, mir eine Zechine zu leihen.

FRANCESCO: Eine Zechine? wozu die?

GADDO: Ich habe viel Zechinen unter meinen Sparpfennigen: sie sollen alle dein sein. Ich bitte dich nur um *eine*.

FRANCESCO: Hier hast du sie, Gaddo.

GADDO: Nimm diese Zechine und überrede Anselmchen, daß er mir ein einziges Ei aus den vielen Nestern gebe, die er mir kurz vorher schenken wollte: sollt's auch nur so viel sein als ein Hänflingei.

FRANCESCO: Du sprichst mir Rätsel.

GADDO: Ich will die Auerhähne gerne entbehren, die uns dein Sprung vom Turme verschafft hat: itzt brauche ich nur ein einziges Hänflingei. Tu es, Francesco, aber bitte ihn höflich, daß er dir's nicht abschlage.

FRANCESCO: Schöne Folgen des Sprungs vom Turme! Ich war nicht allein ein Tor; ich war auch ungehorsam: allein, o Himmel! die Strafe ist hart! Vergib auch du mir, mein Gaddo! Und doch mit welcher Stirne kann ich's wünschen?

GADDO: Ein Ei würde mich retten! Ein Hänflingei! Bedenke, Francesco! Kannst du mir ein Hänflingei versagen? O lieber Gott! Gib mir die Zechine zurück: ich will Anselmo selbst bitten. Ich wollt' ihm zu Füßen fallen, wenn ich könnte: allein ich kann mich nicht regen. (Francesco gibt ihm die Zechine und geht mit aufgehobnen Augen ab) Anselmo! großmütiger Anselmo! mein Bruder!

ANSELMO (auffahrend): So ist's recht! Laßt die Hörner tönen am hallenden Fels!

GADDO (sanft bittend): Anselmo! mein Bruder Anselmo!

ANSELMO (rauh): Wer ruft? Hei! wer ruft denn da? wer ruft? wer ruft?

GADDO (erschrocken): Ich wenigstens bin hier der Rufende nicht!

ANSELMO: Du da auf dem Stroh, ich habe zu tun!

GADDO (streckt die Hände aus und legt sich seitwärts)

ANSELMO: Hinweg!• (Er pfeift) Hinweg! in meinem Kopf sollst du mir nicht spinnen! (Pfeift wieder) Hinweg! ich verbanne dich auf ewig aus meinem Kopf! (Macht eine Bewegung mit der Hand) Nun, wie steht's, ihr im silbernen Gewande, unsterbliche Töchter des hohen Oceanus? haben wir das Wild? Mit diesen Nägeln will ich's zerreißen; mit diesem Gebiß will ich's zermalmen; so, so, so will ich das Wonneblut trinken! Schnaubend stürzt der Tiger vom Abhang; sie haben ihm seinen Raub entwandt; springt zischend hoch auf, wittert in den Wind, zerstiebt mit langgestreckter Klaue den Fußtritt des Schnellen im glutroten Sand, Grimm knirscht in seinen Zähnen, Hunger sprüht heiß im Aug': umsonst, Tiger, am Bart des Jägers glänzt's! Ich will mich an diesen Abhang setzen. Durch diese Felsritze kann ich die Tigerkatzen über mir und von dieser Höhe die Marder unter mir spähen. So will ich euch den Fang ablauschen, ihr Räuber! Meine Hühnchen nisteten am Sumpf, wo der Marder mit gesenkten Ohren hinabschleicht. Weg sind sie! Stoßt ins Horn, Müßige! stoßt ins Horn! stoßt ins Horn! (Singt):

> Der muntre Jagdzug schwebet
> In blauer Luft!
> Roß, Hund und Jäger drängt sich
> Daher, dem Himmel nah!

Hab' ich den Dieb? Langöhrichter! laß deine Stimme hören! (Er billt) Ho! ho! ho! Dieb, siehst du den Pudel nicht?

GADDO: Was ist das?

ANSELMO: Sei gegrüßt, Endymion. Wir haben gute Weile. Kannst du einen Wettgesang singen?

GADDO: Ich singe wenig, Anselmo.

ANSELMO: Was schadet's? Wir wollen einen Wettgesang singen.

Gaddo: Ich kann kaum reden, Anselmo: und sollte singen?

Anselmo: Singe, Träger, oder, bei jenem hinhangenden Monde! ich zerstoße dich mit dem Felsbruche!

Gaddo: Wie, Anselmo, du weißt, daß ich nicht singen kann.

Anselmo: Singe!

Gaddo: Ich singen?

Anselmo: Singe!

Gaddo: Ich, der ich weinen möchte, wenn ich könnte?

Anselmo: Singe weinend! Singe!

Gaddo: Nun denn, Anselmo, ich will singen: aber mein Hals ist roh und heiser. Schenke mir, wenn ich bitten darf, ein kleines Hänflingei oder ein Zeisigei, wie es dir am nächsten zur Hand ist, um meine Stimme zu bereiten.

Anselmo (beiseite): Was gilt's, dies ist der Marder, der mir die Eier austrinkt! Durch seine Larve hindurch erkenn' ich den tückischen Heuchler! Er ist's! bei meinem Leben! Ich will ihn ausfragen.

Gaddo: Aber schenke mir's bald, Lieber: meine Stimm' ist vertrocknet.

Anselmo: Gut! gut! du möchtest also ein Hänflingei haben?

Gaddo: Ich will's nicht leugnen.

Anselmo: Oder ein Zeisigei?

Gaddo: Ach ja!

Anselmo: Hem! wäre dir nicht mit einem Hühnerei gedient?

Gaddo: Das wäre zu viele Güte.

Anselmo: Ei ja, nimm ein Hühnerei.

Gaddo: Ich danke.

Anselmo: Es ist ein frisches Ei, eins von den besten, die ich in meinem Stall habe. He?

Gaddo: Weil es von deiner Hand kömmt, will ich's nicht ausschlagen.

Anselmo: Ich dacht' es. (Faßt ihn an die Kehle) Räuber, bekenne mir, wie lange hast du diesen heillosen Frevel verübt?

Gaddo: O mir!

Anselmo: Wie viele Eier hast du mir ausgetrunken? Sieh, dein Leben ist in meiner Hand. Bekenne, wieviel?

Gaddo: Ah! du wirst mich nicht umbringen, Anselmo?

Anselmo: Ich, Marder, ich! ich! umbringen, Marder! dich, Marder! gib acht, Marder!

Gaddo: Hülfe! Hülfe!

FRANCESCO (springt zu und befreit Gaddo): Entsetzlich! Anselmo schlägt seinen Bruder Gaddo?

GADDO: Ah! ah!

FRANCESCO: Seinen kranken, gelähmten, verschmachtenden Bruder schlägt Anselmo?

ANSELMO (gibt Francesco unvermutet einen Stoß, um sich loszureißen)

GADDO: Halt ihn! ach halt ihn!

FRANCESCO: Eine eiserne Hand!

GADDO: Nach mir sieht er hin. Trauter Francesco, halt ihn!

FRANCESCO: Ein Luchs blickt nicht wilder. Der Apfel quer, flammicht der Stern. Und es ist Tücke darin. Wie kann Tücke in ein Auge kommen, wo das Herz so gut, so brüderlich gut ist? O mein Anselmo! Er schweigt hartnäckicht.

GADDO: Ich aber sollte singen!

FRANCESCO: Unser Vater wird gleich hier sein. Er muß dich nicht sehn. Ich beschwöre dich, Anselmo, laß mich dich entfernen, daß unser Vater dich itzt nicht sehe. Es würd' ihn töten!

GADDO: Schone seiner, Francesco. Ein Marder hatt' ihn wider mich aufgebracht; ich weiß selbst nicht, wie. Ah! nun schaut er schon wieder um sich!

FRANCESCO: Er erschrickt. Es dämmert in seinem Auge. O Anselmo! wo bist du gewesen, Anselmo?

GADDO: Das ging ihm ans Herz!

FRANCESCO: Eine mildere Röte umzieht seinen Blick. Seine Wangen glühn. Er schmilzt, er schmilzt wirklich. Fürchte dich nicht, mein Bruder Anselmo. Sein Auge weinet. Gottlob! da stürzt die Träne! da stürzt die Träne!

ANSELMO: Ach Heerscharen des Himmels! Welcher Segenvolleste unter euch stellt sich zwischen mein Herz und die umspannende Kralle?

FRANCESCO: Erbärmlicher Anblick!

ANSELMO: Läuft die Natur im Kreise vor mir herum? Wohin, mein Bruder?

FRANCESCO: Dir schwindelt, armer Anselmo. Es ist alles unbeweglich um dich her. Unser Vater kömmt. Um Gottes willen, teuerster Anselmo, mäßige dich itzt, da unser Vater kömmt!

ANSELMO: Wie könnt' er kommen? Er lebt ja nicht mehr!

UGOLINO (sehr freundlich): Ihr guten Kinder!

ANSELMO (fällt ihm um den Hals und schluchzt)

UGOLINO (ihn küssend): So lieb' ich euch, meine Kinder. Euch in dieser reizenden Vertraulichkeit beisammen sehn, ist Erquickung zum Leben! Warum stutzt mein Anselmo? betrachtet mich so aufmerksam?

FRANCESCO: Das Vergnügen, mein Vater, dich so heiter zu finden –

UGOLINO: Wir wollen recht heiter sein, meine Kinder. Es ist eine heitre Stunde. (Er nimmt einen Stuhl und setzt sich) Setze dich neben mich, Francesco, und du, Anselmo. Will Gaddo auf seines Vaters Schoß sitzen?

GADDO: Ob ich will? (Bewegt sich, um hinzukommen)

FRANCESCO (bringt ihn seinem Vater)

UGOLINO: Wir haben viel fröhliche Tage gelebt, meine Söhne. Wollen wir nachrechnen? Es wird uns schwer fallen, sie alle zusammenzurechnen.

FRANCESCO: Das war ein schöner fröhlicher Tag, da Anselmo geboren ward. Ich erinnere mich's recht genau. Ich war damals sieben Jahre alt.

UGOLINO: Ein schöner Tag; du hast recht, Francesco. Ganz Pisa nahm daran teil. Die Freudenfeier und die festlichen Tänze dauerten drei Tage und darüber.

GADDO: Da wird was Rechts geschmaust sein, mein Vater! War ich auch dabei?

FRANCESCO: Du warst noch nicht geboren, Gaddo.

GADDO: Schade!

UGOLINO: Wie so still, Anselmo?

ANSELMO (nachdem er ihn starr angesehen hat): So bist du's denn wirklich? Nun (blickt zum Himmel) ich danke dir!

FRANCESCO: Anselmo wähnte, daß dir nicht wohl sei. Auch das war ein schöner Tag, mein Vater, da die Mütter, Jungfrauen und Jünglinge dir nach dem großen Siege vor die Stadt entgegenkamen.

UGOLINO: Ganz recht. Ihr Zuruf im Klange der Klappererze und Trompeten machte mir warm. Aber ich wollte, daß ihr mir auch einige von euren fröhlichen Tagen herrechnetet.

ANSELMO: War das nicht ein schöner und ein fröhlicher Tag, ihr Brüder, da mich Ruggieri meinem Vater nachschickte? und –

FRANCESCO: Und da wir, auf dem goldnen Kahne, unsrer Mutter entgegensegelten, als die dankbaren Pisaner sie im Triumphe den Arno hinaufführten bis zur Villa Gherardesca.

UGOLINO: Du warst auch zugegen, Gaddo: was sagst du dazu?

GADDO: Mir wird ganz trübe vor den Augen!

UGOLINO: Genug, meine Kinder; wir haben alle viel fröhliche Tage gelebt. Zu bedauern ist's, daß dies Leben nicht immer fortwährt. Man ist auf der Welt so glücklich.

GADDO (seufzend): Ach ja! das Leben ist so was Süßes!

FRANCESCO: Das dächt' ich nicht, mein Vater. Wenn man beim Tausch verlöre, da ließ' ich's gelten. So aber gewinnt man ja in jeder Absicht.

UGOLINO: Du hast's getroffen, Francesco. Das menschliche Leben ist zwar sehr glücklich; aber das höhere Leben nach dem Tode ist doch viel glücklicher: es hat keine Abwandlungen, es ist ein höheres Leben. Ach! von Vaterhuld floß das Herz unsers Schöpfers, da er Menschen schuf. Er setzte sie in einen irdischen Garten und bereitete ihnen den Übergang in einen Garten des Himmels.

FRANCESCO: Mir fällt dabei das Sterbelied unsers Schutzheiligen, Sankt Stephans, ein, wie ich's einmal von einer sehr angenehmen Stimme gehört habe.

UGOLINO: Sing es.

FRANCESCO (singt):

Ich soll den Lichtquell trinken
Am himmlischen Gestad'!
Ach! wo das Lied der Sterne strömt,
Am himmlischen Gestad',
Da strömt ihr Silberstrom
Unsterblichkeit!
Ihn soll ich schaun! Gedank'!
Unauszudenkender Gedank'!
Ach! ich verstumme dir!

UGOLINO: Du hast's gut gesungen. (Beiseite) Herunter, mein Herz! So weit war's wohlgetan, Ugolino!

ANSELMO (steht vom Stuhl auf): O Licht! Licht! o Salamis, heiliger Vaterlandsboden! Herd meiner Väter! und du, ruhmvolles Athen! und du, mit mir auferzognes Geschlecht! ihr Quellen, ihr Flüsse, ihr trojanischen Felder! euch ruf' ich! seid mir gesegnet, o ihr meine Pflegerinnen!

Dies letzte Wort ruft Ajax euch zu: das übrige will ich im Elysium den Schatten erzählen.

UGOLINO: Was sagst du?

FRANCESCO: Er hat die Rolle des Ajax Telamonius im Augustinerkloster gespielt. Dies ist nichts als eine plötzliche Regung seines Herzens.

UGOLINO: Gut; ich verlasse euch, meine Kinder. Der Morgen naht heran, und keins von euch hat noch den balsamischen Schlaf genossen. Schlaft nun wohl, ihr Geliebten. (Legt Gaddo wieder hin) Wenn wir uns wiedersehn, so – (Geht eilig ab).

ANSELMO: Schläfert dich?

FRANCESCO: Freilich! aber ohne meines Vaters Segen will ich nicht einschlummern! Oh, mein Schlaf wird ein herzerquickender Schlaf sein!

ANSELMO: Mein Vater soll mich auch segnen. (Gehn ab)

GADDO: Mich hat er gesegnet. Dennoch könnt' ich itzt nicht einschlummern.

FÜNFTER AUFZUG

ANSELMO: Ich bin voller Erwartung.

FRANCESCO: Er sprach die Worte: »*Es ist ein Gott, meine Kinder!*« mit großer väterlicher Gemütsbewegung aus; er konnte keinen Ton mehr vollenden. O mein Anselmo, du weißt nicht, warum ich unsern Vater so schnell verließ.

ANSELMO: Noch warum du mir winktest, dir zu folgen.

FRANCESCO: Umarme mich, mein Bruder! daß ich dich fest an mein Herz drücke, Geliebter! Du bist doch nun völlig wieder Anselmo?

ANSELMO: Ich bin mild, wie der Honig vom Hymettus.

FRANCESCO: Ruggieri hat mir Gift gegeben, und ich werde sterben. Mein Vater wähnte, ich hätte mich betrogen; ich wähnt' es selbst. Mein Vater soll mich nicht sterben sehen. Mein Vater hat mich zum letzten Male gesehen. Du erblassest? Was ist dir, mein Werter?

ANSELMO: Cithäron fällt, die erhabne Pallene zittert, und Tempe welkt!

FRANCESCO: Noch immer diese hochfliegenden Phantomen! Ach! wie quälst du mich, mein Anselmo!

ANSELMO: Sprich es noch einmal aus, das geliebte tonvolle Wort. Wie war's? Sterben?

FRANCESCO: In dieser Stunde. Daß ich euch itzt schon zurücklassen soll, meinen niedergebeugten Vater, dich, mein Anselmo, dich, mein Gaddo (indem er Gaddo mitleidig ansieht), das, das tut mir weh. Doch, ihr Armen, ich gehe nicht lange voraus.

ANSELMO: Ha!

FRANCESCO: Anselmo, ich will dir etwas ins Ohr sagen, ehe ich sterbe. Ich fürchte unsers Vaters Stillschweigen. Er ist arm an Worten, schwer beladen mit Jammer, schwerer, als ein Mensch es vor ihm gewesen ist. Kann er seine Seele bis ans Ende behaupten, so ist er der größte Sterbliche der Erden, wie er der größte in Pisa war. Aber seine Leiden sind zu vielfach. Deswegen hab' ich gewünscht, ihn zu überleben, mein Bruder, um der Stab seines sinkenden Alters zu sein. Du bist ein Knabe von starker Seele, Anselmo; ja du bist mehr als ein Knabe! Weine nicht, Liebster. Doch weine nur. Ich verstehe den ganzen Sinn dieser Zähre.

ANSELMO: Wie schwach ich mir itzt vorkomme, du Goldzüngiger!

FRANCESCO: Ein Wort sagte unser Vater: es gellt noch in meinen Ohren. »*Ach, Herr! bewahre mich vor Verzweiflung!*« So sagte unser Vater! So sagte Gherardesca! Er nannte sich den *von Gott Verlassenen*. Entsetzen fuhr durch meine Seele: aber ich hielte mich, daß ich nicht ausschrie. Bete für unsern Vater, Anselmo! (Indem er ihm die Hand drückt) Ich wollte dich auffordern – Nun vergeß' ich, wozu ich dich auffordern wollte. Die Rede eines Sterbenden –

ANSELMO: Sprich nicht, eines Sterbenden, ehrwürdiger Jüngling! Wie, Lichtheller, du wirst mich nicht in diesem engen Turme, von der Welt und aller menschlichen Hülfe abgesondert, mit Gaddo allein lassen? Überdem ist mein Kopf zerstört. Ich schaudre, zurück-, ich schaudre, vorwärtszuschauen.

FRANCESCO: Recht so, das war's, wozu ich dich auffordern wollte. Laß Ruggieri nicht über die Seele *eines* Gherardesca triumphieren! Sei stärker als deine Jahre. Tritt mit Anstand in die Laufbahn. Wache über deine Vernunft! Ruggieri allein sei der Tobende, aber auch der Zähneklappernde! Er, der itzt jauchzt, sei der Winselnde, der Kriechende, das Insekt! Stirb du deines Namens würdig, Anselmo! Stirb, daß ich dich an jenem Ufer umarmen könne, wie ich dich hier umarme. Gut! das Zittern deines Antlitzes verspricht viel! Dein stolzes Herz steigt sichtbar in deinen Mienen empor! Du bist mein Bruder!

ANSELMO (fällt ihm in die Arme): Ach!

FRANCESCO: Meine Bitte hat ihre Deutung, Geliebter. Auch deines Vaters wegen wünsch' ich dich standhaft. Kränk' ihn nicht durch vergeblichen Kummer: er hat der Leiden genug. Laß mich keine Fehlbitte tun; gib mir deine Hand darauf. Itzt sterb' ich vergnügt. Ohne heilige Fürbitten zwar der Knechte Gottes! Keine Träne fließt um mich in seinen Tempeln. Kein Edler im unedlen Pisa trägt meinen wandernden Geist auf den Flügeln seiner Andacht zum Himmel. Aber wo *ihr* seid, will *ich* sein. Auf dieser Grabinsel soll mein Geist verweilen, auf dieser schwanken Spitze hingeheftet ruhn, mit dem Winde Freudigkeit des Todes auf euch niederlispeln, bis *ihr* verklärt seid wie *ich*.

ANSELMO (entschlossen): Da hast du meine Hand, Kind der himmlischen Grazie, Erstgeborener des großen Gherardesca! Nimm sie, nimm sie zum zweiten Male. Er soll kriechen! er soll winseln! Ich bin eingedenk meines Schwurs, des Erstlinggelübdes; und ich will's halten.

FRANCESCO: Ah! deine Geister sind im Aufruhr! Sammle sie, geliebter teurer Anselmo!

ANSELMO: Rache! Rache!

FRANCESCO: Es gibt nur *eine*. Verzeih ihm.

ANSELMO: Wenn das Schwert meiner männlichen Hand ihn nicht erreichen kann, so treff' ihn das Gebet meiner Seele in der Todesstunde! –

FRANCESCO: Das Gebet ihrer Großmut und herablassenden Huld. So rächen die Beleidigten im Himmel.

ANSELMO: O du! – ich kann deine Glorie nicht ertragen. Aber es sei, wie du gebietest.

FRANCESCO: Ich fühl's, ich muß eilen. Nimm, mein Bruder, nimm meinen Abschiedskuß. Ich sollte Gaddo umarmen – Seltsam! meine Füße wollen mich nicht hintragen. (Lehnt sich auf Anselmo)

ANSELMO: Siehst du? ich bin stark, Francesco.

FRANCESCO: Er schlummert.

ANSELMO: Mächtig pocht das Herz des Knaben, wie meins pocht. Wie kann es pochen?

FRANCESCO: Schon ist's seiner Wohnung zu groß. So ist deins. Freue dich. Die Gekerkerten sind am Ziele ihrer Freiheit.

ANSELMO: Wenn dies Schlummer ist, so ist's ein angstvoller.

FRANCESCO: Die Stunde wird kommen. Fahre wohl, Unschuld! Für dich darf ich nicht beten? (Macht das Kreuz über ihn) Laß uns eilen. Itzt! itzt! Ich will am Sarge meiner Mutter sterben. Gute Nacht! Erde! du stiefmütterliche! (Er legt sich in einiger Entfernung, mit Bedacht, an die Seite des Sargs. Anselmo hält ihn in seinen Armen) Gute Nacht! Hier will ich besser ruhn. Itzt verlaß mich! (Indem er Anselmo mit der Hand winkt, wegzugehen)

ANSELMO: Nicht also! Ich habe noch nie einen Sterbenden gesehen. (Nach einer kurzen Pause) Ist das sterben? Betracht' es wohl, Anselmo! Ist das sterben? Gott sei mir gnädig!

FRANCESCO: Er hat mich ergriffen – Gott! Gott!

ANSELMO: Erbarmer! Erbarmer! Erbarmer! Noch windet der Wurm sich? Noch? Noch? Wehe mir! Sterben ist grauenvoll!

FRANCESCO (streckt den Arm gegen Anselmo aus und stirbt)

ANSELMO (schlägt sich vor die Brust und entfernt sich schnell): Er ist dahin! mit ihm meine Entschlossenheit. Sterben ist grauenvoll! Geboren werden ist auch grauenvoll! Dies Rätsel ist mir zu fein. (Er betrachtet den Leichnam) Wer nennt den Tod ein Gerippe? Ich hab' ihn gesehn: sein Fleisch ist Sehne, seine Knochen sind gegoßnes Erz. Ein vollblütiger breitschultrichter Mann. Francesco rang mit ihm, es ist wahr: aber Francesco ist der Kraftvolleste der krotonischen Jugend. Francesco hat einen Stier an den Hörnern zu Boden gestürzt: allein dem erhabnen Fremdling erlag Francesco. Ich bewundre den Bau seiner Glieder. Wenn dieser Jüngling in der Schlacht gefallen wäre: welch ein Mahl für die Adler! Hier ist liebliche Speise! Hier ist Vorrat! Jupiter ist parteiisch. Den Raubvögeln gibt er im Überfluß; Menschen darben. Husch! warum nenn' ich ihn parteiisch? Sorgt er nicht für mich, wie für die jungen Raben? Ladet er mich nicht ein? Nein! hier widersteht etwas! In meinem Herzen empört sich's und ruft: Iß nicht Anselmo, iß nicht von diesem Fleische. Ein guter Rat! Dies Fleisch könnte mir schaden; es ist vergiftet. Hieher winkt der Versorger. Ein offner Sarg, der einen weiblichen Körper voll himmlischer Schönheit für mich aufbewahrt! Soll ich? Glück! soll ich? Ich folge dir, Glück! Meine Zähne knirschen! Der Wolf ist in mir! Ha! verwünscht will ich sein, wenn ich dieser Weibsbrust schone! (Indem er sich über den Sarg erhebt, fällt der Deckel)

UGOLINO: Tiger! in deiner Mutter Busen wolltest du deine Zähne setzen? Du greinst? Du bist deiner Mutter Sohn nicht, du Ungeheuer!

ANSELMO: Woher dieser Starke? Der Tod kann er nicht sein: er ist hager und bärtig.

UGOLINO: Wenn Ruggieri dies sähe! dies hörte!

ANSELMO: Er droht mir!

UGOLINO: Der Mensch ist Mensch; mehr nicht, Herrscher im Himmel! deine Lasten sind zu schwer! Was hab' ich nicht erlitten! Könnt' ich, wie das morgenländische Weib, eine Marmorsäule dastehn, so wollt' ich zurückschaun! Oh, nun beb', Erde! nun brüllt, Sturmwinde! nun wimmre, Natur! wimmre, Gebärerin! wimmre! wimmre! die Stunde deines Kreisens ist eine große Stunde!

ANSELMO: Dies Weib war meine Mutter!

UGOLINO: Dies Weib war deine Mutter, du mit dem dreifachen Rachen!

ANSELMO (indem er sich mit geballter Faust vor die Stirne schlägt): Dies Weib war meine Mutter!

UGOLINO: Gorgo! was hast du getan!

ANSELMO: Hunger! Hunger! Ach er wütet in meinem Eingeweide! er wütet in meinem Gehirne!

UGOLINO: Du Greuel meiner Augen! der du wie ein bösartiger Krebs deiner Mutter Busen zernagst!

ANSELMO: Unmenschlich! o unmenschlich!

UGOLINO: Wenn der Sohn mit dem Gebiß einer Hyäne am Fleische zehrt, das ihn gebar: o ihr Elemente! so sei der Krieg allgemein! Sulfurisches Feuer zersprenge den Schoß der Mutter Erde! der Abend verschlinge den Morgen! die Nacht den Tag! ewiger chaotischer stinkender Nebel die heilige Quelle des Lichts! Hebe dich weg von mir, Abart! Du triefst von dem Blute deiner Mutter! sei unstät und flüchtig! Die Rache zeichnet dich aus!

ANSELMO (wirft sich auf Francescos Leichnam): Verbirg du mich dem Grimme meines Vaters, brüderlicher Busen! Bei den

Toten will ich Schutz suchen: denn ach! die Lebenden sind furchtbar.

UGOLINO (indem er Francescos Leichnam sieht): Sie ist da, die feierliche Stunde! die mächtige! die prüfende! sie ist da! Nun, Gherardesca! Nun, wenn du ein Mann bist! Die entscheidende feierliche Stunde ist da! Wann ward dieser erste Ast vom Stamme gerissen? Das Schrecken hat den unglücklichen Knaben getötet. Warum zürnt' ich? O Himmel! Er wußte wohl nicht, was er tat. Anselmo! mein Sohn Anselmo! Du ängstigest mich! Sohn des Entsetzens! ach! bist du der dritte dieser Leichname?

ANSELMO (seines Vaters Knie umfassend): Sei milde! schone! schone!

UGOLINO (ihn aufrichtend): Betrübe mich nie wieder so!

ANSELMO: Nie! oder du magst mich zertreten, wie einen Skorpion. Ein reißendes Tier billt in meinem Eingeweide! ich will mit ihm kämpfen! kämpfen will ich mit dem reißenden Tiere! Aber ach! mein Vater! warum muß Gaddo hungern? Dich hungert nicht, sagst du: warum soll dein Gaddo hungern? Betrachte Gaddo, mein Vater!

UGOLINO: Kann ich den Hülflosen sehn, den ich nicht zu retten weiß? Lieber will ich diesen Entbundnen sehn!

ANSELMO: Dieser Entbundne ist Francesco.

UGOLINO: Und diese im Sarge ist deine Mutter. Zweene sind hier Leichname der Toten: drei tappen noch an ihrer Grabstätte. Francesco verließ mich schnell.

ANSELMO: Er starb in meinem Arme.

UGOLINO: Der Großmütige! Ich sollt' ihn nicht sterben sehn! warum sah ich ihn gestorben! Hier ist keine Erquickung! Nirgend ein Winkel, der mir nicht einen Gegenstand des Grauens darbeut. So weit die Schöpfung reicht, ist kein Ort, von dem der Erschaffene seinen Blick abwandte, als der Ort der ewigen Finsternis und dieser!

extreme

ANSELMO: O sieh! sieh! mein Vater! Gaddo bewegt sich herwärts. Was ist dem Kinde?

UGOLINO: Daß ich mit Blindheit geschlagen wäre! mein Auge nichts sähe! mein Ohr nichts hörte! Sind alle Leiden der Erde in eine einzige Stunde zusammengedrängt?

GADDO (kriecht zu seinem Vater hin, dessen Zipfel er faßt): Nur *ein* Brosämchen, mein Vater! nur *eins*! oder ich sterbe zu deinen Füßen!

UGOLINO (zitternd): O Gott!

GADDO: Ach Anselmo!, hilf mir meinen Vater erbitten! Der Tod sitzt auf meinen Lippen: warum soll ich Hungers sterben?

ANSELMO (den andern Zipfel anfassend und gleichfalls knieend): Um deiner Liebe willen! laß Gaddo nicht Hungers sterben!

GADDO: Schier verschmacht' ich! bin doch nicht vaterlos noch mutterlos! Gib mir, daß dein Vater im Himmel dir's wiedergebe!

ANSELMO: Da dich selbst nicht hungert, o Versorger! gib Gaddo von deinem Vorrate! Laß den Wolf hungern. Der Wolf mag hungern. Laß den schändlichen Anselmo hungern. Der schändliche Anselmo mag hungern. Aber o du mit der finstern Stirne! warum dieses fromme, sanftmütige, schweigende Lamm?

GADDO: Schon ein halber Bissen wird mir das Leben retten! ja die Hälfte eines halben Bissens wird mich retten!

ANSELMO: Als der Mangel ferne von uns war, strömten die Schätze des Gottes wie ein Sommerregen herab! herab auf den gierigen Adler! herab auf das idäische ambrosiaduftende Kind!

GADDO (indem er kraftlos zurücksinkt): Hier will ich mein Leben ausschmachten! hier auf dieser Stelle! Den Trost soll man mir doch nicht nehmen, daß ich zu meines Vaters Füßen sterbe. (Mit gebrochner Stimme) Gott segn' ihn!

UGOLINO: Mark und Bein kann es nicht aushalten! (Er sinkt bei seinen Kindern zu Boden)

ANSELMO: Jenseits, wo sie am Styx schweben, ist die Aussicht. So pflegte unsre teure Mutter zu sagen. Jenseits ist die Aussicht!

GADDO: Engel Gottes! der du mich hier abfordern wirst, laß ein Blümchen *unter meines Vaters Füßen* aufblühen! (mit schwächrer Stimme) ein geknicktes kleines Blümchen! (küßt seines Vaters Füße) so blühe mein Leichnam!

ANSELMO: Getrost, schöner Sterbender! Das Leben ist der Tränen nicht wert! Was sagte unsre Mutter Ops? Sicherheit blüht nicht unter der Sense des Göttervaters! Jenseits ist die Aussicht!

UGOLINO: Ihr Mütter der Kinder und Säuglinge! ihr Weiber mit zartfühlenden Herzen! Menschengeschlecht! heult zum Mond auf! heult zu ihm auf, der höher als der Mond ist! zu ihm, der eure Wehklage hören kann! Klagt's dem

Allwissenden, daß dies Los ein Los der Kinder und Säuglinge ist! Und du, blasse Bewohnerin dieses Sarges! (Kniet vor den Sarg hin) Heilige unter den Heiligen! Verklärte am Thron! wenn du auf mich herabsiehst! durchschaue die Leiden deines Ugolino!

ANSELMO: Armer neugeborner Unglücklicher! umsonst! der Alte hat seine Zähne gewetzt, und du mußt sterben!

UGOLINO: Wenn er stirbt; wenn der Unschuldige stirbt! für eure Verbrechen stirbt! Hungers, Hungers! stirbt: o Ugolino! o Ruggieri! wo ist eine Verdammnis, die euch Grausamen, euch wider diese duldende Unschuld Verschwornen! nicht gebührt?

ANSELMO: Mit Verwünschungen spricht der das Todeslos über dich aus! Aber deine gebrochnen weißschimmernden Augen reden eine Sprache! und wohl mir! daß ich sie verstehe!

UGOLINO (nimmt Gaddo in seine Arme): Ich lasse dich nicht, Engel! nicht aus meinem Arme sollst du mir entschlüpfen! Ringender! willst du die Hölle auf deinen Vater herabrufen?

ANSELMO: So! reiß ihm das Herz aus dem Leibe! Frisch! Nun hast du's! Dies Zucken kenn' ich. Fahre wohl, schöner Knabe, fahre wohl!

UGOLINO: Verderben komm' über mein Haupt! (Läßt Gaddo fallen und tritt zurück)

ANSELMO: Frisch! du Vater deiner Kinder! wohltätiger Saturnus! diesen hast du gewiß! Aber warum scheu? warum bleich und mit entstelltem Antlitze? warum wendest du deine gelben Blicke? warum nagst du deine Hände? Will er sein Fleisch von seinem Gebein abnagen, seinen Hunger zu stillen? Sieht er mich denn nicht? Ich bin ja der einzige Übriggebliebene? Ich kann ihm nicht *entschlüpfen*, und ich will nicht! Er nagt an seinem Fleisch! Beim Styx! große Schweißtropfen fallen von der Stirn auf die zernagten Hände Saturns, des Niedergebeugten! Kann er mich nicht abmähen? Warum säumt er? Oder soll ich mein Fleisch ihm darbieten? So will's die kindliche Pflicht! Ich soll mein Fleisch ihm darbieten! Ich fühle mich von Mitleiden und Erbarmen durchdrungen, diesen Alten so ungewöhnlich hungern zu sehn. Ich weiß auch, was Hunger ist! Nein, ich kann's nicht ausstehn! (Er hängt sich an seines Vaters Arm) Mich! mich! mich verzehre, du eisgrauer Alter! Sieh, dein einziger Zurückgebliebner lebt! Mir laß das Verdienst, deinen Hunger zu stillen!

Ugolino (in einer Art von Betäubung): Ruggieri! Ruggieri! Ruggieri!

Anselmo: Schwer liegt die Hand des Schreckenden an meinem Nacken! Gott der Götter! du, den ich in der Angst meines Todes – Es ist Ugolino! (Er sträubt sich im Arme seines Vaters)

Ugolino: O! hab' ich dich so in meinen Armen! Schuppichtes Ungeheuer! hab' ich dich endlich in meinen Armen! Nun winde dich, Hyder, umflicht meine Schenkel, umflicht meine Arme! Gherardesca soll mit männlicher und mit nervichter Faust auf dich treffen! Schuppichtes vielköpfichtes Ungeheuer! Siehst du? ha! siehst du? ha! siehst du?

Anselmo (flieht)

Ugolino (streckt den Arm nach ihm aus und schlägt ihn zu Boden): Also treffe dich –

Anselmo (jammert in seinem Blute)

Ugolino: Der Sterbenden Geschrei! der Kinder Wehklag' im Leichengefild! das Gewinsel der Weiber und ihrer Säuglinge! o Sieger Ugolino! Alles wieder still! Kein Hauch mehr in der Luft! Keine Kühlung um meine Schläfe! und mir ist besser! Doch meine Augen sind mit Blindheit geschlagen! Wo find' ich meine Laute?

(Nachdem er einige Griffe auf der Laute getan, wird eine sanfte traurige Musik gehört)

Ist's Ruggieri, der Leichenbestatter? Diese Harmonien schweben nah um den *Hungerturm*. Oder seid ihr's, ihr wenigen Rechtschaffnen, die ihr unter Ugolinos martervollem Kerker weinet?

(Die Musik fährt fort)

Francesco ist am Gift gestorben, sagst du? was ist's mehr? Wär' er vom Schwert, vom Dolch, vom Beil gestorben, würd' er weniger tot sein? Lern' es, mein Sohn, Vergiften, Ermorden, Hinrichten ist ein heiliges Vergnügen: es ist ein bischöfliches Vergnügen! Wie ist das? Bin ich hier allein? Wer dieser Jüngling an der blutigen Mauer?

(Anselmo schreit, da sein Vater sich ihm nähert. Dieser fährt voll Entsetzen zurück)

Verflucht sei das Weib, das mich gebar! Verflucht die *Wehemutter*, die das Wort aussprach: *Der Knabe lebt!*

ANSELMO: Nur verzehre mich nicht, du hungernder Vater! nur mich Lebenden nicht!

UGOLINO: Und hab' ich – O Furchtbarster in deiner Rache! Hier liege, Mörder! (Er wirft sich heftig neben Anselmo hin) Hier weihe dich der Erde auf ewig!

(Er spreizt seine Arme über den Boden aus. Die Musik fährt fort)

Anselmo! (wehklagend) einst mein Anselmo! einst Freude und Labsal meiner Augen! Dein Vater ist's, der dich ins frühe Grab sandte. Die Klage des Mörders eilt von einer Leiche zur andern, Fluch ihm! Sie wird's ewig!

ANSELMO: Dich, Hungertod, werd' ich nicht sterben. Heil ihm!

UGOLINO: Auf mich rausche daher! Hungertod, daher! Ich bin müde und lebenssatt! Hier sollst du den morschen Gebeinbau finden. Hier zerstieb' er, bis die Gerichtsposaune *diesen* Staub und *diesen* und *diesen* und *diesen* erweckt! Hier vermisch' er sich mit der Verwesung der Unschuldigen, die *hier*, *hier* und *hier* und *hier* um mich her zerstreut liegen! Und Pestilenz, Pestilenz, du Verwesungsluft der Gherardescas! sei jedem Pisaner, der dich eintrinkt! Mit diesem Vermächtnis –

ANSELMO (indem sich die Musik entfernt):

> Wonnegesang! Wonnegesang!
> Ist am Ziel denn nicht Vollendung?
> Nicht im Tale des Tods Wonnegesang?

UGOLINO: Ich hebe meine Augen zu Gott auf! Meine zerrißne Seele ist geheilt. Mit diesem Vermächtnis – mit diesem Vermächtnis – Himmel und Erde! eines Verhungernden! langsam, langsam, unter jeder Gewissensangst! Was? Tage und Nächte lang angestarrt von jenen weitoffnen Augen deiner Erschlagnen und auch Verhungerten? was? Nein! nein! nein! bei allen Schauern des Abgrunds! nein! Ich will es nicht aushalten! beim allmächtigen Gott! ich will nicht! (Er hebt sich jählings, wie um gegen die Mauer zu rennen) Du im Himmel! (Fährt aber plötzlich zurück) Ha! (Mit zum Himmel gehobnen Augen) Mein Herr und mein Richter! Ha, Ugolino! noch lebst du! noch – lebst du! klein zwar nun und nun dir verächtlich und nun unwürdig des Prüfungstodes! Aber ich lebe! Schwur ich's? bei dem allmächtigen Gott schwur ich's? O Schwur, wie ihn nie die Verzweiflung geschworen hat!

more rambling commentary than monologue.

Drei Tage dieser Dämmrung, Ugolino! drei Nächte dieser Dämmrung! Diese Felslast auf meinem Herzen? sie nicht abwälzen? Ja, es ist schwer! Oder Jahrtausende jenseits in der Finsternis der Finsternisse? Jahrtausende lang an allen Wänden aller Felsen meine Stirne zerschmettern? Wehe mir! in jeder schamvollen Erinnerung meiner unsterblichen Seele sterben? und wieder leben? und wieder sterben? Ach! es ist graunvoll! Jahrtausendelang in der schwarzen Flamme des *Reinigers?* und neue Jahrtausende lang? und vielleicht eine Ewigkeit lang, hinzitternd vor dem furchtbaren Antlitze des *Rächers?* Und wie würde der mitverdammte Pisaner die Zähne blöcken? Wie würde der Mitverdammte die Zähne blöcken! Vergib mir! vergib mir, o mein Richter und Erbarmer! vergib mir! Sind nicht meine armen unschuldigen Kinder gefallen? Armer Gaddo? da wand er sich! da umher liegen die Leichname! armer Francesco! und meine Gianetta! meine Gianetta! und – und – (Mit erstickter Stimme) Sie murrten nicht! So hingebeugt der Verwesung! So sie! Kein Murren in ihrer Seele! Ah! was wär's, wenn sich der Verbrecher empörte!

(Er weint bitterlich und verhüllt sich das Haupt. Die Musik wird klagender)

Eine unmännliche Träne! (In edler Stellung) Kannst du die Bande der sieben Sterne zusammenbinden? Oder das Band des Orion auflösen? Kannst du den Morgenstern hervorbringen zu seiner Zeit? Oder den Wagen am Himmel über seine Kinder führen? Weißt du, wie der Himmel zu regieren ist? Oder kannst du ihn meistern auf Erden?

(Die Musik endigt erhaben)

Ich will meine Lenden gürten, wie ein Mann. Ich hebe mein Auge zu Gott auf. Meine zerrißne Seele ist geheilt. Mit dir, Hand in Hand, du Nahverklärter! (Anselmo umfassend) Und dann seid mir gepriesen, die ihr diesen Leib der Verwesung hinwarft! Ganz nahe bin ich am Ziel.

existentialist viewpoint
very modern

JOHANN WOLFGANG GOETHE

PROMETHEUS

★

ERSTER AKT

Prometheus. Merkur

PROMETHEUS: Ich will nicht, sag es ihnen!
Und kurz und gut, ich will nicht!
Ihr Wille gegen meinen!
Eins gegen eins,
Mich dünkt es hebt sich!
MERKUR: Deinem Vater Zeus das bringen?
Deiner Mutter?
PROMETHEUS: Was Vater! Mutter!
Weißt du woher du kommst?
Ich stand, als ich zum erstenmal bemerkte
Die Füße stehn,
Und reichte, da ich
Diese Hände reichen fühlte,
Und fand die achtend meiner Tritte
Die du nennst Vater und Mutter.
MERKUR: Und reichend dir
Der Kindheit note Hülfe.
PROMETHEUS: Und dafür hatten sie Gehorsam meiner Kind-
Den armen Sprößling zu bilden [heit,
Dahin, dorthin, nach dem Wind ihrer Grillen.
MERKUR: Und schützten dich.
PROMETHEUS: Wovor? Vor Gefahren
Die *sie* fürchteten.
Haben sie das Herz bewahrt
Vor Schlangen die es heimlich neidschten?
Diesen Busen gestählt
Zu trotzen den Titanen?
Hat nicht mich zum Manne geschmiedet
Die allmächtige Zeit,
Mein Herr und *Eurer?*
MERKUR: Elender! Deinen Göttern *das*,
Den Unendlichen?
PROMETHEUS: Götter? Ich bin kein Gott,
Und bilde mir so viel ein als einer.
Unendlich? – Allmächtig? –

Was könnt Ihr?
Könnt Ihr den weiten Raum
Des Himmels und der Erde
Mir ballen in meine Faust?
Vermögt Ihr mich zu scheiden
Von mir selbst?
Vermögt Ihr mich auszudehnen,
Zu erweitern zu einer Welt?

MERKUR: Das Schicksal!

PROMETHEUS: Anerkennst du seine Macht?
Ich auch! –
Und geh, ich diene nicht Vasallen!

(Merkur ab)

PROMETHEUS (zu seinen Statuen sich kehrend, die durch den ganzen Hain zerstreut stehen):
Unersetzlicher Augenblick!
Aus euerer Gesellschaft
Gerissen von dem Toren,
Meine Kinder!
Was es auch ist das meinen Busen regt, –

(Sich einem Mädchen nahend)

Der Busen sollte mir entgegenwallen!
Das Auge spricht schon jetzt!
Sprich, rede, liebe Lippe, mir!
O, könnt ich euch das fühlen geben
Was ihr seid!

(Sein Bruder kommt)

BRUDER: Merkur beklagte sich bitter.

PROMETHEUS: Hättest du kein Ohr für seine Klagen,
Er wär auch ungeklagt zurückgekehrt.

BRUDER: Mein Bruder! Alles was Recht ist
Der Götter Vorschlag
War diesmal billig.
Sie wollen dir Olympus Spitze räumen,
Dort sollst du wohnen,
Sollst der Erde herrschen!

PROMETHEUS: Ihr Burggraf sein
Und ihren Himmel schützen? –
Mein Vorschlag ist viel billiger:
Sie wollen mit mir teilen und ich meine,
Daß ich mit ihnen nichts zu teilen habe.
Das, was ich habe, können sie nicht rauben

Und was sie haben, mögen sie beschützen.
Hier Mein und Dein,
Und so sind wir geschieden.

BRUDER: Wie vieles ist denn dein?

PROMETHEUS: Der Kreis den meine Würksamkeit erfüllt!
Nichts drunter und nichts drüber! –
Was haben diese Sterne droben
Für ein Recht an mich,
Daß sie mich begaffen?

BRUDER: Du stehst allein!
Dein Eigensinn verkennt die Wonne
Wenn die Götter, du,
Die Deinigen und Welt und Himmel all
Sich all ein innig Ganzes fühlten.

PROMETHEUS: Ich kenne das!
Ich bitte, lieber Bruder,
Treibs wie du magst und laß mich!

(Epimetheus ab)

PROMETHEUS: Hier meine Welt, mein All!
Hier fühl ich mich;
Hier alle meine Wünsche
In körperlichen Gestalten.
Meinen Geist so tausendfach
Geteilt und ganz in meinen teuern Kindern.

(Minerva kommt)

PROMETHEUS: Du wagst es, meine Göttin?
Wagest zu deines Vaters Feind zu treten?

MINERVA: Ich ehre meinen Vater,
Ich liebe dich, Prometheus!

PROMETHEUS: Und du bist meinem Geist
Was er sich selbst ist;
Sind von Anbeginn
Mir deine Worte Himmelslicht gewesen!
Immer als wenn meine Seele spräche zu sich selbst,
Sie sich eröffnete
Und mitgeborne Harmonien
In ihr erklängen aus sich selbst.
Das waren deine Worte.
So war ich selbst nicht selbst,
Und eine Gottheit sprach,
Wenn ich zu reden wähnte,
Und wähnt ich eine Gottheit spreche,

Sprach ich selbst.
Und so mit dir und mir
So ein, so innig
Ewig meine Liebe dir!

MINERVA: Und ich dir ewig gegenwärtig!

PROMETHEUS: Wie der süße Dämmerschein
Der weggeschiednen Sonne
Dort heraufschwimmt
Vom finstern Kaukasus
Und meine Seel umgibt mit Wonneruh,
Abwesend auch mir immer gegenwärtig,
So haben meine Kräfte sich entwickelt
Mit jedem Atemzug aus deiner Himmelsluft.
Und welch ein Recht
Ergeizen sich die stolzen
Bewohner des Olympus
Auf meine Kräfte?
Sie sind *mein*, und mein ist ihr Gebrauch.
Nicht einen Fußtritt
Für den obersten der Götter mehr!
Für Sie? Bin ich für Sie?

MINERVA: So wähnt die Macht.

PROMETHEUS: Ich wähne, Göttin, auch
Und bin auch mächtig. –
Sonst! – Hast du mich nicht oft gesehn
In selbsterwählter Knechtschaft
Die Bürden tragen, die sie
In feierlichem Ernst auf meine Schultern legten?
Hab ich die Arbeit nicht vollendet,
Jedes Tagwerk, auf ihr Geheiß
Weil ich glaubte
Sie sähen das Vergangene, das Zukünftige
Im Gegenwärtigen,
Und ihre Leitung, ihr Gebot
Sei uranfängliche
Uneigennützige Weisheit?

MINERVA: Du dientest um der Freiheit wert zu sein.

PROMETHEUS: Und möcht um vieles nicht
Mit dem Donnervogel tauschen
Und meines Herren Blitze stolz
In Sklavenklauen packen.
Was sind sie? Was ich?

MINERVA: Dein Haß ist ungerecht!
Den Göttern fiel zum Lose Dauer
Und Macht und Weisheit und Liebe.
PROMETHEUS: Haben sie das all
Doch nicht allein!
Ich daure so wie sie.
Wir alle sind ewig! –
Meines Anfangs erinnr' ich mich nicht,
Zu enden hab ich keinen Beruf,
Und seh das Ende nicht.
So bin ich ewig, denn ich bin! –
Und Weisheit –
(Sie an den Bildnissen herumführend)
Sieh diese Stirn an!
Hat mein Finger nicht
Sie ausgeprägt?
Und dieses Busens Macht
Drängt sich entgegen
Der allanfallenden Gefahr umher.
(Bleibt bei einer weiblichen Bildsäule stehn)
Und du, Pandora,
Heiliges Gefäß der Gaben alle
Die ergötzlich sind
Unter dem weiten Himmel,
Auf der unendlichen Erde,
Alles, was mich je erquickt von Wonnegefühl,
Was je des Schattens Kühle
Mir Labsal ergossen,
Der Sonnen Liebe jemals Frühlingswonne,
Des Meeres laue Welle,
Jemals Zärtlichkeit an meinen Busen angeschmiegt,
Und was ich je für reinen Himmelsglanz
Und Seelenruhgenuß geschmeckt –
Das all all – – Meine Pandora!
MINERVA: Jupiter hat dir entboten
Ihnen allen das Leben zu erteilen,
Wenn du seinem Antrag
Gehör gäbst.
PROMETHEUS: Das war das Einzige was mich bedenken
Allein – ich sollte Knecht sein [machte.
Und – wie alle –
Anerkennen droben die Macht des Donnrers?

Nein! Sie mögen hier gebunden sein
Von ihrer Leblosigkeit, sie sind doch frei
Und ich fühl ihre Freiheit!

MINERVA: Und sie sollen leben!
Dem Schicksal ist es, nicht den Göttern,
Zu schenken das Leben und zu nehmen;
Komm, ich leite dich zum Quell des Lebens all,
Den Jupiter uns nicht verschließt:
Sie sollen leben und durch dich!

PROMETHEUS: Durch dich, o meine Göttin,
Leben, frei sich fühlen,
Leben! – Ihre Freude wird dein Dank sein!

(Ende des ersten Akts)

—

ZWEITER AKT

AUF OLYMPUS

Jupiter. Merkur

MERKUR: Greuel – Vater Jupiter – Hochverrat!
Minerva, deine Tochter
Steht dem Rebellen bei,
Hat ihm den Lebensquell eröffnet
Und seinen lettnen Hof,
Seine Welt von Ton
Um ihn belebt.
Gleich uns bewegen sie sich all
Und weben, jauchzen um ihn her
Wie wir um dich.
O, deine Donner, Zeus!

JUPITER: Sie sind! und werden sein!
Und sollen sein!
Über alles was ist
Unter dem weiten Himmel,
Auf der unendlichen Erde
Ist mein die Herrschaft.
Das Wurmgeschlecht vermehret
Die Anzahl meiner Knechte.
Wohl ihnen, wenn sie meiner Vatersleitung folgen,

Weh ihnen, wenn sie meinem Fürstenarm
Sich widersetzen.

MERKUR: Allvater! Du Allgütiger,
Der du die Missetat vergibst Verbrechern,
Sei Liebe dir und Preis
Von aller Erd und Himmel!
O, sende mich, daß ich verkünde
Dem armen erdgebornen Volk
Dich, Vater, deine Güte, deine Macht!

JUPITER: Noch nicht! In neugeborner Jugendwonne
Wähnt ihre Seele sich göttergleich
Sie werden dich nicht hören, bis sie dein
Bedürfen. Überlaß sie ihrem Leben!

MERKUR: So weis' als gütig!

TAL AM FUSSE DES OLYMPUS

PROMETHEUS: Sieh nieder, Zeus,
Auf meine Welt: sie lebt!
Ich habe sie geformt nach meinem Bilde,
Ein Geschlecht das mir gleich sei,
Zu leiden, weinen, zu genießen und zu freuen sich
Und dein nicht zu achten, wie ich!

(Man sieht das Menschengeschlecht durchs ganze Tal verbreitet. Sie sind auf Bäume geklettert, Früchte zu brechen, sie baden sich im Wasser, sie laufen um die Wette auf der Wiese; Mädchen beschäftigen sich, Blumen zu brechen und Kränzchen zu flechten.)

(Ein Mann mit abgehauenen jungen Bäumen tritt zu Prometheus)

MANN: Sieh hier die Bäume
Wie du sie verlangtest.

PROMETHEUS: Wie brachtest du
Sie von dem Boden?

MANN: Mit diesem scharfen Steine hab ich sie
Glatt an der Wurzel weggerissen.

PROMETHEUS: Erst ab die Äste! –
Dann rammle diesen
Schräg in den Boden hier
Und diesen hier, so gegenüber;
Und oben verbinde sie! –
Dann wieder zwei hier hinten hin
Und oben einen quer darüber.

Nun die Äste herab von oben
Bis zur Erde,
Verbunden und verschlungen die,
Und Rasen ringsumher,
Und Äste drüber, mehr,
Bis daß kein Sonnenlicht
Kein Regen, Wind durchdringe.
Hier lieber Sohn, ein Schutz und eine Hütte!

MANN: Dank, teurer Vater, tausend Dank!
Sag, dürfen alle meine Brüder wohnen
In meiner Hütte?

PROMETHEUS: Nein!
Du hast dir sie gebaut und sie ist dein.
Du kannst sie teilen
Mit wem du willt.
Wer wohnen will, der bau sich selber eine.

(Prometheus ab)

Zwei andre Männer

ERSTER: Du sollst kein Stück
Von meinen Ziegen nehmen,
Sie sind mir mein!

ZWEITER: Woher?

ERSTER: Ich habe gestern Tag und Nacht
Auf dem Gebürg herumgeklettert,
Und mit saurem Schweiß
Lebendig sie gefangen,
Diese Nacht bewacht.
Sie eingeschlossen hier
Mit Stein und Ästen.

ZWEITER: Nun gib mir eins!
Ich habe gestern auch eine erlegt
Am Feuer sie gezeitigt
Und gegessen mit meinen Brüdern.
Brauchst du heut mehr als eine:
Wir fangen morgen wieder.

ERSTER: Bleib mir von meinen Schafen!

ZWEITER: Doch!

(Erster will ihn abhalten, Zweiter gibt ihm einen Stoß, daß er umstürzt, der nimmt eine Ziege und fort)

ERSTER: Gewalt! Weh! Weh!
PROMETHEUS: Was gibts?
MANN: Er raubt mir meine Ziegen! –
Blut rieselt sich von meinem Haupt –
Er schmetterte
Mich wider diesen Stein.
PROMETHEUS: Reiß da vom Baume diesen Schwamm
Und leg ihn auf die Wunde!
MANN: So – teurer Vater!
Schon ist es gestillet.
PROMETHEUS: Geh, wasch dein Angesicht.
MANN: Und meine Ziege?
PROMETHEUS: Laß ihn!
Ist seine Hand wider jedermann,
Wird jedermanns Hand sein wider ihn.

(Mann ab)

PROMETHEUS: Ihr seid nicht ausgeartet, meine Kinder,
Seid arbeitsam und faul,
Und grausam, mild,
Freigebig, geizig,
Gleichet all euren Schicksalsbrüdern,
Gleichet den Tieren und den Göttern.

(Pandora kommt)

PROMETHEUS: Was hast du, meine Tochter,
Wie so bewegt?
PANDORA: Mein Vater!
Ach, was ich sah, mein Vater,
Was ich fühlte!
PROMETHEUS: Nun?
PANDORA: O, meine arme Mira! –
PROMETHEUS: Was ist ihr?
PANDORA: Namenlose Gefühle!
Ich sah sie zu dem Waldgebüsche gehn
Wo wir so oft die Blumenkränze pflücken;
Ich folgt ihr nach,
Und, ach, wie ich vom Hügel komme,
Seh ich sie, im Tal auf einen Rasen hingesunken.
Zum Glück war Arbar ohngefähr im Wald.
Er hielt sie fest in seinen Armen,
Wollte sie nicht sinken lassen,
Und, ach, sank mit ihr hin.
Ihr schönes Haupt entsank

Er küßte sie tausendmal,
Und hing an ihrem Munde,
Um seinen Geist ihr einzuhauchen.
Mir ward bang, ich sprang hinzu und schrie,
Mein Schrei eröffnet ihr die Sinnen.
Arbar ließ sie; sie sprang auf
Und, ach, mit halb gebrochnen Augen
Fiel sie mir um den Hals.
Ihr Busen schlug,
Als wollt er reißen,
Ihre Wangen glühten,
Es lechtzt' ihr Mund, und tausend Tränen stürzten.
Ich fühlte wieder ihre Knie wanken
Und hielt sie, teurer Vater,
Und ihre Küsse, ihre Glut
Hat solch ein neues unbekanntes Gefühl
Durch meine Adern hingegossen,
Daß ich verwirrt, bewegt
Und weinend endlich sie ließ
Und Wald und Feld. –
Zu dir, mein Vater! Sag
Was ist das alles, was sie erschüttert
Und mich?

PROMETHEUS: Der Tod?

PANDORA: Was ist das?

PROMETHEUS: Meine Tochter,
Du hast der Freuden viel genossen.

PANDORA: Tausendfach! Dir dank ichs all.

PROMETHEUS: Pandora, dein Busen schlug
Der kommenden Sonne,
Dem wandelnden Mond entgegen,
Und in den Küssen deiner Gespielen
Genossest du die reinste Seligkeit.

PANDORA: Unaussprechlich.

PROMETHEUS: Was hub im Tanze deinen Körper
Leicht auf vom Boden?

PANDORA: Freude!
Wie jedes Glied gerührt vom Sang und Spiel
Bewegte, regte sich, ich ganz in Melodie verschwamm.

PROMETHEUS: Und alles löst sich endlich auf in Schlaf,
So Freud als Schmerz.
Du hast gefühlt der Sonne Glut,

Des Durstes Lechzen,
Deiner Knie Müdigkeit,
Hast über dein verlorenes Schaf geweint,
Und wie geächzt, gezittert
Da du im Wald den Dorn dir in die Ferse tratst,
Eh ich dich heilte.

PANDORA: Mancherlei, mein Vater, ist des Lebens Wonn
Und Weh! .

PROMETHEUS: Und fühlst an deinem Herzen
Daß noch der Freuden viele sind,
Noch der Schmerzen, die du nicht kennst.

PANDORA: Wohl, wohl! – Dies Herze sehnt sich oft
Ach nirgend hin und überall doch hin!

PROMETHEUS: Da ist ein Augenblick, der alles erfüllt,
Alles was wir gesehnt, geträumt, gehofft,
Gefürchtet, meine Beste. – Das ist der Tod!

PANDORA: Der Tod?

PROMETHEUS: Wenn aus dem innerst tiefsten Grunde
Du ganz erschüttert alles fühlst
Was Freud und Schmerzen jemals dir ergossen,
In Sturm dein Herz erschwillt,
In Tränen sich erleichtern will, und seine Glut vermehrt,
Und alles klingt an dir und bebt und zittert,
Und all die Sinne dir vergehn,
Und du dir zu vergehen scheinst,
Und sinkst, und alles um dich her
Versinkt in Nacht und du, in inner eigenem Gefühle
Umfassest eine Welt:
Dann stirbt der Mensch.

PANDORA (ihn umhalsend): O, Vater, laß uns sterben!

PROMETHEUS: Noch nicht.

PANDORA: Und nach dem Tod?

PROMETHEUS: Wenn alles – Begier und Freud und Schmerz –
Im stürmenden Genuß sich aufgelöst,
Dann sich erquickt in Wonne schlafft, –
Dann lebst du auf, aufs jüngste wieder auf,
Aufs neue zu fürchten, zu hoffen, zu begehren!

(Ende des zweiten Akts)

JOHANN WOLFGANG GOETHE

JAHRMARKTSFEST ZU PLUNDERSWEILERN

EIN SCHÖNBARTSSPIEL

★

Doktor Medikus. Marktschreier

MARKTSCHREIER: Werd's rühmen und preisen weit und breit,
Daß Plundersweilern dieser Zeit
Ein so hochgelahrter Doktor ziert,
Der seine Kollegen nicht kujoniert.
Habt Dank für den Erlaubnisschein,
Hoffe, Ihr werdet zugegen sein,
Wenn wir heut abend auf allen vieren
Das liebe Publikum amüsieren.
Ich hoff', es soll Euch wohl behagen:
Geht's nicht von Herzen, so geht's vom Magen.
DOKTOR: Herr Bruder, Gott geb' Euch seinen Segen
Unzählbar, in Schnupftuchs Hagelregen.
Den Profit kann ich Euch wohl gönnen,
Weiß, was im Grund wir alle können.
Läßt sich die Krankheit nicht kurieren,
Muß man sie eben mit Hoffnung schmieren.
Die Kranken sind wie Schwamm und Zunder:
Ein neuer Arzt tut immer Wunder.
Was gebt Ihr für eine Komödia?
MARKTSCHREIER: Herr, es ist eine Tragödia
Voll süßer Worten und Sittensprüchen,
Hüten uns auch für Zoten und Flüchen,
Seitdem die Gegend in einer Nacht
Der Landkatechismus sittlich gemacht.
DOKTOR: Da wird man sich wohl ennuieren.
MARKTSCHREIER: Könnt' ich nur meinen Hanswurst kurieren!
Der sonst im Intermezzo brav
Die Leute weckt aus 'm Sittenschlaf.
BEDIENTER: Viel Empfehl' vom gnäd'gen Fräulein:
Sie hofft, Sie werden so gütig sein
Und mit zu der Frau Amtmann gehen,
Um all das Gaukelspiel zu sehen.
TIROLER: Kauft allerhand, kauft allerhand,
Kauft lang' und kurze War'!
Sechs Kreuzer 's Stück, ist gar kein Geld
Wie's einem in die Hände fällt.

Kauft allerhand, kauft allerhand,
Kauft lang' und kurze War'!

BAUER: Besem kauft, Besem kauft,
Groß und klein,
Schroff und rein,
Braun und weiß,
All aus frischem Birkenreis.
Kehrt die Gasse, Stub' und Steiß,
Besemreis, Besemreis.

NÜRNBERGER: Liebe Kindlein,
Kauft ein
Hier ein Hündlein,
Hier ein Schwein,
Trummel und Schlägel,
Ein Reitpferd, ein Wägel,
Kugeln und Kegel,
Kistchen und Pfeifer,
Kutschen und Läufer,
Husar und Schweizer,
Nur ein Paar Kreuzer:
Ist alles dein.
Kindlein, kauft ein!

FRÄULEIN: Die Leute schreien wie besessen.

DOKTOR: Es gilt ums Abendessen.

TIROLERIN: Kann ich mit meiner Ware dienen?

FRÄULEIN: Was führt sie denn?

TIROLERIN: Gemalt neumodisch Band,
Die leicht'sten Palatinen
Sind bei der Hand.
Sehn Sie die allerliebsten Häubchen an:
Die Fächer! was man sehen kann!
Niedlich scharmant.

WAGENSCHMERMANN: Her! her!
Butterweiche Wagenschmer!
Daß die Achsen nicht knirren,
Daß die Räder nicht girren!
Ja! ja!
Ich und mein Esel sind auch da.

GOUVERNANTE: Dort steht der Doktor und mein Fräulein:
Herr Pfarrer, lassen Sie uns eilen.

PFEFFERKUCHENMÄDCHEN: Ha ha ha –
Nehmt von den Pfefferkuchen da:

Sind gewürzt, süß und gut,
Frisches Blut,
Guten Mut.
Pfeffernüß ha ha ha.

GOUVERNANTE: Geschwind, Herr Pfarrer, dann –
Sticht Sie das Mädchen an?

PFARRER: Wie sie befehlen.

ZIGEUNERHAUPTMANN: Lumpen und Quark
Der ganze Mark.

ZIGEUNERBURSCH: Die Pistolen
Möcht' ich mir holen.

ZIGEUNERHAUPTMANN: Sind nicht den Teufel wert.
Weitmäuligte Laffen
Feilschen und gaffen,
Gaffen und kaufen.
Bestienhaufen,
Kinder und Fratzen,
Affen und Katzen!
Möcht' all das Zeug nicht,
Wenn ichs geschenkt kriegt'.
Dürft' ich nur über sie!

ZIGEUNERBURSCH: Wetter! wir wollten sie –

ZIGEUNERHAUPTMANN: Wollten sie zausen –

ZIGEUNERBURSCH: Wollten sie lausen –

ZIGEUNERHAUPTMANN: Mit zwanzig Mann
Mein wär' der Kram.

ZIGEUNERBURSCH: Wär' wohl der Müh' wert.

FRÄULEIN: Frau Amtmann, Sie werden verzeihen.

AMTMANNIN: Wir freuen
Uns von Herzen. Willkommner Besuch!

DOKTOR: Ist heut doch des Lärmens genug.

BÄNKELSÄNGER: Ihr lieben Christen allgemein,
Wenn wollt ihr euch verbessern?
Ihr könnt nicht anders ruhig sein
Und euer Glück vergrößern.
Das Laster weh dem Menschen tut,
Die Tugend ist das höchste Gut
Und liegt euch vor den Füßen.

AMTMANN: Der Mensch meint's doch gut.

ZITTERSPIELBUB: Ai! Ai! meinen Kreuzer!
Er hat mir mein' Kreuzer genommen!

MARMOTTE: Ist nicht wahr, ist mein.

(balgen sich. Marmotte siegt. Zitter weint)

LICHTPUTZER (in Hanswursttracht auf dem Theater):

Wollen's gnädigst erlauben,
Daß wir – nicht anfangen!

ZIGEUNERHAUPTMANN: Wie die Schöpse laufen,

Vom Narren Gift zu kaufen!

SCHWEINMETZGER: Führt mir die Schwein' nach Haus!

OCHSENHÄNDLER: Die Ochsen langsam zum Ort hinaus:

Wir kommen nach.
Herr Bruder, der Wirt uns borgt,
Wir trinken eins. Die Herde ist versorgt.

HANSWURST: Ihr mehnt, i bin Hanswurst, nit wahr?

Hab' sein Krage, sei Hose, sei Knopf:
Hett' i au sei Kopf,
Wär' i Hanswurst gans und gar!
Is doch in der Art:
Seht nur de Bart!
Allons, wer kauf' mir
Pflaster, Laxier?
Hab' so viel Durst
Als wie Hanswurst.
Schnupftuch rauf!

MARKTSCHREIER: Wirst nit viel angeln, ist noch zu früh.

Meine Damen und Herrn,
Sähen wohl gern
's treffliche Trauerstück,
Und diesen Augenblick
Wird sich der Vorhang heben.
Belieben nur acht zu geben:
Ist die Historia
Von Esther in Drama,
Ist nach der neusten Art:
Zähnklapp' und Grausen gepaart.
Daß nur sehr schad' ist,
Daß heller Tag ist:
Sollte stichdunkel sein,
Denn sind viel Lichter drein.

(Der Vorhang hebt sich. Man sieht den Galgen in der Ferne)

Kaiser Ahasverus. Haman

HAMAN: Gnädger König, Herr und Fürst,
Du mir es nicht verargen wirst,
Wenn ich an deinem Geburtstag
Dir beschwerlich bin mit Verdruß und Klag'.
Es will mir aber das Herz abfressen,
Kann weder schlafen noch trinken noch essen.
Du weißt, wieviel es uns Mühe gemacht,
Bis wir es haben so weit gebracht
An Herrn Christum nicht zu glauben mehr,
Wie's tut das große Pöbelsheer.
Wir haben endlich erfunden klug,
Die Bibel sei ein schlechtes Buch,
Und sei im Grund nicht mehr daran
Als an den Kindern Heyemann.
Drob wir denn nun jubilieren
Und herzliches Mitleiden spüren
Mit dem armen Schöpsenhaufen,
Die noch zu unserm Herrn Gott laufen.
Aber wir wollen sie bald belehren
Und zum Unglauben sie bekehren
Und lassen sie sich wa nicht weisen,
So sollen sie alle Teufel zerreißen.

AHASVERUS: Insofern ist mir's einerlei,
Doch braucht's all, dünkt mich, nicht's Geschrei.
Laßt sie am Sonnenlicht sich vergnügen,
Fleißig bei ihren Weibern liegen,
Damit wir tapfre Kinder kriegen.

HAMAN: Behüte Gott, Ihre Majestät!
Das leid't sein Lebtag kein Prophet.
Doch wären die noch zu bekehren;
Aber die leidigen Irrlehren
Der Empfindsamen aus Judäa
Sind mir zum teuren Ärger da.
Was hilft's, daß wir Religion
Gestoßen vom Tyrannenthron,
Wenn die Kerls ihren neuen Götzen
Oben auf die Trümmer setzen!
Religion, Empfindsamkeit
Ist ein Dreck, ist lang wie breit.
Müssen das all exterminieren.

Nur die Vernunft, die soll uns führen.
Ihr himmlisch klares Angesicht –
AHASVERUS: Hat auch dafür keine Waden nicht.
Wollen's ein andermal besehen.
Beliebt mir jetzt zu Bett zu gehen.
HAMAN: Wünsch' Euro Majestät geruhige Nacht!
HANSWURST: Der erste Aktus ist nun vollbracht,
Und der nun folgt – das ist der zweite.
MARKTSCHREIER: Lieben Freunde! gute Leute!
Daß Menschenlieb' und Freundlichkeit,
Sorge für eure Gesundheit
Und Leibeswohl zu dieser Zeit
Mich diesen weiten Weg geführt,
Das seid ihr alle perschwadiert.
Und von meiner Wissenschaft und Kunst
Werdet ihr liebe Freund' mit Gunst
Euch selbst am besten überführen
Und ist so wenig zu verlieren.
Zwar könnt' ich euch Brief und Siegel weisen
Von der Kaiserin aller Reußen
Und von Friedrich, dem König von Preußen,
Und allen Europens Potentaten:
Doch wer spricht gern von seinen Taten?
Sind auch viel meiner Vorfahren,
Die leider nichts als Prahler waren;
Ihr könntet's denken auch von mir:
Drum rühm' ich nichts und zeig' euch hier
Ein Päckel Arzenei, köstlich und gut.
Die War' sich selber loben tut.
Wozu's alles schon gut gewesen,
Ist auf'm gedruckten Zeddel zu lesen.
Und enthält das Päckel ganz
Ein Magenpulver und Purganz,
Ein Zahnpülverlein honigsüße
Und einen Ring gegen alle Flüsse.
Wird nur dafür ein Batzen begehrt,
Ist in der Not wohl hundert wert.
HANSWURST: Schnupftuch rauf.
ZIGEUNERHAUPTMANN: Das Milchmädchen da ist ein hübsches [Ding.
Ich kauft' ihr wohl so ein' zinnernen Ring:
Gefällt ihr das, mein liebes Kind?
MILCHMÄDCHEN: Man sieht sich an den sieben Sachen blind.

DOKTOR: Wie gefällt Ihnen das Drama?
AMTMANN: Nicht. Sind doch immer Skandala.
Hab' auch gleich ihnen sagen lassen,
Sie sollen das Ding geziemlicher fassen.
DOKTOR: Was sagte denn der Entrepreneur?
AMTMANN: Es käm' dergleichen Zeug nicht mehr,
Und zuletzt Haman gehenkt erscheine
Zur Warnung und Schrecken der ganzen Gemeine.
HANSWURST: Schnupftuch rauf.
MARKTSCHREIER: Die Herren gehn noch nicht von hinnen,
Wir wollen den zweiten Akt beginnen.
Indessen können sie sich besinnen,
Ob sie von meiner War' was brauchen.
HANSWURST: Gebt acht! kommen euch Tränen in die Augen!

Die Königin Esther. Mardochai

ESTHER: Ich bitt' euch, laßt mich ungeplagt!
MARDOCHAI: Hätt's gern zum letztenmal gesagt:
Wem aber am Herzen tut liegen,
Die Menschen in einanderzufügen
Wie Krebs und Kalbfleisch in ein Ragout
Und eine wohlschmeckende Sauce dazu,
Kann unmöglich gleichgültig sein,
Zu sehn die Heiden wie die Schwein'
Und unser Lämmelein Häuflein zart
Durcheinander laufen nach ihrer Art.
Möcht' all sie gern modifizieren,
Die Schwein zu Lämmern rektifizieren
Und ein Ganzes draus kombinieren,
Daß die Gemeine zu Korinthus
Und Rom, Koloß und Ephesus
Und Herrenhut und Herrenhag
Davor bestünde mit Schand' und Schmach!
Da ist es nun an dir, o Frau!
Dich zu machen an die Königssau
Und seiner Borsten harten Strauß
Zu kehren in Lämmleins Wolle kraus.
Ich geh' aber im Land auf und nieder,
Kaper' immer neue Schwestern und Brüder
Und gläubige sie alle zusammen

Mit Hämmleins Lämmleins Liebesflammen,
Geh' dann davon in stiller Nacht,
Als hätt' ich in das Bett gemacht.
Die Mägdlein haben mir immer Dank:
Ist's nicht Geruch, so ist's Gestank.

ESTHER: Mein Gemahl ist wohl schon eingeschlafen;
Läg' lieber mit einem von euren Schafen.
Indessen, kann's nicht anders sein,
Ist's nicht ein Schaf, so ist's ein Schwein. (Ab)

MARKTSCHREIER: Seiltänzer wird sich sehen lassen.

SCHATTENSPIELMANN: Orgelum, Orgelei.
Dudeldumdei.

DOKTOR: Laßt ihn rein kommen,
Tut die Lichter aus!
Sind ja in einem honetten Haus.
Nicht wahr, Herr Amtmann! man ist, was man bleibt?

AMTMANN: Man ist, wie man's treibt.

SCHATTENSPIELMANN: Orgelum, orgelei,
Dudeldumdei!
Lichter weg! mein Lämpchen nur!
Nimmt sich sonst nicht aus.
Ins Dunkle da, Mesdames!

DOKTOR: Von Herzen gern.

SCHATTENSPIELMANN: Orgelum, orgelei.
Ach, wie sie is alles dunkel!
Finsternis is.
War sie all wüst und leer,
Hab sie all nicks auf die Erd' gesehn –
Orgelum,
Sprach sie Gott, 's werd' Licht –
Wie's hell da 'rein bricht!
Wie sie all durkeinander gehn!
Die Element' alle vier
In sechs Tag alles gemacht is:
Sonn, Mond, Stern, Baum und Tier –
Orgelum, orgelei
Dudeldumdei.
Seh sie Adam in die Paradies,
Seh sie Eva, hat sie die Schlang' verführt,
Nausgejagt
Mit Dorndisteln,
Geburtsschmerzen geplagt –

O weh!
Orgelum,
Hat sie die Welt vermehrt
Mit viel gottlose Leut',
Waren so fromm vorher,
Habe gesunge, gebet',
Glaube mehr an keine Gott,
Ist es ein' Schand' und Spott.
Seh sie die Ritter und Damen,
Wie sie zusammen kamen,
Sich begehn, sich begatten
In alle grüne Schatten,
Uf alle grüne Haide –
Kann das unser Herr Gott leide?
Orgelum, orgelei
Dudeldumdei.
Fährt da die Sündflut rein,
Wie sie Gottserbärmlick schrein,
All all ersaufen schwer,
Is gar kein Rettung mehr.
Orgelum,
Guck sie! in vollem Schuß
Fliegt daher Merkurius,
Macht ein End' all dieser Not,
Dank sei dir, lieber Herre Gott!
Orgelum, orgelei
Dudeldumdei.

DOKTOR: Ja, da wären wir geborgen.
FRÄULEIN: Empfehlen uns!
AMTMANN: Sie kommen doch wieder morgen?
GOUVERNANTE: Man hat an einmal satt.
DOKTOR: Jeder Tag sein eigne Plage hat.
SCHATTENSPIELMANN: Orgelum, orgelei
Dudeldumdei.

JOHANN WOLFGANG GOETHE

EIN FASTNACHTSSPIEL

AUCH WOHL ZU TRAGIEREN NACH OSTERN
VOM PATER BREY, DEM FALSCHEN PROPHETEN
ZU LEHR', NUTZ UND KURZWEIL GEMEINER CHRISTENHEIT
INSONDERS FRAUEN UND JUNGFRAUEN
ZUM GOLDNEN SPIEGEL

★

WÜRZKRÄMER (in seinem Laden):

Junge! hol' mir die Schachtel dort droben:
Der Teufelspfaff' hat mir alles verschoben.
Mir war mein Laden wohl eingericht',
Fehlt' auch darin an Ordnung nicht:
Mir war eines jeden Platz bekannt,
Die nötigst' War' stund bei der Hand,
Tobak und Kaffee, ohn' den der Tag
Kein Höckerweib mehr leben mag.
Da kam ein Teufelspfäfflein ins Land,
Der hat uns Kopf und Sinn verwandt,
Sagt, wir wären unordentleich,
An Sinn und Rumor den Studenten gleich,
Könnt' unsre Haushaltung nicht bestehen,
Müßten alle ärschlings zum Teufel gehen,
Wenn wir nicht täten seiner Führung
Uns übergeben und geistlicher Regierung.
Wir waren Burgersleut' guter Art,
Glaubten dem Kerl auf seinen Bart,
Darin er freilich hat nicht viel Haar:
Wir waren betört eben ganz und gar.
Da kam er denn in den Laden herein,
Sagt: »Verflucht! das sind mir Schwein'!
Wie alles durcheinander steht!
Müßt's einrichten nach dem Alphabet!«
Da kriegt er mir meinen Kasten Caffee
Und setzt mir ihn oben auf ins C
Und stellt mir die Tobaksbüchsen weg
Dort hinten ins T zum Teufelsdreck,
Kehrt eben alles drüber und drunter,
Ging weg und sprach: »So besteh's jetzunder!«
Da macht' er sich an meine Frauen,
Die auch ein bißchen umzuschauen;
Ich bat mir aber die Ehr' auf ein andermal aus,
Und so schafft' ich mir'n aus dem Haus.
Er hat mir's aber auch gedacht
Und mir einen verfluchten Streich gemacht:

Sonst hielten wir's mit der Nachbarin,
Ein altes Weib von treuem Sinn;
Mit der hat er uns auch entzweit:
Man sieht sie fast nicht die ganze Zeit.
Doch da kommt sie soeben her. (Nachbarin kommt)

WÜRZKRÄMER: Frau Nachbarin, was ist Ihr Begehr?

SIBILLA (die Nachbarin):
Hätte gern für zwei Pfennig Schwefel und Zunder.

WÜRZKRÄMER: Ei sieh, 's is ja ein großes Wunder,
Daß man nur einmal hat die Ehr'!

SIBILLA: Ei, der Herr Nachbar braucht einen nicht sehr.

WÜRZKRÄMER: Red' Sie das nicht! Es war ein Zeit,
Da wir waren gute Nachbarsleut'
Und borgten einander Schüsseln und Besen.
Wär' auch alles gut gewesen;
Aber vom Pfaffen kommt der Neid,
Mißtraun, Verdruß und Zwistigkeit.

SIBILLA: Red' er mir nichts übern Herrn Pater!
Er ist im Haus als wie der Vater,
Hat über meine Tochter viel Gewalt,
Zeigt ihr, wie sie soll werden klug und alt,
Und ist ein Mensch von viel Verstand,
Hat auch gesehn schon manches Land.

WÜRZKRÄMER: Aber bedenkt Sie nicht dabei,
Wie sehr gefährlich der Pfaff ihr sei?
Was tut er an Ihrer Tochter lecken,
An fremden verbot'nen Speisen schlecken?
Was würd' Herr Balandrino sagen,
Wenn er zurückkäm' in diesen Tagen,
Der in Italia zu dieser Frist
Unter'n Dragonern Hauptmann ist,
Und ist ihrer Tochter Bräutigam,
Nicht blökt und trottelt wie ein Lamm?

SIBILLA: Herr Nachbar, Er hat ein böses Maul,
Er gönnt dem Herrn Pater keinen blinden Gaul.
Mein' Tochter, die ist in Büchern belesen,
Das ist dem Herrn Pater just sein Wesen;
Auch red't sie verständig allermeist
Von ihrem Herzen, wie sie's heißt.

WÜRZKRÄMER: Frau Nachbarin, das ist alles gut:
Eure Tochter ist ein junges Blut
Und kennt den Teufel der Männer Ränken,

Warum sie sich an die Maidels henken:
Die ganze Stadt is voll davon.

SIBILLA: Lieber Herr Nachbar, weiß alles schon.
Meint er denn aber, Herr, beim Blut,
Daß mein Maidel was Böses tut?

WÜRZKRÄMER: Was Böses? Davon ist nicht die Red',
Es ist nur aber die Frag', wie's steht.
Sieht Sie, ich muß Ihr deutlich sagen,
Ich stund ungefähr dieser Tagen
Hinten am Hollunderzaun.
Da kam mein Pfäfflein und Maidelein traun,
Gingen auf und ab spazieren,
Täten einander umschlungen führen,
Täten mit Äugleins sich begäffeln,
Einander in die Ohren räffeln,
Als wollten sie eben allsogleich
Miteinander ins Bett oder ins Himmelreich.

SIBILLA: Davor habt Ihr eben keine Sinnen:
Ganz geistilich ist sein Beginnen!
Er ist von Fleischbegierden rein
Wie die lieben Herzengelein.
Ich wollt', Ihr tätet ihn nur recht kennen,
Würdet ihn gern einen Heiligen nennen.

(Frau Sibilla, die Nachbarin, ab)

BALANDRINO (der Dragonerhauptmann, tritt auf und spricht):
Da bin ich nun durch viele Gefahr
Zurückgekehrt im dritten Jahr,
Hab' in Italia die Pfaffen gelaust
Und manche Republik gezaust.
Bin nur jetzt von Sorgen getrieben,
Wie es drinne steht mit meiner Lieben
Und ob, wie in der Stadt man sagt
Sie sich mit einem Teufelspfaffen behagt.
Will doch gleich den Nachbar fragen,
War ein redlich Kerl in alten Tagen.

WÜRZKRÄMER: Herr Hauptmann, seid Ihr 's? Gott sei Dank!
Haben Euch halt erwart' so lang'.

HAUPTMANN: Ich bin freilich lang' geblieben.
Wie habt Ihr's denn die Zeit getrieben?

WÜRZKRÄMER: So bürgerlich. Eben leidlich dumm.

HAUPTMANN: Wie steht's in der Nachbarschaft herum?
Ist's wahr –

WÜRZKRÄMER: Seid Ihr etwa schon vergift'?
Da hat einer ein bös Eh' gestift'.
HAUPTMANN: Sagt, ist's wahr mit dem Pfaffen?
WÜRZKRÄMER: Herr, ich hab' nichts mit dem Mist zu schaffen.
Aber so viel kann ich Euch sagen:
Ihr müßt nit mit Feuer und Schwert drein schlagen.
Müßt erst mit eignen Augen sehn,
Wie's drinnen tut im Haus hergehn.
Kommt nur in meine Stube 'nein
Soeben fällt ein Schwank mir ein.
Laßt Euch's unangefochten sein:
Eure Braut ist ein gutes Ding,
Und der Pfaff nur ein Däumerling. (Sie gehen ab)

(Wird vorgestellt der Frau Sibilla Garten. Treten auf: das Pfäfflein und Leonora, sich an Händen führend)

PFAFF: Wie ist doch heut der Tag so schön!
Gar lieblich ist's, spazieren zu gehn.
LEONORA: Wie schön wird nicht erst sein der Tag,
Da mein Balandrino kommen mag?
PFAFF: Wollt Euch wohl gönnen die Herzensfreude!
Doch wir sind indes beisammen heute
Und ergötzen unsere Brust
Mit Freundschaft und Gesprächeslust.
LEONORA: Wie wird Euch Balandrino schätzen,
An Eurem Umgang sich ergötzen,
Erkennen Euer edel Geblüt,
Frei und liebevolles Gemüt,
Und wie Ihr wollet allen gut,
Niemals zu viel noch zu wenig tut.
PFAFF: O Jungfrau, ich mit Seel' und Sinn
Auf immerdar dein eigen bin,
Und den du Bräutigam tust nennen,
Mög' er so deinen Wert erkennen!
O himmlisch glücklich ist der Mann,
Der dich die Seine nennen kann! (Sie gehn vorüber)

(Tritt auf Balandrino, der Hauptmann, verkleidet in einen alten Edelmann, mit weißem Bart und Ziegenperücke und der Würzkrämer)

WÜRZKRÄMER: Hab' Euch nun gesagt des Pfaffen Geschicht',
Wie er alles nach seinem Gehirn einricht',
Wie er will Berg und Tal vergleichen,
Alles Rauhe mit Gips und Kalk verstreichen

Und endlich malen auf das Weiß
Sein Gesicht oder seinen Steiß.

HAUPTMANN: Wir wollen den Kerl gewaltig kurieren
Und über die Ohren in Dreck 'nein führen.
Geht jetzt ein bißchen nur bei Seit'!

WÜRZKRÄMER: Wenn Ihr mich braucht, ich bin nicht weit.
(Geht ab)

HAUPTMANN: Ho! Holla! ho!

SIBILLA: Welch ein Geschrei?

HAUPTMANN: Treff' ich nicht hier den Pater Brey?

SIBILLA: Er wird wohl in den Garten sein.
Ich schick' ihn Ihnen gleich herein. (Ab)

Der PFAFF (tritt auf und spricht): Womit kann ich dem Herren dienen?

HAUPTMANN: Ich bin so frei, mich zu erkühnen,
Den Herrn Pater hier aufzutreiben.
Sie müssen's Ihrem Ruf zuschreiben.
Ich habe so viel Guts vernommen
Von vielen, die da- und dorther kommen,
Wie Sie überall haben genug
Der Menschen Gunst und guten Geruch;
Wollt' Sie doch eiligst kennen lernen
Aus Furcht, Sie möchten sich bald entfernen.

PFAFF: Mein lieber Herr, wer sind Sie dann?

HAUPTMANN: Ich bin ein reicher Edelmann,
Habe gar viel Gut und Geld,
Die schönsten Dörfer auf der Welt.
Aber mir fehlt's am rechten Mann,
Der all das gubernieren kann.
Es geht, geht alles durcheinander
Wie Mäusedreck und Koriander.
Die Nachbarn leben in Zank und Streit,
Unter Brüdern ist keine Einigkeit,
Die Mägde schlafen bei den Buben,
Die Kinder hofieren in die Stuben –
Ich fürcht', es komm't der Jüngste Tag.

PFAFF: Ach, da wird alles gut darnach!

HAUPTMANN: Ich hätt's eben noch gern gut vorher,
Drum verlanget mich zu wissen sehr,
Wie Sie denken, ich sollt's anfangen?

PFAFF: Können nicht zu Ihrem Zweck gelangen,
Sie müssen denn einen Plan disponieren

Und den mit Festigkeit vollführen.
Da muß alles kalkuliert sein,
Da darf kein einzig Geschöpf hinein:
Mäus' und Ratten, Flöh' und Wanzen
Müssen alle beitragen zum Ganzen.

HAUPTMANN: Das tun sie jetzt auch, ohne Kunst.

PFAFF: Doch ist das nicht das Recht', mit Gunst!
Es geht ein jedes seinen Gang;
Doch so ein Reich, das dauert nicht lang'.
Muß alles ineinandergreifen,
Nichts hinüber, herüber schweifen:
Das gibt alsdenn ein Reich, das hält
Im schönsten Flor bis ans End' der Welt.

HAUPTMANN: Mein Herr, ich hab' hier in der Näh'
Ein Völklein, da ich gerne säh'
Wenn Eure Kunst und Wissenschaft
Wollt' da beweisen ihre Kraft.
Sie führen ein sodomitisch Leben:
Ich will sie Eurer Aufsicht übergeben.
Sie reden alle durch die Nasen,
Haben Wänste sehr aufgeblasen
Und schnauzen jeden Christen an
Und laufen davon vor jedermann.

PFAFF: Da ist der Fehler, da sitzt es eben!
Sobald die Kerls wie Wilde leben
Und nicht betulich und freundlich sind –
Doch das verbessert sich geschwind.
Hab' ich doch mit Geistesworten
Auf meinen Reisen aller Orten
Aus rohen, ungewaschnen Leuten,
Die lebten wie Juden, Türken und Heiden,
Zusammengebracht eine Gemein',
Die lieben wie Maienlämmelein
Sich und die Geistesbrüderlein.

HAUPTMANN: Wollet Ihr nicht gleich hinaus reiten?
Der Herr Nachbar soll Euch begleiten.

PFAFF: Der ist sonst nicht mein guter Freund.

HAUPTMANN: Herr Pater! mehr als Ihr es meint! (Sie gehen ab)

HAUPTMANN (kommt zurück und spricht):
Nun muß ich noch ein bißchen sehn,
Wie's tut mit Leonoren stehn;
Ich tu' sie wohl unschuldig schätzen;

Der Pfaff kann nichts als prahlen und schwätzen.
Da kommt sie eben recht herein:
Jungfrau! sie scheint betrübt zu sein.
LEONORE: Mir ist's im Herzen weh und bange:
Mein Bräutigam, der bleibt so lange.
HAUPTMANN: Liebt Ihr ihn denn allein so sehr?
LEONORE: Ohn' ihn möcht' ich nicht leben mehr.
HAUPTMANN: Der Pater Euch ja hofieren tut!
LEONORE: Ach ja, das ist wohl alles gut –
Aber gegen meinen Bräutigam
Ist der Herr Pater nur ein Schwamm.
HAUPTMANN: Ich fürcht', es wird ein Hurry geben,
Wenn der Hauptmann hört Euer Leben.
LEONORE: Ach nein, denn ich ihm schwören kann,
Denke nicht dran, der Pfaff sei Mann,
Und ich dem Hauptmann eigen bin
Von ganzem Herzen und ganzem Sinn.
HAUPTMANN (wirft Perücke und Bart weg und entdeckt sich):
So komme denn an meine Brust,
O Liebe, meines Herzens Lust!
LEONORE: Ist's möglich? Ach, ich glaub' es kaum,
Die himmlisch Freuden ist ein Traum!
HAUPTMANN: O Leonor', bist treu genug –
Wärst du gewesen auch so klug!
LEONORE: Ich bin ganz ohne Schuld und Sünd'.
HAUPTMANN: Das weiß ich wohl, mein liebes Kind.
Die Kerls sind vom Teufel besessen,
Schnopern herum an allen Essen,
Lecken den Weiblein die Ellenbogen,
Stellen sich gar zu wohlgezogen,
Nisten sich ein mit Schmeicheln und Lügen
Wie Filzläus', sind nicht herauszukriegen.
Aber ich hab' ihn prostituiert:
Der Nachbar hat ihn hinausgeführt,
Wo die Schwein' auf die Weide gehn:
Da mag er bekehren und lehren schön!
Nachbar WÜRZKRÄMER (kommt lachend, außer Atem):
Gott grüß' euch edles junges Paar!
Der Pfaff ist rasend ganz und gar,
Läuft wie wütig hinter mir drein.
Ich führt' ihn draußen zu den Schwein' –
Sperrt' Maul und Augen auf, der Matz,

Als ich ihm sagt', er wär' am Platz.
Er säh', sie red'ten durch die Nasen,
Hätten Bäuche sehr aufgeblasen,
Wären unfreundlich, grob und lüderlich,
Schnauzten und bissen sich unbrüderlich,
Lebten ohne Religion und Gott
Und Ordnung wie ein Studentenrott';
Möcht' sie nun machen all' honett
Und die frömmst' nehmen mit zu Bett.

HAUPTMANN: Tät er darauf wacker rasen?

WÜRZKRÄMER: Viel Flüch' und Schimpf aus 'em Rachen
Da kommt er ja gelaufen schon. [blasen!

PFAFF (außer Atem): Wo hat der Teufel den Kujon? (Erschrickt, da er den Hauptmann sieht)

HAUPTMANN: Herr Pfaff! erkennt Er nun die Schlingen?
Sollt' Ihm wohl noch ein Gratias singen:
Doch mag Er frei seiner Wege gahn –
Nur hör' Er noch zwei Wörtchen an.
Er meint, die Welt könnt' nicht bestehen,
Wenn er nicht tät drauf herumhergehen,
Bild't sich ein wunderliche Streich'
Von seinem himmlisch geist'gen Reich,
Meint, Er wolle die Welt verbessern,
Ihre Glückseligkeit vergrößern,
Und lebt ein jedes doch fortan,
So übel und so gut es kann.
Er denkt, Er trägt die Welt auf'm Rücken,
Fäng' Er uns nur einweil die Mücken!
Aber da ist nichts recht und gut,
Als was Herr Pater selber tut.
Tät gerne eine Stadt abbrennen,
Weil er sie nicht hat bauen können,
Find't's verflucht, daß, ohn' ihn zu fragen,
Die Sonne sich auf und ab kann wagen,
Doch, Herr! damit er uns beweist,
Daß ohne ihn die Erde reißt,
Zusammen stürzen Berg und Tal,
Probier' Er's nur und sterb' Er einmal!
Und wenn davon auf der ganzen Welt
Ein Schweinstall nur zusammenfällt,
So erklär' ich Ihn für einen Propheten,
Will Ihn mit all meinem Haus' anbeten. (Der Pfaff zieht ab)

HAUPTMANN: Und du, geliebtes Lorchen mein,
Warst gleich einem Wickelkindelein,
Das schreit nach Brei und Suppe lang':
Des wird der Mutter angst und bang'.
Ihr Brei ist noch nicht gar und recht,
Drum nimmt sie schnell ein Lümpchen schlecht
Und kaut ein Zuckerbrot hinein
Und steckt's dem Kind' ins Mündelein.
Da saugt's und zutscht denn um sein Leben,
Will ihm aber keine Sättigung geben.
Es zieht erst allen Zucker aus
Und speit den Lumpen wieder aus.
So laßt uns denn den Schnacken belachen
Und gleich von Herzen Hochzeit machen!
Ihr Jungfrauen, laßt euch nimmer küssen
Von Pfaffen, die sonst nichts wollen noch wissen;
Denn wer möcht' einen zu Tische laden
Auf den bloßen Geruch von einem Braten?
Es gehört zu jeglichem Sakrament
Geistlicher Anfang, leiblich Mittel, fleischlich
End'.

JOHANN WOLFGANG GOETHE

SATYROS

ODER

DER VERGÖTTERTE WALDTEUFEL

DRAMA

*

1770

ERSTER AKT

EINSIEDLER: Ihr denkt, ihr Herrn, ich bin allein,
Weil ich nicht mag in Städten sein.
Ihr irrt euch, liebe Herren mein!
Ich hab mich nicht hieher begeben,
Weil sie in Städten so ruchlos leben
Und alle wandeln nach ihrem Trieb,
Der Schmeichler, Heuchler und der Dieb:
Das hätt' mich immerfort ergetzt,
Wollten sie nur nicht sein hochgeschätzt,
Bestehlen und bescheißen mich, wie die Raben,
Und noch dazu Reverenzen haben!
Ihrer langweiligen Narrheit satt,
Bin herausgezogen in Gottes Stadt;
Wo's freilich auch geht drüber und drunter
Und geht demohngeacht nicht unter.
Ich sah im Frühling ohne Zahl
Blüten und Knospen durch Berg und Tal,
Wie alles drängt und alles treibt,
Kein Pläcklein ohne Keimlein bleibt.
Da denkt nun gleich der steif' Philister:
Das ist für mich und meine Geschwister.
Unser Herrgott ist so gnädig heuer;
Hätt ich's doch schon in Fach und Scheuer!
Unser Herrgott spricht: aber mir nit so;
Es sollen's ander auch werden froh.
Da lockt uns denn der Sonnenschein
Störch und Schwalb aus der Fremd herein,
Den Schmetterling aus seinem Haus,
Die Fliegen aus den Ritzen 'raus
Und brütet das Raupen-Völklein aus.
Das quillt all von Erzeugungskraft,
Wie sich's hat aus dem Schlaf gerafft;
Vögel und Frösch und Tier und Mücken
Begehn sich zu allen Augenblicken,
Hinten und vorn, auf Bauch und Rücken,
Daß man auf jeder Blüt und Blatt

Ein Eh- und Wochenbettlein hat.
Und sing ich dann im Herzen mein,
Lob Gott, mit allen Würmelein.
Das Volk will dann zu essen haben,
Verzehren bescherte Gottesgaben.
So frißt's Würmlein frisch Keimlein-Blatt,
Das Würmlein macht das Lerchlein satt,
Und weil ich auch bin zu essen hier,
Mir das Lerchlein zu Gemüte führ.
Ich bin dann auch ein häuslich Mann,
Hab Haus und Stall und Garten dran.
Mein Gärtlein, Früchtlein ich beschütz
Vor Kält und Raupen und dürrer Hitz.
Kommt aber herein der Kieselschlag,
Und furaschiert mir an einem Tag,
So ärgert mich der Streich fürwahr;
Doch leb ich noch am End vom Jahr,
Wo mancher Bärwolf ist schon tot
Aus Ängsten vor der Hungersnot.

(Man hört von ferne heulen)

U! U! Au! Au! Weh Weh! Ai! Ai!

EINSIEDLER: Welch ein erbärmlich Wehgeschrei!
Muß eine verwund'te Besti' sein.

SATYROS: O weh, mein Rücken! o weh, mein Bein!

EINSIEDLER: Gut Freund, was ist euch Leids geschehn?

SATYROS: Dumme Frag! Ihr könnt's ja sehn.
Ich bin gestürzt – entzwei mein Bein!

EINSIEDLER: Hockt auf! Hier in die Hütte rein.

(Einsiedler hockt ihn auf, trägt ihn in die Hütte und legt ihn aufs Bett)

EINSIEDLER: Halt still, daß ich die Wund beseh!

SATYROS: Ihr seid ein Flegel! Ihr tut mir weh.

EINSIEDLER: Ihr seid ein Fratz! So halt denn still!
Wie, Teufel, ich euch da schindeln will?

(Verbindet ihn)

So bleibt nur wenigstens in Ruh!

SATYROS: Schafft mir Wein und Obst dazu.

EINSIEDLER: Milch und Brot, sonst nichts auf der Welt.

SATYROS: Eure Wirtschaft ist schlecht bestellt.

EINSIEDLER: Des vornehmen Gasts mich nicht versah.
Da, kostet von dem Topfe da.

SATYROS: Pfui! was ist das ein ä Geschmack

Und magrer als ein Bettelsack.
Da droben im G'birg die wilden Ziegen,
Wenn ich eine bei'n Hörnern tu kriegen,
Faß mit dem Maul ihre vollen Zitzen,
Tu mir mit Macht die Gurgel bespritzen;
Das ist, bei Gott! ein ander Wesen.

EINSIEDLER: Drum eilt euch wieder zu genesen.

SATYROS: Was blast ihr da so in die Hand?

EINSIEDLER: Seid ihr nicht mit der Kunst bekannt?
Ich hauch die Fingerspitzen warm.

SATYROS: Ihr seid doch auch verteufelt arm.

EINSIEDLER: Nein Herr, ich bin gewaltig reich;
Meinem eignen Mangel helf ich gleich.
Wollt ihr von Supp' und Kraut nicht was?

SATYROS: Das warm Geschlapp, was soll mir das?

EINSIEDLER: So legt euch denn einmal zur Ruh,
Bringt ein paar Stund mit Schlafen zu.
Will sehen, ob ich nicht etwan
Für euren Gaum was finden kann.

(Ende des ersten Akts)

—

ZWEITER AKT

SATYROS (erwachend): Das ist eine Hunde-Lagerstätt'!
Ein's Missetäters Folterbett!
Aufliegen hab ich tan mein'n Rücken,
Und die Unzahl verfluchte Mücken!
Bin kommen in ein garstig Loch.
In meiner Höhl, da lebt man doch,
Hat Wein im wohlgeschnitzten Krug
Und fette Milch und Käs genug. –
Kann doch wohl wieder den Fuß betreten? –
Da ist dem Kerl sein Platz zu beten.
Es tut mir in den Augen weh,
Wenn ich dem Narren seinen Herrgott seh.
Wollt lieber eine Zwiebel anbeten,
Bis mir die Trän in die Augen träten,
Als öffnen meines Herzens Schrein
Einem Schnitzbildlein, Querhölzelein.
Mir geht in der Welt nichts über mich:

Denn Gott ist Gott, und ich bin ich.
Ich denk, ich schleiche so hinaus;
Der Teufel hol den Herrn vom Haus!
Könnt ich nicht etwa brauchen was?
Das Leinwand nu wär so ein Spaß.
Die Maidels laufen so vor mir;
Ich denk, ich bind's so etwa für.
Seinen Herrgott will ich 'runterreißen
Und draußen in den Gießbach schmeißen.

(Ende des zweiten Akts)

DRITTER AKT

SATYROS: Ich bin doch müd; 's ist höllisch schwül.
Der Brunn, der ist so schattenkühl.
Hier hat mir einen Königsthron
Der Rasen ja bereitet schon;
Und die Lüftelein laden mich all,
Wie lose Buhlen ohne Zahl.
Natur ist rings so liebebang;
Ich will dich letzen mit Flöt' und Sang.

(Zwei Mägdlein mit Wasserkrügen)

ARSINOE: Hör, wie's daher so lieblich schallt!
Es kömmt vom Brunn, oder aus 'em Wald.
PSYCHE: Es ist kein Knab von unsrer Flur;
So singen Himmelsgötter nur.
Komm, laß uns lauschen!
ARSINOE: Mir ist bang.
PSYCHE: Mein Herz, ach! lechzt nach dem Gesang.
SATYROS (singt): Dein Leben, Herz, für wen erglüht's?
Dein Adlerauge, was ersieht's?
Dir huldigt ringsum die Natur,
's ist alles dein;
Und bist allein,
Bist elend nur!
ARSINOE: Der singt wahrhaftig gar zu schön!
PSYCHE: Mir will das Herz in meiner Brust vergehn.
SATYROS (singt): Hast Melodie vom Himmel geführt
Und Fels und Wald und Fluß gerührt;
Und wonnlicher war dein Lied der Flur

Als Sonnenschein;
Und bist allein,
Bist elend nur!
PSYCHE: Welch göttlich hohes Angesicht!
ARSINOE: Siehst denn seine langen Ohren nicht?
PSYCHE: Wie glühend stark umher er schaut!
ARSINOE: Möcht drum nicht sein des Wunders Braut.
SATYROS: O Mädchen hold, der Erde Zier!
Ich bitt euch, fliehet nicht vor mir.
PSYCHE: Wie kommst du an den Brunnen hier?
SATYROS: Woher ich komm, kann ich nicht sagen,
Wohin ich geh, müßt ihr nicht fragen.
Gebenedeit sind mir die Stunden,
Da ich dich, liebes Paar! gefunden.
PSYCHE: O lieber Fremdling! sag uns recht,
Welch ist dein Nam und dein Geschlecht?
SATYROS: Meine Mutter hab ich nie gekannt,
Hat niemand mir mein'n Vater genannt.
Im fernen Land hoch Berg und Wald
Ist mein beliebter Aufenthalt.
Hab weit und breit meinen Weg genommen.
PSYCHE: Sollt er wohl gar vom Himmel kommen?
ARSINOE: Von was, o Fremdling, lebst du dann?
SATYROS: Vom Leben, wie ein andrer Mann.
Mein ist die ganze weite Welt,
Ich wohne wo mir's wohlgefällt.
Ich herrsch übers Wild und Vögelheer,
Frücht auf der Erden und Fisch im Meer.
Auch ist aufm ganzen Erdenstrich
Kein Mensch so weis' und klug als ich.
Ich kenn die Kräuter ohne Zahl,
Der Sterne Namen allzumal,
Und mein Gesang, der dringt ins Blut,
Wie Weines Geist und Sonnenglut.
PSYCHE: Ach Gott! ich weiß wie's einem tut.
ARSINOE: Hör, das wär meines Vaters Mann.
PSYCHE: Ja freilich!
SATYROS: Wer ist dein Vater dann?
ARSINOE: Er ist der Priester und Ältest im Land,
Hat viele Bücher und viel Verstand,
Versteht sich auch auf Kräuter und Sternen;
Ihr müßt ihn wahrhaftig kennen lernen.

PSYCHE: So lauf und bring ihn schwind herbei! (Arsinoe ab)
SATYROS: So sind wir denn allein und frei.
O Engelskind! Dein himmlisch Bild
Hat meine Seel mit Wonn erfüllt.
PSYCHE: O Gott! seitdem ich dich gesehn,
Kann kaum auf meinen Füßen stehn.
SATYROS: Von dir glänzt Tugend, Wahrheitslicht,
Wie aus eines Engels Angesicht.
PSYCHE: Ich bin ein armes Mägdelein,
Dem du, Herr! wollest gnädig sein. (Er umfaßt sie)
SATYROS: Hab alles Glück der Welt im Arm
So Liebe-Himmels-Wonne-warm!
PSYCHE: Dies Herz mir schon viel Weh bereit't,
Nun aber stirbt's in Seligkeit.
SATYROS: Du hast nie gewußt, wo mit hin?
PSYCHE: Nie – als seitdem ich bei dir bin.
SATYROS: Es war so ahnungsvoll und schwer,
Dann wieder ängstlich arm und leer;
Es trieb dich oft in Wald hinaus,
Dort Bangigkeit zu atmen aus;
Und wollustvolle Tränen flossen,
Und heilge Schmerzen sich ergossen,
Und um dich Himmel und Erd verging?
PSYCHE: O Herr! du weißest alle Ding.
Und aller Seligkeit Wahntraumbild
Fühl ich erbebend voll erfüllt. (Er küßt sie mächtig)
PSYCHE: Laßt ab! – Mich schaudert's. – Wonn und Weh, –
O Gott im Himmel! ich vergeh! –
(Hermes und Arsinoe kommen)
HERMES: Willkommen, Fremdling, in unserm Land!
SATYROS: Ihr tragt ein verflucht weites Gewand.
HERMES: Das ist nun so die Landesart.
SATYROS: Und einen lächerlich krausen Bart.
ARSINOE (leise zu Psyche): Dem Fratzen da ist gar nichts recht.
PSYCHE: O Kind er ist von einem Göttergeschlecht.
HERMES: Ihr scheint mir auch so wunderbar.
SATYROS: Siehst an mein ungekämmtes Haar,
Meine nackte Schultern, Brust und Lenden,
Meine lange Nägel an den Händen;
Da ekelt dir's vielleicht dafür?
HERMES: Mir nicht!
PSYCHE: Mir auch nicht.

ARSINOE (vor sich): Aber mir!
SATYROS: Ich wollt sonst schnell von hinnen eilen,
Und in dem Wald mit den Wölfen heulen,
Wenn ihr euer unselig Geschick
Wolltet wähnen für Gut und Glück,
Eure Kleider, die euch beschimpfen,
Mir als Vorzug entgegenrümpfen.
HERMES: Herr! es ist eine Notwendigkeit.
PSYCHE: O, wie beschwert mich schon mein Kleid!
SATYROS: Was Not! Gewohnheitsposse nur,
Fernt euch von Wahrheit und Natur,
Drinn doch alleine Seligkeit
Besteht und Lebens-Liebens-Freud;
Seid all zur Sklaverei verdammt,
Nichts Ganzes habt ihr allzusamt!

(Es drängt sich allerlei Volk zusammen)

EINER AUS DEM VOLK: Wer mag der mächtig Redner sein?
EIN ANDERER: Einem dringt das Wort durch Mark und Bein.
SATYROS: Habt eures Ursprungs vergessen,
Euch zu Sklaven versessen,
Euch in Häuser gemauert,
Euch in Sitten vertrauert,
Kennt die goldnen Zeiten
Nur aus Märchen, von weiten.

gospel of golden past

DAS VOLK: Weh uns! Weh!
SATYROS: Da eure Väter neugeboren
Vom Boden aufsprangen,
In Wonnetaumel verloren
Willkommelied sangen,
An mitgeborner Gattin Brust,
Der rings aufkeimenden Natur,
Ohne Neid gen Himmel blickten,
Sich zu Göttern entzückten.
Und ihr – wo ist sie hin die Lust
An sich selbst? Siechlinge, verbannet nur!
DAS VOLK: Weh! Weh!
SATYROS: Selig, wer fühlen kann,
Was sei: Gott sein! Mann!
Seinem Busen vertraut,
Entäußert bis auf die Haut
Sich alles fremden Schmucks,
Und nun, ledig des Drucks

Gehäufter Kleinigkeiten, frei
Wie Wolken, fühlt, was Leben sei!
Stehn auf seinen Füßen,
Der Erde genießen,
Nicht kränklich erwählen,
Mit Bereiten sich quälen;
Der Baum wird zum Zelte,
Zum Teppich das Gras,
Und rohe Kastanien
Ein herrlicher Fraß!

DAS VOLK: Rohe Kastanien! O hätten wir's schon!

SATYROS: Was hält euch zurücke
Vom himmlischen Glücke?
Was hält euch davon?

DAS VOLK: Rohe Kastanien! Jupiters Sohn!

SATYROS: Folgt mir, ihr werten
Herren der Erden.
Alle gesellt!

DAS VOLK: Rohe Kastanien! Unser die Welt!

(Ende des dritten Akts)

—

VIERTER AKT

IM WALD

Satyros, Hermes, Psyche, Arsinoe, das Volk sitzen in einem Kreise alle gekauert wie die Eichhörnchen, haben Kastanien in den Händen und nagen daran

HERMES (vor sich): Sackerment! Ich habe schon
Von der neuen Religion
Eine verfluchte Indigestion!

SATYROS: Und bereitet zu dem tiefen Gang
Aller Erkenntnis, horchet meinem Gesang!
Vernehmt, wie im Unding
Alles durcheinander ging;
Im verschlossnen Haß die Elemente tosend,
Und Kraft an Kräften widrig sich stoßend,
Ohne Feinds-Band, ohne Freunds-Band,
Ohne Zerstören, ohne Vermehren.

DAS VOLK: Lehr uns, wir hören!

Satyros: Wie im Unding das Urding erquoll,
Lichtsmacht durch die Nacht scholl,
Durchdrang die Tiefen der Wesen all,
Daß aufkeimte Begehrungsschwall
Und die Elemente sich erschlossen,
Mit Hunger ineinander ergossen,
Alldurchdringend, alldurchdrungen.
Hermes: Des Mannes Geist ist von Göttern entsprungen.
Satyros: Wie sich Haß und Lieb gebar
Und das All nun ein Ganzes war,
Und das Ganze klang
In lebend würkendem Ebengesang,
Sich täte Kraft in Kraft verzehren,
Sich täte Kraft in Kraft vermehren,
Und auf und ab sich rollend ging
Das all und ein und ewig Ding,
Immer verändert, immer beständig!
Das Volk: Er ist ein Gott!
Hermes: Wie wird die Seele lebendig
Vom Feuer seiner Rede!
Das Volk: Gott! Gott!
Psyche: Heiliger Prophete,
Gottheit! an deinen Worten, an deinen Blicken
Ich sterbe vor Entzücken!
Das Volk: Sinkt nieder!
Betet an!
Einer: Sei uns gnädig!
Ein anderer: Wundertätig
Und herrlich!
Das Volk: Nimm dies Opfer an!
Einer: Die Finsternis ist vergangen.
Das Volk: Nimm dies Opfer an!
Einer: Der Tag bricht herein.
Das Volk: Wir sind dein! Gott, dein! Ganz dein!

(Der Einsiedler kommt durch den Wald gerade auf Satyros zu)

Einsiedler: Ah, saubrer Gast! find ich dich hier,
Du ungezogen schändlich Tier!
Satyros: Mit wem sprichst du?
Einsiedler: Mit dir!
Wer hat bestohlen mich undankbar?
Meines Gottes Bild geraubet gar?
Du hinkender Teufel!

VOLK: Höllenspott!
Er lästert unsern herrlichen Gott!
EINSIEDLER: Du wirst von keiner Schande rot.
DAS VOLK: Der Lästrer hat verdient den Tod.
Steinigt ihn!
SATYROS: Haltet ein!
Ich will nicht dabei zugegen sein.
DAS VOLK: Sein unrein Blut, du himmlisch Licht!
Fließ fern von deinem Angesicht.
SATYROS: Ich gehe.
DAS VOLK: Doch verlaß uns nicht!
(Satyros ab)
EINSIEDLER: Seid ihr toll?
HERMES: Unseliger, kein Wort!
Bringt ihn an einen sichern Ort!
Geht, verschließt ihn in meine Wohnung.
(Sie führen den Einsiedler ab)
DAS VOLK: Sterben soll er!
HERMES: Er verdient keine Schonung.
Und zu versühnen den himmlischen Geist,
Der uns sich so gnädig und liebreich erweist,
Wollen wir ihm unsern Tempel weihn
Und mit dem blutigen Opfer erfreun.
DAS VOLK: Wohl! Wohl!
HERMES: Zur Gottheit Füßen
Den Frevel zu büßen.
DAS VOLK: Das Verbrechen
Zu rächen
Zu tilgen den Spott.
ALLE: Vernichtet die Lästrer,
Verherrlichet Gott!
(Ende des vierten Akts)

FÜNFTER AKT

Wohnung des Hermes

Eudora, Hermes Frau. Der Einsiedler

Eudora: Nimm, guter Mann! dies Brot und Milch von mir,
Es ist das letzte.
Einsiedler: Weib! ich danke dir.
Und weine nicht; laß mich in Ruhe scheiden;
Dies Herz ist wohl gewöhnt zu leiden,
Allein zu leiden, männiglich.
Dein Mitleid überwältigt mich.
Eudora: Ich bin betrübt, wie Blutdurst meinen Mann,
Das ganze Volk der Schwindel fassen kann!
Einsiedler: Sie glauben! Laß sie! Du wirst nichts gewinnen.
Das Schicksal spielt
Mit unserm armen Kopf und Sinnen.
Eudora: Dich um des Tiers willen töten!
Einsiedler: Tiers! Wer sein Herz bedürftig fühlt,
Findt überall einen Propheten.
Ich bin der erste Märtyrer nicht,
Aber gewiß der harmlosen einer;
Um keiner Meinungen, keiner
Willkürlichen Grillen,
Um eines armen Lappens willen,
Eines Lappens, bei Gott! den ich brauchte.
Mein Andachtsbild, den Schutzgott meiner Ruh,
Raubt mir das Ungeheur dazu.
Eudora: O Freund! Ich kenn sein Götterblut wie du.
Mein Mann ward Knecht in seiner eignen Wohnung,
Und Ihre borstge Majestät sah zur Belohnung
Mich Hausfrau für einen arkadischen Schwan,
Mein Ehbett für einen Rasen an,
Sich drauf zu tummeln.
Einsiedler: Ich erkenn ihn dran.
Eudora: Ich schickt ihn mit Verachtung weg. Er hing
Sich fester an Psyche, das arme Ding,
Um mich zu trotzen! Und seit der Zeit
Sterb ich oder seh dich befreit.
Einsiedler: Sie bereiten das Opfer heut.
Eudora: Die Gefahr lehrt uns bereit sein.
Ich gebe nichts verloren;

Mit einem Blick lenk ich ein
Bei dem kühnen, eingebild'ten Toren.

EINSIEDLER: Und dann?

EUDORA: Wann sie dich zum Opfer führen,
Lock ich ihn an, sich zu verlieren
In die innern heiligen Hallen,
Aus Großmut-Sanftmut-Schein.
Da dring auf das Volk ein
Uns zu überfallen.

EINSIEDLER: Ich fürchte . . .

EUDORA: Fürchte nicht!
Einer, der um sein Leben spricht,
Hat Gewalt. Ich wage und du sollst reden. (Ab)

EINSIEDLER: Geht's nicht, so mögen sie mich töten.

DER TEMPEL

Satyros sitzt ernst wild auf dem Altar. Das Volk vor ihm auf den Knien. Psyche an ihrer Spitze

DAS VOLK. CHORUS: Geist des Himmels, Sohn der Götter,
Zürne nicht!
Frevlern deiner Stirne Wetter,
Uns ein gnädig Angesicht!
Hat der Lästrer das verbrochen,
Sieh herab, du wirst gerochen!
Schrecklich nahet sein Gericht.

HERMES (ihm folgt ein Trupp, den Einsiedler gebunden führend)

DAS VOLK: Höll und Tod dem Übertreter!
Geist des Himmels, Sohn der Götter,
Zürne deinen Kindern nicht!

SATYROS (herabsteigend): Ich hab ihm seine Missetat verziehn!
Der Gerechtigkeit überlaß ich ihn.
Mögt den Toren schlachten, befrein;
Ich will nicht dawider sein.

DAS VOLK: O Edelmut!
Es fließe sein Blut!

SATYROS: Ich geh ins Heiligtum hinein;
Und keiner soll sich unterstehn,
Bei Lebensstraf, mir nachzugehn!

EINSIEDLER (vor sich): Weh mir! Ihr Götter, wollet bei mir [stehn!
(Satyros ab)

EINSIEDLER: Mein Leben ist in euren Händen,
Ich bin nicht unbereitet, es zu enden.

Ich habe schon seit manchen langen Tagen
Nicht genossen, nur das Leben so ausgetragen.
Es mag! Mich hält der tränenvolle Blick
Des Freundes, eines lieben Weibes Not
Und unversorgter Kinder Elend nicht zurück.
Mein Haus versinkt nach meinem Tod,
Das dem Bedürfnis meines Lebens
Allein gebaut war. Doch das schmerzt mich nur,
Daß ich die tiefe Kenntnis der Natur
Mit Müh geforscht, und leider! nun vergebens;
Daß hohe Menschenwissenschaft,
Manche geheimnisvolle Kraft,
Mit diesem Geist der Erd entschwinden soll.

Faustian longing

EINER DES VOLKS: Ich kenn ihn; er ist der Künste voll.
EIN ANDRER: Was Künste! Unser Gott weiß das all.
EIN DRITTER: Ob er sie sagt, das ist ein andrer Fall.
EINSIEDLER:
Ihr seid über hundert. Wenns zwei-, dreihundert wären,
Ich wollte jedem sein eigen Kunststück lehren,
Einem jeden eins:
Denn was alle wissen, ist keins.
DAS VOLK: Er will uns beschwatzen. Fort! Fort!
EINSIEDLER: Noch ein Wort!
So erlaube, daß ich dir
Ein Geheimnis eröffne, das für und für
Dich glücklich machen soll.
HERMES: Und wie solls heißen?
EINSIEDLER (leise): Nichts weniger als den Stein der Weisen.
Komm von der Menge
Nur einen Schritt in diese Gänge.
(Sie wollen gehn)
DAS VOLK: Verwegner, keinen Schritt!
PSYCHE: Ins Heiligtum! Und, Hermes, du gehst mit?
Vergissest des Gottes Gebot?
DAS VOLK: Auf! Auf! Des Frevlers Blut und Tod.
(Sie reißen den Einsiedler zum Altare. Einer dringt dem Hermes das Messer auf)
EUDORA (inwendig): Hülfe! Hülfe!
DAS VOLK: Welche Stimme?
HERMES: Das ist mein Weib!
EINSIEDLER: Gebietet eurem Grimme
Einen Augenblick!

EUDORA (inwendig): Hülfe, Hermes! Hülfe!
HERMES: Mein Weib! Götter, mein Weib!

(Er stößt die Türen des Heiligtums auf. Man sieht Eudora sich gegen des Satyros Umarmungen verteidigend)

HERMES: Es ist nicht möglich.

(Satyros läßt Eudoren los)

EUDORA: Da seht ihr euren Gott!
DAS VOLK: Ein Tier! Ein Tier!
SATYROS: Von euch Schurken keinen Spott!
Ich tät euch Eseln eine Ehr an,
Wie mein Vater Jupiter vor mir getan;
Wollt eure dummen Köpf belehren
Und euren Weibern die Mücken wehren,
Die ihr nicht gedenkt ihnen zu vertreiben;
So mögt ihr denn im Dreck bekleiben.
Ich zieh meine Hand von euch ab,
Lasse zu edlern Sterblichen mich herab.
HERMES: Geh! Wir begehren deiner nit.

(Satyros ab)

EINSIEDLER: Es geht doch wohl eine Jungfrau mit.

JOHANN WOLFGANG GOETHE

GÖTTER, HELDEN UND WIELAND

EINE FARCE

★

AUF SUBSKRIPTION

LEIPZIG

1774

Merkurius am Ufer des Kozytus mit zwei Schatten

MERKURIUS: Charon! he, Charon! Mach, daß du rüber kommst! Geschwind! Meine Leutchen da beklagen sich zum Erbarmen, wie ihnen das Gras die Füße netzt und sie den Schnuppen kriegen.

CHARON: Saubre Nation! Woher? Das ist einmal wieder von der rechten Rasse. Die könnten immer leben.

MERKURIUS: Droben reden sie umgekehrt. Doch mit allem dem war das Paar nicht unangesehn auf der Oberwelt. Dem Herrn Literator hier fehlt nichts als seine Perücke und seine Bücher, und der Megäre da nur Schminke und Dukaten. Wie steht's drüben?

CHARON: Nimm dich in acht, sie haben dir's geschworen, wenn du hinüber kommst.

MERKURIUS: Wieso?

CHARON: Admet und Alzeste sind übel auf dich zu sprechen, am ärgsten Euripides. Und Herkules hat dich im Anfall seiner Hitze einen dummen Buben geheißen, der nie gescheit werden würde.

MERKURIUS: Ich versteh' kein Wort davon.

CHARON: Ich auch nicht. Du hast in Deutschland jetzt ein Geträtsch mit einem gewissen Wieland?

MERKURIUS: Ich kenn' so keinen.

CHARON: Was schiert's mich? g'nug, sie sind fuchswild.

MERKURIUS: Laß mich in Kahn, ich will mit hinüber, muß doch sehn, was gibt. (Sie fahren über)

EURIPIDES: Es ist nicht fein, daß du's uns so spielst, alten guten Freunden und deinen Brüdern und Kindern. Dich mit Kerls zu gesellen, die keine Ader griechisch Blut im Leibe haben, und an uns zu necken und neidschen, als wenn uns noch was übrig wäre außer dem bißchen Ruhm und dem Respekt, den die Kinder droben für unserm Bart haben.

MERKURIUS: Beim Jupiter, ich versteh' Euch nicht.

LITERATOR: Sollte etwa die Rede vom 'Deutschen Merkur' sein?

EURIPIDES: Kommt Ihr daher? Ihr bezeugt's also?

LITERATOR: O ja, das ist jetzo die Wonne und Hoffnung von ganz Deutschland, was der Götterbote für goldne Papierchen der Aristarchen und Aoiden herumträgt.

EURIPIDES: Da hört Ihr's! Und mir ist übel mitgespielt in denen goldnen Blättchens.

LITERATOR: Das nicht sowohl. Herr Wieland zeigt nur, daß er nach Ihnen habe wagen dürfen, eine 'Alzeste' zu schreiben. Und daß, wenn er Ihre Fehler vermieden und größere Schönheiten aufempfunden, man die Schuld Ihrem Jahrhunderte und dessen Gesinnungen zuschreiben müsse.

EURIPIDES: Fehler! Schuld! Jahrhundert! O du hohes herrliches Gewölbe des unendlichen Himmels, was ist aus uns geworden! Merkur, und du trägst dich damit!

MERKURIUS: Ich stehe versteinert.

ALZESTE: Du bist in übler Gesellschaft, und ich werde sie nicht verbessern. Pfui!

ADMET: Merkur, das hätt' ich dir nicht zugetraut.

MERKURIUS: Red't deutlich, oder ich gehe fort! Was hab' ich mit Rasenden zu tun?

ALZESTE: Du scheinst betroffen. So höre denn. Wir gingen neulich, mein Gemahl und ich, in dem Hain jenseits des Kozytus, wo, wie du weißt, die Gestalten der Träume sich lebhaft darstellen und hören lassen. Wir hatten uns eine Weile an den phantastischen Gestalten ergötzt, als ich auf einmal meinen Namen mit einem unleidlichen Tone ausrufen hörte. Wir wandten uns. Da erschienen zwei abgeschmackte, gezierte, hagre, blasse Püppchens, die sich einander 'Alzeste!' 'Admet' nannten, vor einander sterben wollten, ein Geklingele mit ihren Stimmen machten als die Vögel und zuletzt mit einem traurigen Gekrächz verschwanden.

ADMET: Es war lächerlich anzusehen. Wir verstunden das nicht. Bis erst kurz ein junger Studiosus herunterkam, der uns die große Neuigkeit brachte: ein gewisser Wieland habe uns ungebeten wie Euripides die Ehre angetan, dem Volke unsre Masken zu prostituieren. Und der sagte das Stück auswendig von Anfang bis zu Ende her. Es hat's aber niemand ausgehalten als Euripides, der neugierig und Autor genug dazu war.

EURIPIDES: Ja, und was das schlimmste ist, so soll er in eben den Wischen, die du herumträgst, seine 'Alzeste' vor der meinigen herausgestrichen, mich herunter- und lächerlich gemacht haben.

MERKURIUS: Wer ist der Wieland?

LITERATOR: Hofrat und Prinzenhofmeister zu Weimar.

MERKURIUS: Und wenn er Ganymeds Hofmeister wäre, sollt' er mir her! Es ist just Schlafenszeit, und mein Stab führt eine Seele leicht aus ihrem Körper.

LITERATOR: Mir wird's angenehm sein, solch einen großen Mann bei dieser Gelegenheit kennen zu lernen.

WIELANDS Schatten (in der Nachtmütze)

WIELAND: Lassen sie uns, mein lieber Jacobi!

ALZESTE: Er spricht im Traum.

EURIPIDES: Man sieht doch, mit was für Leuten er umgeht.

MERKURIUS: Ermuntert euch! Es ist hier von keinen Jacobis die Rede. Wie ist's mit dem 'Merkur'? Ihrem 'Merkur'? dem 'Deutschen Merkur'?

WIELAND (kläglich): Sie haben mir ihn nachgedruckt.

MERKURIUS: Was tut uns das? So hört denn und seht!

WIELAND: Wo bin ich? Wohin führt mich der Traum?

ALZESTE: Ich bin Alzeste.

ADMET: Und ich Admet.

EURIPIDES: Solltet Ihr mich wohl kennen?

MERKURIUS: Woher? Das ist Euripides, und ich bin Merkur. Was steht Ihr so verwundert?

WIELAND: Ist das Traum, was ich wie wachend fühle? Und doch hat meine Einbildungskraft niemals solche Bilder hervorgebracht. Ihr Alzeste? Mit dieser Taille!? Verzeiht! Ich weiß nicht, was ich sagen soll.

MERKURIUS: Die eigentliche Frage ist: Warum Ihr meinen Namen prostituiert und diesen ehrlichen Leuten zusammen so übel begegnet?

WIELAND: Ich bin mir nichts bewußt. Was Euch betrifft, Ihr könntet, dünkt mich, wissen, daß wir Euerm Namen keine Achtung schuldig sind. Unsre Religion verbietet uns, irgendeine Wahrheit, Größe, Güte, Schönheit anzuerkennen und anzubeten außer ihr. Daher sind eure Namen wie eure Bildsäulen zerstümmelt und preisgegeben. Und ich versichre euch, nicht einmal der griechische Hermes, wie ihn uns die Mythologen geben, ist mir je dabei in Sinn gekommen. Man denkt gar nichts dabei. Es ist, als wenn einer sagte: *Recueil*, *Portefeuille*.

MERKURIUS: Es ist doch immer mein Name.

WIELAND: Haben Sie niemals Ihre Gestalt mit Flügel an Haupt und Füßen, den Schlangenstab in der Hand, sitzend auf Warenballen und Tonnen, im Vorbeigehn auf einer Tobaksbüchse figurieren sehn?

MERKURIUS: Das läßt sich hören. Ich sprech' Euch los. Und ihr andern werdet mich künftig ungeplagt lassen. So weiß ich war auf dem letzten Maskenballe ein gnädiger Herr, der über seine Hosen und Weste noch einen fleischfarbenen Jobs gezogen hatte, und vermittelst Flügeln an Haupt und Sohlen seine Molchsgestalt für einen Merkurius an Mann bringen wollte.

WIELAND: Das ist die Meinung. So wenig mein Vignettenschneider auf Eure Statüe Rücksicht nahm, die Florenz aufbewahrt, so wenig auch ich.

MERKURIUS: So gehabt Euch wohl! Und so seid Ihr überzeugt, daß der Sohn Jupiters noch nicht so bankrutt gemacht hat, um sich mit allerlei Leuten zu assoziieren.

(Merkurius ab)

WIELAND: So empfehl' ich mich dann.

EURIPIDES: Nicht uns so! Wir haben noch erst ein Glas zusammen zu leeren.

WIELAND: Ihr seid Euripides, und meine Hochachtung für Euch hab' ich öffentlich gestanden.

EURIPIDES: Viel Ehre! Es fragt sich, inwiefern Euch Eure Arbeit berechtigt, von der meinigen übels zu reden. Fünf Briefe zu schreiben um Euer Drama, das so mittelmäßig ist, daß ich als kompromittierter Nebenbuhler fast drüber eingeschlafen bin, Euern Herrn und Damen nicht allein vorzustreichen, das man Euch verzeihen könnte; sondern den guten Euripides als einen verunglückten Mitstreiter hinzustellen, dem Ihr den Rang abgelaufen habt.

ADMET: Ich will's Euch gestehn, Euripides ist auch ein Poet, und ich habe mein' Tage die Poeten für nichts mehr gehalten, als sie sind. Aber ein braver Mensch ist er und unser Landsmann. Es hätte Euch doch sollen bedenklich scheinen, ob der Mann, der geboren wurde, da Griechenland den Xerxes bemeisterte, der ein Freund des Sokrates war, dessen Stücke eine Würkung auf sein Jahrhundert hatten wie Eure wohl schwerlich, ob der Mann nicht eher die Schatten von Alzeste und Admet habe herbeibeschwören können als Ihr? Das verdiente einige ahndungsvolle Ehrfurcht, der zwar Euer ganzes aberweises Jahrhundert von Literatoren nicht fähig ist.

EURIPIDES: Wenn Eure Stücke einmal so viel Menschen das Leben gerettet haben als meine, dann sollt Ihr auch reden.

WIELAND: Mein Publikum, Euripides, ist nicht das Eurige.

EURIPIDES: Das ist die Sache nicht. Von meinen Fehlern und Unvollkommenheiten ist die Rede, die Ihr vermieden habt.

ALZESTE: Daß ich's Euch sage als ein Weib, die eh' ein Wort reden darf, daß es nicht auffällt: Eure Alzeste mag gut sein und eure Weibchen und Männchen amüsiert, auch wohl gekützelt haben, was Ihr Rührung nennt. Ich bin drüber weggegangen, wie man von einer verstimmten Zither wegweicht. Des Euripides seine hab' ich doch ganz ausgehört, mich manchmal drüber gefreut, und auch drüber gelächelt.

WIELAND: Meine Fürstin!

ALZESTE: Ihr solltet wissen, daß Fürsten hier nichts gelten. Ich wünschte, Ihr könntet fühlen, wie viel glücklicher Euripides in Ausführung unsrer Geschichte gewesen als Ihr. Ich bin für meinen Mann gestorben; wie und wo, das ist nicht die Frage. Die Frage ist von Eurer Alzeste, von Euripides' Alzeste.

WIELAND: Könnt Ihr mir absprechen, daß ich das Ganze delikater behandelt habe?

ALZESTE: Was heißt das? Genug, Euripides hat gewußt, warum er eine Alzeste aufs Theater bringt. Ihr nicht. So wenig Ihr die Größe des Opfers, das ich meinem Manne tat, darzustellen wußtet.

WIELAND: Wie meint Ihr das?

EURIPIDES: Laßt mich reden, Alzeste! Sieh her, das sind meine Fehler: Ein junger blühender König, ersterbend mitten im Genuß aller Glückseligkeit. Sein Haus, sein Volk in Verzweiflung, den Guten, Trefflichen zu verlieren, und über dem Jammer Apoll bewegt, den Parzen einen Wechseltod abdringend. Und nun – alles verstummt und Vater und Mutter und Freunde und Volk – alles – und er lechzend am Rande des Tods, umherschauend nach einem willigen Auge, und überall Schweigen – bis sie auftritt, die Einzige, ihre Schönheit und Kraft aufzuopfern dem Gatten, hinunterzusteigen zu den hoffnungslosen Toten.

WIELAND: Das hab' ich alles auch.

EURIPIDES: Nicht gar. Eure Leute sind erstlich alle zusammen aus der großen Familie, der ihr Würde der Menschheit, ein Ding, das Gott weiß woher abstrahiert ist, zum Erbe gegeben habt, ihr Dichter auf unsern Trümmern! Sie sehen einander ähnlich wie die Eier, und ihr habt sie zum unbedeutenden Brei zusammengerührt. Da ist eine Frau, die für ihren Mann sterben will, ein Mann, der für seine Frau sterben will, ein Held, der für sie beide sterben will, daß nichts übrig bleibt als das langweilige Stück Parthenia, die man gerne wie den Widder aus 'em Busche bei den Hörnern kriegte, um dem Elend ein Ende zu machen.

WIELAND: Ihr seht das anders an als ich.

ALZESTE: Das vermut' ich. Nur sagt mir: Was war Alzestens Tat, wenn ihr Mann sie mehr liebte als sein Leben? Der Mensch, der sein ganzes Glück in seiner Gattin genösse wie Euer Admet, würde durch ihre Tat in den doppelt bittern Tod gestürzt werden. Philemon und Baucis erbaten sich zusammen den Tod, und euer Klopstock der doch immer unter euch ein Mensch ist, läßt seine Liebenden wetteifern – »Daphnis, ich sterbe zuletzt«. .Also mußte Admet gerne leben, sehr gerne leben, oder ich war – was? – eine Komödiantin – ein Kind – genug, macht aus mir, was Euch gefällt!

ADMET: Und den Admet, der Euch so ekelhaft ist, weil er nicht sterben mag. Seid Ihr jemals gestorben? Oder seid Ihr jemals ganz glücklich gewesen? Ihr red't wie großmütige Hungerleider.

WIELAND: Nur Feige fürchten den Tod.

ADMET: Den Heldentod, ja. Aber den Hausvatertod fürchtet jeder, selbst der Held. So ist's in der Natur. Glaubt Ihr denn, ich würde mein Leben geschont haben, meine Frau dem Feinde zu entreißen, meine Besitztümer zu verteidigen und doch –

WIELAND: Ihr redet wie Leute einer andern Welt, eine Sprache, deren Worte ich vernehme, deren Sinn ich nicht fasse.

ADMET: Wir reden Griechisch. Ist Euch das so unbegreiflich? Admet –

EURIPIDES: Ihr bedenkt nicht, daß er zu einer Sekte gehört, die allen Wassersüchtigen, Auszehrenden, an Hals und

Bein tödlich Verwundeten einreden will: tot würden ihre Herzen voller, ihre Geister mächtiger, ihre Knochen markiger sein. Das glaubt er.

ADMET: Er tut nur so. Nein, Ihr seid noch Mensch genug, Euch zu Euripides' Admeten zu versetzen.

ALZESTE: Merkt auf, und fragt Eure Frau drüber!

ADMET: Ein junger, ganz glücklicher, wohlbehaglicher Fürst, der von seinem Vater Reich und Erbe und Herde und Güter empfangen hatte, und drinne saß mit Genüglichkeit und genoß und ganz war, und nichts bedurfte als Leute, die mit ihm genossen, und sie, wie natürlich, fand, und des Hergebens nicht satt wurde, und alle liebte, daß sie ihn lieben sollten, und sich Götter und Menschen so zu Freunden gemacht hatte, und Apoll den Himmel an seinem Tische vergaß – der sollte nicht ewig zu leben wünschen! – Und der Mensch hatte auch eine Frau –

ALZESTE: Ihr habt eine und begreift das nicht. Ich wollte das dem schwarzaugigen jungen Ding dort begreiflich machen. Schöne Kleine, willst du ein Wort hören?

DAS MÄDCHEN: Was verlangt Ihr?

ALZESTE: Du hattest einen Liebhaber.

MÄDCHEN: Ach ja!

ALZESTE: Und liebtest ihn von Herzen, so daß du in mancher guten Stunde Beruf fühltest, für ihn zu sterben?

MÄDCHEN: Ach, und ich bin um ihn gestorben. Ein feindseliges Schicksal trennte uns, das ich nicht lang' überlebte.

ALZESTE: Da habt Ihr Eure Alzeste, Wieland. Nun sage mir, liebe Kleine, du hattest Eltern, die sich zärtlich liebten?

MÄDCHEN: Gegen unsre Liebe war's kein Schatten. Aber sie ehrten einander von Herzen.

ALZESTE: Glaubst du wohl, wenn deine Mutter in Todsgefahr gewesen wäre, und dein Vater hätte für sie mit seinem Leben bezahlt, daß sie's mit Dank angenommen hätte?

MÄDCHEN: Ganz gewiß.

ALZESTE: Und wechselsweise, Wieland, ebenso – da habt ihr Euripidens Alzeste.

ADMET: Die Eurige wäre denn für Kinder, die andre für ehrliche Leute, die schon ein bis zwei Weiber begraben haben. Daß Ihr nun mit Eurem Auditorio sympathisiert, ist nötig und billig.

WIELAND: Laßt mich, ihr seid widersinnige rohe Leute, mit denen ich nichts gemein habe.

EURIPIDES: Erst höre mich noch ein paar Worte!

WIELAND: Mach's kurz!

EURIPIDES: Keine fünf Briefe, aber Stoff dazu. Das, worauf Ihr Euch so viel zu gute tut, ein Theaterstück so zu lenken und zu runden, daß es sich sehen lassen darf, ist ein Talent, ja, aber ein sehr geringes.

WIELAND: Ihr kennt die Mühe nicht, die's kostet.

EURIPIDES: Du hast ja genug davon vorgeprahlt, daß alles, wenn man's beim Licht besieht, nichts ist als eine Fähigkeit, nach Sitten und Theaterkonventionen und nach und nach aufgeflickten Statuten Natur und Wahrheit zu verschneiden und einzugleichen.

WIELAND: Ihr werdet mich das nicht überreden.

EURIPIDES: So genieße deines Ruhms unter den Deinigen und laß uns in Ruhe!

ADMET: Begib dich zur Gelassenheit, Euripides! Die Stellen, an denen er deiner spottet, sind so viel Flecken, mit denen er sein eigen Gewand beschmitzt. Wär' er klug und er könnte sie und die Noten zum Shakespeare mit Blut abkaufen, er würde es tun. So stellt er sich dar, und bekennt: da hab' ich nichts gefühlt.

EURIPIDES: Nichts gefühlt bei meinem Prolog, der ein Meisterstück ist! Ich darf wohl von meiner Arbeit so reden, tust du's ja. Du fühlst nichts, da du in den gastoffnen Hof Admetens trittst!

ALZESTE: Er hat keinen Sinn für Gastfreiheit, hörst du ja.

EURIPIDES: Und auf der Schwelle begegnet dir Apollo, die freundliche Gottheit des Hauses, die, ganz voll Liebe zum Admet, ihn erst dem Tod entreißt, und nun, o Jammer! sein bestes Weib für ihn dahingegeben sieht. Er kann nichts weiter retten, und entfernt sich wehmütig, daß nicht die Gemeinschaft mit Toten seine Reinigkeit beflecke. Da tritt herein, schwarzgehüllt, das Schwert ihrer heimtückischen Macht in der Faust, die Königin der Toten, die Geleiterin zum Orkus, das unerbittliche Schicksal, und schilt auf die gütig verweilende Gottheit, droht schon der Alzeste, und Apoll verläßt das Haus und uns. Und wir mit dem verlassenen Chor seufzen: ach, daß Aeskulap noch lebte, der Sohn Apollos, der die Kräuter kannte und jeden Balsam, sie würde gerettet werden.

Denn er erweckte die Toten; aber er ist erschlagen von Jupiters Blitz, der nicht duldete, daß er erweckte vom ewigen Schlaf, die in Staub gestreckt hatte nieder sein unerbittlicher Ratschluß.

ALZESTE: Bist du nicht ganz entrückt gewesen in die Phantasie der Menschen, die aus ihrer Väter Munde vernommen hatten von einem so wundertätigen Manne, dem Macht gegeben war über den allmächtigen Tod? Ist dir nicht da Wunsch, Hoffnung, Glaube aufgegangen: Käme einer aus diesem Geschlechte! Käme der Halbgott seinen Brüdern zu Hülfe!

EURIPIDES: Und da er nun kommt, nun Herkules auftritt und ruft: »Sie ist tot! tot! hast sie weggeführt, schwarze gräßliche Geleiterin zum Orkus, hast mit deinem verzehrenden Schwerte abgeweihet ihre Haare! Ich bin Jupiters Sohn, und traue mir Kraft zu über dich. An dem Grabe will ich dir auflauschen, wo du das Blut trinkst der abgeschlachteten Todesopfer, fassen will ich dich Todesgöttin, umknüpfen mit meinen Armen, die kein Sterblicher und kein Unsterblicher löst, und du sollst mir herausgeben das Weib, Admetens liebes Weib, oder ich bin nicht Jupiters Sohn.«

HERKULES (tritt auf): Was red't ihr von Jupiters Sohn! Ich bin Jupiters Sohn.

ADMET: Haben wir dich in deinem Rauschschläfchen gestört?

HERKULES: Was soll der Lärm?

ALZESTE: Ei, da ist der Wieland.

HERKULES: Ei wo?

ADMET: Da steht er.

HERKULES: Der? Nun, der ist klein genug. Hab' ich mir ihn doch so vorgestellt. Seid Ihr der Mann, der den Herkules immer im Munde führt?

WIELAND: Ich habe nichts mit Euch zu schaffen, Koloß.

HERKULES: Bin ich dir als Zwerg erschienen?

WIELAND: Als wohlgestalter Mann, mittlerer Größe, tritt mein Herkules auf.

HERKULES: Mittlerer Größe! Ich!

WIELAND: Wenn Ihr Herkules seid, so seid Ihr's nicht gemeint.

HERKULES: Es ist mein Name, und auf den bin ich stolz. Ich weiß wohl, wenn ein Fratze keinen Schildhalter unter den Bären, Greifen und Schweinen finden kann, so nimmt er einen Herkules dazu. Denn meine Gottheit ist dir niemals im Traum erschienen.

WIELAND: Ich gestehe, das ist der erste Traum, den ich so habe.

HERKULES: So geh' in dich, und bitte den Göttern ab deine Noten übern Homer, wo wir dir zu groß sind. Das glaub' ich, zu groß!

WIELAND: Wahrhaftig, Ihr seid ungeheuer. Ich hab' mir Euch niemals so imaginiert.

HERKULES: Was kann ich davor, daß Er so eine engbrüstige Imagination hat! Wer ist denn sein Herkules, auf den Er sich so viel zu Gute tut? Und was will Er? Für die Tugend! Was heißt die Devise? Hast du die Tugend gesehn, Wieland? Ich bin doch auch in der Welt herumgekommen, und ist mir nichts so begegnet.

WIELAND: Die Tugend, für die mein Herkules alles tut, alles wagt, Ihr kennt sie nicht!

HERKULES: Tugend! Ich hab' das Wort erst hierunten von ein paar albernen Kerls gehört, die keine Rechenschaft davon zu geben wußten.

WIELAND: Ich bin's eben so wenig im Stande. Doch laßt uns darüber keine Worte verderben. Ich wollte, Ihr hättet meine Gedichte gelesen, und Ihr würdet finden, daß ich selbst die Tugend wenig achte. Sie ist ein zweideutiges Ding.

HERKULES: Ein Unding ist sie, wie alle Phantasie, die mit dem Gang der Welt nicht bestehen kann. Eure Tugend kommt mir vor wie ein Zentaur. Solang' der vor Eurer Imagination herumtrabt, wie herrlich, wie kräftig! und wenn der Bildhauer Euch ihn hinstellt, welch übermenschliche Form! – Anatomiert ihn und findet vier Lungen, zwei Herzen, zwei Mägen. Er stirbt im Augenblicke der Geburt wie ein andres Mißgeschöpf, oder ist nie außer Eurem Kopf erzeugt worden.

WIELAND: Tugend muß doch was sein, sie muß wo sein.

HERKULES: Bei meines Vaters ewigem Bart! Wer hat daran gezweifelt? Und mich dünkt, bei uns wohnte sie, Halbgöttern und Helden. Meinst du, wir lebten wie das Vieh, weil Eure Bürger sich vor den Faustrechtszeiten kreuzigen? Wir hatten die bravsten Kerls unter uns.

WIELAND: Was nennt Ihr brave Kerls?

HERKULES: Einen, der mitteilt, was er hat. Und der reichste ist der bravste. Hatte einer Überfluß an Kräften, so prügelte er die andern aus. Und versteht sich, ein rechter Mann gibt sich nie mit geringern ab, nur mit seinesgleichen, auch größern wohl. Hatte einer denn Überfluß an Säften, machte er den Weibern so viel Kinder, als sie begehrten, auch wohl ungebeten. Wie ich denn selbst in einer Nacht funfzig Buben ausgearbeitet habe. Fehlt' es einem denn an beiden, und der Himmel hatte ihm, oder auch wohl dazu, Erb' und Hab' vor Tausenden gegeben, eröffnete er seine Türen und hieß Tausende willkommen, mit ihm zu genießen. Und da steht Admet, der wohl der bravste in diesem Stücke genannt werden kann.

WIELAND: Das meiste davon wird zu unsern Zeiten für Laster gerechnet.

HERKULES: Laster, das ist wieder ein schönes Wort. Dadurch wird eben alles so bald bei euch, daß ihr euch Tugend und Laster als zwei Extrema vorstellt, zwischen denen ihr schwankt. Anstatt euern Mittelzustand als den positiven anzusehn und den besten, wie's eure Bauern und Knechte und Mägde noch tun.

WIELAND: Wenn Ihr diese Gesinnungen in meinem Jahrhunderte merken ließet, man würde Euch steinigen. Haben sie mich wegen meiner kleinen Angriffe an Tugend und Religion so entsetzlich verketzert!

HERKULES: Was ist da viel anzugreifen? Die Pferde, Menschenfresser und Drachen, mit denen hab' ich's aufgenommen, mit Wolken niemals, sie wollten eine Gestalt haben, wie sie mochten. Die überläßt ein gescheiter Mann dem Winde, der sie zusammengeführt hat, wieder zu verwehen.

WIELAND: Ihr seid ein Unmensch! Ein Gotteslästrer!

HERKULES: Will dir das nicht in Kopf? Aber des Prodikus Herkules, das ist dein Mann. Eines Schulmeisters Herkules. Ein unbärtiger Sylvio am Scheideweg. Wären mir die Weiber begegnet, siehst du, eine unter den Arm, eine unter den, und alle beide hätten mit fortgemußt. Darin ist dein Amadis kein Narr, ich laß' dir Gerechtigkeit widerfahren.

WIELAND: Kenntet Ihr meine Gesinnungen, Ihr würdet noch anders denken.

HERKULES: Ich weiß genug. Hättest du nicht zu lang' unter der Knechtschaft deiner Religion und Sittenlehre geseufzt, es hätte noch was aus dir werden können.

Denn jetzt hängen dir immer noch die scheelen Ideale an. Kannst nicht verdauen, daß ein Halbgott sich betrinkt und ein Flegel ist, seiner Gottheit ohnbeschadet. Und wunder meinst, wie du einen Kerl prostituiert hättest, wenn du ihn untern Tisch oder zum Mädel auf die Streu bringst. Weil Eure Hochwürden das nicht Wort haben wollen.

WIELAND: Ich empfehle mich.

HERKULES: Du möchtest aufwachen. Noch ein Wort. Was soll ich von eines Menschen Verstand denken, der in seinem vierzigsten Jahr ein groß Werks und Wesen draus machen kann, und fünf, sechs Bücher voll schreiben, davon, daß ein Maidel mit kaltem Blut kann bei drei, vier Kerls liegen und sie eben in der Reihe herum liebhaben. Und daß die Kerls sich drüber beleidigt finden, und doch wieder anbeißen. Ich sehe gar nicht –

PLUTO (inwendig): He! Ho! Was für ein verfluchter Lärm da draußen! Herkules, dich hört man überall vor. Kann man nicht einmal ruhig liegen bei seinem Weibe, wenn sie nichts dagegen hat!

HERKULES: So gehabt Euch wohl, Herr Hofrat!

WIELAND (erwachend): Sie reden, was sie wollen: mögen sie doch reden, was kümmert's mich?

JOHANN WOLFGANG GOETHE

PROLOG ZU DEN NEUSTEN OFFENBARUNGEN GOTTES

VERDEUTSCHT DURCH DR. CARL FRIEDRICH BAHRDT

★

GIESSEN

1774

Die Frau Professorn tritt auf im Putz, den Mantel umwerfend.
Bahrdt sitzt am Pult ganz angezogen und schreibt

FRAU BAHRDT:
So komm denn, Kind, die Gesellschaft im Garten
Wird gewiß auf uns mit dem Kaffee warten.

BAHRDT: Da kam mir ein Einfall von ohngefähr:
(Sein geschrieben Blatt ansehend)
So redt ich, wenn ich Christus wär.

FRAU BAHRDT: Was kommt ein Getrappel die Trepp herauf?

BAHRDT: 's ist ärger als ein Studentenhauf.
Das ist ein Besuch auf allen Vieren.

FRAU BAHRDT: Gott behüt! 's ist der Tritt von Tieren.

(Die vier Evangelisten mit ihrem Gefolge treten herein. Die Frau Doktorin tut einen Schrei. Matthäus mit dem Engel. Markus begleitet vom Löwen, Lukas vom Ochsen. Johannes, über ihm der Adler)

MATTHÄUS: Wir hören, du bist ein Biedermann,
Und nimmst dich unsers Herren an:
Uns wird die Christenheit zu enge,
Wir sind jetzt überall im Gedränge.

BAHRDT: Willkomm, ihr Herrn! Doch tut mirs leid,
Ihr kommt zur ungelegnen Zeit,
Muß eben in Gesellschaft nein.

JOHANNES: Das werden Kinder Gottes sein:
Wir wollen uns mit dir ergötzen.

BAHRDT: Die Leute würden sich entsetzen:
Sie sind nicht gewohnt solche Bärte breit,
Und Röcke so lang und Falten so weit;
Und eure Bestien, muß ich sagen,
Würde jeder andre zur Tür 'nausjagen.

MATTHÄUS: Das galt doch alles auf der Welt,
Seitdem uns unser Herr bestellt.

BAHRDT: Das kann mir weiter nichts bedeuten:
Gnug, so nehm ich euch nicht zu Leuten.

MARKUS: Und wie und was verlangst denn du?

BAHRDT: Daß ichs euch kürzlich sagen tu:
Es ist mit eurer Schriften Art,

Mit euren Falten und eurem Bart,
Wie mit den alten Talern schwer,
Das Silber fein geprobet sehr,
Und gelten dennoch jetzt nicht mehr:
Ein kluger Fürst der münzt sie ein,
Und tut ein tüchtigs Kupfer drein;
Da mags denn wieder fort kursieren!
So müßt ihr auch, wollt ihr rulieren,
Euch in Gesellschaft produzieren,
So müßt ihr werden wie unsereiner,
Geputzt, gestutzt, glatt, – 's gilt sonst keiner.
Im seidnen Mantel und Kräglein flink,
Das ist doch gar ein ander Ding!

LUKAS DER MALER: Möcht mich in dem Kostüme sehn!

BAHRDT: Da braucht ihr gar nicht weit zu gehn,
Hab just noch einen ganzen Ornat.

DER ENGEL MATTHÄI: Das wär mir ein Evangelistenstaat!
Kommt –

MATTHÄUS: Johannes ist schon weggeschlichen
Und Bruder Markus mit entwichen.

(Des Lukas Ochs kommt Bahrdten zu nah, er tritt nach ihm)

BAHRDT: Schafft ab zuerst das garstig Tier!
Nehm ich doch kaum ein Hündlein mit mir.

LUKAS: Mögen gar nichts weiter verkehren mit dir.

(Die Evangelisten mit ihrem Gefolge ab)

FRAU BAHRDT: Die Kerls nehmen keine Lebensart an.

BAHRDT: Komm, 's sollen ihre Schriften dran.

JAKOB MICHAEL REINHOLD LENZ

DER HOFMEISTER

ODER

VORTEILE DER PRIVATERZIEHUNG

EINE KOMÖDIE

*

LEIPZIG

IN DER WEYGANDSCHEN BUCHHANDLUNG

1774

NAMEN

Herr von Berg, Geheimer Rat
Der Major, sein Bruder
Die Majorin
Gustchen, ihre Tochter
Fritz von Berg
Graf Wermuth
Läuffer, ein Hofmeister
Pätus, Bollwerk – Studenten
Herr von Seiffenblase
Sein Hofmeister
Frau Hamster, Rätin
Jungfer Hamster
Jungfer Knicks
Frau Blitzer
Wenzeslaus, ein Schulmeister
Marthe, alte Frau
Lise
Der alte Pätus
Der alte Läuffer, Stadtprediger
Leopold, Junker des Majors, ein Kind
Herr Rehaar, Lautenist
Jungfer Rehaar, seine Tochter

ERSTER AKT

Erste Szene

ZU INSTERBURG IN PREUSSEN

LÄUFFER: Mein Vater sagt: ich sei nicht tauglich zum Adjunkt. Ich glaube, der Fehler liegt in seinem Beutel; er will keinen bezahlen. Zum Pfaffen bin ich auch zu jung, zu gut gewachsen, habe zu viel Welt gesehn, und bei der Stadtschule hat mich der Geheime Rat nicht annehmen wollen. Mag's! Er ist ein Pedant, und dem ist freilich der Teufel selber nicht gelehrt genug. Im halben Jahr hätt' ich doch wieder eingeholt, was ich von der Schule mitgebracht, und dann wär' ich für einen Klassenpräzeptor noch immer viel zu gelehrt gewesen, aber der Herr Geheime Rat muß das Ding besser verstehen. Er nennt mich immer nur Monsieur Läuffer, und wenn wir von Leipzig sprechen, fragt er nach Händels Kuchengarten und Richters Kaffeehaus, ich weiß nicht: soll das Satire sein, oder – Ich hab' ihn doch mit unserm Konrektor bisweilen tiefsinnig genug diskurieren hören; er sieht mich vermutlich nicht für voll an. – Da kommt er eben mit dem Major; ich weiß nicht, ich scheu' ihn ärger als den Teufel. Der Kerl hat etwas in seinem Gesicht, was mir unerträglich ist. (Geht dem Geheimen Rat und dem Major mit viel freundlichen Scharrfüßen vorbei)

Zweite Szene

Geheimer Rat. Major

MAJOR: Was willst du denn? Ist das nicht ein ganz artiges Männichen?

GEH. RAT: Artig genug, nur zu artig. Aber was soll er deinen Sohn lehren?

MAJOR: Ich weiß nicht, Berg, du tust immer solche wunderliche Fragen.

GEH. RAT: Nein, aufrichtig! Du mußt doch eine Absicht haben, wenn du einen Hofmeister nimmst und den Beutel mit einem Mal so weit auftust, daß dreihundert Dukaten herausfallen. Sag' mir, was meinst du mit dem Geld auszurichten? Was foderst du dafür von deinem Hofmeister?

MAJOR: Daß er – was ich – daß er meinen Sohn in allen Wissenschaften und Artigkeiten und Weltmanieren – Ich weiß auch nicht, was du immer mit deinen Fragen willst; das wird sich schon finden; das werd' ich ihm alles schon zu seiner Zeit sagen.

GEH. RAT: Das heißt: du willst Hofmeister deines Hofmeisters sein; bedenkst du aber auch, was du da auf dich nimmst? – Was soll dein Sohn werden, sag' mir einmal?

MAJOR: Was er . . . Soldat soll er werden; ein Kerl, wie ich gewesen bin.

GEH. RAT: Das letzte laß nur weg, lieber Bruder; unsere Kinder sollen und müssen das nicht werden, was wir waren: die Zeiten ändern sich, Sitten, Umstände, alles, und wenn du nichts mehr und nichts weniger geworden wärst, als das leibhafte Konterfei deines Eltervaters – –

MAJOR: Potz hundert! Wenn er Major wird, und ein braver Kerl wie ich, und dem König so redlich dient als ich!

GEH. RAT: Ganz gut, aber nach funfzig Jahren haben wir vielleicht einen andern König und eine andre Art, ihm zu dienen. Aber ich seh' schon, ich kann mich mit dir in die Sachen nicht einlassen, ich müßte zu weit ausholen und würde doch nichts ausrichten. Du siehst immer nur der graden Linie nach, die deine Frau dir mit Kreide über den Schnabel zieht.

MAJOR: Was willst du damit sagen, Berg? Ich bitt' dich, misch' dich nicht in meine Hausangelegenheiten, so wie ich mich nicht in die deinigen. – Aber sieh doch! da läuft ja eben dein gnädiger Junker mit zwei Hollunken aus der Schule heraus. – Vortreffliche Erziehung, Herr Philosophus! Das wird einmal was rechts geben! Wer sollt' es in aller Welt glauben, daß der Gassenbengel der einzige Sohn Sr. Exzellenz des königlichen Geheimen Rats – –

GEH. RAT: Laß ihn nur! – Seine lustigen Spielgesellen werden ihn minder verderben als ein galonierter Müßiggänger, unterstützt von einer eiteln Patronin.

MAJOR: Du nimmst dir Freiheiten heraus. – Adieu.

GEH. RAT: Ich bedaure dich.

—

Dritte Szene

DER MAJORIN ZIMMER

Frau Majorin auf einem Kanapee. Läuffer in sehr demütiger Stellung neben ihr sitzend. Leopold steht

MAJORIN: Ich habe mit Ihrem Herrn Vater gesprochen, und von den dreihundert Dukaten stehenden Gehalts sind wir bis auf hundertundfunfzig einig worden. Dafür verlang' ich aber auch, Herr – Wie heißen Sie? – Herr Läuffer, daß Sie sich in Kleidern sauber halten und unserm Hause keine Schande machen. Ich weiß, daß Sie Geschmack haben; ich habe schon von Ihnen gehört, als Sie noch in Leipzig waren. Sie wissen, daß man heutzutage auf nichts in der Welt so sehr sieht, als ob ein Mensch sich zu führen wisse.

LÄUFFER: Ich hoff', Euer Gnaden werden mit mir zufrieden sein. Wenigstens hab' ich in Leipzig keinen Ball ausgelassen und wohl über die funfzehn Tanzmeister in meinem Leben gehabt.

MAJORIN: So? Lassen Sie doch sehen! (Läuffer steht auf) Nicht furchtsam, Herr ... Läuffer! nicht furchtsam! Mein Sohn ist buschscheu genug; wenn der einen blöden Hofmeister bekommt, so ist's aus mit ihm. Versuchen Sie doch einmal, mir ein Kompliment aus der Menuett zu machen; zur Probe nur, damit ich doch sehe. – Nun, nun, das geht schon an! Mein Sohn braucht vor der Hand keinen Tanzmeister! Auch einen Pas, wenn's Ihnen beliebt. – Es wird schon gehen; das wird sich alles geben, wenn Sie einmal einer unsrer Assembleen werden beigewohnt haben ... Sind Sie musikalisch?

LÄUFFER: Ich spiele die Geige, und das Klavier zur Not.

MAJORIN: Desto besser: wenn wir aufs Land gehn und Fräulein Milchzahn besuchen uns einmal; ich habe bisher ihnen immer was vorsingen müssen, wenn die guten Kinder Lust bekamen zu tanzen: aber besser ist besser.

LÄUFFER: Euer Gnaden setzen mich außer mich: wo wär' ein Virtuos auf der Welt, der auf seinem Instrument Euer Gnaden Stimme zu erreichen hoffen dürfte.

MAJORIN: Ha, ha, ha, Sie haben mich ja noch nicht gehört... Warten Sie; ist Ihnen die Menuett bekannt? (Singt)

LÄUFFER: O... o... verzeihen Sie dem Entzücken, dem Enthusiasmus, der mich hinreißt. (Küßt ihr die Hand)

MAJORIN: Und ich bin doch enrhümiert dazu; ich muß heut' krähen wie ein Rabe. *Vous parlez français, sans doute?*

LÄUFFER: *Un peu, Madame.*

MAJORIN: *Avez-vous déjà fait votre tour de France?*

LÄUFFER: *Non, Madame... Oui, Madame.*

MAJORIN: *Vous devez donc savoir, qu'en France, on ne baise pas les mains, mon cher...*

BEDIENTER (tritt herein): Der Graf Wermuth...

(Graf Wermuth tritt herein)

GRAF (nach einigen stummen Komplimenten, setzt sich zur Majorin aufs Kanapee. Läuffer bleibt verlegen stehen) Haben Euer Gnaden den neuen Tanzmeister schon gesehn, der aus Dresden angekommen? Er ist ein Marchese aus Florenz, und heißt... Aufrichtig: ich habe nur zwei auf meinen Reisen angetroffen, die ihm vorzuziehen waren.

MAJORIN: Das gesteh' ich, nur zwei! In der Tat, Sie machen mich neugierig; ich weiß, welchen verzärtelten Geschmack der Graf Wermuth hat.

LÄUFFER: Pintinello... nicht wahr? Ich hab' ihn in Leipzig auf dem Theater tanzen sehen; er tanzt nicht sonderlich...

GRAF: Er tanzt – *on ne peut pas mieux.* – Wie ich Ihnen sage, gnädige Frau, in Petersburg hab' ich einen Beluzzi gesehn, der ihm vorzuziehen war: aber dieser hat eine Leichtigkeit in seinen Füßen, so etwas Freies, Göttlichnachlässiges in seiner Stellung, in seinen Armen, in seinen Wendungen – –

LÄUFFER: Auf dem Kochischen Theater ward er ausgepfiffen, als er sich das letztemal sehen ließ.

MAJORIN: Merk' Er sich, mein Freund, daß Domestiken in Gesellschaften von Standespersonen nicht mitreden! Geh' Er auf sein Zimmer! Wer hat Ihn gefragt?

(Läuffer tritt einige Schritte zurück)

GRAF: Vermutlich der Hofmeister, den Sie dem jungen Herrn bestimmt? . . .

MAJORIN: Er kommt ganz frisch von der hohen Schule. – Geh' Er nur! Er hört ja, daß man von Ihm spricht; desto weniger schickt es sich, stehen zu bleiben. (Läuffer geht mit einem steifen Kompliment ab) Es ist was Unerträgliches, daß man für sein Geld keinen rechtschaffenen Menschen mehr antreffen kann. Mein Mann hat wohl dreimal an einen dasigen Professor geschrieben, und dies soll doch noch der galanteste Mensch auf der ganzen Akademie gewesen sein. Sie sehen's auch wohl an seinem links bordierten Kleide. Stellen Sie sich vor, von Leipzig bis Insterburg zweihundert Dukaten Reisegeld und jährliches Gehalt fünfhundert Dukaten, ist das nicht erschröcklich?

GRAF: Ich glaube, sein Vater ist der Prediger hier aus dem Ort . . .

MAJORIN: Ich weiß nicht – es kann sein – ich habe nicht darnach gefragt, – ja doch, ich glaub' es fast: er heißt ja auch Läuffer; nun, denn ist er freilich noch artig genug. Denn das ist ein rechter Bär, wenigstens hat er mich ein für allemal aus der Kirche gebrüllt.

GRAF: Ist's ein Katholik?

MAJORIN: Nein doch, Sie wissen ja, daß in Insterburg keine katholische Kirche ist: er ist lutherisch, oder protestantisch, wollt' ich sagen; er ist protestantisch.

GRAF: Pintinello tanzt . . . Es ist wahr, ich habe mir mein Tanzen einige dreißigtausend Gulden kosten lassen, aber noch einmal so viel gäb' ich drum, wenn . . .

—

Vierte Szene

LÄUFFERS ZIMMER

Läuffer. Leopold. Der Major. Erstere sitzen an einem Tisch, ein Buch in der Hand, indem sie der letztere überfällt

MAJOR: So recht; so lieb' ich's; hübsch fleißig – und wenn die Kanaille nicht behalten will, Herr Läuffer, so schlagen Sie ihm das Buch an den Kopf, daß er's Aufstehen vergißt, oder, wollt' ich sagen, so dürfen Sie mir's nur klagen. Ich will dir den Kopf zurechtsetzen, Heiduck du! Seht, da zieht er das Maul schon wieder. Bist empfindlich, wenn dir dein Vater was sagt? Wer soll dir's denn sagen? Du sollst mir anders werden, oder ich will dich peitschen, daß dir die Eingeweide krachen sollen, Tuckmäuser! Und Sie, Herr, sei'n Sie fleißig mit ihm, das bitt' ich mir aus, und kein Feriieren und Pausieren und Rekreieren, das leid' ich nicht. Zum Plunder, vom Arbeiten wird kein Mensch das *Malum hydropisiacum* kriegen. Das sind nur Ausreden von euch Herren Gelehrten. – Wie steht's, kann er seinen *Cornelio*! Lippel! ich bitt' dich um tausend Gottes willen, den Kopf grad'! Den Kopf in die Höhe, Junge! (Richtet ihn) Tausend Sackerment, den Kopf aus den Schultern! oder ich zerbrech' dir dein Rückenbein in tausendmillionen Stücken.

LÄUFFER: Der Herr Major verzeihen: er kann kaum Lateinisch lesen.

MAJOR: Was? So hat der Racker vergessen. – Der vorige Hofmeister hat mir doch gesagt, er sei perfekt im Lateinischen, perfekt ... Hat er's ausgeschwitzt – aber ich will dir – Ich will es nicht einmal vor Gottes Gericht zu verantworten haben, daß ich dir keinen Daumen aufs Auge gesetzt habe, und daß ein Galgendieb aus dir geworden ist, wie der junge Hufeise oder wie deines Onkels Friedrich, eh' du mir so ein gassenläuferischer Taugenichts – Ich will dich zu Tode hauen – (gibt ihm eine Ohrfeige). Schon wieder wie ein Fragezeichen? Er läßt sich nichts sagen. – Fort, mir aus den Augen! – Fort! Soll ich dir Beine machen? Fort, sag' ich! (Stampft mit dem Fuß, Leopold geht ab. Major setzt sich auf seinen Stuhl. Zu Läuffern) Bleiben Sie sitzen, Herr Läuffer; ich wollte mit Ihnen ein paar Worte allein sprechen, darum schickt' ich den jungen Herrn fort. Sie können immer sitzen bleiben; ganz, ganz. Zum Henker, Sie brechen mir ja den Stuhl entzwei, wenn Sie immer so auf einer Ecke ... Dafür steht ja der Stuhl da, daß man drauf sitzen soll. Sind Sie so weit gereist und wissen das noch nicht? – Hören Sie nur: ich seh' Sie für einen hübschen, artigen Mann an, der Gott fürchtet und folgsam ist, sonst würd' ich das nimmer tun, was ich für Sie tue. Hundertundvierzig Dukaten jährlich hab' ich Ihnen versprochen: das machen drei – Warte – dreimal hundertundvierzig: wieviel machen das?

LÄUFFER: Vierhundertundzwanzig.

MAJOR: Ist's gewiß! Macht das so viel? Nun, damit wir gerade Zahl haben, vierhundert Taler preußisch Kurant hab' ich zu Ihrem *Salarii* bestimmt. Sehen Sie, das ist mehr, als das ganze Land gibt.

LÄUFFER: Aber mit Euer Gnaden gnädigen Erlaubnis, die Frau Majorin haben mir von hundertfunfzig Dukaten gesagt; das machte gerade vierhundertfunfzig Taler, und auf diese Bedingungen hab' ich mich eingelassen.

MAJOR: Ei, was wissen die Weiber! – Vierhundert Taler, Monsieur; mehr kann Er mit gutem Gewissen nicht fordern. Der vorige hat zweihundertfunfzig gehabt und ist zufrieden gewesen wie ein Gott. Er war doch, mein Seel'! ein gelehrter Mann auch und ein Hofmann zugleich: die ganze Welt gab ihm das Zeugnis, und, Herr, Er muß noch ganz anders werden, eh' Er so wird. Ich tu' es nur aus Freundschaft für Seinen Herrn Vater, was ich an Ihm tue, und um Seinetwillen auch, wenn Er hübsch folgsam ist, und werd' auch schon einmal für Sein Glück zu sorgen wissen; das kann Er versichert sein. – Hör' Er doch einmal: ich hab' eine Tochter, das mein Ebenbild ist, und die ganze Welt gibt ihr das Zeugnis, daß ihresgleichen an Schönheit im ganzen Preußenlande nichts anzutreffen. Das Mädchen hat ein ganz anders Gemüt als mein Sohn, der Buschklepper. Mit dem muß ganz anders umgegangen werden! Es weiß sein Christentum aus dem Grunde und in dem Grunde, aber es ist denn nun doch, weil sie bald zum Nachtmahl gehen soll und ich weiß, wie die Pfaffen sind, so soll Er auch alle Morgen etwas aus dem Christentum mit ihr nehmen. Alle Tage morgens eine Stunde, und da geht Er auf ihr Zimmer; angezogen, das versteht sich: denn Gott behüte, daß Er so ein Schweinigel sein sollte, wie ich einen gehabt habe, der durchaus im Schlafrock an Tisch kommen wollte. – Kann Er auch zeichnen?

LÄUFFER: Etwas, gnädiger Herr. – Ich kann Ihnen einige Proben weisen.

MAJOR (besieht sie): Das ist ja scharmant! – Recht schön; gut das: Er soll meine Tochter auch zeichnen lehren. – Aber hören Sie, werter Herr Läuffer, um Gottes willen ihr nicht scharf begegnet: das Mädchen hat ein ganz ander Gemüt als der Junge. Weiß Gott! Es ist, als ob sie nicht Bruder und Schwester wären. Sie liegt Tag und Nacht über den Büchern und über den Trauerspielen da, und sobald man ihr nur ein Wort sagt, besonders ich, von mir kann sie nichts vertragen, gleich stehn ihr die Backen in Feuer, und die Tränen laufen ihr wie Perlen drüber herab. Ich will's Ihm nur sagen: das Mädchen ist meines Herzens einziger Trost. Meine Frau macht mir bittre Tage genug: sie will allweil herrschen, und weil sie mehr List und Verstand hat als ich. Und der Sohn, das ist ihr Liebling; den will sie nach ihrer Methode erziehen: fein säuberlich mit dem Knaben Absalom, und da wird denn einmal so ein Galgenstrick draus, der nicht Gott, nicht Menschen was nutz ist. – Das will ich nicht haben. – Sobald er was tut, oder was versieht, oder hat seinen Lex nicht gelernt, sag' Er's mir nur, und der lebendige Teufel soll dreinfahren! – Aber mit der Tochter nehm' Er sich in acht; die Frau wird Ihm schon zureden, daß Er ihr scharf begegnen soll. Sie kann sie nicht leiden, das weiß ich; aber wo ich das geringste merke: Ich bin Herr vom Hause, muß Er wissen, und wer meiner Tochter zu nahe kommt – Es ist mein einziges Kleinod, und wenn der König mir sein Königreich für sie geben wollt': ich schickt' ihn fort. Alle Tage ist sie in meinem Abendgebet und Morgengebet und in meinem Tischgebet, und alles in allem, und wenn Gott mir die Gnade tun wollte, daß ich sie noch vor meinem Ende mit einem General oder Staatsminister vom ersten Range versorgt sähe – denn keinen andern soll sie sein Lebtage bekommen –, so wollt' ich gern ein zehn Jahr eher sterben. – Merk' Er sich das – und wer meiner Tochter zu nahe kommt oder ihr worin zuleid' lebt – die erste beste Kugel durch den Kopf. Merk' Er sich das! – (Geht ab)

—

Fünfte Szene

Fritz von Berg. Augustchen

FRITZ: Sie werden nicht Wort halten, Gustchen: Sie werden mir nicht schreiben, wenn Sie in Heidelbrunn sind, und dann werd' ich mich zu Tode grämen.

GUSTCHEN: Glaubst du denn, daß deine Juliette so unbeständig sein kann? O nein; ich bin ein Frauenzimmer: die Mannspersonen allein sind unbeständig.

FRITZ: Nein, Gustchen, die Frauenzimmer allein sind's. Ja, wenn alle Julietten wären! – Wissen Sie was? Wenn Sie an mich schreiben, nennen Sie mich Ihren Romeo; tun Sie mir den Gefallen: ich versichere Sie, ich werd' in allen Stücken Romeo sein, und wenn ich erst einen Degen trage. O ich kann mich auch erstechen, wenn's dazu kommt.

GUSTCHEN: Gehn Sie doch! Ja, Sie werden's machen, wie im Gellert steht: er besah die Spitz' und Schneide und steckt' ihn langsam wieder ein.

FRITZ: Sie sollen schon sehen. (Faßt sie an die Hand) Gustchen – Gustchen! Wenn ich Sie verlieren sollte, oder der Onkel wollte Sie einem andern geben! – Der gottlose Graf Wermuth! Ich kann Ihnen den Gedanken nicht sagen, Gustchen, aber Sie könnten ihn schon in meinen Augen lesen. – Er wird ein Graf Paris für uns sein.

GUSTCHEN: Fritzchen – so mach' ich's wie Juliette.

FRITZ: Was denn? – Wie denn? – Das ist ja nur eine Erdichtung; es gibt keine solche Art Schlaftrunk.

GUSTCHEN: Ja, aber es gibt Schlaftrünke zum ewigen Schlaf.

FRITZ (fällt ihr um den Hals): Grausame!

GUSTCHEN: Ich hör' meinen Vater auf dem Gange. – Laß uns in den Garten laufen! – Nein; er ist fort. – Gleich nach dem Kaffee, Fritzchen, reisen wir, und sowie der Wagen dir aus den Augen verschwindet, werd' ich dir auch schon aus dem Gedächtnis sein.

FRITZ: So mag Gott sich meiner nie mehr erinnern, wenn ich dich vergesse! Aber nimm dich für den Grafen in acht, er gilt so viel bei deiner Mutter, und du weißt, sie möchte dich gern aus den Augen haben, und eh' ich meine Schulen gemacht habe und drei Jahr auf der Universität, das ist gar lange.

GUSTCHEN: Wie denn, Fritzchen! Ich bin ja noch ein Kind: ich bin noch nicht zum Abendmahl gewesen, aber sag' mir. – O wer weiß, ob ich dich so bald wieder spreche! – Wart', komm in den Garten!

FRITZ: Nein, nein, der Papa ist vorbeigegangen. – Siehst du, der Henker! Er ist im Garten. – Was wolltest du mir sagen?

GUSTCHEN: Nichts . . .

FRITZ: Liebes Gustchen . . .

GUSTCHEN: Du solltest mir – Nein, ich darf das nicht von dir verlangen.

FRITZ: Verlange mein Leben, meinen letzten Tropfen Bluts!

GUSTCHEN: Wir wollten uns beide einen Eid schwören.

FRITZ: O komm! Vortrefflich! Hier laß uns niederknien; am Kanapee; und heb' du so deinen Finger in die Höh' und ich so meinen. – Nun sag', was soll ich schwören?

GUSTCHEN: Daß du in drei Jahren von der Universität zurückkommen willst und dein Gustchen zu deiner Frau machen; dein Vater mag dazu sagen, was er will.

FRITZ: Und das willst du mir dafür wieder schwören, mein englisches ... (Küßt sie)

GUSTCHEN: Ich will schwören, daß ich in meinem Leben keines andern Menschen Frau werden will als deine, und wenn der Kaiser von Rußland selber käme!

FRITZ: Ich schwör' dir hunderttausend Eide – (Der Geheime Rat tritt herein: beide springen mit lautem Geschrei auf)

—

Sechste Szene

Geheimer Rat. Fritz von Berg. Gustchen

GEH. RAT: Was habt ihr! närrische Kinder? Was zittert ihr? – Gleich, gesteht mir alles! Was habt ihr hier gemacht? Ihr seid beide auf den Knien gelegen. – Junker Fritz, ich bitte mir eine Antwort aus; unverzüglich: – Was habt ihr vorgehabt?

FRITZ: Ich, gnädigster Papa?

GEH. RAT: »Ich?« und das mit einem so verwundrungsvollen Ton? Siehst du: ich merk' alles. Du möchtest mir itzt gern eine Lüge sagen, aber entweder bist du zu dumm dazu, oder zu feig, und willst dich mit deinem »Ich?« heraushelfen. . . Und Sie, Mühmchen? – Ich weiß, Gustchen verhehlt mir nichts.

GUSTCHEN (fällt ihm um die Füße) Ach, mein Vater – –

GEH. RAT (hebt sie auf und küßt sie): Wünschst du mich zu deinem Vater? Zu früh, mein Kind, zu früh, Gustchen, mein Kind. Du hast noch nicht kommuniziert. – Denn warum soll ich euch verhehlen, daß ich euch zugehört habe? – Das war ein sehr einfältig Stückchen von euch beiden; besonders von dir, großer vernünftiger Junker Fritz, der bald einen Bart haben wird wie ich, und eine Perücke aufsetzen und einen Degen anstecken. Pfui, ich glaubt', einen vernünftigern Sohn zu haben. Das macht dich gleich ein Jahr jünger, und macht, daß du länger auf der Schule bleiben mußt. Und Sie, Gustchen, auch Ihnen muß ich sagen, daß es sich für Ihr Alter gar nicht mehr schickt, so kindisch zu tun. Was sind das für Romane, die Sie da spielen? Was für Eide, die Sie sich da schwören, und die ihr doch alle beide so gewiß brechen werdet, als ich itzt mit euch rede? Meint ihr, ihr seid in den Jahren, Eide zu tun, oder meint ihr, ein Eid sei ein Kinderspiel, wie es das Versteckspiel oder die blinde Kuh ist? Lernt erst einsehen, was ein Eid ist: lernt erst zittern dafür, und alsdenn wagt's, ihn zu schwören! Wißt, daß ein Meineidiger die schändlichste und unglücklichste Kreatur ist, die von der Sonne angeschienen wird. Ein solcher darf weder den Himmel ansehen, den er verleugnet hat, noch andere Menschen, die sich unaufhörlich vor ihm scheuen und seiner Gesellschaft mit mehr Sorgfalt ausweichen, als einer Schlange oder einem tückischen Hunde.

FRITZ: Aber ich denke meinen Eid zu halten.

GEH. RAT: In der Tat, Romeo? Ha! Du kannst dich auch erstechen, wenn's dazu kommt. Du hast geschworen, daß mir die Haare zu Berg standen. Also gedenkst du deinen Eid zu halten?

FRITZ: Ja, Papa, bei Gott! Ich denk' ihn zu halten.

GEH. RAT: Schwur mit Schwur bekräftigt! – Ich werd' es deinem Rektor beibringen. Er soll Euch auf vierzehn Tage nach Sekunda herunter transportieren, Junker: inskünftige lernt behutsamer schwören! Und worauf? Steht das in deiner Gewalt, was du da versicherst? Du willst Gustchen heiraten! Denk' doch! Weißt du auch schon, was für ein Ding das ist, Heiraten? Geh doch, heirate sie: nimm sie mit auf die Akademie! Nicht? Ich habe nichts dawider, daß ihr euch gern seht, daß ihr euch lieb habt, daß ihr's euch sagt, wie lieb ihr euch habt; aber Narrheiten müßt ihr nicht machen; keine Affen von uns Alten sein, eh' ihr so reif seid als wir; keine Romane spielen wollen, die nur in der ausschweifenden Einbildungskraft eines hungrigen Poeten ausgeheckt sind und von denen ihr in der heutigen Welt keinen Schatten der Wirklichkeit antrefft! Geht! Ich werde keinem Menschen was davon sagen, damit ihr nicht nötig habt, rot zu werden, wenn ihr mich seht. – Aber von nun an sollt ihr einander nie mehr ohne Zeugen sehen. Versteht ihr mich? Und euch nie andere Briefe schreiben als offene, und das auch alle Monate oder höchstens alle drei Wochen einmal, und sobald ein heimliches Briefchen an Junker Fritz oder Fräulein Gustchen entdeckt wird – so steckt man den Junker unter die Soldaten und das Fräulein ins Kloster, bis sie vernünftiger werden. Versteht ihr mich? – Jetzt – nehmt Abschied, hier in meiner Gegenwart! – Die Kutsche ist angespannt, der Major treibt fort; die Schwägerin hat schon Kaffee getrunken. – Nehmt Abschied: ihr braucht euch vor mir nicht zu scheuen. Geschwind, umarmt euch! (Fritz und Gustchen umarmen sich zitternd) Und nun, mein' Tochter Gustchen, weil du doch das Wort so gern hörst, (hebt sie auf und küßt sie) leb' tausendmal wohl, und begegne deiner Mutter mit Ehrfurcht; sie mag dir sagen, was sie will! – Jetzt geh, mach'! – (Gustchen geht einige Schritte, sieht sich um; Fritz fliegt ihr weinend an den Hals) Die beiden Narren brechen mir das Herz! Wenn doch der Major vernünftiger wer den wollte, oder seine Frau weniger herrschsüchtig!

—

ZWEITER AKT

—

Erste Szene

Pastor Läuffer. Der Geheime Rat

GEH. RAT: Ich bedaure ihn – und Sie noch viel mehr, Herr Pastor, daß Sie solchen Sohn haben.

PASTOR: Verzeihen Euer Gnaden, ich kann mich über meinen Sohn nicht beschweren; er ist ein sittsamer und geschickter Mensch, die ganze Welt und Dero Herr Bruder und Frau Schwägerin selbst werden ihm das eingestehen müssen.

GEH. RAT: Ich sprech' ihm das all nicht ab, aber er ist ein Tor und hat alle sein Mißvergnügen sich selber zu danken. Er sollte den Sternen danken, daß meinem Bruder das Geld, das er für den Hofmeister zahlt, einmal anfängt zu lieb zu werden.

PASTOR: Aber bedenken Sie doch: nichts mehr als hundert Dukaten; hundert arme Dukätchen; und dreihundert hatt' er ihm doch im ersten Jahr versprochen: aber beim Schluß desselben nur hundertundvierzig ausgezahlt; jetzt beim Beschluß des zweiten, da doch die Arbeit meines Sohnes immer zunimmt, zahlt' er ihm hundert, und nun, beim Anfang des dritten, wird ihm auch das zu viel. – Das ist wider alle Billigkeit! Verzeihn Sie mir!

GEH. RAT: Laß es doch. – Das hätt' ich euch Leuten voraussagen wollen, und doch sollt' Ihr Sohn Gott danken, wenn ihn nur der Major beim Kopf nähm' und aus dem Hause würfe. Was soll er da, sagen Sie mir, Herr? Wollen Sie ein Vater für Ihr Kind sein und schließen so Augen, Mund und Ohren für seine ganze Glückseligkeit zu? Tagdieben, und sich Geld dafür bezahlen lassen? Die edelsten Stunden des Tages bei einem jungen Herrn versitzen, der nichts lernen mag und mit dem er's doch nicht verderben darf, und die übrigen Stunden, die der Erhaltung seines Lebens, den Speisen und dem Schlaf geheiligt sind, an einer Sklavenkette verseufzen; an den Winken der gnädigen Frau hängen und sich in die Falten des gnädigen Herrn hineinstudieren; essen, wenn er satt ist, und fasten, wenn er hungrig ist, Punsch trinken, wenn er pissen möchte, und Karten spielen, wenn er das Laufen hat! Ohne Freiheit geht das Leben bergab rückwärts, Freiheit ist das Element des Menschen wie das Wasser des Fisches, und ein Mensch, der sich der Freiheit begibt, vergiftet die edelsten Geister seines Bluts, erstickt seine süßesten Freuden des Lebens in der Blüte und ermordet sich selbst.

PASTOR: Aber – oh! erlauben Sie mir: das muß sich ja jeder Hofmeister gefallen lassen; man kann nicht immer seinen Willen haben, und das läßt sich mein Sohn auch gern gefallen, nur –

GEH. RAT: Desto schlimmer, wenn er sich's gefallen läßt, desto schlimmer; er hat den Vorrechten eines Menschen entsagt, der nach seinen Grundsätzen muß leben können, sonst bleibt er kein Mensch. Mögen die Elenden, die ihre Ideen nicht zu höherer Glückseligkeit zu erheben wissen, als zu essen und zu trinken, mögen die sich im Käfig zu Tode füttern lassen; aber ein Gelehrter, ein Mensch, der den Adel seiner Seele fühlt, der den Tod nicht so scheuen sollt' als eine Handlung, die wider seine Grundsätze läuft . . .

PASTOR: Aber was ist zu machen in der Welt? Was wollte mein Sohn anfangen, wenn Dero Herr Bruder ihm die Kondition aufsagten?

GEH. RAT: Laßt den Burschen was lernen, daß er dem Staat nützen kann! Potz hundert, Herr Pastor, Sie haben ihn doch nicht zum Bedienten aufgezogen, und was ist er anders als Bedienter, wenn er seine Freiheit einer Privatperson für einige Handvoll Dukaten verkauft? Sklav' ist er, über den die Herrschaft unumschränkte Gewalt hat, nur daß er so viel auf der Akademie gelernt haben muß, ihren unbesonnenen Anmutungen von weitem zuvorzukommen und so einen Firnis über seine Dienstbarkeit zu streichen: das heißt denn ein feiner artiger Mensch, ein unvergleichlicher Mensch; ein unvergleichlicher Schurke, der, statt seine Kräfte und seinen Verstand dem allgemeinen Besten aufzuopfern, damit die Rasereien einer dampfigten Dame und eines abgedämpften Offiziers unterstützt, die denn täglich weiter um sich fressen wie ein Krebsschaden und zuletzt unheilbar werden. Und was ist der ganze Gewinst am Ende? Alle Mittag Braten und alle Abend Punsch, und eine große Portion Galle, die ihm tagsüber ins Maul gestiegen, abends, wenn er zu Bett liegt, hinabgeschluckt, wie Pillen: das macht gesundes Blut, auf meine Ehr'! und muß auch ein vortreffliches Herz auf die Länge geben. Ihr beklagt euch so viel übern Adel und über seinen Stolz, die Leute sähn Hofmeister wie Domestiken an, – Narren! was sind sie denn anders? Stehn sie nicht in Lohn und Brot bei ihnen wie jene? Aber wer heißt euch ihren Stolz nähren? Wer heißt euch Domestiken werden, wenn ihr was gelernt habt, und einem starrköpfischen Edelmann zinsbar werden, der sein Tage von seinen Hausgenossen nichts anders gewohnt war als sklavische Unterwürfigkeit?

PASTOR: Aber Herr Geheimer Rat – Gütiger Gott! es ist in der Welt nicht anders: man muß eine Warte haben, von der man sich nach einem öffentlichen Amt umsehen kann, wenn man von Universitäten kommt; wir müssen den göttlichen Ruf erst abwarten, und ein Patron ist sehr oft das Mittel zu unserer Beförderung: wenigstens ist es mir so gegangen.

GEH. RAT: Schweigen Sie, Herr Pastor, ich bitt' Sie, schweigen Sie! Das gereicht Ihnen nicht zur Ehr'. Man weiß ja doch, daß Ihre selige Frau Ihr göttlicher Ruf war, sonst säßen Sie noch itzt beim Herrn von Tiesen und düngten ihm seinen Acker. Jemine! daß ihr Herrn uns doch immer einen so ehrwürdigen schwarzen Dunst vor Augen machen wollt! Noch nie hat ein Edelmann einen Hofmeister angenommen, wo er ihm nicht hinter eine Allee von acht, neun Sklavenjahren ein schön Gemälde von Beförderung gestellt hat, und wenn ihr acht Jahr gegangen waret, so macht' er's wie Laban und rückte das Bild um noch einmal so weit vorwärts. Possen! lernt etwas und seid brave Leut'! Der Staat wird euch nicht lang' am Markt stehen lassen. Brave Leut' sind allenthalben zu brauchen; aber Schurken, die den Namen vom Gelehrten nur auf den Zettel tragen, und im Kopf ist leer Papier . . .

PASTOR: Das ist sehr allgemein gesprochen, Herr Rat! – Es müssen doch, bei Gott!, auch Hauslehrer in der Welt sein; nicht jedermann kann gleich Geheimer Rat werden, und wenn er gleich ein Hugo Grotius wär'. Es gehören heutiges tags andere Sachen dazu als Gelehrsamkeit. –

GEH. RAT: Sie werden warm, Herr Pastor! – Lieber, werter Herr Pastor, lassen Sie uns den Faden unsers Streits nicht verlieren. Ich behaupt': es müssen keine Hauslehrer in der Welt sein! Das Geschmeiß taugt den Teufel zu nichts.

PASTOR: Ich bin nicht hergekommen, mir Grobheiten sagen zu lassen: ich bin auch Hauslehrer gewesen. Ich habe die Ehre – –

GEH. RAT: Warten Sie; bleiben Sie, lieber Herr Pastor! Behüte mich der Himmel! Ich habe Sie nicht beleidigen wollen, und wenn's wider meinen Willen geschehen ist, so bitt' ich Sie tausendmal um Verzeihung. Es ist einmal meine üble Gewohnheit, daß ich gleich in Feuer gerate, wenn mir ein Gespräch interessant wird: alles übrige verschwindet mir denn aus dem Gesicht, und ich sehe nur den Gegenstand, von dem ich spreche.

PASTOR: Sie schütten – verzeihen Sie mir, ich bin auch ein Cholerikus und rede gern von der Lunge ab – Sie schütten das Kind mit dem Bade aus. »Hauslehrer taugen zu nichts!« – Wie können Sie mir das beweisen? Wer soll euch jungen Herrn denn Verstand und gute Sitten beibringen? Was wär' aus Ihnen geworden, mein werter Herr Geheimer Rat, wenn Sie keinen Hauslehrer gehabt hätten?

GEH. RAT: Ich bin von meinem Vater zur öffentlichen Schul' gehalten worden und segne seine Asche dafür, und so, hoff' ich, wird mein Sohn Fritz auch dereinst tun.

PASTOR: Ja, – da ist aber noch viel drüber zu sagen, Herr! Ich meinerseits bin Ihrer Meinung nicht; ja, wenn die öffentlichen Schulen das wären, was sie sein sollten! – Aber die nüchternen *Subjecta*, so oft den Klassen vorstehen; die pedantischen Methoden, die sie brauchen; die unter der Jugend eingerissenen verderbten Sitten –

GEH. RAT: Wes ist die Schuld? Wer ist schuld dran, als ihr Schurken von Hauslehrern? Würde der Edelmann nicht von euch in der Grille gestärkt, einen kleinen Hof anzulegen, wo er als Monarch oben auf dem Thron sitzt und ihm Hofmeister und Mamsell und ein ganzer Wisch von Tagdieben huldigen, so würd' er seine Jungen in die öffentliche Schule tun müssen; er würde das Geld, von dem er jetzt seinen Sohn zum hochadligen Dummkopf aufzieht, zum Fonds der Schule schlagen: davon könnten denn gescheite Leute salariert werden, und alles würde seinen guten Gang gehn; das Studentchen müßte was lernen, um bei einer solchen Anstalt brauchbar zu werden, und das junge Herrchen, anstatt seine Faulenzerei vor den Augen des Papas und der Tanten, die alle keine Argusse sind, künstlich und manierlich zu verstecken, würde seinen Kopf anstrengen müssen, um es den bürgerlichen Jungen zuvorzutun, wenn es sich doch von ihnen unterscheiden will. – Was die Sitten anbetrifft, das find't sich wahrhaftig. – Wenn er gleich nicht, wie seine hochadlige Vettern, die Nase von Kindesbeinen an höher tragen lernt als andere und in einem nachlässigen Ton, von oben herab, Unsinn sagen und Leuten ins Gesicht sehen, wenn sie den Hut vor ihm abziehen, um ihnen dadurch anzudeuten, daß sie auf kein Gegenkompliment warten sollen. Die feinen Sitten hol' der Teufel! Man kann dem Jungen Tanzmeister auf der Stube halten und ihn in artige Gesellschaften führen, aber er muß durchaus nicht aus der Sphäre seiner Schulkam'raden herausgehoben und in der Meinung gestärkt werden, er sei eine bessere Kreatur als andere.

PASTOR: Ich habe nicht Zeit (zieht die Uhr heraus) mich in den Disput weiter mit Ihnen einzulassen, gnädiger Herr; aber so viel weiß ich, daß der Adel überall nicht Ihrer Meinung sein wird.

GEH. RAT: So sollten die Bürger meiner Meinung sein. – Die Not würde den Adel schon auf andere Gedanken bringen, und wir könnten uns bessere Zeiten versprechen. Sapperment, was kann aus unserm Adel werden, wenn ein einziger Mensch das Faktotum bei dem Kinde sein soll, ich setz' auch den unmöglichen Fall, daß er ein Polyhistor wäre, – wo will der eine Mann Feuer und Mut und Tätigkeit hernehmen, wenn er alle seine Kräfte auf einen Schafskopf konzentrieren soll, besonders wenn Vater und Mutter sich kreuz und die Quer' immer mit in die Erziehung mengen und dem Faß, in welches er füllt, den Boden immer wieder ausschlagen?

PASTOR: Ich bin um zehn Uhr zu einem Kranken bestellt. Sie werden mir verzeihen. – (Im Abgehen wendet er sich um) Aber wär's nicht möglich, gnädiger Herr, daß Sie Ihren zweiten Sohn nur auf ein halb Jährchen zum Herrn Major in die Kost täten? Mein Sohn will gern mit achtzig Dukaten zufrieden sein; aber mit sechzigen, die ihm der Herr Bruder geben wollen, da kann er nicht von subsistieren.

GEH. RAT: Laß ihn quittieren! – Ich tu' es nicht, Herr Pastor! Davon bin ich nicht abzubringen. Ich will Ihrem Herrn Sohn die dreißig Dukaten lieber schenken; aber meinen Sohn geb' ich zu keinem Hofmeister. (Der Pastor hält ihm einen Brief hin) Was soll ich damit? Es ist alles umsonst, sag' ich Ihnen.

PASTOR: Lesen Sie – lesen Sie nur! –

GEH. RAT: Je nun, Ihm ist nicht – (Liest) – – »Wenden Sie doch alles an, den Herrn Geheimen Rat dahin zu vermögen, – Sie können sich nicht vorstellen, wie elend es mir hier geht; nichts wird mir gehalten, was mir ist versprochen worden. Ich speise nur mit der Herrschaft, wenn keine Fremde da sind, – das ärgste ist, daß ich gar nicht von hier komme und in einem ganzen Jahr meinen Fuß nicht aus Heidelbrunn habe setzen können – man hatte mir ein Pferd versprochen, alle Vierteljahr einmal nach Königsberg zu reisen; als ich es forderte, fragte mich die gnädige Frau, ob ich nicht lieber zum Karneval nach Venedig wollte.« – (Wirft den Brief an die Erde) Je nun, laß ihn quittieren; warum ist er ein Narr und bleibt da?

PASTOR: Ja, das ist eben die Sache. (Hebt den Brief auf) Belieben Sie doch nur auszulesen!

GEH. RAT: Was ist da zu lesen? (Liest) »Demohngeachtet kann ich dies Haus nicht verlassen, und sollt' es mich Leben und Gesundheit kosten. So viel darf ich Ihnen sagen, daß die Aussichten in eine selige Zukunft mir alle die Mühseligkeiten meines gegenwärtigen Standes« – Ja, das sind vielleicht Aussichten in die selige Ewigkeit, sonst weiß ich keine Aussichten, die mein Bruder ihm eröffnen könnte. Er betrügt sich, glauben Sie mir's; schreiben Sie ihm zurück, daß er ein Tor ist. Dreißig Dukaten will ich ihm dies Jahr aus meinem Beutel Zulage geben, aber ihn auch zugleich gebeten haben, mich mit allen fernern Anwerbungen um meinen Karl zu verschonen: denn ihm zu Gefallen werd' ich mein Kind nicht verwahrlosen.

—

Zweite Szene

IN HEIDELBRUNN

Gustchen. Läuffer

GUSTCHEN: Was fehlt Ihnen dann?

LÄUFFER: Wie steht's mit meinem Porträt? Nicht wahr, Sie haben nicht dran gedacht? Wenn ich auch so saumselig gewesen wäre – Hätt' ich das gewußt: ich hätt' Ihren Brief so lang' zurückgehalten, aber ich war ein Narr.

GUSTCHEN: Ha ha ha! Lieber Herr Hofmeister! Ich habe wahrhaftig noch nicht Zeit gehabt.

LÄUFFER: Grausame!

GUSTCHEN: Aber was fehlt Ihnen denn? Sagen Sie mir doch! So tiefsinnig sind Sie ja noch nie gewesen. Die Augen stehn Ihnen ja immer voll Wasser: ich habe gemerkt, Sie essen nichts.

LÄUFFER: Haben Sie? In der Tat? Sie sind ein rechtes Muster des Mitleidens.

GUSTCHEN: O Herr Hofmeister – –

LÄUFFER: Wollen Sie heut nachmittag Zeichenstunde halten?

GUSTCHEN (faßt ihn an die Hand): Liebster Herr Hofmeister! verzeihen Sie, daß ich sie gestern aussetzte! Es war mir wahrhaftig unmöglich zu zeichnen; ich hatte den Schnuppen auf eine erstaunende Art.

LÄUFFER: So werden Sie ihn wohl heute noch haben. Ich denke, wir hören ganz auf zu zeichnen. Es macht Ihnen kein Vergnügen länger.

GUSTCHEN (halbweinend): Wie können Sie das sagen, Herr Läuffer? Es ist das einzige, was ich mit Lust tue.

LÄUFFER: Oder Sie versparen es bis auf den Winter in die Stadt und nehmen einen Zeichenmeister. Überhaupt werd' ich Ihren Herrn Vater bitten, den Gegenstand Ihres Abscheues, Ihres Hasses, Ihrer ganzen Grausamkeit von Ihnen zu entfernen. Ich sehe doch, daß es Ihnen auf die Länge unausstehlich wird, von mir Unterricht anzunehmen.

GUSTCHEN: Herr Läuffer –

LÄUFFER: Lassen Sie mich – Ich muß sehen, wie ich das elende Leben zu Ende bringe, weil mir doch der Tod verboten ist.

GUSTCHEN: Herr Läuffer –

LÄUFFER: Sie foltern mich. – (Reißt sich los und geht ab)

GUSTCHEN: Wie dauert er mich!

Dritte Szene

ZU HALLE IN SACHSEN · PÄTUS ZIMMER

Fritz von Berg. Pätus, im Schlafrock an einem Tisch sitzend

PÄTUS: Ei was, Berg! Du bist ja kein Kind mehr, daß du nach Papa und Mama – Pfui Teufel! Ich hab' dich allezeit für einen braven Kerl gehalten; wenn du nicht mein Schulkamerad wärst, ich würde mich schämen, mit dir umzugehen.

FRITZ: Pätus, auf meine Ehr', es ist nicht Heimweh, du machst mich bis über die Ohren rot mit dem dummen Verdacht. Ich möchte gern Nachricht von Hause haben, das gesteh' ich, aber das hat seine Ursachen – –

PÄTUS: Gustchen – Nicht wahr? Denk' doch, du arme Seele! Hundertachtzig Stunden von ihr entfernt – Was für Wälder und Ströme liegen nicht zwischen euch? Aber warte, wir haben hier auch Mädchen; wenn ich nur besser besponnen wäre, ich wollte dich heut in eine Gesellschaft führen – Ich weiß nicht, wie du auch bist; ein Jahr in Halle und noch mit keinem Mädchen gesprochen: das muß melancholisch machen; es kann nicht anders sein. Warte, du mußt mir hier einziehen, daß du lustig wirst. Was machst du da bei dem Pfarrer? Das ist keine Stube für dich. –

Fritz: Was zahlst du hier?

Pätus: Ich zahle – Wahrhaftig, Bruder, ich weiß es nicht. Es ist ein guter ehrlicher Philister, bei dem ich wohne: seine Frau ist freilich bisweilen ein bißchen wunderlich, aber mag's. Was geht's mich an? Wir zanken uns einmal herum, und denn lass' ich sie laufen: und die schreiben mir alles auf, Hausmiete, Kaffee, Tabak; alles, was ich verlange, und denn zahl' ich die Rechnung alle Jahre, wenn mein Wechsel kommt.

Fritz: Bist du jetzt viel schuldig?

Pätus: Ich habe die vorige Woche bezahlt. Das ist wahr, diesmal haben sie mir's arg gemacht: mein ganzer Wechsel hat herhalten müssen bis auf den letzten Pfennig, und mein Rock, den ich Tags vorher versetzt hatte, weil ich in der äußersten Not war, steht noch zu Gevattern. Weiß der Himmel, wenn ich ihn wieder einlösen kann.

Fritz: Und wie machst du's denn itzt?

Pätus: Ich? – Ich bin krank. Heut morgen hat mich die Frau Rätin Hamster invitieren lassen, gleich kroch ich ins Bett . . .

Fritz: Aber bei dem schönen Wetter immer zu Hause zu sitzen!

Pätus: Was macht das? Des Abends geh' ich im Schlafrock spazieren, es ist ohnedem in den Hundstagen am Tage nicht auszuhalten. – Aber Potz Mordio! Wo bleibt denn mein Kaffee? (Pocht mit dem Fuß) Frau Blitzer! – Nun sollst du sehn, wie ich mit meinen Leuten umspringe – Frau Blitzer! In aller Welt, Frau Blitzer! (Klingelt und pocht) – Ich habe sie kürzlich bezahlt: nun kann ich schon breiter tun – Frau . . .

(Frau Blitzer tritt herein mit einer Portion Kaffee)

Pätus: In aller Welt, Mutter! wo bleibst du denn? Das Wetter soll dich regieren! Ich warte hier schon über eine Stunde –

Frau Blitzer: Was? Du nichtsnutziger Kerl, was lärmst du? Bist du schon wieder nichts nutz, abgeschabte Laus?

Den Augenblick trag' ich meinen Kaffee wieder herunter –

PÄTUS (gießt sich ein): Nun, nun, nicht so böse, Mutter! aber Zwieback – Wo ist denn Zwieback!

FRAU BLITZER: Ja, kleine Steine dir! Es ist kein Zwieback im Hause. Denk' doch, ob so ein kahler lausiger Kerl nun alle Nachmittag Zwieback frißt oder nicht – –

PÄTUS: Was tausend alle Welt! (Stampft mit dem Fuß) Sie weiß, daß ich keinen Kaffee ohne Zwieback ins Maul nehme – Wofür geb ich denn mein Geld aus? –

FRAU BLITZER (langt ihm Zwieback aus der Schürze, wobei sie ihn an den Haaren zupft) Da siehst du, da ist Zwieback, Posaunenkerl! Er hat eine Stimme wie ein ganzes Regiment Soldaten. Nu, ist der Kaffee gut? Ist er nicht? Gleich sag' mir's, oder ich reiß' Ihm das letzte Haar aus Seinem kahlen Kopf heraus.

PÄTUS (trinkt): Unvergleichlich – Aie! – Ich hab' in meinem Leben keinen bessern getrunken.

FRAU BLITZER: Siehst du, Hundejunge! Wenn du die Mutter nicht hättest, die sich deiner annähme und dir zu essen und zu trinken gäbe, du müßtest an der Straße verhungern. Sehen Sie ihn einmal an, Herr von Berg, wie er dahergeht, keinen Rock auf dem Leibe, und sein Schlafrock ist auch, als ob er darin wär' aufgehenkt worden und wieder vom Galgen gefallen. Sie sind doch ein hübscher Herr; ich weiß nicht, wie Sie mit dem Menschen umgehen können, nun freilich, unter Landsleuten, da ist immer so eine kleine Blutsverwandtschaft, drum sag' ich immer, wenn doch der Herr von Berg zu uns einlogieren täte. Ich weiß, daß Sie viel Gewalt über ihn haben: da könnte doch noch was Ordentliches aus ihm werden, aber sonst wahrhaftig – (Geht ab)

PÄTUS: Siehst du, ist das nicht ein gut fidel Weib? Ich seh' ihr all etwas durch die Finger, aber potz, wenn ich auch einmal ernsthaft werde, kusch ist sie wie die Wand – Willst du nicht eine Tasse mit trinken? (Gießt ihm ein) Siehst du, ich bin hier wohlbedient; ich zahle was Rechts, das ist wahr, aber dafür hab' ich auch was . . .

FRITZ (trinkt): Der Kaffee schmeckt nach Gerste.

PÄTUS: Was sagst du? – (Schmeckt gleichfalls) Ja wahrhaftig, mit dem Zwieback hab' ich's nicht so – (Sieht in die Kanne) Nun, so hol' dich! (Wirft das Kaffeezeug zum

Fenster hinaus) Gerstenkaffee und fünfhundert Gulden jährlich! –

FRAU BLITZER (stürzt herein): Wie? Was zum Teufel, was ist das? Herr, ist Er rasend, oder plagt Ihn gar der Teufel? –

PÄTUS: Still, Mutter!

FRAU BLITZER (mit gräßlichem Geschrei): Aber wo ist mein Kaffeezeug? Ei! Zum Henker! Aus dem Fenster! – Ich kratz' Ihm die Augen aus dem Kopf heraus.

PÄTUS: Es war eine Spinne darin, und ich warf's in der Angst – Was kann ich dafür, daß das Fenster offen stand?

FRAU BLITZER: Daß du verreckt wärst an der Spinne! wenn ich dich mit Haut und Haar verkaufe, so kannst du mir mein Kaffeezeug nicht bezahlen, nichtswürdiger Hund! Nichts als Schaden und Unglück kann Er machen. Ich will dich verklagen; ich will dich in Karzer werfen lassen. (Läuft heraus)

PÄTUS (lachend): Was ist zu machen, Bruder! man muß sie schon ausrasen lassen.

FRITZ: Aber für dein Geld?

PÄTUS: Ei was! – Wenn ich bis Weihnachten warten muß, wer wird mir sogleich bis dahin kreditieren? Und denn ist's ja nur ein Weib und ein närrisch Weib dazu, dem's nicht immer so von Herzen geht: wenn mir's der Mann gesagt hätte, das wär' was anders, dem schlüg' ich das Leder voll – Siehst du wohl!

FRITZ: Hast du Feder und Tinte?

PÄTUS: Dort auf dem Fenster –

FRITZ: Ich weiß nicht, das Herz ist mir so schwer – Ich habe nie was auf Ahndungen gehalten.

PÄTUS: Ja, mir auch – Die Döbblinsche Gesellschaft ist angekommen. Ich möchte gern in die Komödie gehn und habe keinen Rock anzuziehen. Der Schurke, mein Wirt, leiht mir keinen, und ich bin eine so große dicke Bestie, daß mir keiner von all euren Röcken passen würde.

FRITZ: Ich muß gleich nach Hause schreiben. (Setzt sich an ein Fenster nieder und schreibt)

PÄTUS (setzt sich einem Wolfspelz gegenüber, der an der Wand hängt) Hm! Nichts als den Pelz gerettet, von allen meinen Kleidern, die ich habe, und die ich mir noch wollte machen lassen. Grade den Pelz, den ich im Sommer nicht tragen kann, und den mir nicht einmal der Jude zum Versatz annimmt, weil sich der Wurm leicht hineinsetzt. Hanke, Hanke! das ist doch unverantwortlich, daß du mir keinen Rock auf Pump machen willst! (Steht auf und geht herum) Was hab' ich dir getan, Hanke, daß du just mir keinen Rock machen willst? Just mir, der ich ihn am nötigsten brauche, weil ich jetzo keinen habe, just mir! – Der Teufel muß dich besitzen, er macht Hunz und Kunz auf Kredit und just mir nicht! (Faßt sich an den Kopf und stampft mit dem Fuß) Just mir nicht, just mir nicht! –

BOLLWERK (der sich mittlerweile hineingeschlichen und ihm zugehört, faßt ihn an: er kehrt sich um und bleibt stumm vor Bollwerk stehen): Ha ha ha ... Nun, du armer Pätus – ha ha ha! Nicht wahr, es ist doch ein gottloser Hanke, daß er just dir nicht – Aber, wo ist das rote Kleid mit Gold, das du bei ihm bestellt hast, und das blauseidne mit der silberstücknen Weste, und das rotsammetne mit schwarz Sammet gefüttert, das wär' vortrefflich bei dieser Jahrszeit. Sage mir! Antworte mir! Der verfluchte Hanke! Wollen wir gehn und ihm die Haut vollschlagen? Wo bleibt er so lang' mit deiner Arbeit? Wollen wir?

PÄTUS (wirft sich auf einen Stuhl): Laß mich zufrieden!

BOLLWERK: Aber hör', Pätus, Pätus, Pä Pä Pä Pätus. (setzt sich zu ihm) Döbblin ist angekommen. Hör', Pä Pä Pä Pä Pätus, wie wollen wir das machen? Ich denke, du ziehst deinen Wolfspelz an und gehst heut' abend in die Komödie. Was schad't's, du bist doch fremd hier – und die ganze Welt weiß, daß du vier Paar Kleider bei Hanke bestellt hast. Ob er sie dir machen wird, ist gleich viel! – Der verfluchte Kerl! Wollen ihm die Fenster einschlagen, wenn er sie dir nicht macht!

PÄTUS (heftig): Laß mich zufrieden, sag' ich dir!

BOLLWERK: Aber hör' ... aber ... aber .. hör' hör' hör', Pätus; nimm dich in acht, Pätus! daß du mir des Nachts nicht mehr im Schlafrock auf der Gasse läufst! Ich weiß, daß du bange bist vor Hunden; es ist eben ausgetrummelt worden, daß zehn wütige Hunde in der Stadt herumlaufen sollen; sie haben schon einige Kinder gebissen: zwei sind noch davonkommen, aber vier sind auf der Stelle gestorben. Das machen die Hundstage? Nicht wahr, Pätus? Es ist gut, daß du jetzt nicht ausgehen kannst. Nicht wahr? Du gehst itzt mit allem Fleiß nicht aus? Nicht wahr, Pä Pä Pätus?

PÄTUS: Laß mich zufrieden . . . oder wir verzürnen uns.

BOLLWERK: Du wirst doch kein Kind sein – Berg, kommen Sie mit in die Komödie?

FRITZ (zerstreut): Was? – Was für Komödie?

BOLLWERK: Es ist eine Gesellschaft angekommen – Legen Sie die Schmieralien weg! Sie können ja auf den Abend schreiben. Man gibt heut »Minna von Barnhelm«.

FRITZ: O, die muß ich sehen. – (Steckt seine Briefe zu sich) Armer Pätus, daß du keinen Rock hast! –

BOLLWERK: Ich lieh' ihm gern einen, aber es ist, hol' mich der Teufel, mein einziger, den ich auf dem Leibe habe – (Gehn ab)

PÄTUS (allein): Geht zum Teufel mit eurem Mitleiden! Das ärgert mich mehr, als wenn man mir ins Gesicht schlüge – – Ei, was mach' ich mir draus! (Zieht seinen Schlafrock aus) Laß die Leute mich für wahnwitzig halten! »Minna von Barnhelm« muß ich sehen, und wenn ich nackend hingehen sollte! (Zieht den Wolfspelz an) Hanke, Hanke! es soll dir zu Hause kommen! (Stampft mit dem Fuß) Es soll dir zu Hause kommen! (Geht)

—

Vierte Szene

Frau Hamster. Jungfer Hamster. Jungfer Knicks

JUNGFER KNICKS: Ich kann's Ihnen vor Lachen nicht erzählen, Frau Rätin, ich muß krank vor Lachen werden. Stellen Sie sich vor: wir gehen mit Jungfer Hamster im Gäßchen hier nah' bei, so läuft uns ein Mensch im Wolfspelz vorbei, als ob er durch Spießruten gejagt würde; drei große Hunde hinter ihm drein. Jungfer Hamster bekam einen Schubb, daß sie mit dem Kopf an die Mauer schlug und überlaut schreien mußte.

FRAU HAMSTER: Wer war es denn?

JUNGFER KNICKS: Stellen Sie sich vor, als wir ihm nachsahen, war's Herr Pätus – Er muß rasend worden sein.

FRAU HAMSTER: Mit einem Wolfspelz in dieser Hitze!

JUNGFER HAMSTER (hält sich den Kopf): Ich glaube noch immer, er ist aus dem hitzigen Fieber aufgesprungen. Er ließ uns heut morgen sagen, er sei krank.

JUNGFER KNICKS: Und die drei Hunde hinter ihm drein, das war das lustigste. Ich hatte mir vorgenommen, heut' in die Komödie zu gehen, aber nun mag ich nicht, ich würde doch da nicht so viel zu lachen kriegen. Das vergeß' ich mein Lebtage nicht. Seine Haare flogen ihm nach wie der Schweif an einem Kometen, und je eifriger er lief, desto eifriger schlugen die Hunde an, und er hatte das Herz nicht, sich einmal umzusehen ... Das war unvergleichlich!

FRAU HAMSTER: Schrie er nicht? Er wird gemeint haben, die Hunde sei'n wütig.

JUNGFER KNICKS: Ich glaub', er hatte keine Zeit zum Schreien, aber rot war er wie ein Krebs und hielt das Maul offen, wie die Hunde hinter ihm drein – O das war nicht mit Geld zu bezahlen! Ich gäbe nicht meine Schnur echter Perlen darum, daß ich das nicht gesehen.

—

Fünfte Szene

IN HEIDELBRUNN · AUGUSTCHENS ZIMMER

Gustchen liegt auf dem Bette. Läuffer sitzt am Bette

LÄUFFER: Stell' dir vor, Gustchen, der Geheime Rat will nicht. Du siehst, daß dein Vater mir das Leben immer saurer macht: nun will er mir gar aufs folgende Jahr nur vierzig Dukaten geben. Wie kann ich das aushalten? Ich muß quittieren.

GUSTCHEN: Grausamer, und was werd' ich denn anfangen? (Nachdem beide eine Zeitlang sich schweigend angesehen) Du siehst: ich bin schwach und krank; hier in der Einsamkeit unter einer barbarischen Mutter – Niemand fragt nach mir, niemand bekümmert sich um mich: meine ganze Familie kann mich nicht mehr leiden; mein Vater selber nicht mehr: ich weiß nicht, warum.

LÄUFFER: Mach', daß du zu meinem Vater in die Lehre kommst; nach Insterburg.

GUSTCHEN: Da kriegen wir uns nie zu sehen. Mein Onkel leid't es nimmer, daß mein Vater mich zu deinem Vater ins Haus gibt.

LÄUFFER: Mit dem verfluchten Adelstolz!

GUSTCHEN (nimmt seine Hand): Wenn du auch böse wirst, Herrmannchen! (Küßt sie) O Tod! Tod! warum erbarmst du dich nicht!

Läuffer: Rate mir selber – Dein Bruder ist der ungezogenste Junge, den ich kenne: neulich hat er mir eine Ohrfeige gegeben, und ich durft' ihm nichts dafür tun, durft' nicht einmal drüber klagen. Dein Vater hätt' ihm gleich Arm und Bein gebrochen und die gnädige Mama alle Schuld zuletzt auf mich geschoben.

Gustchen: Aber um meinetwillen – Ich dachte, du liebtest mich.

Läuffer (stützt sich mit der andern Hand auf ihrem Bett, indem sie fortfährt, seine eine Hand von Zeit zu Zeit an die Lippen zu bringen): Laß mich denken ... (Bleibt nachsinnend sitzen)

Gustchen (in der beschriebenen Pantomime): O Romeo! Wenn dies deine Hand wäre! – Aber so verlässest du mich, unedler Romeo! Siehst nicht, daß deine Julie für dich stirbt – von der ganzen Welt, von ihrer ganzen Familie gehaßt, verachtet, ausgespien. (Drückt seine Hand an ihre Augen) O unmenschlicher Romeo!

Läuffer (sieht auf): Was schwärmst du wieder?

Gustchen: Es ist ein Monolog aus einem Trauerspiel, den ich gern rezitiere, wenn ich Sorgen habe. (Läuffer fällt wieder in Gedanken, nach einer Pause fängt sie wieder an) Vielleicht bist du nicht ganz strafbar. Deines Vaters Verbot, Briefe mit mir zu wechseln, aber die Liebe setzt über Meere und Ströme, über Verbot und Todesgefahr selbst – Du hast mich vergessen... Vielleicht besorgtest du für mich – Ja, ja, dein zärtliches Herz sah, was mir drohte, für schröcklicher an als das, was ich leide. (Küßt Läuffers Hand inbrünstig) O göttlicher Romeo!

Läuffer (küßt ihre Hand lange wieder und sieht sie eine Weile stumm an): Es könnte mir gehen wie Abälard –

Gustchen (richtet sich auf): Du irrst dich – Meine Krankheit liegt im Gemüt – Niemand wird dich mutmaßen – (Fällt wieder hin) Hast du »die neue Heloise« gelesen?

Läuffer: Ich höre was auf dem Gang nach der Schulstube. –

Gustchen: Meines Vaters – Um Gottes willen! – Du bist drei Viertelstund' zu lang' hiergeblieben.

(Läuffer läuft fort)

—

Sechste Szene

Die Majorin. Graf Wermuth

GRAF: Aber gnädige Frau! kriegt man denn Fräulein Gustchen gar nicht mehr zu sehen? Wie befind't sie sich auf die vorgestrige Jagd?

MAJORIN: Zu Ihrem Befehl; sie hat die Nacht Zahnschmerzen gehabt, darum darf sie sich heut nicht sehen lassen. Was macht Ihr Magen, Graf, auf die Austern?

GRAF: O das bin ich gewohnt. Ich habe neulich mit meinem Bruder ganz allein auf unsre Hand sechshundert Stück aufgegessen und zwanzig Bouteillen Champagner dabei ausgetrunken.

MAJORIN: Rheinwein wollten Sie sagen.

GRAF: Champagner – Es war eine Idee, und ist uns beiden recht gut bekommen. Denselben Abend war Ball in Königsberg, mein Bruder hat bis an den andern Mittag getanzt, und ich Geld verloren.

MAJORIN: Wollen wir ein Pikett machen?

GRAF: Wenn Fräulein Gustchen käme, macht' ich ein paar Touren im Garten mit ihr. Ihnen, gnädige Frau, darf ich's nicht zumuten; mit Ihrer Fontenelle am Fuß.

MAJORIN: Ich weiß auch nicht, wo der Major immer steckt. Er ist in seinem Leben so rasend nicht auf die Ökonomie gewesen; den ganzen ausgeschlagenen Tag auf dem Felde, und wenn er nach Hause kommt, sitzt er stumm wie ein Stock. Glauben Sie, daß ich anfange, mir Gedanken drüber zu machen.

GRAF: Er scheint melancholisch.

MAJORIN: Weiß es der Himmel – Neulich hatt' er wieder einmal den Einfall, bei mir zu schlafen, und da ist er mitten in der Nacht aus dem Bett aufgesprungen und hat sich – He he, ich sollt's Ihnen nicht erzählen, aber Sie kennen ja die lächerliche Seite von meinem Mann schon.

GRAF: Und hat sich . . .

MAJORIN: Auf die Knie niedergeworfen und an die Brust geschlagen und geschluchzt und geheult, daß mir zu grauen anfing. Ich hab' ihn aber nicht fragen mögen, was gehen mich seine Narrheiten an? Mag er Pietist oder Quacker werden. Meinethalben! Er wird dadurch weder häßlicher noch liebenswürdiger in meinen Augen werden, als er ist. (Sieht den Grafen schalkhaft an)

GRAF (faßt sie ans Kinn): Boshafte Frau! – Aber wo ist Gustchen? Ich möchte gar zu gern mit ihr spazieren gehn.

MAJORIN: Still, da kommt ja der Major... Sie können mit ihm gehen, Graf.

GRAF: Denk' doch – Ich will nun aber mit Ihrer Tochter gehn.

MAJORIN: Sie wird noch nicht angezogen sein: es ist was Unausstehliches, wie faul das Mädchen ist –

(Major von Berg kommt im Nachtwämschen, einen Strohhut auf)

MAJORIN: Nun, wie steht's, Mann? Wo treiben Sie sich denn wieder herum? Man kriegt Sie ja den ganzen Tag nicht zu sehen. Sehn Sie ihn nur an, Herr Graf; sieht er doch wie der Heautontimorumenos in meiner großen Madame Dacier abgemalt. – Ich glaube, du hast gepflügt, Herr Major? Wir sind itzt in den Hundstagen.

GRAF: In der Tat, Herr Major, Sie haben noch nie so übel ausgesehen, blaß, hager, Sie müssen etwas haben, das Ihnen auf dem Gemüt liegt; was bedeuten die Tränen in Ihren Augen, sobald man Sie aufmerksam ansieht? Ich kenne Sie doch zehn Jahr' schon und habe Sie nie so gesehen, selbst da nicht, als Ihr Bruder starb.

MAJORIN: Geiz, nichts als der leidige Geiz; er meint, wir werden verhungern, wenn er nicht täglich wie ein Maulwurf auf dem Felde wühlt. Bald gräbt er, bald pflügt er, bald eggt er. Du willst doch nicht Bauer werden? Du mußt mir vorher einen andern Mann geben, der die Aufsicht über dich führt.

MAJOR: Ich muß wohl schaffen und scharren, meiner Tochter einen Platz im Hospital auszumachen.

MAJORIN: Was sind das nun wieder für Phantasien! – Ich muß wahrhaftig den Doktor Würz noch aus Königsberg holen lassen.

MAJOR: Du siehst nimmer nichts, vornehme Frau! Daß dein Kind von Tag zu Tag abfällt, daß sie Schönheit, Gesundheit und den ganzen Plunder verliert und daher-geht, als ob sie, hol' mich der Teufel – Gott verzeih' mir meine schwere Sünde –, als ob der arme Lazarus sie gemacht hätte – Es frißt mir die Leber ab –

MAJORIN: Hören Sie ihn nur! Wie er mich anfährt! Bin ich schuld daran? Bist du denn wahnwitzig?

MAJOR: Ja freilich bist du schuld daran, oder was ist sonst schuld daran? Ich kann's, zerschlag' mich der Donner!, nicht begreifen. Ich dacht' immer, ihr eine der ersten Partien im Reich auszumachen; denn sie hat auf der ganzen Welt an Schönheit nicht ihresgleichen gehabt, und nun sieht sie aus wie eine Kühmagd – Ja freilich bist du schuld daran mit deiner Strenge und deinen Grausamkeiten und deinem Neid', das hat sie sich zu Gemüt gezogen, und das ist ihr nun zum Gesicht herausgeschlagen; aber das ist deine Freude, gnädige Frau, denn du bist lang schalu über sie gewesen. Das kannst du doch nicht leugnen? Sollst dich in dein Herz schämen, wahrhaftig! (Geht ab)

MAJORIN: Aber ... aber was sagen Sie dazu, Herr Graf! Haben Sie in Ihrem Leben eine ärgere Kollektion von Sottisen gesehen?

GRAF: Kommen Sie; wir wollen Pikett spielen, bis Fräulein Gustchen angezogen ist ...

—

Siebente Szene

IN HALLE

Fritz von Berg im Gefängnis. Bollwerk, von Seiffenblase und sein Hofmeister stehn um ihn

BOLLWERK: Wenn ich doch den Jungen hier hätte, das Fell zög' ich ihm über die Ohren. Es ist mit alledem doch infam gehandelt, einen ehrlichen Jungen, wie Berg, ins Karzer zu bringen, da sich keiner sein hat annehmen wollen. Denn das ist ja wahr, kein einziger Landsmann hat den Fuß vor die Tür seinethalben gesetzt. Wenn Berg nicht gut für ihn gesagt hätte, wär' er im Gefängnis verfault. Und in vierzehn Tagen soll das Geld hier sein und, wo er den Berg in Verlegenheit läßt, soll man ihn für einen ausgemachten Schurken halten. O du verdammter Pä Pä Pä Pä Pätus! Wart', du verhenkerter Pätus, wart' einmal! –

HOFMEISTER: Ich kann Ihnen nicht genug beschreiben, lieber Herr von Berg, wie leid es mir besonders um Ihres Herrn Vaters und der Familie willen tut, Sie in einem solchen Zustande zu sehen, und noch dazu ohne Ihre Schuld, aus bloßer jugendlicher Unbesonnenheit. Es hat schon einer von den sieben Weisen Griechenlands gesagt:

für Bürgschaften sollst du dich in acht nehmen; und in der Tat, es ist nichts unverschämter, als daß ein junger Durchbringer, der sich durch seine lüderliche Wirtschaft ins Elend gestürzt hat, auch andere mit hineinziehen will; denn vermutlich hat er das gleich anfangs im Sinne gehabt, als er auf der Akademie Ihre Freundschaft suchte.

HERR VON SEIFFENBLASE: Ja ja, lieber Bruder Berg! Nimm mir nicht übel, da hast du einen großen Bock gemacht. Du bist selbst schuld daran; dem Kerl hätt'st du's doch gleich ansehen können, daß er dich betrügen würde. Er ist bei mir auch gewesen und hat mich angesprochen: er wär' aufs äußerste getrieben, seine Kreditores wollten ihn wegstecken lassen, wo ihn nicht Sonn' noch Mond beschiene. Laß sie dich, dacht' ich, es schad't dir nichts. Das ist dafür, daß du uns sonst kaum über die Achsel ansahst; aber wenn ihr in Not seid, da sind die Adeligen zu Kaventen gut genug. Er erzählte mir langes und breites; er hätte seine Pistolen schon geladen, im Fall die Kreditores ihn angriffen – Und nun läßt der lüderliche Hund dich an seiner Stelle prostituieren. Das ist wahr, wenn mir das geschehen wäre, ich könnte so ruhig nicht dabei sein: zwischen vier Mauren der Herr von Berg, und das um eines lüderlichen Studenten willen!

FRITZ: Er war mein Schulkamerad – – Laßt ihn zufrieden! Wenn ich mich nicht über ihn beklage, was geht's euch an? Ich kenn' ihn länger als ihr; ich weiß, daß er mich nicht mit seinem guten Willen hier sitzen läßt.

HOFMEISTER: Aber, Herr von Berg, wir müssen in der Welt mit Vernunft handeln. Sein Schade ist es gewiß nicht, daß Sie hier für ihn sitzen, und seinethalben können Sie noch ein Säkulum so sitzen bleiben –

FRITZ: Ich hab' ihn von Jugend auf gekannt: wir haben uns noch niemals was abgeschlagen. Er hat mich wie seinen Bruder geliebt, ich ihn wie meinen. Als er nach Halle reiste, weint' er zum erstenmal in seinem Leben, weil er nicht mit mir reisen konnte. Ein ganzes Jahr früher hätt' er schon auf die Akademie gehn können; aber um mit mir zusammen zu reisen, stellt' er sich gegen die Präzeptores dummer, als er war, und doch wollt' es das Schicksal und unsre Väter so, daß wir nicht zusammen reisten, und das war sein Unglück. Er hat nie gewußt mit Geld umzugehen und gab jedem, was er verlangte. Hätt' ihm ein Bettler das letzte Hemd vom Leibe gezogen und dabei gesagt: »mit Ihrer Erlaubnis, lieber Herr Pätus«, er hätt's ihm gelassen. Seine Kreditores gingen mit ihm um wie Straßenräuber, und sein Vater verdiente nie, einen verlornen Sohn zu haben, der bei all seinem Elend ein so gutes Herz nach Hause brachte.

HOFMEISTER: O verzeihn Sie mir, Sie sind jung und sehen alles noch aus dem vorteilhaftesten Gesichtspunkt an: man muß erst eine Weile unter den Menschen gelebt haben, um Charaktere beurteilen zu können. Der Herr Pätus, oder wie er da heißt, hat sich Ihnen bisher immer nur unter der Maske gezeigt; jetzt kommt sein wahres Gesicht erst ans Tageslicht: er muß einer der feinsten und abgefeimtesten Betrüger gewesen sein, denn die treuherzigen Spitzbuben . . .

PÄTUS (in Reisekleidern, fällt Berg um den Hals): Bruder Berg – –

FRITZ V. BERG: Bruder Pätus – –

PÄTUS: Nein – laß – zu deinen Füßen muß ich liegen – dich hier – um meinetwillen! (Rauft sich das Haar mit beiden Händen und stampft mit den Füßen.) O Schicksal! Schicksal! Schicksal!

FRITZ: Nun, wie ist's? Hast du Geld mitgebracht? Ist dein Vater versöhnt? Was bedeutet dein Zurückkommen?

PÄTUS: Nichts, nichts – Er hat mich nicht vor sich gelassen, – Hundert Meilen umsonst gereist! – Ihr Diener, ihr Herren! Bollwerk, wein' nicht, du erniedrigst mich zu tief, wenn du gut für mich denkst – O Himmel, Himmel!

FRITZ: So bist du der ärgste Narr, der auf dem Erdboden wandelt. Warum kommst du zurück? Bist du wahnwitzig? Haben alle deine Sinne dich verlassen? Willst du, daß die Kreditores dich gewahr werden? – Fort! Bollwerk, führ' ihn fort; sieh, daß du ihn sicher aus der Stadt bringst! – Ich höre den Pedell – Pätus, ewig mein Feind, wo du nicht im Augenblick –

PÄTUS (wirft sich ihm zu Füßen)

FRITZ: Ich möchte rasend werden! –

BOLLWERK: So sei doch nun kein Narr, da Berg so großmütig ist und für dich sitzen bleiben will; sein Vater wird ihn schon auslösen: aber wenn du einmal sitzest, so ist keine Hoffnung mehr für dich; du mußt im Gefängnis verfaulen.

PÄTUS: Gebt mir einen Degen her . . .

FRITZ: Fort! –

BOLLWERK: Fort! –

PÄTUS: Ihr tut mir eine Barmherzigkeit, wenn ihr mir einen Degen –

SEIFFENBLASE: Da haben Sie meinen . . .

BOLLWERK (greift ihn in den Arm): Herr – Schurke! Lassen Sie – Stecken Sie nicht ein! Sie sollen nicht umsonst gezogen haben. Erst will ich meinen Freund in Sicherheit, und dann erwarten Sie mich hier – Draußen, wohl zu verstehen: also vorderhand zur Tür hinaus! (Wirft ihn zur Tür hinaus)

HOFMEISTER: Mein Herr Bollwerk –

BOLLWERK: Kein Wort, Sie – gehen Sie Ihrem Jungen nach und lehren Sie ihn, kein schlechter Kerl sein – Sie können mich haben, wo und wie Sie wollen. (Der Hofmeister geht ab)

PÄTUS: Bollwerk! Ich will dein Sekundant sein.

BOLLWERK: Narr auch! Du tust als – Willst du mir den Handschuh vielleicht halten, wenn ich vorher eins übern Daumen pisse? Was braucht's da Sekundanten? Komm nur fort und sekundiere dich zur Stadt hinaus, Hasenfuß!

PÄTUS: Aber ihrer sind zwei.

BOLLWERK: Ich wünschte, daß ihrer zehn wären und keine Seiffenblasen drunter – So komm doch, und mach' dich nicht selbst unglücklich, närrischer Kerl!

PÄTUS: Berg! –

(Bollwerk reißt ihn mit sich fort)

—

DRITTER AKT

—

Erste Szene

IN HEIDELBRUNN

Der Major im Nachtwämschen. Der Geheime Rat

MAJOR: Bruder, ich bin der alte nicht mehr. Mein Herz sieht zehnmal toller aus als mein Gesicht! – Es ist sehr gut, daß du mich besuchst; wer weiß, ob wir uns so lang' mehr sehen.

GEH. RAT: Du bist immer ausschweifend, in allen Stücken – Dir ein Nichts so zu Herzen gehen zu lassen! – Wenn deiner Tochter die Schönheit abgeht, so bleibt sie doch immer noch das gute Mädchen, das sie war; so kann sie hundert andre liebenswürdige Eigenschaften besitzen.

Major: Ihre Schönheit – Hol' mich der Teufel, es ist nicht das allein, was ihr abgeht; ich weiß nicht, ich werde noch den Verstand verlieren, wenn ich das Mädchen lang' unter Augen behalte. Ihre Gesundheit ist hin, ihre Munterkeit, ihre Lieblichkeit, weiß der Teufel, wie man das Dings all nennen soll; aber obschon ich's nicht nennen kann, so kann ich's doch sehen, so kann ich's doch fühlen und begreifen, und du weißt, daß ich aus dem Mädchen meinen Abgott gemacht habe. Und daß ich sie so sehn muß unter meinen Händen hinsterben, verwesen – (Weint) Bruder Geheimer Rat, du hast keine Tochter; du weißt nicht, wie einem Vater zumut' sein muß, der eine Tochter hat. Ich hab' dreizehn Bataillen beigewohnt und achtzehn Blessuren bekommen, und hab' den Tod vor Augen gesehen und bin – O laß mich zufrieden; pack' dich zu meinem Haus hinaus; laß die ganze Welt sich fortpacken! Ich will es anstecken und die Schaufel in die Hand nehmen und Bauer werden.

Geh. Rat: Und Frau und Kinder –

Major: Du beliebst zu scherzen: ich weiß von keiner Frau und Kindern, ich bin Major Berg gottseligen Andenkens und will den Pflug in die Hand nehmen und will Vater Berg werden, und wer mir zu nahe kommt, dem geb' ich mit meiner Hack' über die Ohren.

Geh. Rat: So schwärmerisch-schwermütig hab' ich ihn doch nie gesehen.

(Die Majorin stürzt herein)

Majorin: Zu Hilfe Mann! – Wir sind verloren – Unsere Familie! unsere Familie!

Geh. Rat: Gott behüt', Frau Schwester! Was stellen Sie an? Wollen Sie Ihren Mann rasend machen?

Majorin: Er soll rasend werden — Unsere Familie — Infamie! – – O ich kann nicht mehr – (Fällt auf einen Stuhl)

Major (geht auf sie zu): Willst du mit der Sprach' heraus? – Oder ich dreh' dir den Hals um.

Majorin: Deine Tochter – Der Hofmeister! – Lauf! (Fällt in Ohnmacht)

Major: Hat er sie zur Hure gemacht? (Schüttelt sie) Was fällst du da hin; jetzt ist's nicht Zeit zum Hinfallen.

Heraus mit, oder das Wetter soll dich zerschlagen. Zur Hure gemacht? Ist's das? – Nun, so werd' denn die ganze Welt zur Hure, und du, Berg, nimm die Mistgabel in die Hand – (Will gehen)

GEH. RAT (hält ihn zurück): Bruder, wenn du dein Leben lieb hast, so bleib' hier – Ich will alles untersuchen – Deine Wut macht dich unmündig. (Geht ab und schließt die Tür zu)

MAJOR (arbeitet vergebens, sie aufzumachen): Ich werd' dich beunmündig – (Zu seiner Frau) Komm, komm, Hure, du auch! sieh zu. (Reißt die Tür auf) Ich will ein Exempel statuieren – Gott hat mich bis hieher erhalten, damit ich an Weib und Kindern Exempel statuieren kann – Verbrannt, verbrannt, verbrannt! (Schleppt seine Frau ohnmächtig vom Theater)

—

Zweite Szene

EINE SCHULE IM DORF · ES IST FINSTRER ABEND

Wenzeslaus. Läuffer

WENZESLAUS (sitzt an einem Tisch, die Brille auf der Nase, und lineiert): Wer da? Was gibt's?

LÄUFFER: Schutz! Schutz! werter Herr Schulmeister! Man steht mir nach dem Leben.

WENZESLAUS: Wer ist Er denn?

LÄUFFER: Ich bin Hofmeister im benachbarten Schloß. Der Major Berg ist mit all seinen Bedienten hinter mir und wollen mich erschießen.

WENZESLAUS: Behüte! – Setz' Er sich hier nieder zu mir – Hier hat Er meine Hand: Er soll sicher bei mir sein – Und nun erzähl' Er mir, derweil ich diese Vorschrift hier schreibe.

LÄUFFER: Lassen Sie mich erst zu mir selber kommen!

WENZESLAUS: Gut, verschnauf' Er sich, und hernach will ich Ihm ein Glas Wein geben lassen, und wollen eins zusammen trinken. Unterdessen sag' Er mir doch – Hofmeister – (Legt das Lineal weg, nimmt die Brille ab und sieht ihn eine Weile an) Nun ja, nach dem Rock zu urteilen. – Nun, nun, ich glaub's Ihm, daß Er der Hofmeister ist. Er sieht ja so rot und weiß drein. Nun sag' Er mir aber doch, mein lieber Freund (setzt die Brille wieder auf) wie ist Er denn zu dem Unstern gekommen, daß Sein Herr Patron so entrüstet auf Ihn ist? Ich kann mir's doch nimmermehr einbilden, daß ein Mann wie der Herr Major von Berg – Ich kenne ihn wohl; ich habe genug von ihm reden hören; er soll freilich von einem hastigen Temperament sein; viel Cholera, viel Cholera – Sehen Sie, da muß ich meinen Buben selber die Linien ziehen, denn nichts lernen die Bursche so schwer als das Gradeschreiben, das Gleichschreiben – Nicht zierlich geschrieben, nicht geschwind geschrieben, sag' ich immer, aber nur grad' geschrieben; denn das hat seinen Einfluß in alles, auf die Sitten, auf die Wissenschaften, in alles, lieber Herr Hofmeister. Ein Mensch, der nicht grad' schreiben kann, sag' ich immer, der kann auch nicht grad' handeln – Wo waren wir?

LÄUFFER: Dürft' ich mir ein Glas Wasser ausbitten?

WENZESLAUS: Wasser? – Sie sollen haben. Aber – ja wovon red'ten wir? Vom Grad'schreiben; nein, vom Major – he he he – Aber wissen Sie auch, Herr – Wie ist Ihr Name?

LÄUFFER: Mein – Ich heiße – Mandel.

WENZESLAUS: Herr Mandel – Und darauf mußten Sie sich noch besinnen? Nun ja, man hat bisweilen Abwesenheiten des Geistes; besonders die jungen Herren weiß und rot. – Sie heißen unrecht Mandel; Sie sollten Mandelblüte heißen, denn Sie sind ja weiß und rot wie Mandelblüte. – Nun ja freilich, der Hofmeisterstand ist einer von denen, *unus ex his*, die alleweile mit Rosen und Lilien überstreut sind, und wo einen die Dornen des Lebens nur gar selten stechen. Denn was hat man zu tun? Man ißt, trinkt, schläft, hat für nichts zu sorgen; sein gut Glas Wein gewiß, seinen Braten täglich, alle Morgen seinen Kaffee, Tee, Schokolade, oder was man trinkt, und das geht denn immer so fort. – Nun ja, ich wollt' Ihnen sagen: wissen Sie auch, Herr Mandel, daß ein Glas Wasser der Gesundheit ebenso schädlich auf eine heftige Gemütsbewegung als auf eine heftige Leibesbewegung? Aber freilich, was fragt ihr jungen Herren Hofmeister nach der Gesundheit! – Denn sagt mir doch (legt Brille und Lineal weg und steht auf), wo in aller Welt kann das der Gesundheit gut tun, wenn alle Nerven und Adern gespannt sind, und das Blut ist in der heftigsten Zirkulation und die Lebensgeister sind alle in einer – Hitze, in einer –

Läuffer: Um Gottes willen, der Graf Wermuth – (Springt in eine Kammer)

(Graf Wermuth mit ein paar Bedienten, die Pistolen tragen)

Graf: Ist hier ein gewisser Läuffer? – Ein Student im blauen Rock mit Tressen?

Wenzeslaus: Herr, in unserm Dorf ist's die Mode, daß man den Hut abzieht, wenn man in die Stube tritt und mit dem Herrn vom Hause spricht.

Graf: Die Sache pressiert – Sagt mir, ist er hier oder nicht?

Wenzeslaus: Und was soll er denn verbrochen haben, daß Ihr ihn so mit gewaffneter Hand sucht? (Graf will in die Kammer, er stellt sich vor die Tür.) Halt, Herr! Die Kammer ist mein, und wo Ihr nicht augenblicklich Euch aus meinem Hause packt, so zieh' ich nur an meiner Schelle, und ein halb Dutzend handfester Bauerkerle schlägt Euch zu morsch Pulver-Granatenstücken. Seid Ihr Straßenräuber, so muß man Euch als Straßenräubern begegnen. Und damit Ihr Euch nicht verirrt und den Weg zum Haus hinaus so gut find't, als Ihr ihn hinein gefunden habt – (Faßt ihn an der Hand und führt ihn zur Tür hinaus; die Bedienten folgen ihm)

Läuffer (springt aus der Kammer hervor): Glücklicher Mann! Beneidenswerter Mann!

Wenzeslaus (in der obigen Attitüde): In – Die Lebensgeister sagt' ich, sind in einer – Begeisterung, alle Passionen sind gleichsam in einer Empörung, in einem Aufruhr – Nun, wenn Ihr da Wasser trinkt, so geht's, wie wenn man in eine mächtige Flamme Wasser schüttet. Die starke Bewegung der Luft und der Krieg zwischen den beiden entgegengesetzten Elementen macht eine Efferveszenz, eine Gärung, eine Unruhe, ein tumultuarisches Wesen. –

Läuffer: Ich bewundere Sie . . .

Wenzeslaus: Gottlieb! – Jetzt können Sie schon allgemach trinken – Allgemach – und denn werden Sie auf den Abend mit einem Salat und Knackwurst vorlieb nehmen. – Was war das für ein ungeschliffener Kerl, der nach Ihnen suchte?

Läuffer: Es ist der Graf Wermuth, der künftige Schwiegersohn des Majors; er ist eifersüchtig auf mich, weil das Fräulein ihn nicht leiden kann –

Wenzeslaus: Aber was soll denn das auch? Was will das Mädchen denn auch mit Ihm Monsieur Jungfernknecht? Sich ihr Glück verderben, um eines solchen jungen Siegfrieds willen, der nirgends Haus oder Herd hat? Das laß Er sich aus dem Kopf, und folg' Er mir nach in die Küche! Ich seh', mein Bub ist fortgegangen, mir Bratwürste zu holen. Ich will Ihm selber Wasser schöpfen, denn Magd hab' ich nicht, und an eine Frau hab' ich mich noch nicht unterstanden zu denken, weil ich weiß, daß ich keine ernähren kann – geschweige denn eine drauf angesehen, wie ihr junge Herren weiß und rot – Aber man sagt wohl mit Recht: die Welt verändert sich.

—

Dritte Szene

In Heidelbrunn

Der Geheime Rat. Herr von Seiffenblase und sein Hofmeister

Hofmeister: Wie haben uns in Halle nur ein Jahr aufgehalten, und als wir von Göttingen kamen, nahmen wir unsere Rückreise über alle berühmten Universitäten in Deutschland. Wir konnten also in Halle das zweitemal nicht lange verweilen; zudem saß Ihr Herr Sohn grade zu der Zeit in dem unglücklichen Arrest, wo ich ihn nur einigemal zu sprechen die Ehre haben konnte: also könnt' ich Ihnen aufrichtig von der Führung Dero Herrn Sohns draußen keine umständliche Nachricht geben.

Geh. Rat: Der Himmel verhängt Strafen über unsre ganze Familie. Mein Bruder – ich will's Ihnen nur nicht verhehlen, denn leider ist Stadt und Land voll davon – hat das Unglück gehabt, daß seine Tochter ihm verschwunden ist, ohne daß eine Spur von ihr anzutreffen – Ich höre itzt von meinem Sohn – Wenn er sich gut geführt hätte, wie wär's möglich gewesen, ihn ins Gefängnis zu bringen? Ich hab' ihm außer seinem starken Wechsel noch alle halbe Jahr außerordentliche geschickt; auf allen Fall –

Hofmeister: Die bösen Gesellschaften; die erstaunenden Verführungen auf Akademien.

Seiffenblase: Das seltsamste dabei ist, daß er für einen andern sitzt; ein Ausbund aller Lüderlichkeit, ein Mensch, für den ich keinen Groschen ausgäbe, und wenn er auf meinem Misthaufen Hungers krepierte. Er ist hier gewesen, Sie werden von ihm gehört haben; er suchte Geld bei seinem Vater, unter dem Vorwand, Ihren Herrn Sohn auszulösen; vermutlich wär' er damit auf eine andere Akademie gegangen und hätte von frischem angefangen zu wirtschaften. Ich weiß schon, wie's die lüderlichen Studenten machen, aber sein Vater hat den Braten gerochen und hat ihn nicht vor sich kommen lassen.

GEH. RAT: Doch wohl nicht der junge Pätus, des Ratsherrn Sohn?

SEIFFENBLASE: Ich glaub', es ist derselbe.

GEH. RAT: Jedermann hat dem Vater die Härte verdacht.

HOFMEISTER: Ja, was ist da zu verdenken, mein gnädiger Herr Geheimer Rat: wenn ein Sohn die Güte des Vaters zu sehr mißbraucht, so muß sich das Vaterherz wohl ab von ihm wenden. Der Hohepriester Eli war nicht hart und brach den Hals.

GEH. RAT: Gegen die Ausschweifungen seiner Kinder kann man nie zu hart sein, aber wohl gegen ihr Elend. Der junge Mensch soll hier haben betteln müssen. Und mein Sohn sitzt um seinetwillen?

SEIFFENBLASE: Was anders? Er war sein vertrautester Freund und fand niemand würdiger, mit ihm die Komödie von Damon und Pythias zu spielen. Noch mehr, Herr Pätus kam zurück und wollte seinen Platz wieder einnehmen; aber Ihr Sohn bestund drauf, er wollte sitzen bleiben: Sie würden ihn schon auslösen, und Pätus mit einem andern Erzrenommisten und Spieler wollten die Flucht nehmen und sich zu helfen suchen, so gut sie könnten. Vielleicht überfallen sie wieder so irgend einen armen Studenten mit Masken vor den Gesichtern auf der Stube und nehmen ihm die Uhr und Geldbörse, mit der Pistol' auf der Brust, weg, wie sie's in Halle schon einem gemacht haben.

GEH. RAT: Und mein Sohn ist der dritte aus diesem Kleeblatt?

SEIFFENBLASE: Ich weiß nicht, Herr Geheimer Rat.

GEH. RAT: Kommen Sie zum Essen, meine Herren! Ich weiß schon zu viel. Es ist ein Gericht Gottes über gewisse Familien: bei einigen sind gewisse Krankheiten erblich; bei andern arten die Kinder aus, die Väter mögen tun, was sie wollen. Essen Sie: ich will fasten und beten; vielleicht hab' ich diesen Abend durch die Ausschweifungen meiner Jugend verdient.

—

Vierte Szene

Die Schule

Wenzeslaus und Läuffer an einem ungedeckten Tisch speisend

WENZESLAUS: Schmeckt's? Nicht wahr, es ist ein Abstand von meinem Tisch und des Majors? Aber wenn der Schulmeister Wenzeslaus seine Wurst ißt, so hilft ihm das gute Gewissen verdauen, und wenn der Herr Mandel Kapaunenbraten mit der Champignonsauce aß, so stieß ihm sein Gewissen jeden Bissen, den er hinabschluckte, mit der Moral wieder in Hals zurück: Du bist ein – Denn sagt mir einmal, lieber Herr Mandel; nehmt mir nicht übel, daß ich Euch die Wahrheit sage: das würzt das Gespräch wie Pfeffer den Gurkensalat; sagt mir einmal: ist das nicht hundsföttisch, wenn ich davon überzeugt bin, daß ich ein Ignorant bin, und meine Untergebenen nichts lehren kann, und also müßig bei ihnen gehe und sie müßig gehen lasse und dem lieben Gott ihren Tag stehlen, und doch hundert Dukaten – war's nicht so viel? Gott verzeih' mir, ich hab' in meinem Leben nicht so viel Geld auf einem Haufen beisammen gesehen! Hundertfunfzig Dukaten, sag' ich, in Sack stecke, für nichts und wieder nichts!

LÄUFFER: O! und Sie haben noch nicht alles gesagt, Sie kennen Ihren Vorzug nicht ganz, oder fühlen ihn, ohn' ihn zu kennen. Haben Sie nie einen Sklaven im betreßten Rock gesehen? O Freiheit, güldene Freiheit!

WENZESLAUS: Ei was Freiheit! Ich bin auch so frei nicht: ich bin an meine Schule gebunden und muß Gott und meinem Gewissen Rechenschaft von geben.

LÄUFFER: Eben das – Aber wie, wenn Sie den Grillen eines wunderlichen Kopfs davon Rechenschaft ablegen müßten, der mit Ihnen umginge hundertmal ärger als Sie mit Ihren Schulknaben?

WENZESLAUS: Ja nun – dann müßt' er aber auch an Verstand so weit über mich erhaben sein, wie ich über meine Schulknaben, und das trifft man selten, glaub' ich wohl; besonders bei unsern Edelleuten; da mögt Ihr wohl recht haben: wenigstens der Flegel da, der mir vorhin in meine Kammer wollte, ohne mich vorher um Erlaubnis zu bitten. Wenn ich zum Herrn Grafen käme und wollt' ihm mir nichts dir nichts die Zimmer visitieren – Aber potz Millius, so eßt doch; Ihr macht ja ein Gesicht, als ob Ihr zu laxieren einnähmt. Nicht wahr, Ihr hättet gern ein Glas Wein dazu? Ich hab' Euch zwar vorhin eins versprochen, aber ich habe keinen im Hause. Morgen werd' ich wieder bekommen, und da trinken wir Sonntags und Donnerstags, und wenn der Organist Franz zu uns kommt, extra. Wasser, Wasser, mein Freund, *ἄριστον μὲν τὸ ὕδωρ*, das hab' ich noch von der Schule mitgebracht, und da eine Pfeife dazu geraucht nach dem Essen im Mondenschein und einen Gang ums Feld gemacht; da läßt sich drauf schlafen, vergnügter als der große Mogul – Ihr raucht doch eins mit heut?

LÄUFFER: Ich will's versuchen; ich hab' in meinem Leben nicht geraucht.

WENZESLAUS: Ja freilich, ihr Herren weiß und rot, das verderbt euch die Zähne. Nicht wahr? Und verderbt euch die Farbe; nicht wahr? Ich habe geraucht, als ich kaum von meiner Mutter Brust entwöhnt war; die Warze mit dem Pfeifenmundstück verwechselt. He he he! Das ist gut wider die böse Luft und wider die bösen Begierden ebenfalls. Das ist so meine Diät: des Morgens kalt Wasser und eine Pfeife, dann Schul' gehalten bis eilfe, dann wieder eine Pfeife, bis die Suppe fertig ist: die kocht mir mein Gottlieb so gut als eure französische Köche, und da ein Stück Gebratenes und Zugemüse, und dann wieder eine Pfeife, dann wieder Schul' gehalten, dann Vorschriften geschrieben bis zum Abendessen; da ess' ich denn gemeiniglich kalt etwas, eine Wurst mit Salat, ein Stück Käs' oder was der liebe Gott gegeben hat, und dann wieder eine Pfeife vor Schlafengehen.

LÄUFFER: Gott behüte, ich bin in eine Tabagie gekommen –

WENZESLAUS: Und da werd' ich dick und fett bei und lebe vergnügt und denke noch ans Sterben nicht.

LÄUFFER: Es ist aber doch unverantwortlich, daß die Obrigkeit nicht dafür sorgt, Ihnen das Leben angenehmer zu machen.

WENZESLAUS: Ei was, es ist nun einmal so; und damit muß man zufrieden sein: bin ich doch auch mein eigner Herr, und hat kein Mensch mich zu schikanieren, da ich alle Tage weiß, daß ich mehr tu', als ich soll. Ich soll meinen Buben lesen und schreiben lehren; ich lehre sie rechnen dazu und Lateinisch dazu und mit Vernunft lesen dazu und gute Sachen schreiben dazu.

LÄUFFER: Und was für Lohn haben Sie dafür?

WENZESLAUS: Was für Lohn? – Will Er denn das kleine Stückchen Wurst da nicht aufessen? Er kriegt nichts Bessers; wart' Er auf nichts Bessers, oder Er muß das erstemal Seines Lebens hungrig zu Bette gehn – Was für Lohn? Das war dumm gefragt, Herr Mandel. Verzeih' Er mir; was für Lohn? Gottes Lohn hab' ich dafür, ein gutes Gewissen, und wenn ich da vielen Lohn von der Obrigkeit begehren wollte, so hätt' ich ja meinen Lohn dahin. Will Er denn den Gurkensalat durchaus verderben lassen? So ess' Er doch; so sei Er doch nicht blöde: bei einer schmalen Mahlzeit muß man zum Kuckuck nicht blöde sein. Wart' Er, ich will Ihm noch ein Stück Brot abschneiden.

LÄUFFER: Ich bin satt überhörig.

WENZESLAUS: Nun, so lass' Er's stehen; aber es ist Seine eigne Schuld, wenn's nicht wahr ist. Und wenn es wahr ist, so hat Er unrecht, daß Er sich überhörig satt ißt; denn das macht böse Begierden und schläfert den Geist ein. Ihr Herren weiß und rot mögt's glauben oder nicht. Man sagt zwar auch vom Toback, daß er ein narkotisches, schläfrigmachendes, dummachendes Öl habe, und ich hab's bisweilen auch wohl so wahr gefunden und bin versucht worden, Pfeife und allen Henker ins Kamin zu werfen, aber unsere Nebel hier herum beständig und die feuchte Winter- und Herbstluft alleweile und denn die vortreffliche Wirkung, die ich davon verspüre, daß es zugleich die bösen Begierden mit einschläfert – Holla, wo seid Ihr denn, lieber Mann? Eben da ich vom Einschläfern rede, nickt Ihr schon; so geht's, wenn der Kopf leer ist und faul dabei und niemals ist angestrengt worden. *Allons*! frisch, eine Pfeife mit mir geraucht! (Stopft sich und ihm) Laßt uns noch eins miteinander plaudern! (Raucht) Ich hab' Euch schon vorhin in der Küche sagen wollen: ich sehe, daß Ihr schwach in der Latinität seid; aber da Ihr doch eine gute Hand schreibt, wie Ihr sagt, so könntet Ihr mir doch so abends an die Hand gehen, weil ich meiner Augen muß anfangen zu schonen, und meinen Buben die Vorschriften schreiben. Ich will Euch dabei *Corderii Colloquia* geben und *Gürtleri Lexicon*; wenn Ihr fleißig sein wollt. Ihr habt ja den ganzen Tag für Euch, so könnt Ihr Euch in der lateinischen Sprache was umtun, und wer weiß, wenn es Gott gefällt, mich heute oder morgen von der Welt zu nehmen – Aber Ihr müßt fleißig sein, das sag' ich Euch; denn so seid Ihr ja noch kaum zum Kollaborator tüchtig, geschweige denn – (trinkt)

LÄUFFER (legt die Pfeife weg): Welche Demütigung!

WENZESLAUS: Aber ... aber ... aber (reißt ihm den Zahnstocher aus dem Munde) was ist denn das da? Habt Ihr denn noch nicht einmal so viel gelernt, großer Mensch, daß Ihr für Euren eignen Körper Sorge tragen könnt? Das Zähnestochern ist ein Selbstmord; ja ein Selbstmord, eine mutwillige Zerstörung Jerusalems, die man mit seinen Zähnen vornimmt. Da, wenn Euch was im Zahn sitzen bleibt: (nimmt Wasser und schwängt den Mund aus) so müßt Ihr's machen, wenn Ihr gesunde Zähne behalten wollt, Gott und Eurem Nebenmenschen zu Ehren, und nicht einmal im Alter herumlaufen wie ein alter Kettenhund, dem die Zähne in der Jugend ausgebrochen worden, und der die Kinnbacken nicht zusammenhalten kann. Das wird einen schönen Schulmeister abgeben, will's Gott, wenn ihm aufs Alter die Worte ungeboren zum Munde herausfallen und er zwischen Nase und Oberlippen da was herausschnarcht, das kein Hund oder Hahn versteht.

LÄUFFER: Der wird mich noch zu Tode meistern – Das Unerträglichste ist, daß er recht hat –

WENZESLAUS: Nun, wie geht's? Schmeckt Euch der Toback nicht? Ich wette, nur ein paar Tage noch mit dem alten Wenzeslaus zusammen, so werd't Ihr rauchen wie ein Bootsknecht. Ich will Euch nach meiner Hand ziehen, daß Ihr Euch selber nicht mehr wiederkennen sollt.

—

VIERTER AKT

—

Erste Szene

ZU INSTERBURG

Geheimer Rat. Major

MAJOR: Hier, Bruder – Ich schweife wie Kain herum, unstät und flüchtig – Weißt du was? Die Russen sollen Krieg mit den Türken haben; ich will nach Königsberg gehn, um nähere Nachrichten einzuziehen: ich will mein Weib verlassen und in der Türkei sterben.

GEH. RAT: Deine Ausschweifungen schlagen mich vollends zu Boden. – O Himmel, muß es denn von allen Seiten stürmen? – Da lies den Brief vom Professor M–r.

MAJOR: Ich kann nicht mehr lesen; ich hab' meine Augen fast blind geweint.

GEH. RAT: So will ich dir vorlesen, damit du siehst, daß du nicht der einzige Vater seist, der sich zu beklagen hat: »Ihr Sohn ist vor einiger Zeit wegen Bürgschaft gefänglich eingezogen worden: er hat, wie er mir vorgestern mit Tränen gestanden, nach fünf vergeblich geschriebenen Briefen keine Hoffnung mehr, von Eurer Exzellenz Verzeihung zu erhalten. Ich red'te ihm zu, sich zu beruhigen, bis ich gleichfalls in dieser Sache mich vermittelt hätte: er versprach es mir, ist aber ungeachtet dieses Versprechens noch in derselben Nacht heimlich aus dem Gefängnis entwischt. Die Schuldner haben ihm Steckbriefe nachsenden und seinen Namen in allen Zeitungen bekannt machen wollen; ich habe sie aber dran verhindert und für die Summe gutgesagt, weil ich viel zu sehr überzeugt bin, daß Eure Exzellenz diesen Schimpf nicht werden auf Dero Familie kommen lassen. Übrigens habe die Ehre, in Erwartung Dero Entschlusses mich mit vollkommenster . . .«

MAJOR: Schreib' ihm zurück: sie sollen ihn hängen!

GEH. RAT: Und die Familie –

MAJOR: Lächerlich! Es gibt keine Familie; wir haben keine Familie. Narrenspossen! Die Russen sind meine Familie: ich will griechisch werden.

Geh. Rat: Und noch keine Spur von deiner Tochter?

Major: Was sagst du?

Geh. Rat: Hast nicht die geringste Nachricht von deiner Tochter?

Major: Laß mich zufrieden!

Geh. Rat: Es ist doch dein Ernst nicht, nach Königsberg zu reisen?

Major: Wenn mag doch die Post abgehn von Königsberg nach Warschau?

Geh. Rat: Ich werde dich nicht fortlassen; es ist nur umsonst. Meinst du, vernünftige Leute werden sich von deinen Phantasien übertölpeln lassen? Ich kündige dir hiermit Hausarrest an. Gegen Leute, wie du bist, muß man Ernst gebrauchen, sonst verwandelt sich ihr Gram in Narrheit.

Major (weint): Ein ganzes Jahr – Bruder Geheimer Rat – Ein ganzes Jahr – und niemand weiß, wohin sie gestoben oder geflogen ist?

Geh. Rat: Vielleicht tot –

Major: Vielleicht? – Gewiß tot – und wenn ich nur den Trost haben könnte, sie noch zu begraben – aber sie muß sich selbst umgebracht haben, weil mir niemand Anzeige von ihr geben kann. – Eine Kugel durch den Kopf, Berg, oder einen Türkenpallasch; das wär' eine Viktorie.

Geh. Rat: Es ist ja eben so wohl möglich, daß sie den Läuffer irgendwo angetroffen und mit dem aus dem Lande gegangen. Gestern hat mich Graf Wermuth besucht und hat mir gesagt, er sei denselben Abend noch in eine Schule gekommen, wo ihn der Schulmeister nicht hab' in die Kammer lassen wollen: er vermutet immer noch, der Hofmeister habe drin gesteckt, vielleicht deine Tochter bei ihm.

Major: Wo ist der Schulmeister? Wo ist das Dorf? Und der Schurke von Grafen ist nicht mit Gewalt in die Kammer eingedrungen? Komm: wo ist der Graf?

Geh. Rat: Er wird wohl wieder im »Hecht« abgestiegen sein, wie gewöhnlich.

Major: O wenn ich sie auffände – Wenn ich nur hoffen könnte, sie noch einmal wieder zu sehen – Hol' mich der Kuckuck, so alt wie ich bin und abgegrämt und wahnwitzig; ja hol' mich der Teufel, dann wollt' ich doch noch in meinem Leben wieder einmal lachen, das letztemal laut lachen und meinen Kopf in ihren entehrten Schoß legen und denn wieder einmal heulen und denn – Adieu, Berg! Das wäre mir gestorben, das hieß' mir sanft und selig im Herrn entschlafen. – Komm, Bruder, dein Junge ist nur ein Spitzbube geworden: das ist nur Kleinigkeit; an allen Höfen gibt's Spitzbuben; aber meine Tochter ist eine Gassenhure, das heiß' ich einem Vater Freud' machen: vielleicht hat sie schon drei Lilien auf dem Rücken. – Vivat die Hofmeister, und daß der Teufel sie holt! Amen.

(Gehn ab)

—

Zweite Szene

Eine Bettlerhütte im Walde

Augustchen im groben Kittel. Marthe ein alt blindes Weib

Gustchen: Liebe Marthe, bleibt zu Hause und seht wohl nach dem Kinde: es ist das erstemal, daß ich Euch allein lasse in einem ganzen Jahr; also könnt Ihr mich nun wohl auch einmal einen Gang für mich tun lassen. Ihr habt Proviant für heut und morgen; Ihr braucht also heute nicht auf der Landstraß' auszustehn.

Marthe: Aber wo wollt Ihr denn hin, Grete, daß Gott erbarm'! da Ihr noch so krank und so schwach seid? Laßt Euch doch sagen: ich hab' auch Kinder bekommen und ohne viele Schmerzen, so wie Ihr, Gott sei Dank! Aber einmal hab' ich's versucht, den zweiten Tag nach der Niederkunft auszugehen, und nimmermehr wieder; ich hatte schon meinen Geist aufgegeben, wahrlich, ich könnt' Euch sagen, wie einem Toten zumute ist – Laßt Euch doch lehren; wenn Ihr was im nächsten Dorf zu bestellen habt, obschon ich blind bin, ich will schon hinfinden; bleibt nur zu Hause und macht, daß Ihr zu Kräften kommt: ich will alles für Euch ausrichten, was es auch sei.

Gustchen: Laßt mich nur, Mutter; ich hab' Kräfte wie eine junge Bärin – und seht nach meinem Kinde!

Marthe: Aber wie soll ich denn darnach sehen, heilige Mutter Gottes, da ich blind bin? Wenn es wird saugen wollen, soll ich's an meine schwarze verwelkte Zitzen legen? Und es mitzunehmen habt Ihr keine Kräfte. Bleibt zu Hause, liebes Gretel, bleibt zu Hause!

GUSTCHEN: Ich darf nicht, liebe Mutter, mein Gewissen treibt mich fort von hier. Ich hab' einen Vater, der mich mehr liebt als sein Leben und seine Seele. Ich habe die vorige Nacht im Traum gesehen, daß er sich die weißen Haare ausriß und Blut in den Augen hatte: er wird meinen, ich sei tot. Ich muß ins Dorf und jemand bitten, daß er ihm Nachricht von mir gibt.

MARTHE: Aber hilf, lieber Gott, wer treibt Euch denn? Wenn Ihr nun unterwegens liegen bleibt? Ihr könnt nicht fort . . .

GUSTCHEN: Ich muß – Mein Vater stand wankend; auf einmal warf er sich auf die Erde und blieb tot liegen – Er bringt sich um, wenn er keine Nachricht von mir bekommt.

MARTHE: Wißt Ihr denn nicht, daß Träume grade das Gegenteil bedeuten?

GUSTCHEN: Bei mir nicht – Laßt mich – Gott wird mit mir sein. (Geht ab)

—

Dritte Szene

DIE SCHULE

Wenzeslaus, Läuffer an einem Tisch sitzend. Der Major, der Geheime Rat und Graf Wermuth treten herein mit Bedienten

WENZESLAUS (läßt die Brille fallen): Wer da?

MAJOR (mit gezogenem Pistol): Daß dich das Wetter! Da sitzt der Has' im Kohl. (Schießt und trifft Läuffern in Arm, der vom Stuhl fallt)

GEH. RAT (der vergeblich versucht hat, ihn zurückzuhalten): Bruder – (Stößt ihn unwillig) So hab's denn darnach, Tollhäusler!

MAJOR: Was? ist er tot? (Schlägt sich vors Gesicht) Was hab' ich getan? Kann Er mir keine Nachricht mehr von meiner Tochter geben?

WENZESLAUS: Ihr Herren! Ist das Jüngste Gericht nahe, oder sonst etwas? Was ist das? (Zieht an seiner Schelle) Ich will Euch lehren, einen ehrlichen Mann in seinem Hause überfallen.

Läuffer: Ich beschwör' Euch: schellt nicht! – Es ist der Major; ich hab's an seiner Tochter verdient.

Geh. Rat: Ist kein Chirurgus im Dorf, ehrlicher Schulmeister? Er ist nur am Arm verwundet, ich will ihn kurieren lassen.

Wenzeslaus: Ei was kurieren lassen! Straßenräuber! Schießt man Leute übern Haufen, weil man so viel hat, daß man sie kurieren lassen kann? Er ist mein Kollaborator; er ist eben ein Jahr in meinem Hause: ein stiller, friedfertiger, fleißiger Mensch, und sein Tage hat man nichts von ihm gehört, und Ihr kommt und erschießt mir meinen Kollaborator in meinem eignen Hause! – Das soll gerochen werden, oder ich will nicht selig sterben. Seht Ihr das?

Geh. Rat (bemüht, Läuffern zu verbinden): Wozu das Geschwätz, lieber Mann? Es tut uns leid genug – Aber die Wunde könnte sich verbluten, schafft uns nur einen Chirurgus!

Wenzeslaus: Ei was! Wenn Ihr Wunden macht, so mögt Ihr sie auch heilen, Straßenräuber! Ich muß doch nur zum Gevatter Schöpsen gehen. (Geht ab)

Major (zu Läuffern): Wo ist meine Tochter?

Lauffer: Ich weiß es nicht.

Major: Du weißt nicht? (Zieht noch eine Pistol' hervor)

Geh. Rat (entreißt sie ihm und schießt sie aus dem Fenster ab): Sollen wir dich mit Ketten binden lassen, du –

Läuffer: Ich habe sie nicht gesehen, seit ich aus Ihrem Hause geflüchtet bin; das bezeug' ich vor Gott, vor dessen Gericht ich vielleicht bald erscheinen werde.

Major: Also ist sie nicht mit dir gelaufen?

Läuffer: Nein.

Major: Nun denn; so wieder eine Ladung Pulver umsonst verschossen! Ich wollt', sie wäre dir durch den Kopf gefahren, da du kein gescheutes Wort zu reden weißt, Lumpenhund! Laßt ihn liegen und kommt bis ans Ende der Welt! Ich muß meine Tochter wiederhaben, und wenn nicht in diesem Leben, doch in jener Welt, und da soll mein hochweiser Bruder und mein hochweiseres Weib mich wahrhaftig nicht von abhalten. (Läuft fort)

Geh. Rat: Ich darf ihn nicht aus den Augen lassen. (Wirft Läuffern einen Beutel zu) Lassen Sie sich davon kurieren, und bedenken Sie, daß Sie meinen Bruder weit gefährlicher verwundet haben, als er Sie. Es ist ein Bankozettel drin, geben Sie acht drauf und machen ihn sich zunutz', so gut Sie können! (Gehn alle ab)

(Wenzeslaus kömmt mit dem Barbier Schöpsen und einigen Bauerkerlen)

WENZESLAUS: Wo ist das Otterngezüchte? Redet!

LÄUFFER: Ich bitt' Euch, seid ruhig! Ich habe weit weniger bekommen, als meine Taten wert waren. Meister Schöpsen, ist meine Wunde gefährlich?

(Schöpsen besieht sie)

WENZESLAUS: Was denn? Wo sind sie? Das leid' ich nicht; nein, das leid' ich nicht, und sollt' es mich Schul' und Amt und Haar und Bart kosten. Ich will sie zu Morsch schlagen, die Hunde – Stellen Sie sich vor, Herr Gevatter: wo ist das in aller Welt in *iure naturae*, und in *iure civili*, und im *iure canonico*, und im *iure gentium*, und wo Sie wollen, wo ist das erhört, daß man einem ehrlichen Mann in sein Haus fällt und in eine Schule dazu; an heiliger Stätte? – Gefährlich; nicht wahr? Haben Sie sondiert? Ist's?

SCHÖPSEN: Es ließe sich viel drüber sagen – nun, doch wir wollen sehen – am Ende wollen wir schon sehen.

WENZESLAUS: Ja, Herr, he he, *in fine videbitur cuius toni*; das heißt, wenn er wird tot sein, oder wenn er völlig gesund sein wird, da wollen Sie uns erst sagen, ob die Wunde gefährlich war oder nicht: das ist aber nicht medizinisch gesprochen, verzeih' Er mir. Ein tüchtiger Arzt muß das Dings vorher wissen, sonst sag' ich ihm ins Gesicht: er hat seine Pathologie oder Chirurgie nur so halbwege studiert und ist mehr in die Bordells gangen als in die Kollegia: denn *in amore omnia insunt vitia*, und wenn ich einen Ignoranten sehe, er mag sein aus was für einer Fakultät er wolle, so sag' ich immer: er ist ein Jungfernknecht gewesen; ein Hurenhengst; das lass' ich mir nicht ausreden.

SCHÖPSEN (nachdem er die Wunde noch einmal besichtigt): Ja, die Wunde ist, nachdem man sie nimmt – Wir wollen sehen, wir wollen sehen.

LÄUFFER: Hier, Herr Schulmeister, hat mir des Majors Bruder einen Beutel gelassen, der ganz schwer von Dukaten ist, und obenein ist ein Bankozettel drin – Da sind wir auf viel Jahre geholfen.

WENZESLAUS (hebt den Beutel): Nun, das ist etwas – Aber Hausgewalt bleibt doch Hausgewalt, und Kirchenraub

Kirchenraub – Ich will ihm einen Brief schreiben, dem Herrn Major, den er nicht ins Fenster stecken soll.

SCHÖPSEN (der sich die Weil' über vergessen und eifrig nach dem Beutel gesehen, fällt wieder über die Wunde her): Sie wird sich endlich schon kurieren lassen, aber sehr schwer, hoff' ich, sehr schwer –

WENZESLAUS: Das hoff' ich nicht, Herr Gevatter Schöpsen; das fürcht' ich, das fürcht' ich – aber ich will Ihm nur zum voraus sagen, daß, wenn Er die Wunde langsam kuriert, so kriegt Er auch langsame Bezahlung; wenn Er ihn aber in zwei Tagen wieder auf frischen Fuß stellt, so soll Er auch frisch bezahlt werden; darnach kann Er sich richten.

SCHÖPSEN: Wir wollen sehen.

—

Vierte Szene

GUSTCHEN (liegend, an einem Teich mit Gesträuch umgeben): Soll ich denn hier sterben? – Mein Vater! Mein Vater! Gib mir die Schuld nicht, daß du nicht Nachricht von mir bekömmst. Ich hab' meine letzten Kräfte angewandt – sie sind erschöpft – Sein Bild, o sein Bild steht mir immer vor den Augen! Er ist tot, ja tot – und für Gram um mich – Sein Geist ist mir diese Nacht erschienen, mir Nachricht davon zu geben – mich zur Rechenschaft dafür zu fordern – Ich komme, ja ich komme. (Rafft sich auf und wirft sich in Teich)

(Major von weitem. Geheimer Rat und Graf Wermuth folgen ihm)

MAJOR: Hei! hoh! Da ging's in Teich – Ein Weibsbild war's und wenngleich nicht meine Tochter, doch auch ein unglücklich Weibsbild – Nach, Berg! Das ist der Weg zu Gustchen oder zur Hölle! (Springt ihr nach)

GEH. RAT (kommt): Gott im Himmel! Was sollen wir anfangen?

GRAF WERMUTH: Ich kann nicht schwimmen.

GEH. RAT: Auf die andere Seite! – Mich deucht, er haschte das Mädchen . . . Dort – dort hinten im Gebüsch. – Sehen Sie nicht? Nun treibt er den Teich mit ihr hinunter – Nach!

—

Fünfte Szene

Eine andere Seite des Teichs

(Hinter der Szene Geschrei): »Hülfe! 's meine Tochter! Sackerment und all das Wetter! Graf! Reicht mir doch die Stange: daß Euch die schwere Not!«

(Major Berg trägt Gustchen aufs Theater. Geheimer Rat und Graf folgen)

Major: Da! – (Setzt sie nieder. Geheimer Rat und Graf suchen sie zu ermuntern) Verfluchtes Kind! Habe ich das an dir erziehen müssen! (Kniet nieder bei ihr) Gustel! Was fehlt dir? Hast Wasser eingeschluckt? Bist noch mein Gustel? – Gottlose Kanaille! Hättst du mir nur ein Wort vorher davon gesagt; ich hätte dem Lausejungen einen Adelbrief gekauft, da hättet ihr können zusammenkriechen. – Gott behüt'! So helft ihr doch; sie ist ja ohnmächtig. (Springt auf, ringt die Hände; umhergehend) Wenn ich nur wüßt', wo der maledeite Chirurgus vom Dorf anzutreffen wäre! – Ist sie noch nicht wach?

Gustchen (mit schwacher Stimme): Mein Vater!

Major: Was verlangst du?

Gustchen: Verzeihung.

Major (geht auf sie zu): Ja, verzeih' dir's der Teufel, ungeratenes Kind! – Nein, (kniet wieder bei ihr) fall' nur nicht hin, mein Gustel – mein Gustel! Ich verzeih' dir; ist alles vergeben und vergessen – Gott weiß es: ich verzeih' dir – Verzeih' du mir nur! Ja, aber nun ist's nicht mehr zu ändern. Ich hab' dem Hundsfott eine Kugel durch den Kopf geknallt.

Geh. Rat: Ich denke, wir tragen sie fort.

Major: Laßt stehen! Was geht sie Euch an? Ist sie doch Eure Tochter nicht. Bekümmert Euch um Euer Fleisch und Bein daheime! (Er nimmt sie auf die Arme) Da, Mädchen – Ich sollte wohl wieder nach dem Teich mit dir (schwenkt sie gegen den Teich zu) – aber wir wollen nicht eher schwimmen, als bis wir's Schwimmen gelernt haben, mein' ich. – (Drückt sie an sein Herz) O du mein einzig teurester Schatz! Daß ich dich wieder in meinen Armen tragen kann, gottlose Kanaille! (Trägt sie fort)

—

Sechste Szene

IN LEIPZIG

Fritz von Berg. Pätus

FRITZ: Das einzige, was ich an dir auszusetzen habe, Pätus. Ich habe dir's schon lang' sagen wollen: untersuche dich nur selbst; was ist die Ursach' zu all deinem Unglück gewesen? Ich tadle es nicht, wenn man sich verliebt. Wir sind in den Jahren; wir sind auf der See, der Wind treibt uns, aber die Vernunft muß immer am Steuerruder bleiben, sonst jagen wir auf die erste beste Klippe und scheitern. Die Hamstern war eine Kokette, die aus dir machte, was sie wollte; sie hat dich um deinen letzten Rock, um deinen guten Namen und um den guten Namen deiner Freunde dazu gebracht: ich dächte, da hättest du klug werden können. Die Rehaarin ist ein unverführtes unschuldiges jugendliches Lamm: wenn man gegen ein Herz, das sich nicht verteidigen will noch verteidigen kann, alle mögliche Batterien spielen läßt, um es – was soll ich sagen? zu zerstören, einzuäschern, das ist unrecht, Bruder Pätus, das ist unrecht. Nimm mir's nicht übel, wir können so nicht gute Freunde zusammen bleiben. Ein Mann, der gegen ein Frauenzimmer es so weit treibt, als er nur immer kann, ist entweder ein Teekessel oder ein Bösewicht; ein Teekessel, wenn er sich selbst nicht beherrschen kann, die Ehrfurcht, die er der Unschuld und Tugend schuldig ist, aus den Augen zu setzen: oder ein Bösewicht, wenn er sich selbst nicht beherrschen will und wie der Teufel im Paradiese sein einzig Glück darin setzt, ein Weib ins Verderben zu stürzen.

PÄTUS: Predige nur nicht, Bruder! Du hast recht, es reuet mich, aber ich schwöre dir, ich kann drauf fluchen, daß ich das Mädchen nicht angerührt habe.

FRITZ: So bist du doch zum Fenster hineingestiegen, und die Nachbarn haben's gesehen; meinst du, ihre Zunge wird so verschämt sein, wie deine Hand vielleicht gewesen ist? Ich kenne dich, ich weiß, so dreust du scheinst, bist du doch blöde gegen's Frauenzimmer, und darum lieb' ich dich: aber wenn's auch nichts mehr wäre, als daß das Mädchen ihren guten Namen verliert, und eine Musikantentochter dazu, ein Mädchen, das alles von der Natur empfing, vom Glück nichts, – der ihre einzige Aussteuer, ihren guten Namen, zu rauben – du hast sie unglücklich gemacht, Pätus. –

(Herr Rehaar kommt, eine Laute unterm Arm)

REHAAR: Ergebener Diener von Ihnen; ergebener Diener, Herr von Berg, wünsche schönen guten Morgen. Wie haben Sie geschlafen und wie steht's Konzertchen? (Setzt sich und stimmt) Haben Sie's durchgespielt? (Stimmt) Ich habe die Nacht einen häßlichen Schrecken gehabt, aber ich will's dem eingedenk sein. – Sie kennen ihn wohl, es ist einer von Ihren Landsleuten. Twing, twing, Das ist eine verdammte Quinte! Will sie doch mein Tage nicht recht tönen; ich will Ihnen nachmittag eine andere bringen.

FRITZ (setzt sich mit seiner Laute): Ich hab' das Konzert noch nicht angesehen.

REHAAR: Ei ei, faules Herr von Bergchen, noch nicht angesehen? Twing! Nachmittag bring' ich Ihnen eine andre. (Legt die Laute weg und nimmt eine Prise) Man sagt: die Türken sind über die Donau gegangen und haben die Russen brav zurückgepeitscht, bis – Wie heißt doch nun der Ort? Bis Otschakof, glaub' ich; was weiß ich? so viel sag' ich Ihnen, wenn Rehaar unter ihnen gewesen wäre, was meinen Sie? Er wäre noch weiter gelaufen. Ha ha ha! (Nimmt die Laute wieder) Ich sag' Ihnen, Herr von Berg, ich hab' keine größere Freude, als wenn ich wieder einmal in der Zeitung lese, daß eine Armee gelaufen ist. Die Russen sind brave Leute, daß sie gelaufen sind; Rehaar wär' auch gelaufen und alle gescheute Leute; denn wozu nützt das Stehen und Sichtotschlagenlassen, ha ha ha!

FRITZ: Nicht wahr, das ist der erste Griff?

REHAAR: Ganz recht; den zweiten Finger etwas mehr übergelegt und mit dem kleinen abgerissen, so – Rund, rund den Triller, rund, Herr von Bergchen – Mein seliger Vater pflegt' immer zu sagen, ein Musikus muß keine Courage haben, und ein Musikus, der Herz hat, ist ein Hundsfutt. Wenn er sein Konzertchen spielen kann und seinen Marsch gut bläst – Das hab' ich auch dem Herzog von Kurland gesagt, als ich nach Petersburg ging, das erstemal in der Suite vom Prinzen Czartorinsky, und vor ihm spielen mußte. Ich muß noch lachen; als ich in den Saal kam und wollt' ihm mein tief tief Kompliment machen, sah ich nicht, daß der Fußboden von Spiegel war und die Wände auch von Spiegel, und fiel herunter wie ein Stück Holz und schlug mir ein gewaltig Loch in Kopf: da kamen die Hofkavaliere und wollten mich drüber necken. »Leid't das nicht, Rehaar«, sagte der Herzog, »Ihr habt ja einen Degen an der Seite; leid't das nicht.« »Ja«, sagt' ich, »Ew. Herzoglichen Majestät, mein Degen ist seit Anno dreißig nicht aus der Scheide gekommen, und ein Musikus braucht den Degen nicht zu ziehen; denn ein Musikus, der Herz hat und den Degen zieht, ist ein Hundsfutt und kann sein Tag auf keinem Instrument was vor sich bringen.« – Nein, nein, das dritte Chor war's, *k*, *k*, so – Rein, rein, den Triller rund und den Daumen unten nicht bewegt, so –

PÄTUS (der sich die Zeit über seitwärts gehalten, tritt hervor und bietet Rehaar die Hand): Ihr Diener, Herr Rehaar; wie geht's?

REHAAR (hebt sich mit der Laute): Ergebener Die – Wie soll's gehen, Herr Pätus? *Toujours content, jamais d'argent*: das ist des alten Rehaars Sprichwort, wissen Sie, und die Herren Studenten wissen's alle; aber darum geben sie mir doch nichts – Der Herr Pätus ist mir auch noch schuldig, von der letzten Serenade, aber er denkt nicht dran . . .

PÄTUS: Sie sollen haben, liebster Rehaar; in acht Tagen erwart' ich unfehlbar meinen Wechsel.

REHAAR: Ja, Sie haben schon lang' gewartet, Herr Pätus, und Wechselchen ist doch nicht kommen. Was ist zu tun, man muß Geduld haben; ich sag immer, ich begegne keinem Menschen mit so viel Ehrfurcht als einem Studenten: denn ein Student ist nichts, das ist wahr, aber es kann doch alles aus ihm werden. (Er legt die Laute auf den Tisch und nimmt eine Prise) Aber was haben Sie mir denn gemacht, Herr Pätus? Ist das recht, ist das auch honett gehandelt? Sind mir gestern zum Fenster hineingestiegen, in meiner Tochter Schlafkammer.

PÄTUS: Was denn, Vaterchen? ich? . . .

REHAAR (läßt die Dose fallen): Ja, ich will dich bevaterchen, und ich werd' es gehörigen Orts zu melden wissen, Herr, das sei'n Sie versichert. Meiner Tochter Ehr' ist mir lieb, und es ist ein honettes Mädchen, hol's der Henker! und wenn ich's nur gestern gemerkt hätte oder wär' aufgewacht, ich hätt' Euch zum Fenster hinausgehänselt, daß Ihr das unterste zu oberst – Ist das honett, ist das ehrlich? Pfui Teufel, wenn ich Student bin, muß ich mich auch als Student aufführen, nicht als ein Schlingel – Da haben mir's die Nachbarn heut gesagt: ich dacht', ich sollte den Schlag drüber kriegen, augenblicks hat mir das Mädchen auf den Postwagen müssen, und das nach Kurland zu ihrer Tante; ja nach Kurland, Herr, denn hier ist ihre Ehr' hin, und wer zahlt mir nun die Reisekosten? Ich habe wahrhaftig den ganzen Tag keine Laut' anrühren können, und über die funfzehn Quinten sind mir heut gesprungen. Ja, Herr, ich zittere noch am ganzen Leibe, und Herr Pätus, ich will ein Hühnchen mit Ihnen pflücken. Es soll nicht so bleiben; ich will Euch Schlingeln lehren, ehrlicher Leute Kinder verführen.

Pätus: Herr, schimpf' Er nicht, oder –

Rehaar: Sehen Sie nur an, Herr von Berg! sehn Sie einmal an – wenn ich nun Herz hätte, ich fodert' ihn augenblicklich vor die Klinge – Sehen Sie, da steht er und lacht mir noch in die Zähne obenein. Sind wir denn unter Türken und Heiden, daß ein Vater nicht mehr mit seiner Tochter sicher ist? Herr Pätus, Sie sollen mir's nicht umsonst getan haben, ich sag's Ihnen, und sollt's bis an den Kurfürsten selber kommen. Unter die Soldaten mit solchen lüderlichen Hunden! Dem Kalbsfell folgen, das ist gescheiter! Schlingel seid ihr und keine Studenten.

Pätus (gibt ihm eine Ohrfeige): Schimpf' Er nicht; ich hab's Ihm fünfmal gesagt!

Rehaar (springt auf, das Schnupftuch vorm Gesicht): So? Wart' – Wenn ich doch nur den roten Fleck behalten könnte, bis ich vorn Magnifikus komme – Wenn ich ihn doch nur acht Tage behalten könnte, daß ich nach Dresden reise und ihn dem Kurfürsten zeige – Wart', es soll dir zu Hause kommen, wart', wart' – Ist das erlaubt? (Weint) Einen Lautenisten zu schlagen? weil er dir seine Tochter nicht geben will, daß du Lautchen auf ihr spielen kannst? – Wart', ich will's seiner Kurfürstlichen Majestät sagen, daß du mich ins Gesicht geschlagen hast. Die Hand soll dir abgehauen werden – Schlingel! (Läuft ab, Pätus will ihm nach; Fritz hält ihn zurück)

Fritz: Pätus! Du hast schlecht gehandelt. Er war beleidigter Vater, du hättest ihn schonen sollen.

Pätus: Was schimpfte der Schurke?

FRITZ: Schimpfliche Handlungen verdienen Schimpf. Er konnte die Ehre seiner Tochter auf keine andere Weise rächen, aber es möchten sich Leute finden –

PÄTUS: Was? Was für Leute?

FRITZ: Du hast sie entehrt, du hast ihren Vater entehrt. Ein schlechter Kerl, der sich an Weiber und Musikanten wagt, die noch weniger als Weiber sind.

PÄTUS: Ein schlechter Kerl?

FRITZ: Du sollst ihm öffentlich abbitten.

PÄTUS: Mit meinem Stock.

FRITZ: So werd' ich dir in seinem Namen antworten.

PÄTUS (schreit): Was willst du von mir?

FRITZ: Genugtuung für Rehaarn.

PÄTUS: Du wirst mich doch nicht zwingen wollen, einfältiger Mensch –

FRITZ: Ja, ich will dich zwingen, kein Schurke zu sein.

PÄTUS: Du bist einer – Du mußt dich mit mir schlagen.

FRITZ: Herzlich gern – wenn du Rehaarn nicht Satisfaktion gibst.

PÄTUS: Nimmermehr.

FRITZ: Es wird sich zeigen.

—

FÜNFTER AKT

—

Erste Szene

DIE SCHULE

Läuffer. Marthe ein Kind auf dem Arm

MARTHE: Um Gotteswillen! Helft einer armen blinden Frau und einem unschuldigen Kinde, das seine Mutter verloren hat!

LÄUFFER (gibt ihr was): Wie seid Ihr denn hergekommen, da Ihr nicht sehen könnt?

MARTHE: Mühselig genug. Die Mutter dieses Kindes war meine Leiterin; sie ging eines Tags aus dem Hause, zwei Tage nach ihrer Niederkunft, mittags ging sie fort und wollt' auf den Abend wiederkommen, sie soll noch wiederkommen. Gott schenk' ihr die ewige Freud' und Herrlichkeit!

LÄUFFER: Warum tut Ihr den Wunsch?

MARTHE: Weil sie tot ist, das gute Weib; sonst hätte sie ihr Wort nicht gebrochen. Ein Arbeitsmann vom Hügel ist mir begegnet, der hat sie sich in Teich stürzen sehen. Ein alter Mann ist hinter ihr drein gewesen und hat sich nachgestürzt; das muß wohl ihr Vater gewest sein.

LÄUFFER: O Himmel! Welch ein Zittern – Ist das ihr Kind?

MARTHE: Das ist es; sehen Sie nur, wie rund es ist, von lauter Kohl und Rüben aufgefüttert. Was sollt' ich Arme machen? Ich konnt' es nicht stillen, und da mein Vorrat auf war, macht ich's wie Hagar, nahm das Kind auf die Schulter und ging auf Gottes Barmherzigkeit.

LÄUFFER: Gebt es mir auf den Arm – O mein Herz! – Daß ich's an mein Herz drücken kann – Du gehst mir auf, furchtbares Rätsel! (Nimmt das Kind auf den Arm und tritt damit vor den Spiegel) Wie? Dies wären nicht meine Züge? (Fällt in Ohnmacht; das Kind fängt an zu schreien)

MARTHE: Fallt Ihr hin? (Hebt das Kind vom Boden auf) Suschen, mein liebes Suschen! (Das Kind beruhigt sich) Hört! was habt Ihr gemacht? Er antwortet nicht: ich muß doch um Hülfe rufen; ich glaube, ihm ist weh worden. (Geht hinaus)

—

Zweite Szene

EIN WÄLDCHEN VOR LEIPZIG

Fritz von Berg und Pätus stehn mit gezogenem Degen. Rehaar

FRITZ: Wird es bald?

PÄTUS: Willst du anfangen?

FRITZ: Stoß' du zuerst!

PÄTUS (wirft den Degen weg): Ich kann mich mit dir nicht schlagen.

FRITZ: Warum nicht? Nimm ihn auf! Hab' ich dich beleidigt, so muß ich dir Genugtuung geben.

PÄTUS: Du magst mich beleidigen, wie du willst, ich brauch' keine Genugtuung von dir.

FRITZ: Du beleidigst mich.

Pätus (rennt auf ihn zu und umarmt ihn): Liebster Berg! Nimm es für keine Beleidigung, wenn ich dir sage, du bist nicht imstande, mich zu beleidigen. Ich kenne dein Gemüt – und ein Gedanke daran macht mich zur feigsten Memme auf dem Erdboden. Laß uns gute Freunde bleiben, ich will mich gegen den Teufel selber schlagen, aber nicht gegen dich.

Fritz: So gib Rehaarn Satisfaktion, eh' zieh' ich nicht ab von hier.

Pätus: Das will ich herzlich gern, wenn er's verlangt.

Fritz: Er ist immatrikuliert, wie du; du hast ihn ins Gesicht geschlagen – Frisch, Rehaar, zieht!

Rehaar (zieht): Ja, aber er muß seinen Degen da nicht aufheben.

Fritz: Sie sind nicht gescheit. Wollen Sie gegen einen Menschen ziehen, der sich nicht wehren kann?

Rehaar: Ei, laß die gegen bewehrte Leute ziehen, die Courage haben. Ein Musikus muß keine Courage haben, und Herr Pätus, Er soll mir Satisfaktion geben – (stößt auf ihn zu. Pätus weicht zurück) Satisfaktion geben. (Stößt Pätus in den Arm. Fritz legiert ihm den Degen)

Fritz: Jetzt seh' ich, daß Sie Ohrfeigen verdienen, Rehaar. Pfui!

Rehaar: Ja, was soll ich denn machen, wenn ich kein Herz habe?

Fritz: Ohrfeigen einstecken und das Maul halten.

Pätus: Still, Berg! Ich bin nur geschrammt. Herr Rehaar, ich bitt' Sie um Verzeihung. Ich hätte Sie nicht schlagen sollen, da ich wußte, daß Sie nicht imstande waren, Genugtuung zu fodern; viel weniger hätt' ich Ihnen Ursache geben sollen, mich zu schimpfen. Ich gesteh's, diese Rache ist noch viel zu gering für die Beleidigungen, die ich Ihrem Hause angetan: ich will sehen, sie auf eine bessere Weise gut zu machen, wenn das Schicksal meinen guten Vorsätzen beisteht. Ich will Ihrer Tochter nachreisen; ich will sie heiraten. In meinem Vaterlande wird sich schon eine Stelle für mich finden, und wenn auch mein Vater bei seinen Lebzeiten sich nicht besänftigen ließe, so ist mir doch eine Erbschaft von funfzehntausend Gulden gewiß. (umarmt ihn) Wollen Sie mir Ihre Tochter bewilligen?

Rehaar: Ei was! Ich hab' nichts dawider, wenn Ihr ordentlich und ehrlich um sie anhaltet und imstand' seid, sie zu versorgen – Ha ha ha, hab' ich's doch mein Tag gesagt:

mit den Studenten ist gut auskommen. Die haben doch noch Honettetät im Leibe, aber mit den Offiziers – Die machen einem Mädchen ein Kind und kräht nicht Hund oder Hahn nach: das macht, weil sie alle kuraschöse Leute sein und sich müssen totschlagen lassen. Denn wer Courage hat, der ist zu allen Lastern fähig.

FRITZ: Sie sind ja auch Student. Kommen Sie; wir haben lange keinen Punsch zusammen gemacht; wir wollen auf die Gesundheit Ihrer Tochter trinken.

REHAAR: Ja, und Ihr Lautenkonzertchen dazu, Herr von Bergchen. Ich hab' Ihnen jetzt drei Stund' nacheinander geschwänzt, und weil ich auch honett denke, so will ich heute dafür drei Stunden nacheinander auf Ihrem Zimmerchen bleiben und wollen Lautchen spielen, bis dunkel wird.

PÄTUS: Und ich will die Violin' dazu streichen.

—

Dritte Szene

DIE SCHULE

Läuffer liegt zu Bette. Wenzeslaus

WENZESLAUS: Daß Gott! was gibt's schon wieder, daß Ihr mich von der Arbeit abrufen laßt? Seid Ihr schon wieder schwach? Ich glaube, das alte Weib war eine Hexe. – Seit der Zeit habt Ihr keine gesunde Stunde mehr.

LÄUFFER: Ich werd' es wohl nicht lange mehr machen.

WENZESLAUS: Soll ich Gevatter Schöpsen rufen lassen?

LÄUFFER: Nein.

WENZESLAUS: Liegt Euch was auf dem Gewissen? Sagt mir's, entdeckt mir's, unverhohlen! – Ihr blickt so scheu umher, daß es einem ein Grauen einjagt; *frigidus per ossa* – Sagt mir, was ist's? – Als ob er jemand totgeschlagen hätte – Was verzerrt Ihr denn die Lineamenten so? – Behüt' Gott, ich muß doch nur zu Schöpsen –

LÄUFFER: Bleibt – Ich weiß nicht, ob ich recht getan – Ich habe mich kastriert . . .

WENZESLAUS: Wa – Kastrier – Da mach' ich Euch meinen herzlichen Glückwunsch drüber, vortrefflich, junger Mann, zweiter Origenes! Laß dich umarmen, teures, auserwähltes Rüstzeug! Ich kann's Euch nicht verhehlen, fast – fast kann ich dem Heldenvorsatz nicht widerstehen, Euch nachzuahmen. So recht, werter Freund! Das ist die Bahn, auf der Ihr eine Leuchte der Kirche, ein Stern erster Größe, ein Kirchenvater selber werden könnt. Ich glückwünsche Euch, ich ruf' Euch ein *Jubilate* und *Evoë* zu, mein geistlicher Sohn – Wär' ich nicht über die Jahre hinaus, wo der Teufel unsern ersten und besten Kräften sein arglistiges Netz ausstellt, gewiß, ich würde mich keinen Augenblick bedenken –

LÄUFFER: Bei alle dem, Herr Schulmeister, gereut es mich.

WENZESLAUS: Wie, es gereut Ihn? Das sei ferne, werter Herr Mitbruder! Er wird eine so edle Tat doch nicht mit törichter Reue verdunkeln und mit sündlichen Tränen besudeln? Ich seh' schon welche über Sein Augenlid hervorquellen. Schluck' Er sie wieder hinunter und sing' Er mit Freudigkeit: »Ich bin der Nichtigkeit entbunden, nun Flügel, Flügel, Flügel her!« Er wird es doch nicht machen wie Lots Weib und sich wieder nach Sodom umsehen, nachdem Er einmal das friedfertige stille Zoar erreicht hat? Nein, Herr Kollega; ich muß Ihm auch nur sagen, daß Er nicht der einzige ist, der den Gedanken gehabt hat. Schon unter den blinden Juden war eine Sekte, zu der ich mich gern öffentlich bekannt hätte, wenn ich nicht befürchtet, meine Nachbarn und meine armen Lämmer in der Schule damit zu ärgern: auch hatten sie freilich einige Schlacken und Torheiten dabei, die ich nun eben nicht mitmachen möchte. Zum Exempel, daß sie des Sonntags nicht einmal ihre Notdurft verrichten, welches doch wider alle Regeln einer vernünftigen Diät ist, und halt' ich's da lieber mit unserm seligen Doktor Luther: was hinaufsteigt, das ist für meinen lieben Gott, aber was hinuntergeht, Teufel, das ist für dich – Ja, wo war ich?

LÄUFFER: Ich fürchte, meine Bewegungsgründe waren von andrer Art . . Reue, Verzweiflung –

WENZESLAUS: Ja, nun hab' ich's – Die Essäer, sag' ich, haben auch nie Weiber genommen; es war eins von ihren Grundgesetzen, und dabei sind sie zu hohem Alter kommen, wie solches im Josephus zu lesen. Wie die es nun angefangen, ihr Fleisch so zu bezähmen; ob sie es gemacht, wie ich, nüchtern und mäßig gelebt und brav

Toback geraucht, oder ob sie Euren Weg eingeschlagen – so viel ist gewiß, *in amore, in amore omnia insunt vitia,* und ein Jüngling, der diese Klippe vorbeischifft, Heil, Heil ihm, ich will ihm Lorbeern zuwerfen; *lauro tempora cingam et sublimi fronte sidera pulsabit.*

LÄUFFER: Ich fürcht', ich werd' an dem Schnitt sterben müssen.

WENZESLAUS: Mitnichten, da sei Gott für! Ich will gleich zu Gevatter Schöpsen. Der Fall wird ihm freilich noch nie vorgekommen sein, aber hat er Euch Euren Arm kuriert, welches doch eine Wunde war, die nicht zu Eurer Wohlfahrt diente, so wird ja Gott auch ihm Gnade zu einer Kur geben, die Euer ewiges Seelenheil befördern wird. (Geht ab)

LÄUFFER: Sein Frohlocken verwundet mich mehr als mein Messer. O Unschuld, welch eine Perle bist du! Seit ich dich verloren, tat ich Schritt auf Schritt in der Leidenschaft und endigte mit Verzweiflung. Möchte dieser letzte mich nicht zum Tode führen, vielleicht könnt' ich itzt wieder anfangen zu leben und zum Wenzeslaus wiedergeboren werden.

Vierte Szene

In Leipzig

Fritz von Berg und Rehaar begegnen sich auf der Straße

REHAAR: Herr von Bergchen, ein Briefchen, unter meinem Kuvert gekommen. Herr von Seiffenblase hat an mich geschrieben; hat auch Lautchen bei mir gelernt vormals. Er bittet mich, ich soll doch diesen Brief einem gewissen Herrn von Berg in Leipzig abgeben, wenn er anders noch da wäre – O wie bin ich gesprungen!

FRITZ: Wo hält er sich denn itzt auf, Seiffenblase?

REHAAR: Soll es dem Herrn von Berg abgeben, schreibt er, wenn Sie anders diesen würdigen Mann kennen. O wie bin ich gesprungen – Er ist in Königsberg, der Herr von Seiffenblase. Was meinen Sie, und meine Tochter ist auch da, und logiert ihm grad' gegenüber. Sie schreibt mir, die Kathrinchen, daß sie nicht genug rühmen kann, was er ihr für Höflichkeit erzeigt, alles um meinetwillen; hat sieben Monat bei mir gelernt.

FRITZ (zieht die Uhr aus): Liebster Rehaar, ich muß ins Kollegium – Sagen Sie Pätus nichts davon, ich bitte Sie –

(Geht ab)

REHAAR (ruft ihm nach): Auf den Nachmittag – Konzertchen! –

—

Fünfte Szene

ZU KÖNIGSBERG IN PREUSSEN

Geheimer Rat, Gustchen, Major stehn in ihrem Hause am Fenster

GEH. RAT: Ist er's?

GUSTCHEN: Ja, er ist's.

GEH. RAT: Ich sehe doch, die Tante muß ein lüderliches Mensch sein, oder sie hat einen Haß auf ihre Nichte geworfen und will sie mit Fleiß ins Verderben stürzen.

GUSTCHEN: Aber Onkel, sie kann ihm doch das Haus nicht verbieten.

GEH. RAT: Auf das, was ich ihr gesagt? – Wer will's ihr übelnehmen, wenn sie zu ihm sagte: »Herr von Seiffenblase, Sie haben sich auf einem Kaffeehause verlauten lassen, Sie wollten meine Nichte zu Ihrer Mätresse machen; suchen Sie sich andre Bekanntschaften in der Stadt; bei mir kommen Sie unrecht: meine Nichte ist eine Ausländerin, die meiner Aufsicht anvertraut ist; die sonst keine Stütze hat; wenn sie verführt würde, fiel' alle Rechenschaft auf mich. Gott und Menschen müßten mich verdammen.«

MAJOR: Still, Bruder! Er kommt heraus und läßt die Nase erbärmlich hängen. Ho, ho, ho, daß du die Krepanz! Wie blaß er ist.

GEH. RAT: Ich will doch gleich hinüber und sehn, was es gegeben hat.

—

Sechste Szene

In Leipzig

Pätus an einem Tisch und schreibt. Berg tritt herein, einen Brief in der Hand

Pätus (sieht auf und schreibt fort)

Fritz: Pätus! – Hast zu tun?

Pätus: Gleich – (Fritz spaziert auf und ab) Jetzt – (Legt das Schreibzeug weg)

Fritz: Pätus! Ich hab' einen Brief bekommen – und hab' nicht das Herz, ihn aufzumachen.

Pätus: Von wo kommt er? Ist's deines Vaters Hand?

Fritz: Nein, von Seiffenblase – aber die Hand zittert mir, sobald ich erbrechen will. Brich doch auf, Bruder, und lies mir vor! (Wirft sich auf einen Lehnstuhl)

Pätus (liest): »Die Erinnerung so mancher angenehmen Stunden, deren ich mich noch mit Ihnen genossen zu haben erinnere, verpflichtet mich, Ihnen zu schreiben und Sie an diese angenehme Stunden zu erinnern« – Was der Junge für eine rasende Orthographie hat!

Fritz: Lies doch nur –

Pätus: »Und weil ich mich verpflichtet hielt, Ihnen Nachrichten von meiner Ankunft und den Neuigkeiten, die allhier vorgefallen, als melde Ihnen von Dero wertesten Familie, welche leider sehr viele Unglücksfälle in diesem Jahre erlebt hat, und wegen der Freundschaft, welche ich in Dero Eltern ihrem Hause genossen, sehe mich verpflichtet, weil ich weiß, daß Sie mit Ihrem Herrn Vater in Mißverständnis und er Ihnen lange wohl nicht wird geschrieben haben, so werden Sie auch wohl den Unglücksfall nicht wissen mit dem Hofmeister, welcher aus Ihres gnädigen Onkels Hause ist gejagt worden, weil er Ihre Kusine genotzüchtigt, worüber sie sich so zu Gemüt gezogen, daß sie in einen Teich gesprungen, durch welchen Trauerfall Ihre ganze Familie in den höchsten Schröcken« – Berg! Was ist dir? – (Begießt ihn mit Lavendel) Wie nun, Berg? Rede, wird dir weh? – Hätt' ich dir doch den verdammten Brief nicht – Ganz gewiß ist's eine Erdichtung – Berg! Berg!

Fritz: Laß mich – Es wird schon übergehn.

Pätus: Soll ich jemand holen, der dir die Ader schlägt?

FRITZ: O pfui doch – tu doch so französisch nicht – Lies mir's noch einmal vor!

PÄTUS: Ja, ich werde dir – Ich will den hundsföttischen maliziösen Brief den Augenblick – (Zerreißt ihn)

FRITZ: Genotzüchtigt – ersäuft. (Schlägt sich an die Stirn) Meine Schuld! (Steht auf) Meine Schuld einzig und allein –

PÄTUS: Du bist wohl nicht klug – Willst dir die Schuld geben, daß sie sich vom Hofmeister verführen läßt –

FRITZ: Pätus, ich schwur ihr, zurückzukommen, ich schwur ihr – Die drei Jahr sind verflossen, ich bin nicht gekommen, ich bin aus Halle fortgangen, mein Vater hat keine Nachrichten von mir gehabt. Mein Vater hat mich aufgeben, sie hat es erfahren, Gram – du kennst ihren Hang zur Melancholei – die Strenge ihrer Mutter obenein, Einsamkeit, auf dem Lande, betrogne Liebe – Siehst du das nicht ein, Pätus; siehst du das nicht ein? Ich bin ein Bösewicht: ich bin schuld an ihrem Tode. (Wirft sich wieder in den Stuhl und verhüllt sein Gesicht)

PÄTUS: Einbildungen! – Es ist nicht wahr, es ist so nicht gegangen. (Stampft mit dem Fuß) Tausend Sapperment, daß du so dumm bist und alles glaubst; der Spitzbube, der Hundsfutt, der Bärenhäuter, der Seiffenblase, will dir einen Streich spielen – Laß mich ihn einmal zu sehen kriegen! – Es ist nicht wahr, daß sie tot ist, und wenn sie tot ist, so hat sie sich nicht selbst umgebracht . . .

FRITZ: Er kann doch das nicht aus der Luft saugen – Selbst umgebracht – (Springt auf) O das ist entsetzlich!

PÄTUS (stampft abermal mit dem Fuß): Nein, sie hat sich selbst nicht umgebracht. Seiffenblase lügt; wir müssen mehr Bestätigung haben. Du weißt, daß du ihm einmal im Rausch erzählt hast, daß du in deine Kusine verliebt wärst; siehst du, das hat die maliziöse Kanaille aufgefangen – aber weißt du was? weißt du, was du tust? Hust' ihm was; pfeif' ihm was; pfui ihm was; schreib' ihm, Ew. Edlen danke dienstfreundlichst für Dero Neuigkeiten und bitte, Sie wollen mich im – Das ist der beste Rat, schreib' ihm zurück: Ihr seid ein Hundsfutt. Das ist das vernünftigste, was du bei der Sache tun kannst.

FRITZ: Ich will nach Hause reisen.

PÄTUS: So reis' ich mit dir – Berg, ich laß' dich keinen Augenblick allein.

FRITZ: Aber wovon? Reisen ist bald ausgesprochen – Wenn ich keine abschlägige Antwort befürchtete, so wollt' ich es bei Leichtfuß *et Compagnie* versuchen, aber ich bin ihnen schon hundertfunfzig Dukaten schuldig –

PÄTUS: Wir wollen beide zusammen hingehn – Wart', wir müssen die Lotterie vorbei. Heut ist die Post aus Hamburg angekommen, ich will doch unterwegs nachfragen; zum Spaß nur –

—

Siebente Szene

IN KÖNIGSBERG

Geheimer Rat führt Jungfer Rehaar an der Hand. Augustchen. Major

GEH. RAT: Hier, Gustchen, bring' ich dir eine Gespielin. Ihr seid in *einem* Alter, *einem* Verhältnisse – Gebt euch die Hand und seid Freundinnen!

GUSTCHEN: Das bin ich lange gewesen, liebe Mamsell! Ich weiß nicht, was es war, das in meinem Busen auf- und abstieg, wenn ich Sie aus dem Fenster sah; aber Sie waren in so viel Zerstreuungen verwickelt, so mit Kutschenbesuchen und Serenaden belästigt, daß ich mit meinem Besuch zu unrechter Zeit zu kommen fürchtete.

JUNGFER REHAAR: Ich wäre Ihnen zuvorgekommen, gnädiges Fräulein, wenn ich das Herz gehabt. Allein in ein so vornehmes Haus mich einzudrängen, hielt ich für unbesonnen und mußte dem Zug meines Herzens, das mich schon oft bis vor Ihre Tür geführt hat, allemal mit Gewalt widerstehen.

GEH. RAT: Stell' dir vor, Major: der Seiffenblase hat auf die Warnung, die ich der Frau Dutzend tat, und die sie ihm wiedererzählt hat, und zwar, wie ich's verlangt, unter meinem Namen, geantwortet: er werde sich schon an mir zu rächen wissen. Er hat alles das so gut von sich abzulehnen gewußt und ist gleich tags drauf mit dem Minister Deichsel hingefahren kommen, daß die arme Frau das Herz nicht gehabt, sich seine Besuche zu verbitten. Gestern Nacht hat er zwei Wagen in diese Straße bestellt und einen am Brandenburger Tor, das wegen des

Feuerwerks offen blieb, das erfährt die Madam gestern Vormittag schon. Den Nachmittag will er für Henkers Gewalt die Mamsell überreden, mit ihm zum Minister auf die Assemblee zu fahren; aber Madam Dutzend traute dem Frieden nicht und hat's ihm rund abgeschlagen. Zweimal ist er vor die Tür gefahren, aber hat wieder umkehren müssen; da seine Karte also verzettelt war, wollt' er's heut probieren. Madam Dutzend hat ihm nicht allein das Haus verboten, sondern zugleich angedeutet: sie sehe sich genötigt, sich vom Gouverneur Wache vor ihrem Hause auszubitten. Da hat er Flammen gespien, hat mit dem Minister gedroht – Um die Madam völlig zu beruhigen, hab' ich ihr angetragen, die Mamsell in unser Haus zu nehmen. Wir wollen sie auf ein halb Jahr nach Insterburg mitnehmen, bis Seiffenblase sie vergessen hat, oder so lang, als es ihr selber nur da gefallen kann –

MAJOR: Ich hab' schon anspannen lassen. Wenn wir nach Heidelbrunn fahren, Mamsell, so laß' ich Sie nicht los. Sie müssen mit, oder meine Tochter bleibt mit Ihnen in Insterburg.

GEH. RAT: Das wär' wohl am besten. Ohnehin taugt das Land für Gustchen nicht, und Mamsell Rehaar laß' ich nicht von mir.

MAJOR: Gut, daß deine Frau dich nicht hört – oder hast du Absichten auf deinen Sohn?

GEH. RAT: Mach' das gute Kind nicht rot! Sie werden ihn in Leipzig oft genug müssen gesehen haben, den bösen Buben. Gustchen, du wirst zur Gesellschaft mit rot? Er verdient's nicht.

GUSTCHEN: Da mein Vater mir vergeben hat, sollte Ihr Sohn ein minder gütiges Herz bei Ihnen finden?

GEH. RAT: Er ist auch noch in keinen Teich gesprungen.

MAJOR: Wenn wir nur das blinde Weib mit dem Kinde ausfündig gemacht hätten, von dem mir der Schulmeister schreibt; eh' kann ich nicht ruhig werden – Kommt! Ich muß noch heut' auf mein Gut.

GEH. RAT: Daraus wird nichts. Du mußt die Nacht in Insterburg schlafen.

—

Achte Szene

LEIPZIG · BERGS ZIMMER

Fritz von Berg sitzt, die Hand untern Kopf gestützt. Pätus stürzt herein

PÄTUS: Triumph, Berg! Was kalmäuserst du? – Gott! Gott! (Greift sich an den Kopf und fällt auf die Knie) Schicksal! Schicksal! – Nicht wahr, Leichtfuß hat dir nicht vorschießen wollen? Laß ihn dich – Ich hab' Geld, ich hab' alles – Dreihundert achtzig Friedrichsdor gewonnen auf einem Zug! (Springt auf und schreit) Heidideldum, nach Insterburg! Pack' ein!

FRITZ: Bist du närrisch worden?

PÄTUS (zieht einen Beutel mit Gold hervor und wirft alles auf die Erde): Da ist meine Narrheit. Du bist ein Narr mit deinem Unglauben – nun hilf auflesen; buck' dich etwas – und heut noch nach Insterburg, juchhe! (Lesen auf) Ich will meinem Vater die achtzig Friedrichsdor schenken, so viel betrug grad' mein letzter Wechsel, und zu ihm sagen: »Nun, Herr Papa, wie gefall' ich Ihnen itzt?« All deine Schulden können wir bezahlen, und meine obenein, und denn reisen wir wie die Prinzen. Juchhe!

—

Neunte Szene

DIE SCHULE

Wenzeslaus. Läuffer. Beide in schwarzen Kleidern

WENZESLAUS: Wie hat Ihm die Predigt gefallen, Kollege? Wie hat Er sich erbaut?

LÄUFFER: Gut, recht gut. (Seufzt)

WENZESLAUS (nimmt seine Perücke ab und setzt eine Nachtmütze auf): Damit ist's nicht ausgemacht. Er soll mir sagen, welche Stelle aus der Predigt vorzüglich gesegnet an Seinem Herzen gewesen. Hör' Er – setz' Er sich! Ich muß Ihm was sagen; ich hab' eine Anmerkung in der Kirche gemacht, die mich gebeugt hat. Er hat mir da so wetterwendisch gesessen, daß ich mich Seiner, die Wahrheit zu sagen, vor der ganzen Gemeine geschämt habe und dadurch oft fast aus meinem Konzept kommen bin. Wie, dacht' ich, dieser junge Kämpfer, der so ritterlich durchgebrochen und den schwersten Strauß schon gewissermaßen überwunden hat – Ich muß es Ihm bekennen: Er hat mich geärgert, *σκάνδαλον ἐδίδους, ἕταιρε*! Ich hab's wohl gemerkt, wohin es ging, ich hab's wohl gemerkt: immer nach der mittlern Tür zu, da nach der Orgel hinunter.

LÄUFFER: Ich muß bekennen, es hing ein Gemälde dort, das mich ganz zerstreut hat. Der Evangelist Markus mit einem Gesicht, das um kein Haar menschlicher aussah als der Löwe, der bei ihm saß, und der Engel beim Evangelisten Matthäus eher einer geflügelten Schlange ähnlich.

WENZESLAUS: Es war nicht das, mein Freund! Bild' Er mir's nicht ein; es war nicht das. Sag' Er mir doch, ein Bild sieht man an und sieht wieder weg, und dann ist's alles. Hat Er denn gehört, was ich gesagt habe? Weiß Er mir *ein* Wort aus meiner Predigt wieder anzuführen? Und sie war doch ganz für Ihn gehalten; ganz kasuistisch – O! o! o!

LÄUFFER: Der Gedanke gefiel mir vorzüglich, daß zwischen unsrer Seele und ihrer Wiedergeburt und zwischen dem Flachs- und Hanfbau eine große Ähnlichkeit herrsche, und so wie der Hanf im Schneidebrett durch heftige Stöße und Klopfen von seiner alten Hülse befreit werden müsse, so müsse unser Geist auch durch allerlei Kreuz und Leiden und Ertötung der Sinnlichkeit für den Himmel zubereitet werden.

WENZESLAUS: Er war kasuistisch, mein Freund –

LÄUFFER: Doch kann ich Ihnen auch nicht bergen, daß Ihre Liste von Teufeln, die aus dem Himmel gejagt worden, und die Geschichte der ganzen Revolution da, daß Luzifer sich für den schönsten gehalten – Die heutige Welt ist über den Aberglauben längst hinweg; warum will man ihn wieder aufwärmen? In der ganzen heutigen vernünftigen Welt wird kein Teufel mehr statuiert –

WENZESLAUS: Darum wird auch die ganze heutige vernünftige Welt zum Teufel fahren. Ich mag nicht verdammen, lieber Herr Mandel; aber das ist wahr, wir leben in seelenverderblichen Zeiten: es ist die letzte böse Zeit. Ich mag mich drüber weiter nicht auslassen: ich seh' wohl, Er ist ein Zweifler auch, und auch solche Leute muß man tragen. Es wird schon kommen; Er ist noch jung – aber gesetzt auch, *posito* auch, aber nicht zugestanden, unsere Glaubenslehren wären all' Aberglauben, über Geister, über Höll', über Teufel, da – Was tut's Euch, was beißt's Euch, daß Ihr Euch so mit Händen und Füßen dagegen wehrt? Tut nichts Böses, tut recht, und denn so braucht Ihr die Teufel nicht zu scheuen, und wenn ihrer mehr wären wie Ziegel auf dem Dach, wie der selige Lutherus sagt. Und Aberglauben – O schweigt still, schweigt still, lieben Leut'! Erwägt erst mit reifem Nachdenken, was der Aberglaube bisher für Nutzen gestiftet hat, und denn habt mir noch das Herz, mit Euren nüchternen Spötteleien gegen mich anzuziehen. Reutet mir den Aberglauben aus; ja wahrhaftig, der rechte Glaub' wird mit draufgehn, und ein nacktes Feld dableiben. Aber ich weiß jemand, der gesagt hat, man soll beides wachsen lassen, es wird schon die Zeit kommen, da Kraut sich von dem Unkraut scheiden wird. Aberglauben – Nehmt dem Pöbel seinen Aberglauben, er wird freigeistern wie Ihr und Euch vor den Kopf schlagen. Nehmt dem Bauer seinen Teufel, und er wird ein Teufel gegen seine Herrschaft werden und ihr beweisen, daß es welche gibt. Aber wir wollen das beiseite setzen – Wovon redt' ich doch? – Recht, sag' Er mir, wen hat Er angesehen in der ganzen Predigt? Verhehl' Er mir nichts! Ich war es nicht, denn sonst müßt' Er schielen, daß es eine Schande wäre.

LÄUFFER: Das Bild.

WENZESLAUS: Es war nicht das Bild – Dort unten, wo die Mädchen sitzen, die bei ihm in die Kinderlehre gehen – Lieber Freund! es wird doch nichts vom alten Sauerteig in seinem Herzen geblieben sein – Ei, ei! wer einmal geschmeckt hat die Kräfte der zukünftigen Welt – Ich bitt' Ihn, mir stehn die Haare zu Berge – Nicht wahr, die eine da mit dem gelben Haar so nachlässig unter das rote Häubchen gesteckt und mit den lichtbraunen Augen, die allemal unter den schwarzen Augbraunen so schalkhaft hervorblinzen, wie die Sterne hinter Regenwolken – Es ist wahr, das Mädchen ist gefährlich; ich hab's nur einmal von der Kanzel angesehn und mußte hernach allemal die Augen platt zudrücken, wenn sie auf sie fielen, sonst wär' mir's gegangen wie den weisen Männern im Areopagus, die Recht und Gerechtigkeit vergaßen um einer schnöden Phryne willen. – Aber sag' Er mir doch, wo will Er hin, daß Er Sich noch bösen Begierden überläßt, da's Ihm sogar an Mitteln fehlt, sie zu befriedigen? Will Er Sich dem Teufel ohne Sold dahingeben? Ist das das Gelübd', das Er dem Herrn getan? – Ich rede als Sein geistlicher Vater mit Ihm – Er, der itzt mit so wenig Mühe über alle Sinnlichkeit triumphieren, über die Erde sich hinausschwingen und bessern Revieren zufliegen könnte! (Umarmt ihn) Ach, mein lieber Sohn, bei diesen Tränen, die ich aus wahrer herzlicher Sorgfalt für Ihn vergieße: kehr' Er nicht zu den Fleischtöpfen Ägyptens zurück, da Er Kanaan so nahe war! Eile, eile! rette deine unsterbliche Seele! Du hast auf der Welt nichts, das dich mehr zurückhalten könnte. Die Welt hat nichts mehr für dich, womit sie deine Untreu' dir einmal belohnen könnte; nicht einmal eine sinnliche Freude, geschweige denn Ruhe der Seelen – Ich geh' und überlasse dich deinen Entschließungen. (Geht ab)

(Läuffer bleibt in tiefen Gedanken sitzen)

—

Zehnte Szene

Lise tritt herein, ein Gesangbuch in der Hand, ohne daß er sie gewahr wird. Sie sieht ihm lang' stillschweigend zu. Er springt auf, will knien; wird sie gewahr und sieht sie eine Weile verwirrt an

LÄUFFER (nähert sich ihr): Du hast eine Seele dem Himmel gestohlen. (Faßt sie an die Hand) Was führt dich hieher, Lise?

LISE: Ich komme, Herr Mandel – Ich komme, weil Sie gesagt haben, es würd' morgen keine Kinderlehr' – weil Sie – so komm' ich – gesagt haben – ich komme, zu fragen, ob morgen Kinderlehre sein wird.

LÄUFFER: Ach! – – Seht diese Wangen, ihr Engel! Wie sie in unschuldigem Feuer brennen, und denn verdammt mich, wenn ihr könnt – – Lise, warum zittert deine Hand? Warum sind dir die Lippen so bleich und die Wangen so rot? Was willst du?

LISE: Ob morgen Kinderlehr' sein wird.

LÄUFFER: Setz' dich zu mir nieder – Leg' dein Gesangbuch weg – Wer steckt dir das Haar auf, wenn du nach der Kirche gehst? (Setzt sie auf einen Stuhl neben seinem)

LISE (will aufstehn): Verzeih' Er mir; die Haube wird wohl nicht recht gesteckt sein; es macht' einen so erschrecklichen Wind, als ich zur Kirche kam.

LÄUFFER (nimmt ihre beiden Hände in seine Hand): O du bist – Wie alt bist du, Lise? – Hast du niemals – Was wollt' ich doch fragen – Hast du nie Freier gehabt?

LISE (munter): O ja, einen, noch die vorige Woche; und des Schafwirts Grete war so neidisch auf mich und hat immer gesagt: »Ich weiß nicht, was er sich um das einfältige Mädchen so viel Mühe macht«, und denn hab' ich auch noch einen Offizier gehabt; es ist noch kein Vierteljahr.

LÄUFFER: Einen Offizier?

LISE: Ja doch, und einer von den recht vornehmen. Ich sag' Ihnen, er hat drei Tressen auf dem Arm gehabt: aber ich war noch zu jung, und mein Vater wollt' mich ihm nicht geben, wegen des soldatischen Wesens und Ziehens.

LÄUFFER: Würdest du – O ich weiß nicht, was ich rede – Würdest du wohl – Ich Elender!

LISE: O ja, von ganzem Herzen.

LÄUFFER: Bezaubernde! – (Will ihr die Hand küssen) Du weißt ja noch nicht, was ich fragen wollte.

LISE (zieht sie weg): O lassen Sie, meine Hand ist ja so schwarz – O pfui doch! Was machen Sie? Sehen Sie, einen geistlichen Herrn hätt' ich allewege gern: von meiner ersten Jugend an hab' ich die studierte Herren immer gern gehabt; sie sind alleweil so artig, so manierlich, nicht so puff paff wie die Soldaten, obschon ich einewege die auch gern habe, das leugn' ich nicht, wegen ihrer bunten Röcke; ganz gewiß, wenn die geistlichen Herren in so bunten Röcken gingen wie die Soldaten, das wäre zum Sterben.

LÄUFFER: Laß mich deinen mutwilligen Mund mit meinen Lippen zuschließen! (Küßt sie) O Lise! Wenn du wüßtest, wie unglücklich ich bin!

LISE: O pfui, Herr, was machen Sie?

LÄUFFER: Noch einmal und denn ewig nicht wieder! (Küßt sie. Wenzeslaus tritt herein)

WENZESLAUS: Was ist das? *Proh deum atque hominum fidem*! Wie nun, falscher, falscher, falscher Prophet! Reißender

Wolf in Schafskleidern! Ist das die Sorgfalt, die du deiner Herde schuldig bist? Die Unschuld selber verführen, die du vor Verführung bewahren sollst? Es muß ja Ärgernis kommen, doch wehe dem Menschen, durch welchen Ärgernis kommt!

LÄUFFER: Herr Wenzeslaus!

WENZESLAUS: Nichts mehr! Kein Wort mehr! Ihr habt Euch in Eurer wahren Gestalt gezeigt. Aus meinem Hause, Verführer!

LISE (kniet vor Wenzeslaus): Lieber Herr Schulmeister, er hat mir nichts Böses getan.

WENZESLAUS: Er hat dir mehr Böses getan, als dir dein ärgster Feind tun könnte. Er hat dein unschuldiges Herz verführt.

LÄUFFER: Ich bekenne mich schuldig – Aber kann man so vielen Reizungen widerstehen? Wenn man mir dies Herz aus dem Leibe risse und mich Glied vor Glied verstümmelte und ich behielt' nur eine Ader von Blut noch übrig, so würde diese verrätrische Ader doch für Lisen schlagen.

LISE: Er hat mir nichts Leides getan.

WENZESLAUS: Dir nichts Leides getan – Himmlischer Vater!

LÄUFFER: Ich hab' ihr gesagt, daß sie die liebenswürdigste Kreatur sei, die jemals die Schöpfung beglückt hat; ich hab' ihr das auf ihre Lippen gedrückt; ich hab' diesen unschuldigen Mund mit meinen Küssen versiegelt, welcher mich sonst durch seine Zaubersprache zu noch weit größeren Verbrechen würde hingerissen haben.

WENZESLAUS: Ist das kein Verbrechen? Was nennt Ihr jungen Herrn heutzutage Verbrechen? *O tempora, o mores*! Habt Ihr den Valerius Maximus gelesen? Habt Ihr den Artikel gelesen *de pudicitia*? Da führt er einen Mänius an, der seinen Freigelassenen totgeschlagen hat, weil er seine Tochter einmal küßte, und die Räson: *ut etiam oscula ad maritum sincera perferret*. Riecht Ihr das? Schmeckt Ihr das? *Etiam oscula, non solum virginitatem, etiam oscula.* Und Mänius war doch nur ein Heide: was soll ein Christ tun, der weiß, daß der Ehstand von Gott eingesetzt ist, und daß die Glückseligkeit eines solchen Standes an der Wurzel vergiften, einem künftigen Gatten in seiner Gattin seine Freud' und Trost verderben, seinen Himmel profanieren – Fort, aus meinen Augen, Ihr Bösewicht! Ich mag mit Euch nichts zu tun haben! Geht zu einem Sultan und laßt Euch zum Aufseher über ein Serail dingen, aber nicht zum Hirten meiner Schafe. Ihr Mietling! Ihr reißender Wolf in Schafskleidern!

LÄUFFER: Ich will Lisen heiraten.

WENZESLAUS: Heiraten – Ei ja doch – als ob sie mit einem Eunuch zufrieden?

LISE: O ja, ich bin's herzlich wohl zufrieden, Herr Schulmeister.

LÄUFFER: Ich Unglücklicher!

LISE: Glauben Sie mir, lieber Herr Schulmeister, ich laß' einmal nicht von ihm ab. Nehmen Sie mir das Leben; ich lasse nicht ab von ihm. Ich hab' ihn gern, und mein Herz sagt mir, daß ich niemand auf der Welt so gern haben kann als ihn.

WENZESLAUS: So – daß doch – Lise, du verstehst das Ding nicht – Lise, es läßt sich dir so nicht sagen, aber du kannst ihn nicht heiraten; es ist unmöglich.

LISE: Warum soll es denn unmöglich sein, Herr Schulmeister? Wie kann's unmöglich sein, wenn ich will, und wenn er will, und mein Vater auch es will? Denn mein Vater hat mir immer gesagt, wenn ich einmal einen geistlichen Herrn bekommen könnte –

WENZESLAUS: Aber daß dich der Kuckuck, er kann ja nichts – Gott verzeih' mir meine Sünde, so laß dir doch sagen!

LÄUFFER: Vielleicht fordert sie das nicht – Lise, ich kann bei dir nicht schlafen.

LISE: So kann Er doch wachen bei mir, wenn wir nur den Tag über beisammen sind und uns so anlachen und uns einsweilen die Hände küssen – Denn bei Gott! ich hab' ihn gern. Gott weiß es, ich hab' Ihn gern.

LÄUFFER: Sehn Sie, Herr Wenzeslaus! Sie verlangt nur Liebe von mir. Und ist's denn notwendig zum Glück der Ehe, daß man tierische Triebe stillt?

WENZESLAUS: Ei was – *Connubium sine prole est quasi dies sine sole* . . . Seid fruchtbar und mehret euch, steht in Gottes Wort. Wo Eh' ist, müssen auch Kinder sein.

LISE: Nein, Herr Schulmeister, ich schwör's Ihm, in meinem Leben möcht' ich keine Kinder haben. Ei ja doch, Kinder! Was Sie nicht meinen. Damit wär' mir auch wohl groß gedient, wenn ich noch Kinder dazu bekäme. Mein

Vater hat Enten und Hühner genug, die ich alle Tage füttern muß; wenn ich noch Kinder obenein füttern müßte!

LÄUFFER (küßt sie): Göttliche Lise!

WENZESLAUS (reißt sie voneinander): Ei was denn! Was denn! Vor meinen Augen? – So kriecht denn zusammen; meinetwegen; weil doch Heiraten besser ist als Brunst leiden – Aber mit uns, Herr Mandel, ist es aus: alle große Hoffnungen, die ich mir von Ihm gemacht, alle große Erwartungen, die mir Sein Heldenmut einflößte – Gütiger Himmel! wie weit ist doch noch die Kluft, die zwischen einem Kirchenvater und zwischen einem Kapaun befestigt ist! Ich dacht', er sollte Origenes der zweite – *O homuncio, homuncio*! Das müßt' ein ganz andrer Mann sein, der aus Absicht und Grundsätzen den Weg einschlüge, um ein Pfeiler unsrer sinkenden Kirche zu werden. Ein ganz anderer Mann! Wer weiß, was noch einmal geschicht! (Geht ab)

LÄUFFER: Komm zu deinem Vater, Lise! Seine Einwilligung noch, und ich bin der glücklichste Mensch auf dem Erdboden!

—

Elfte Szene

ZU INSTERBURG

Geheimer Rat. Fritz von Berg. Pätus. Gustchen. Jungfer Rehaar. Gustchen und Jungfer Rehaar verstecken sich bei der Ankunft der erstern in die Kammer. Geheimer Rat und Fritz laufen sich entgegen

FRITZ (fällt vor ihm auf die Knie): Mein Vater!

GEH. RAT (hebt ihn auf und umarmt ihn): Mein Sohn!

FRITZ: Haben Sie mir vergeben?

GEH. RAT: Mein Sohn!

FRITZ: Ich bin nicht wert, daß ich Ihr Sohn heiße.

GEH. RAT: Setz' dich; denk' mir nicht mehr dran! Aber, wie hast du dich in Leipzig erhalten? Wieder Schulden auf meine Rechnung gemacht? Nicht? und wie bist du fortkommen?

FRITZ: Dieser großmütige Junge hat alles für mich bezahlt.

GEH. RAT: Wie denn?

PÄTUS: Dieser noch großmütigere – O ich kann nicht reden.

GEH. RAT: Setzt euch, Kinder; sprecht deutlicher! Hat Ihr Vater sich mit Ihnen ausgesöhnt, Herr Pätus?

PÄTUS: Keine Zeile von ihm gesehen.

GEH. RAT: Und wie habt ihr's denn beide gemacht?

PÄTUS: In der Lotterie gewonnen, eine Kleinigkeit – aber es kam uns zustatten, da wir herreisen wollten.

GEH. RAT: Ich seh', ihr wilde Bursche denkt besser als Eure Väter. Was hast du wohl von mir gedacht, Fritz? Aber man hat dich auch bei mir verleumdet.

PÄTUS: Seiffenblase gewiß?

GEH. RAT: Ich mag ihn nicht nennen; das gäbe Katzbalgereien, die hier am unrechten Ort wären.

PÄTUS: Seiffenblase! Ich laß' mich hängen!

GEH. RAT: Aber was führt dich denn nach Hause zurück, eben jetzt da? –

FRITZ: Fahren Sie fort – O das »eben jetzt«, mein Vater! das »eben jetzt« ist's, was ich wissen wollte.

GEH. RAT: Was denn? was denn?

FRITZ: Ist Gustchen tot?

GEH. RAT: Holla, der Liebhaber! – Was veranlaßt dich, so zu fragen?

FRITZ: Ein Brief von Seiffenblase.

GEH. RAT: Er hat dir geschrieben, sie wäre tot?

FRITZ: Und entehrt dazu.

PÄTUS: Es ist ein verleumderscher Schurke!

GEH. RAT: Kennst du eine Jungfer Rehaar in Leipzig?

FRITZ: O ja, ihr Vater war mein Lautenmeister.

GEH. RAT: Die hat er entehren wollen; ich hab' sie von seinen Nachstellungen errettet: das hat ihn uns feind gemacht.

PÄTUS (steht auf): Jungfer Rehaar – Der Teufel soll ihn holen!

GEH. RAT: Wo wollen Sie hin?

PÄTUS: Ist er in Insterburg?

GEH. RAT: Nein doch – Nehmen Sie sich der Prinzessinnen nicht zu eifrig an, Herr Ritter von der runden Tafel! Oder haben Sie Jungfer Rehaar auch gekannt?

PÄTUS: Ich? Nein, ich habe sie nicht gekannt – Ja, ich habe sie gekannt.

GEH. RAT: Ich merke – – Wollen Sie nicht auf einen Augenblick in die Kammer spazieren? (Führt ihn an die Tür)

PÄTUS (macht auf und fährt zurück, sich mit beiden Händen an den Kopf greifend): Jungfer Rehaar – Zu Ihren Füßen – (Hinter der Szene) Bin ich so glücklich? oder ist's nur ein Traum? Ein Rausch? – Eine Bezauberung? – –

GEH. RAT: Lassen wir ihn! – (Kehrt zu Fritz) Und du denkst noch an Gustchen?

FRITZ: Sie haben mir das furchtbare Rätsel noch nicht aufgelöst. Hat Seiffenblase gelogen?

GEH. RAT: Ich denke, wir reden hernach davon; wir wollen uns die Freud' itzt nicht verderben.

FRITZ (kniend): O mein Vater, wenn Sie noch Zärtlichkeit für mich haben, lassen Sie mich nicht zwischen Himmel und Erde, zwischen Hoffnung und Verzweiflung schweben. Darum bin ich gereist; ich konnte die qualvolle Ungewißheit nicht länger aushalten. Lebt Gustchen? Ist's wahr, daß sie entehrt ist?

GEH. RAT: Es ist leider nur eine zu traurige Wahrheit.

FRITZ: Und hat sich in einen Teich gestürzt?

GEH. RAT: Und ihr Vater hat sich ihr nachgestürzt.

FRITZ: So falle denn Henkers Beil – Ich bin der Unglücklichste unter den Menschen!

GEH. RAT: Steh auf! Du bist unschuldig dran.

FRITZ: Nie will ich aufstehn. (Schlägt sich an die Brust) Schuldig war ich; einzig und allein schuldig. Gustchen, seliger Geist, verzeihe mir!

GEH. RAT: Und was hast du dir vorzuwerfen?

FRITZ: Ich habe geschworen, falsch geschworen – Gustchen! wär' es erlaubt, dir nachzuspringen! (Steht hastig auf) Wo ist der Teich?

GEH. RAT: Hier! (Führt ihn in die Kammer)

FRITZ (hinter der Szene mit lautem Geschrei): Gustchen! – Seh' ich ein Schattenbild? – Himmel! Himmel, welche Freude! – Laß mich sterben! laß mich an deinem Halse sterben!

GEH. RAT (wischt sich die Augen): Eine zärtliche Gruppe! – Wenn doch der Major hier wäre! (Geht hinein)

—

Letzte Szene

Der Major, ein Kind auf dem Arm. Der alte Pätus

MAJOR: Kommen Sie, Herr Pätus! Sie haben mir das Leben wiedergegeben. Das war der einzige Wurm, der mir noch dran nagte. Ich muß Sie meinem Bruder präsentieren, und Ihre alte blinde Großmutter will ich in Gold einfassen lassen.

DER ALTE PÄTUS: O meine Mutter hat mich durch ihren unvermuteten Besuch weit glücklicher gemacht als Sie. Sie haben nur einen Enkel wiedererhalten, der Sie an traurige Geschichten erinnert; ich aber eine Mutter, die mich an die angenehmsten Szenen meines Lebens erinnert, und deren mütterliche Zärtlichkeit ich leider noch durch nichts habe erwidern können als Haß und Undankbarkeit. Ich habe sie aus dem Hause gestoßen, nachdem sie mir den ganzen Nachlaß meines Vaters und ihr Vermögen mit übergeben hatte; ich habe ärger gegen sie gehandelt als ein Tiger – Welche Gnade von Gott ist es, daß sie noch lebt, daß sie mir noch verzeihen kann, die großmütige Heilige! daß es noch in meine Gewalt gestellt ist, meine verfluchte Verbrechen wieder gutzumachen!

MAJOR: Bruder Berg! wo bist du? He! (Geheimer Rat kommt) Hier ist mein Kind, mein Großsohn. Wo ist Gustchen? Mein allerliebstes Großsöhnchen! (Schmeichelt ihm) Meine allerliebste närrische Puppe!

GEH. RAT: Das ist vortrefflich! – und Sie, Herr Pätus?

MAJOR: Sie – Herr Pätus hat's mir verschafft – – Seine Mutter war das alte blinde Weib, die Bettlerin, von der uns Gustchen so viel erzählt hat.

DER ALTE PÄTUS: Und durch mich Bettlerin – – O die Scham bind't mir die Zunge. Aber ich will's der ganzen Welt erzählen, was ich für ein Ungeheuer war –

GEH. RAT: Weißt du was Neues, Major? Es finden sich Freier für deine Tochter – aber dring' nicht in mich, dir den Namen zu sagen!

MAJOR: Freier für meine Tochter! – (Wirft das Kind ins Kanapee) Wo ist sie?

GEH. RAT: Sacht! ihr Freier ist bei ihr – Willst du deine Einwilligung geben?

MAJOR: Ist's ein Mensch von gutem Hause? Ist er von Adel?

GEH. RAT: Ich zweifle.

MAJOR: Doch keiner zu weit unter ihrem Stande? O sie sollte die erste Partie im Königreich werden. Das ist ein vermaledeiter Gedanke! Wenn ich doch den erst fort hätte; er wird mich noch ins Irrhaus bringen.

GEH. RAT (öffnet die Kammer; auf seinen Wink tritt Fritz mit Gustchen heraus)

MAJOR (fällt ihm um den Hals): Fritz! (Zum Geheimen Rat) Ist's dein Fritz? Willst du meine Tochter heiraten? – Gott segne dich! Weißt du noch nichts, oder weißt du alles? Siehst du, wie mein Haar grau geworden ist vor der Zeit! (Führt ihn ans Kanapee) Siehst du, dort ist das Kind. Bist ein Philosoph? Kannst alles vergessen? Ist Gustchen dir noch schön genug? O sie hat bereut. Jung', ich schwöre dir, sie hat bereut, wie keine Nonne und kein Heiliger. Aber was ist zu machen? Sind doch die Engel aus dem Himmel gefallen – Aber Gustchen ist wieder aufgestanden.

FRITZ: Lassen Sie mich zum Wort kommen!

MAJOR (drückt ihn immer an die Brust): Nein, Junge – Ich möchte dich totdrücken – Daß du so großmütig bist, daß du so edel denkst – daß du – – mein Junge bist –

FRITZ: In Gustchens Armen beneid' ich keinen König.

MAJOR: So recht; das ist recht. – Sie wird dir schon gestanden haben; sie wird dir alles erzählt haben –

FRITZ: Dieser Fehltritt macht sie mir nur noch teurer – macht ihr Herz nur noch englischer. – Sie darf nur in den Spiegel sehn, um überzeugt zu sein, daß sie mein ganzes Glück machen werde, und doch zittert sie immer vor dem, wie sie sagt, ihr unerträglichen Gedanken, sie werde mich unglücklich machen. O was hab' ich von einer solchen Frau anders zu gewarten als einen Himmel?

MAJOR: Ja wohl einen Himmel; wenn's wahr ist, daß die Gerechten nicht allein hineinkommen, sondern auch die Sünder, die Buße tun. Meine Tochter hat Buße getan, und ich hab' für meine Torheiten und daß ich einem Bruder nicht folgen wollte, der das Ding besser verstund, auch Buße getan; ihr zur Gesellschaft: und darum macht mich der liebe Gott auch ihr zur Gesellschaft mit glücklich.

GEH. RAT (ruft zur Kammer hinein): Herr Pätus, kommen Sie doch hervor! Ihr Vater ist hier.

DER ALTE PÄTUS: Was hör' ich? – Mein Sohn?

PÄTUS (fällt ihm um den Hals): Ihr unglücklicher verstoßener Sohn. Aber Gott hat sich meiner als eines armen Waisen angenommen. Hier, Papa, ist das Geld, das Sie zu meiner Erziehung in der Fremde angewandt; hier ist's zurück und mein Dank dazu: es hat doppelte Zinsen getragen, das Kapital hat sich vermehrt, und Ihr Sohn ist ein rechtschaffener Kerl worden.

DER ALTE PÄTUS: Muß denn alles heute wetteifern, mich durch Großmut zu beschämen? Mein Sohn, erkenne deinen Vater wieder, der eine Weile seine menschliche Natur ausgezogen und in ein wildes Tier ausgeartet war. Es ging deiner Großmutter wie dir: sie ist auch wiedergekommen und hat mir verziehen und hat mich wieder zum Sohn gemacht, so wie du mich wieder zum Vater machst. Nimm mein ganzes Vermögen, Gustav! Schalte damit nach deinem Gefallen, nur laß mich die Undankbarkeit nicht entgelten, die ich bei einem ähnlichen Geschenk gegen deine Großmutter äußerte.

PÄTUS: Erlauben Sie mir, das tugendhafteste, süßeste Mädchen glücklich damit zu machen –

DER ALTE PÄTUS: Was denn? Du auch verliebt? Mit Freuden erlaub' ich dir alles. Ich bin alt und möchte vor meinem Tode gern Enkel sehen, denen ich die Treue beweisen könnte, die eure Großmutter für euch bewiesen hat.

FRITZ (umarmt das Kind auf dem Kanapee, küßt's und trägt's zu Gustchen): Dies Kind ist jetzt auch das meinige; ein trauriges Pfand der Schwachheit deines Geschlechts und der Torheiten des unsrigen: am meisten aber der vorteilhaften Erziehung junger Frauenzimmer durch Hofmeister.

MAJOR: Ja, mein lieber Sohn, wie sollen sie denn erzogen werden?

GEH. RAT: Gibt's für sie keine Anstalten, keine Nähschulen, keine Klöster, keine Erziehungshäuser? – – Doch davon wollen wir ein andermal sprechen.

FRITZ (küßt's abermals): Und dennoch mir unendlich schätzbar, weil's das Bild seiner Mutter trägt. Wenigstens, mein süßer Junge! werd' ich dich nie durch Hofmeister erziehen lassen.

JAKOB MICHAEL REINHOLD LENZ

DER NEUE MENOZA

ODER

GESCHICHTE DES KUMBANISCHEN PRINZEN TANDI

EINE KOMÖDIE

*

LEIPZIG

IN DER WEYGANDSCHEN BUCHHANDLUNG

1774

PERSONEN

Herr v. Biederling, wohnhaft in Naumburg
Frau v. Biederling
Wilhelmine, Tochter
Der Prinz Tandi
Der Graf Camäleon
Donna Diana, eine spanische Gräfin
Babet, ihre Amme
Herr v. Zopf, ein Edelmann aus Tirol
Herr Zierau, Bakkalaureus
Der Bürgermeister, sein Vater
Der Magister Beza, an der Pforte
Bediente usw.

Der Schauplatz ist hie und da

ERSTER AKT

—

Erste Szene

ZU NAUMBURG

Herr v. Biederling tritt auf mit dem Prinzen zur Frau v. Biederling und Wilhelminen

HERR V. BIEDERLING: Hier, Frau, bring' ich dir einen Gast. Wir haben in Dresden in einem Hause gewohnt, und da er die Reise nach Frankreich über Naumburg zu machen hatte, schlug ich ihm vor, bei mir einzukehren und meine Gärten ein wenig in Augenschein zu nehmen.

FRAU V. BIEDERLING: Ich bin sehr erfreut –

HERR V. BIEDERLING: Es ist keiner von den Alltagspassagieren, Frau! es ist ein Prinz aus einer andern Welt, der unsere europäische Welt will kennenlernen und sehen, ob sie des Rühmens auch wohl wert sei. Also müssen wir an unserm Teil unser Bestes tun, ihm eine gute Meinung von uns beizubringen. Denk einmal, bis in Kumba hinein bekannt zu werden, ein Land, das nicht einmal auf unserer Landkarte steht.

FRAU V. BIEDERLING: Es ist ein unerwartetes Glück für unser Haus, daß ein Reisender von so hoher Geburt –

PRINZ: Nun genug, meine Freunde, (setzt sich) ich bin von keiner hohen Geburt. Wenn Sie mir den Aufenthalt angenehm machen wollen, so gehen Sie mit mir um, wie mit Ihrem Sohne.

HERR V. BIEDERLING: Das wollen wir auch. (Setzt sich zu ihm) Sitz nieder, Frau! Mine! kannst zu uns sitzen. Was wollt' ich doch sagen, weil Sie denn haben wollen, daß wir geradezu mit Ihnen umgehen – Peter! ist das Gepäck eingebracht? – so erzählen Sie mir doch einmal so was von Ihrer Reise, Prinz, von Ihren Abenteuern, Sie haben doch, zum Element! ein gut Stück Weges gemacht, da läßt sich schon was davon erzählen. Und wie sind Sie auf den Einfall gekommen zu reisen, wenn ich fragen darf?

PRINZ: Land und Leute regieren, und nicht Menschen kennen, dünkt mich, wie ein Rechenmeister, der Pferde bereiten will.

HERR V. BIEDERLING: Oder wie unser Herr Magister Beza an der Pforte, hahaha! Aber sagen Sie mir doch, wer hat Ihnen dann was von Europa gesagt, da wir kluge Europäer doch kein Wort von dem Königreiche Kumba wissen, potz Sapperment!

PRINZ: Ich bin in Europa geboren. Eine Mission Jesuiten nahm mich nach Asien mit.

HERR V. BIEDERLING: Aber, ei! ei! . . . wie sind Sie denn Prinz worden, daß ich fragen darf?

PRINZ: Wie's in der Welt geht, das Glück wälzt bergauf, bergab, bin Page worden, dann Leibpage, dann adoptiert, dann zum Thronfolger erklärt, dann wieder gestürzt, bergunter gerollt bis an die Hölle! hahaha!

HERR V. BIEDERLING: Gott behüt! wie das? wie das?

PRINZ: Die Geschichte ist langweilig und schändlich. Ein Weib, die Königin –

HERR V. BIEDERLING: Und was denn mit den Weibern! das sag' ich immer, die Weiber sind an allem Unglück in der Welt schuld. O ich bitte Sie, erzählen Sie doch fort.

PRINZ: Ich sollt' ihres Gemahls Ehebett beflecken, eines Mannes, der mich mehr liebte als sich selbst, und sein Weib mehr als uns alle beide. Als ich nicht wollte, kam ich auf den Pyramidenturm, auf dem alle die langsam sterben, die sich an der Person des Königs oder der Königin vergreifen. Die Furcht, ich würde die Wahrheit verraten, machte sie mit jedem Tage grausamer. Alle Tage ward ich einen Stock höher in ein engeres Gefängnis geführt, bis ich am dreißigsten Tage mich in einer schwindelnden Höhe befand, zwischen vier Mauren, die so eng waren, daß sie kaum Fußgestell einer Statue gaben. Und doch, nachdem ich eine Nacht in diesem abscheulichen Aufenthalte zugebracht, faßt' ich den Entschluß, mich hinabzustürzen –

FRAU V. BIEDERLING: Hinabzustürzen – – o weh mir!

PRINZ: Stellen Sie sich eine Tiefe vor, die feucht und neblicht alle Kreaturen aus meinem Gesichte entzog. Ich sah in dieser fürchterlich-blauen Ferne nichts als mich selbst, und die Bewegung, die ich machte, zu springen. Ich sprang –

FRAU V. BIEDERLING: Meine Tochter –

HERR V. BIEDERLING (springt auf): Was ist, Narre! Mine! was ist?

(Sie suchen Wilhelminen zu ermuntern, die in Ohnmacht liegt)

PRINZ: Ich bin vielleicht mit Ursache – o meine einfältige Erzählung zur Unzeit!

HERR V. BIEDERLING: Zu Bett, zu Bett mit ihr. O Jemir, was sind doch die Weibsen für Geschöpfe! O ihr Papiergeschöpfe ihr!

Zweite Szene

IN DRESDEN

Graf Camäleon. Sein Verwalter

GRAF: Ihr müßt die Gebäude innerhalb vier Monaten fix und fertig liefern, mag's kosten, was es wolle, daß der Hauptmann Biederling noch vor der Saatzeit seine Pacht antreten kann.

VERWALTER: Und ist's nicht erlaubt zu fragen, was er Sie zahlt?

GRAF: Darum bekümmert Euch nicht, wir sind eins worden, die Sache ist nicht mehr rückgängig zu machen.

VERWALTER: Wenn ich Ihnen aber einen stelle, der mehr zahlen tut, als der Hauptmann zahlen wird; verzeihen Sie mir, gnädiger Herr! ich rede aufrichtig, ich weiß, was aus dem Gute zu machen ist, wer's versteht; darnach hab' ich eine Schenke in Naumburg und der Weinbau und das Dings alles – es kann Ihnen keiner so viel zahlen als ich, Herr Graf. Das ist nur nichts.

GRAF: Ein für allemal.

VERWALTER: Wenn ich Sie aber noch einmal soviel biete.

GRAF: Er bietet mir gar nichts, daß Ihr's wißt und mich zufrieden laßt. Er ist mein guter Freund, und ich hab' ihn unter meinen Pachtgütern eins aussuchen lassen, das zu seinen ökonomischen Projekten am gelegensten ist.

VERWALTER: Was ökonomische Projekte, er bringt sich um Hab und Gut, der gute Herr Hauptmann, dazu muß man einen ganz andern Beutel haben, als er –

GRAF: Schweigt und gehorcht.

VERWALTER: O Himmel! die Gräfin kommt.

(Donna Diana mit zerstreutem Haar tritt herein. Der Graf springt auf)

GRAF: Was gibt's, Donna?

DONNA: Meines Lebens nicht sicher.

GRAF: Was denn? wo kommen Sie her?

DONNA (wirft sich in einen Stuhl): Gustav – verfluchter Graf! was hast du für Bediente?

GRAF: Gustav – Ihnen nach dem Leben?

DONNA: Hätt' ich nicht Gegengift bei mir gehabt, so wär's aus jetzt.

GRAF: Wo ist er?

DONNA: In der Welt. Mit Kutsch' und Pferden fort. Wir waren zwei Stund' von Dresden, er machte mir Schokolade und als ich nicht geschwind genug sterben wollte, griff er mir an Hals und –

GRAF: Gift –

DONNA: Auf mein Geschrei der Wirt. Er sagt, er hätte mich wollen zum Erbrechen bringen. Und derweil der Wirt mir Hülf' schaffte, springt er auf den Bock und fort –

GRAF: Nachgesetzt, Leute, augenblicks – (Mit dem Verwalter ab)

DONNA: Wenn ich dem Kerl nur in meinem Leben was zuleide getan hätte! Es ärgert mich nichts mehr, als daß er mich unschuldigerweise umbringen will. Hätt' ich das gewußt, ich hätt' ihm die Augen im Schlafe ausgestochen, oder Sukzessionspulver eingegeben, so hätt' er doch Ursache an mir gehabt. Aber unschuldigerweise – – ich möchte rasend werden.

—

Dritte Szene

IN NAUMBURG

Herr v. Biederling. Frau v. Biederling

FRAU V. BIEDERLING: Was denn? Wenn du dein Pachtgut beziehst? Bist du nicht gescheit im Kopf? Was sollen wir mit einer fremden Mannsperson anfangen?

HERR V. BIEDERLING: Es ist ja aber ein verheirateter Mann, was willst du denn? Und krank dazu, will den Brunnen hier trinken; kann man ihm die kleine Gefälligkeit nicht gestatten, da er mir Haus und Hof eingibt auf achtzehn Jahr?

FRAU V. BIEDERLING: Da er dir einen Strick gibt, dich aufzuhängen. Das letzte wird aufgehn, was wir noch aus dem

Schiffbruche des Kriegs und deiner Projekten gerettet haben, wir werden zugrunde gehn, ich seh' es zum voraus.

HERR V. BIEDERLING: Du siehst immer, siehst – den Himmel für eine Geige an. Mit euren Einsichten solltet ihr doch zu Hause bleiben, Madam Weiber. Sorg', daß du uns was zu essen auf den Tisch schaffst, mir und meinem lieben Kalmuckenprinzen, fürs übrige laß du den lieben Gott sorgen und deinen Mann. Hör noch, über einige Wochen krieg' ich noch einen Gast, auf den du dich wohl nicht versiehst – dem du mir ordentlich begegnen mußt, rüste dich nur drauf – aus Triest.

FRAU V. BIEDERLING: Herr von Zopf?

HERR V. BIEDERLING: Den Nagel auf den Kopf getroffen! – Nun, was soll das Erstaunen und die starren Augen da? Er ist ein ehrlicher Mann, ich hab' mit ihm ausgeredt. –

FRAU V. BIEDERLING: Rabenvater!

HERR V. BIEDERLING: Er wartet nur noch in Dresden auf die Seidenwürmereier, die er mir bringen soll, so – –

FRAU V. BIEDERLING: Ja, wenn's Seidenwürmer wären, aber so sind's nur deine Kinder. O Himmel! Strafst du mich so hoch, daß ich so spät erst einsehen muß, was ich an meinem Manne habe?

HERR V. BIEDERLING: So schweige sie still, Komödiantin! Kein Wort von der Affäre mehr, ich bitte mir's aus. Es ist alles abgetan, das sind keine Weibersachen.

FRAU V. BIEDERLING: Ich mich um meinen Sohn nicht bekümmern?

HERR V. BIEDERLING: Je nun, deinen Sohn, kannst du ihn mit deinem Bekümmern lebendig machen? Wenn es dem lieben Gott gefallen hat, das Unglück über uns zu verhängen –

FRAU V. BIEDERLING: Dem Herrn von Biederling hat's gefallen. Kindermörder! Was hab' ich gesagt, als du ihn dem Zopf anvertrautest, was hab' ich gesagt? Aber du wolltest ihn ins Wasser werfen, du wolltest seiner los sein – Geh mir aus den Augen, Bösewicht! Du bist mein Mann nicht mehr –

HERR V. BIEDERLING: Was denn? Tratarat, daß das Donnerhageltausendwetter! Was willst du denn von mir? Bist toll geworden? Ja, da war wohl groß Frage, wem unsern Sohn anvertraun? Wenn ein Zigeuner kommen wäre, ich hätt' ihm Dank gesagt. Wenn man ins Feld soll und nichts zu beißen und zu brechen; hast wohl viel Ehr' zu raisonnieren, und hat denselben Tag sich die Augen bald blind geweint für Hunger – ja, da plärrt sie, wenn man ihr auf den Zeh' tritt; weil sie jetzt im Überfluß sitzt, so möcht' sie gern vergessen, wo ihr der Schuh gedrückt hat.

FRAU V. BIEDERLING: Ist eine unglücklichere Frau unter der Sonnen als ich? (Geht fort)

HERR V. BIEDERLING: Ja warum nicht unter dem Mond lieber? (Ab)

—

Vierte Szene

Wilhelmine sitzt auf einem Sofa in tiefen Gedanken. Der Prinz tritt herein, sie wird ihn erst spät gewahr und steht etwas erschrocken auf

PRINZ (nachdem er sie ehrerbietig gegrüßt): Verzeihen Sie – Ich glaubt' Ihre Eltern bei Ihnen. (Entfernt sich)

(Wilhelmine, nachdem sie ihm einen tiefen Knicks gemacht, fällt wieder in ihre vorige Stellung)

—

Fünfte Szene

Graf Camäleon. Herr v. Biederling. Frau v. Biederling

HERR V. BIEDERLING: Warum bringen Sie uns denn die Frau Gemahlin nicht mit?

GRAF: Meine Frau? – Wer hat Ihnen gesagt, daß ich verheiratet sei?

HERR V. BIEDERLING: In Dresden, die ganze Stadt – Verzeihen Sie, die spanische Gräfin, die Sie mitgebracht haben –

GRAF: Ist meine Brudersfrau.

HERR V. BIEDERLING: Des Herrn Bruders, der noch in Spanien . . . o! o! o! Denk doch, denk doch! und ich habe ganz gewiß geglaubt – nehmen Sie's aber nicht übel –

GRAF: Er wird ehestens auch ins Land kommen –

FRAU V. BIEDERLING: Wie kommt es, daß wir so unvermutet das Glück haben –

GRAF: Ich hab' meinen Entschluß ändern müssen, gnädige Frau! ich komme nicht her, Kur zu trinken, ein unvorhergesehener Unglücksfall zwingt mich, diesen Zufluchtsort zu suchen.

HERR V. BIEDERLING: Doch wohl kein Duell – da sei Gott vor.

GRAF: So ist es, die Gerechtigkeit verfolgt mich, und meine schwächliche Gesundheit hindert mich, aus dem Land zu gehen. Ich habe den Grafen Erzleben erschossen.

FRAU V. BIEDERLING: Gott.

HERR V. BIEDERLING: So muß es kein Mensch erfahren, daß er hier ist, hörst du! unsere Tochter selber nicht, keine menschliche Seele: ich denke, wir logieren ihn ins Gartenhäuschen, ist ja ein Kamin drin, sich des Abends ein klein Feuer anzumachen, weil doch die Nächte noch kalt sind, ich will ihm das Essen allezeit selber – oder nein, nein zum Geier! da merkt man's, ich will im Gartenhaus immer mit ihm essen, als tät ich's vor mein Pläsier, und du mußt mir immer das Essen hintragen, liebes Suschen! willt du?

GRAF: Was haben Sie für Hausgenossen?

HERR V. BIEDERLING: Niemand als einen indianischen Prinzen, das der scharmanteste artigste Mann von der Welt ist, er denkt diesen Sommer noch in Paris zu sein.

GRAF: Der würde mich wohl nicht verraten.

HERR V. BIEDERLING: Nein, gewiß nicht. Soll ich's ihm erzählen? Aber ich erwarte da noch einen guten Freund, das freilich mein guter Freund auch ist, aber doch möcht' ich ihm so was – sehen Sie, er ist ein großer Verehrer von den Jesuiten, weiß es der Henker, was er immer mit ihnen hat – – nein, nein, wie ich gesagt habe, Sie bleiben im Gartenhäuschen, und so wollen wir das machen, sonst könnte uns der Zopf überfallen.

GRAF: Ihr Pachtgut soll Ihnen aufs eheste eingeräumet werden, ich hab' Briefe von meinem Verwalter, die Gebäude werden bald unter Dach sein. Es sind einige Koppel auch schon zu Baumschulen eingehegt, wenn Sie's mit Ihren Maulbeerbäumen versuchen wollen.

HERR V. BIEDERLING: O gehorsamer Diener, gehorsamer Diener! Zopf wird mir einige hundert mitbringen. Aber so mach denn, Frau, daß das Gartenhäuschen aufgeputzt – wollen wir's besehen? Sehen Sie, unsere Schlafkammer führt gerad in den Garten, und da ist's nur fünf Schritt. – Sie können in Abrahams Schoß nicht sicherer sein.

Sechste Szene

GARTEN

DER PRINZ (schneidet einen Namen in den Baum): Wachs' itzt – (küßt ihn) wachs' itzt – – nun genug, (geht, sieht sich um) er dankt mir, der Baum. Du hast's Ursach'. (ab)

—

Siebente Szene

DES PRINZEN ZIMMER

Der Prinz sitzt an einem Tisch voll Büchern, eine Landkarte vor sich. Zierau, ein Bakkalaureus, tritt auf

ZIERAU: Ihr untertänigster Diener, mein Prinz!

PRINZ: Der Ihrige. Wer sind Sie?

ZIERAU: Ein Bakkalaureus aus Wittenberg, doch hab' ich schon über drei Jahr in Leipzig den Musen und Grazien geopfert.

PRINZ: Was führt Sie zu mir?

ZIERAU: Neugier und Hochachtung zugleich. Ich habe die edle Absicht vernommen, aus welcher Sie Ihre Reise angetreten, die Sitten der aufgeklärtesten Nationen Europens kennenzulernen und in Ihren väterlichen Boden zn verpflanzen.

PRINZ: Das ist meine Absicht nicht. Ja, wenn die Sitten gut sind – – setzen Sie sich – –

ZIERAU (setzt sich): Verzeihen Sie! Die Verbesserung aller Künste, aller Disziplinen und Stände ist seit einigen tausend Jahren die vereinigte Bemühung unserer besten Köpfe gewesen; es scheint, wir sind dem Zeitpunkt nah, da wir von diesen herkulischen Bestrebungen endlich einmal die Früchte einsammlen, und es wäre zu wünschen, die entferntesten Nationen der Welt kämen, an unsrer Ernte teilzunehmen.

PRINZ: So?

ZIERAU: Besonders da itzt in Deutschland das Licht der schönen Wissenschaften aufgegangen, das den gründlichen und tiefsinnigen Wissenschaften, in denen unsere Vorfahren Entdeckungen gemacht, die Fackel vorhält und uns gleichsam jetzt erst mit unsern Reichtümern bekannt macht, daß wir die herrlichen Minen und Gänge bewundern, die jene aufgehauen, und ihr hervorgegrabenes Gold vermünzen.

PRINZ: So?

ZIERAU: Wir haben itzt, schon seit einem Jahrhunderte, fast Namen aufzuweisen, die wir kühnlich den größesten Genies unserer Nachbarn an die Seite setzen können, die alle zur Verbesserung und Verfeinerung unserer Nation geschrieben haben, einen Besser, Gellert, Rabener, Dusch, Schlegel, Uz, Weiße, Jacobi, worunter aber vorzüglich der unsterbliche Wieland über sie alle gleichsam hervorragt, *ut inter ignes luna minores*, besonders durch den letzten Traktat, den er geschrieben, und wodurch er allen seinen Werken die Krone scheint aufgesetzt zu haben, den goldenen Spiegel; ich weiß nicht, ob Sie schon davon gehört haben, meiner Einsicht nach sollte er's den diamantenen Spiegel heißen.

PRINZ: Wovon handelt das Buch?

ZIERAU: Wovon? ja, es ist sehr weitläuftig, von Staatsverbesserungen, von Einrichtung eines vollkommenen Staats, dessen Bürger, wenn ich so sagen darf, alle unsere kühnsten Fiktionen von Engeln an Grazie übertreffen.

PRINZ: So? und wo findet man diese Menschen?

ZIERAU: Wo? hehe, in dem Buche des Herrn Hofrat Wieland. Wenn's Ihnen gefällt, will ich gleich ein Exemplar herbringen.

PRINZ: Geben Sie sich keine Mühe, ich nehme die Menschen lieber wie sie sind, ohne Grazie, als wie sie aus einem spitzigen Federkiel hervorgehen. – Haben Sie sonst noch etwas?

ZIERAU: Ich wollte Eurer Hoheit in tiefster Untertänigkeit – – Herr Wieland hat seinen goldenen Spiegel dem Kaiser von Scheschinschina zugeeignet, und ich, durch ein so großes Beispiel kühn gemacht (zieht ein Manuskript hervor), ich hab' ein Werk unter Händen, das, wie ich hoffe, zum Wohl des Ganzen nicht weniger beitragen wird; der Titel ist ganz bescheiden, aber ich denke die Erwartung meiner Leser zu überraschen »die wahre Goldmacherei; oder unvorgreifliche Ratschläge, das goldene Zeitalter wieder einzuführen; oder, ein Versuch, das goldene Zeitalter« – – ich bin mit mir selbst noch nicht einig (überreicht ihm lächelnd das Manuskript)

PRINZ: Und worin bestehn Ihre Ratschläge, wenn ich bitten darf? Geben Sie mir einen Blick in Ihre Geheimnisse!

ZIERAU: Worin? – – Das will ich Ihnen sagen. Es soll Ihnen doch dediziert werden, also: (sieht sich um: etwas leise) Wenn fürs erste die Erziehung auf einen andern Fuß gestellt, würdige und gelehrte Männer an den Schulen, auf den Akademien, wenn die Geistlichkeit aus lauter verdienstvollen, einsichtsvollen Leuten ausgewählt, weder Mucker und Fanatiker, noch auch bloße Bauchdiener und Faulenzer, wenn die Gerichte aus lauter erfahrenen, rechtsgeübten, alten, ehrwürdigen, wenn der Unterscheid der Stände, wenn nicht Geburt oder Geld, sondern bloß Verdienst, wenn der Landesherr, wenn seine Räte – –

PRINZ: Genug, genug, mit all Euren Wenns wird die Welt kein Haar besser oder schlimmer, mein lieber ehrwürdiger Herr Autor. Vergebt mir, daß ich Euch an den Papst erinnere, der auch einem aus Euren Mitteln sein Goldmacherbuch (gibt ihm das Manuskript zurück) – Und hiemit Gott befohlen.

ZIERAU: Entweder fehlt es ihm an aller Kultur, oder der gute Prinz ist überspannt und gehört *aux petites maisons*.

(Ab)

—

ZWEITER AKT

—

Erste Szene

NACHT UND MONDSCHEIN IM GARTEN

Wilhelmine, mit einem Federmesser in den Baum schneidend

WILHELMINE: Es ist gewagt. Wer es auch war, der meinen Namen herschnitt. – – (Steht eine Zeitlang und sieht ihn an) Ich möchte alles wieder ausmachen, aber des Prinzen Hand – – ja, es ist seine, wahrhaftig, es ist seine; so kühne, mutige Züge konnte keine andere Hand tun (sie windet Efeu um den Baum) So! grünt itzt zusammen: wenn er selber wieder nachsehen sollte – – – o, ich vergehe. Ich muß (fällt auf den Baum her und will ihn abschälen) O Himmel! wer kommt da! (Läuft fort)

PRINZ (tritt auf): Ihr Sterne, die ihr fröhlich über meinem Schmerz daher tanzt! du allein, mitleidiger Mond – –

bedaure mich nicht. Ich leide willig. Ich war nie so glücklich, als auf dieser Folter. Du unendliches Gewölbe des Himmels! Du sollst meine Decke diese Nacht sein. Noch zu eng für mein banges Herz. (Wirft sich nieder in ein Gesträuch)

(Graf Camäleon tritt auf mit Wilhelminen, die sich sträubt)

GRAF: Wo wollen Sie hin? – – Sie wissen itzt meine ganze Geschichte. So kommen Sie doch nur ins Gartenhaus, wenn Sie mir nicht glauben wollen.

WILHELMINE: Ich glaube Ihnen.

GRAF: So lassen Sie uns doch den Abend im Garten genießen, mein englisches Fräulein! er ist gar zu einladend.

WILHELMINE: Ich muß fort – –

GRAF: Reizende Blödigkeit! halten Sie's für so gefährlich, mit einem kranken Manne im Garten zu spazieren? Ich will nichts als gesund werden; Sie können mich gesund machen, ein Wort, ein Atem von Ihnen –

WILHELMINE: Meine Mutter –

GRAF: Lassen Sie sie hier aufsuchen, sehen Sie, ich trotze Ihrem Mißtrauen.

WILHELMINE: Wollen Sie mich loslassen?

GRAF: Nein, ich laß' dich nicht, meine Göttin, bevor du mir erlaubt hast, dich anzubeten. (Kniend)

WILHELMINE: Hülfe!

GRAF: Grausame! willst du mir auch diese Glückseligkeit nicht – – (umfaßt ihre Knie und drückt sein Gesicht an dieselben) Um diesen Augenblick nähm' ich keine Königreiche, ich bin glücklich, ich bin ein Gott –

PRINZ (mit bloßem Degen): Schurke! (Graf läuft davon) Fräulein! ich darf Sie nicht verlassen, sonst würd' ich diesem Buben nach, und ihm sein zündbares Blut abzapfen. Ich will Sie aber vorher bis an Ihre Türe begleiten. (Beide gehen stillschweigend ab)

Zweite Szene

DAS GARTENHAUS

Prinz. Graf sitzt am Kamin

PRINZ: Hier – – ich kenne Euch – – aber seid, wer Ihr seid, ich fordere Rechenschaft von Euch – – wenn Euch Euer Gewissen verfolgt, so dürft Ihr den Tod nicht scheuen. Wo ist Euer Degen?

GRAF (steht auf): Was wollen Sie von mir?

PRINZ: Rechenschaft, Rechenschaft, blutige Rechenschaft. Nehmt Euren Degen. Vielleicht seid Ihr damit so glücklich wie mit Pistolen.

GRAF: Was hab' ich getan?

PRINZ: Euch der Glorie der Schönheit unheilig genähert, die Drachen und Ungeheuer in ehrerbietiger Entfernung würde erhalten haben. Ihr seid mehr als ein Raubtier; will sehen, ob Ihr auch seinen Mut habt, Euren Raub zu verteidigen.

GRAF: Ich soll mich mit Ihnen schlagen? Ich kenne Sie nicht.

PRINZ: Brauchst du zu kennen, um zu schlagen? (Bricht eine Rute ab) So sei denn hiermit zum Schurken geschlagen. Kot! Du verdienst nicht, daß ich meinen Degen an dir verunehre.

—

Dritte Szene

IM IMMENHOF

Donna Diana. Babet, ihre Amme, einen Brief in der Hand

DONNA: Lies vor, sag' ich dir.

BABET: Auf meinen Knien bitt' ich Sie, erlauben Sie mir, ihn unvorgelesen zu verbrennen.

DONNA: Eben jetzt will ich ihn hören, und müßt' ich davon auf der Stelle sterben.

BABET: Wenn Sie ein Frauenzimmer wären wie andere, aber bei Ihrem großen Herzen, bei Ihrem edlen Blut, edler als Ihr Ursprung.

DONNA: Was, edler als mein Ursprung – Hexe! wo du mir meines Vaters auf eine unehrerbietige Art erwähnst!

BABET: Er ist tot.

DONNA: Tot – – schweig stille! – – ist er tot? – halt's Maul, sag mir nichts weiter. (Nach einer Pause) Woran ist er gestorben?

BABET: Darf ich?

DONNA: Sag mir woran.

BABET: Weh mir!

DONNA (schlägt sie): Woran? oder ich bohr' dir das Herz durch! woran? (Sieht sich nach einem Gewehr um)

BABET: An Gift.

DONNA: An Gift? Das ist betrübt – das ist arg – abscheulich. Ja, an Gift – – also – – lies mir den Brief vor.

BABET: O wie mißhandeln Sie mich! Wenn ich ihn aber lese, so ist's um mich geschehen.

DONNA: Närrin! verdammte Hexe!

BABET: Sie werden mich umbringen.

DONNA: Was ist's mehr, wenn ein solcher Balg umkommt? Ob ein Blasebalg mehr oder weniger in der Welt – was sind wir denn anders, Amme? ich halt' mich nichts besser als meinen Hund, solang' ich ein Weib bin. Laß uns Hosen anziehen, und die Männer bei ihren Haaren im Blute herumschleppen.

BABET: O Gott! was macht Ihre Lebensgeister so scharf? Ich hab' Sie doch auch sanftmütiger gesehen.

DONNA: Wir wollen's den Männern überlassen, den Hunden, die uns die Hände lecken und im Schlaf an der Gurgel packen. Ein Weib muß nicht sanftmütig sein, oder sie ist eine Hure, die über die Trommel gespannt werden mag. Lies, Hexe! oder ich zieh' dir dein Fell ab, das einzige Gut, das du noch übrig hast, und verkauf' es einem Paukenschläger.

BABET (liest): »Wenn dein Herz, niederträchtige Seele, noch des Schröckens fähig ist, denn alle anderen Empfindungen haben es längt verlassen – Dein Vater starb an Gift. Wenn dein Gemahl noch bei dir ist, so sag ihm, ich werd' ihm durch die Gerechtigkeit meinen Schmuck abfordern lassen, den Ihr mir gestohlen habt. Dir aber will ich hiermit den Schleier abreißen und dir zeigen, wer du bist. Nicht meine Tochter, ich konnte keine Vatermörderin gebären – du bist – – vertauscht« –

DONNA: Nicht weiter – – nicht weiter. – Gütiger Gott und alle Heiligen! Laß einen doch zu Atem kommen. (Wirft sich auf einen Stuhl. Babet will fortschleichen, sie springt auf und reißt sie zur Erde) Verdammter Kobold! willst du lesen?

BABET (liest): »Deine Mutter ist . . .«

DONNA: Lies.

BABET: Weh mir!

DONNA: Wo du ohnmächtig wirst, so durchstoß' ich, zerreiß' ich dich und mich.

Babet: Weh mir!

Donna: Wer ist es?

Babet: Ich.

Donna: So stirb! damit ich auch Muttermörderin werde. Nein. (Hebt sie auf) Komm! (Fällt ihr um den Hals und fängt laut an zu weinen) Nein, Mutter! Mutter! (Küßt ihr die Hand) Verzeihe mir Gott, wie ich dir verzeihe, daß du meine Mutter bist. (Fällt auf die Knie vor ihr) Hier knie ich und huldige dir, ja ich bin deine Tochter, und wenn du mich mit Ruten hauen willst, sag mir's, ich will dir Dornen dazu abschneiden. Geißele mich, ich hab' meinen Vater vergiftet, ich will Buße tun.

Babet: Die Zukunft wird alles aufklären. Lassen Sie mich zu Bett gehen, ich halt's nicht aus.

—

Vierte Szene

Des Prinzen Zimmer

Herr v. Biederling. Prinz Tandi

Prinz: Ich reise, aber nicht vorwärts, zurück! ich habe genug gesehen und gehört, es wird mir zum Ekel.

Herr v. Biederling: Nach Kumba?

Prinz: Nach Kumba, einmal wieder Atem schöpfen. Ich glaubt' in einer Welt zu sein, wo ich edlere Leute anträfe als bei mir, große, vielumfassende, vieltätige – – ich ersticke. –

Herr v. Biederling: Wollen Sie zur Ader lassen?

Prinz: Spottet Ihr?

Herr v. Biederling: Nein, in der Tat. – Sie sind so blutreich; ich glaubte, im hastigen Reden wär' Ihnen was zugestoßen –

Prinz: In Eurem Morast ersticke ich – treib's nicht länger – mein' Seel' nicht! Das der aufgeklärte Weltteil! Allenthalben wo man hinriecht, Lässigkeit, faule, ohnmächtige Begier, lallender Tod für Feuer und Leben, Geschwätz für Handlung – Das der berühmte Weltteil! o pfui doch!

Herr v. Biederling: O erlauben Sie – Sie sind noch jung, und denn sind Sie ein Fremder und wissen sich viel in unsere Sitten zu rücken und zu schicken. Das ist nur nichts geredt.

PRINZ (faßt ihn an der Hand): Ohne Vorurteil, mein Freund! ganz mit kaltem Blut – ich fürchte mich, weiter zu gehen, wenn mein Mißvergnügen immer so zunimmt wie bisher – Aber wißt Ihr, was die Ursache ist, daß Eure Sitten nur Fremden so auffallen? – O ich mag nicht reden, ich müßt' entsetzlich weit ausholen, ich will Euch zufrieden lassen und nach Hause reisen, in Unschuld meine väterlichen Besitztümer zu genießen, mein Land regieren und Mauren herumziehn, daß jeder, der aus Europa kommt, erst Quarantäne hält, eh' er seine Pestbeulen unter meinen Untertanen vervielfältigt.

HERR V. BIEDERLING (zieht die Schultern zusammen): Das ist erstaunend hart, allerliebster Herr Prinz! Ich wünschte gern, daß Sie eine gute Meinung von uns nach Hause nähmen. Sie haben sich noch nicht um unsern Land- und Gartenbau bekümmert. Aber was, Sie sind noch jung, Sie müßten sich ein zehn, zwanzig Jahr wenigstens bei uns aufhalten, bis daß Sie lernten, wo wir es allen andern Nationen in der ganzen Welt zuvorgetan.

PRINZ: Im Betrügen, in der Spitzbüberei.

HERR V. BIEDERLING (ärgerlich): Ei was? was? ich red'te vom Feldbau und Sie –

PRINZ (faßt ihn an der Hand): Alles zugestanden – ich baue zuerst mein Herz, dann um mich herum – alles zugestanden, ihr wißt erstaunlich viel, aber ihr tut nichts – ich rede nicht von Ihnen, Sie sind der wackerste Europäer, den ich kenne.

HERR V. BIEDERLING: Das bitt' ich mir aus, ich schaffe den ganzen Tag.

PRINZ: Ich wollte sagen, ihr wißt nichts; alles, was ihr zusammengestoppelt, bleibt auf der Oberfläche eures Verstandes, wird zur List, nicht zu Empfindung, ihr kennt das Wort nicht einmal; was ihr Empfindung nennt, ist verkleisterte Wollust; was ihr Tugend nennt, ist Schminke, womit ihr Brutalität bestreicht. Ihr seid wunderschöne Masken mit Lastern und Niederträchtigkeiten ausgestopft, wie ein Fuchsbalg mit Heu; Herz und Eingeweide sucht man vergeblich, die sind schon im zwölften Jahre zu allen Teufeln gegangen.

HERR V. BIEDERLING (ganz hastig): Leben Sie wohl – (Kommt zurück) Wenn Sie Lust haben, mit mir einen Spaziergang haußen vorm Tor auf mein Gut – – aber wenn

Sie was zu tun haben, so genieren Sie sich meinetwegen nicht – –

PRINZ: Ich will heut abend reisen.

HERR V. BIEDERLING: Ei so behüt' und bewahr'! – – was haben wir Ihnen denn zuleid getan?

PRINZ: Wollen Sie mir Ihre Tochter mitgeben? Ich gehe nach Kumba zurück.

HERR V. BIEDERLING: Mitgeben? Meine Tochter? was wollen Sie damit sagen?

PRINZ: Ich will Ihre Tochter zu meiner Frau machen.

HERR V. BIEDERLING: Tatata, ein, zwei, drei und damit fertig. Nein, das geht so geschwind bei uns nicht, Herr!

PRINZ: Biet' ihr das Königreich Kumba zur Morgengabe; die Königin, meine Mutter, ist tot, hier ist der Brief, und mein Vater, der meine Unschuld von Alkaln, meinem Freunde, erfahren, räumt mir Reich und Thron ein, sobald ich wiederkomme.

HERR V. BIEDERLING: Ich will es alles herzlich gern glauben, aber – –

PRINZ: Will den Eid beim Allmächtigen schwören.

HERR V. BIEDERLING: Ja Eid . . . was Eid . . .

PRINZ: Europäer!

HERR V. BIEDERLING: Und wenn dem allen so wär' auch – – meine Tochter einen so weiten Weg machen zu lassen?

PRINZ: Ist's der Vater, was aus dir spricht!

HERR V. BIEDERLING: Ei Herr! es ist – nennen Sie's, wie Sie wollen.

PRINZ: So will ich, des Vaters zu schonen, fünf Jahr in Europa bleiben. Ihre Tochter darf mich begleiten, wohin sie Lust hat, weit herum werd' ich nicht mehr reisen, nur einige Standpunkte noch nehmen, aus denen ich durchs Fernglas der Vernunft die Nationen beschaue.

HERR V. BIEDERLING: Freilich! was, in Naumburg ist nichts zu machen. Es müßte denn sein, daß Sie hier auf dem Lande herum die Landwirtschaft ein wenig erkundigten: wollen Sie mich morgen nach Rosenheim begleiten, das ist das Pachtgut, das der Herr Graf mir geschenkt hat, so gut als geschenkt wenigstens – –

PRINZ: Der Graf soll Ihnen nichts schenken, ich kauf' es Ihnen zum Eigentum.

HERR V. BIEDERLING: Kaufen – lieber Herr Prinz –

PRINZ: So sei das vorderhand meine Morgengabe.

HERR V. BIEDERLING: Ich werd' ihn aber beleidigen, wenn ich ihm was anbiete.

PRINZ: Sie sollen ihn beleidigen, er hat Sie beleidigt, das Gastrecht verletzt, das uns heiliger sein sollte als Gottesdienst.

HERR V. BIEDERLING: Wieso? wieso? das scheint Ihnen nur so, er hat mit meiner Tochter nichts Böses im Sinn gehabt.

PRINZ: Ihr seid nicht Väter, Europäer! wenn ihr euch unmündig macht. Wer eines Mannes Kind verlüderlicht, der hat ihn an seinem Leben angetastet.

HERR V. BIEDERLING: Der Teufel soll ihn holen, wenn ich ihm zu Dach steige.

PRINZ: Nehmen Sie den Vorschlag mit Ihrer Tochter in Überlegung, und sagen Sie mir wieder, ob Sie sich stark genug fühlen, nach fünf Jahren Ihr Kind auf ewig aus den Armen zu lassen. Wenn nicht, so wickle ich mich in meinen Schmerz ein und reis' ohne Klage heim.

—

Fünfte Szene

Graf Camäleon. Frau v. Biederling

GRAF: Sie sehen, gnädige Frau! wie die Sachen stehen. Meine ganze Ruhe, meine ganze Glückseligkeit in Ihren Händen. – – O Schicksal, warum mußte meines Gegners Kugel mich fehlen!

FRAU V. BIEDERLING: Ja, ich leugne nicht, Herr Graf! daß ich nicht noch unendlich viel Schwürigkeiten dabei voraussehe, nicht bloß auf meiner Seite, ich versichere Sie, denn was ich bei der Sache tun kann –

GRAF: O meine gnädige (küßt ihr die Hand), gnädige Frau! Nicht halb soviel, als Sie sich einbilden, verzeihen Sie mir meine Dreistigkeit. Alles, alles beruht bloß auf Ihrer Einwilligung. Ihre Fräulein Tochter ist Ihr Konterfait, alles was ich von Ihnen erhalten kann, ist mir auch von ihr gewiß. Ein Kuß auf Ihre schönen Wangen, auf denen die Sonne in ihrem Mittage erscheint, (küßt sie) gilt mir eben das, was ein Kuß auf die Morgenröte von Wilhelminens –

FRAU V. BIEDERLING: Sie sind sehr galant, Sie werden nicht erwarten, daß ich Ihnen das beantworte. In Naumburg ist der Umgang auf keinen so hohen Ton gestimmt.

GRAF: Aber gnädige Frau! Was geben Sie mir denn für Antwort? Soll ich leben oder sterben, verzweifeln oder hoffen?

FRAU V. BIEDERLING: Die Antwort müßten Sie von meiner Tochter, meinem Mann –

GRAF: Sie sind Ihre Tochter, Sie sind Ihr Mann. Ich hab' Vermögen, gnädige Frau! Aber es ist mir zur Last, wenn ich's nicht mit einer Person teilen kann, in deren Gesellschaft ich erst anfangen werde zu leben. Bisher bin ich nur eine Maschine gewesen; Sie haben die Welt in Wilhelminen mit einer Gottheit beschenkt, die allein imstande ist mich zu beseelen. (Kniet) O sehen Sie mich zu Ihren Füßen, sehen Sie mich flehen, schmachten, weinen, verzweifeln!

FRAU V. BIEDERLING: Sie sind gar zu schmeichelhaft – – aber bedenken Sie doch, was Sie verlangen! Eine Heirat in der Stille, ohne Zeugen, ohne Proklamation, verzeihen Sie, ich weiß, was Sie mir einwenden werden, das ist kleinstädtisch gesprochen, nicht nach der großen Welt – – aber wer einmal so unglücklich gewesen ist, sich die Finger zu verbrennen, mein Mann und ich haben uns genug vorzuwerfen, daß wir so leichtsinnig mit unsern Kindern – mein ältester Sohn ist das Opfer davon geworden – verzeihen Sie bei der Erinnerung – ich kann's nicht unterdrücken, (weint) er ist nicht mehr.

GRAF (küßt ihr das Knie): Sie werden doch kein Mißtrauen in mich setzen, (nochmals) meine englische gnädige Frau! Wenn Sie das tun, so bin ich das unglücklichste Geschöpf unter der Sonnen, so ist kein Rat für mich übrig, als die erste beste Kugel durch den Kopf. Ich müßte ja der schwärzeste Bösewicht, der nichtswürdigste, verworfenste, elendeste Betrüger –

FRAU V. BIEDERLING: O Herr Graf! Ich beschwöre Sie, legen Sie mir's nicht dahin aus, ich habe nichts weniger als Mißtrauen in die Rechtschaffenheit Ihrer Absichten. Aber da Sie selbst flüchtig sind, da Sie verborgen bleiben müssen und hernach aus dem Lande gehen – Ach es ist mir mit meinem Sohne ebenso gegangen; wir konnten ihn keinen sicherern Händen anvertrauen.

GRAF: Madam! Sie erleben ein Unglück, wenn Sie mich nicht erhören. Ich bin zu allem fähig, ein elendes Leben kann nur für Schurken einen Reiz haben.

FRAU V. BIEDERLING: O Himmel! Was werd' ich noch mit Ihnen anfangen? Ich will's meinem Mann sagen, ich will's meiner Tochter vortragen.

GRAF: Ich hab' alle Ursache zu glauben, daß sie mich liebt.

FRAU V. BIEDERLING: Sie könnten sich auch irren.

GRAF: Irren – – Sie töten mich.

FRAU V. BIEDERLING: Ich kann Ihnen nichts voraus versprechen, ich muß erst mit beiden geredet haben.

GRAF: Mein ganzes Vermögen ist Ihre.

FRAU V. BIEDERLING: Das verlang' ich nicht – können Sie auch nicht weggeben. Sie haben einen Vater, Sie haben Geschwister.

GRAF: Ich habe keinen Vater als Ihren Gemahl, keine Geschwister als Sie. Alles mach' ich zu Gelde, und wenn ich nach Holland komme, in die Bank damit, so vermache ich es, wem ich will.

FRAU V. BIEDERLING: Das wär' eine Ungerechtigkeit, in die ich niemals willigen würde, die ich nur Ihrer Leidenschaft zugute halten kann.

GRAF: O wenn Sie mein Herz sehen könnten, (küßt ihr Hand und Mund) o meine englische Mutter! Haben Sie Mitleiden mit mir! Wenn Sie mein Herz sehen könnten! Wilhelminen – oder ich werde rasend.

—

Sechste Szene

DES PRINZEN ZIMMER

Der Bakkalaureus. Der Magister Beza. Prinz Tandi

ZIERAU: Hier habe ich die Ehre, Eurer Hoheit einen Gelehrten zu präsentieren, mit dem Sie vermutlich besser zufrieden sein werden: Herr Magister Beza, der den Thomas a Kempis ins Arabische übersetzt hat und in der Philosophie und Sprachen der Morgenländer so bewandert, als ob er für Kumba geboren wäre, nicht für Sachsen.

PRINZ (nötigt sie aufs Kanapee): So werden wir sympathisieren.

MAGISTER BEZA (steht auf): O ergebener Diener!

ZIERAU: Der Magister ist wenigstens mit unsern Sitten noch weniger zufrieden als Eure Hoheit. Er behauptet, es könne mit uns nicht lange währen, wir müßten im Feuer und Schwefel untergehen, wie Sodom.

PRINZ: Spotten Sie nicht: dazu gehört wenig Witz.

BEZA: Ach!

PRINZ: Worüber seufzten Sie?

BEZA: Über nichts.

ZIERAU: Sie dürfen sich nicht verhehlen, Herr Magister, der Prinz ist gewiß Ihrer Meinung.

BEZA: Die Welt liegt im Argen – ist ihrem Untergange nahe.

PRINZ: Das wäre betrübt. Der Herr wollte es vorhin anders wissen. Ich denke, die Welt ist um nichts schlimmer, als sie zu allen Zeiten gewesen.

BEZA: Um nichts schlimmer? wie? um nichts schlimmer? Wo hat man vormals von dergleichen Abscheu gehört, das nicht allein jetzt zur Mode geworden ist, sondern zur Notwendigkeit. Das ist wohl *dura necessitas, durissima necessitas*. Das Saufen, Tanzen, Springen und alle Wollüste des Lebens haben so überhand genommen, daß, wer nicht mitmacht und Gott fürchtet, in Gefahr steht, alle Tage zu verhungern.

PRINZ: Warum führen Sie gerade das an?

ZIERAU: Ich muß Ihnen nur das Verständnis öffnen, der Magister ist ein erklärter Feind aller Freuden des Lebens.

PRINZ: Vielleicht nicht ganz unrecht. Das bloß Genießen scheint mir recht die Krankheit, an der die Europäer arbeiten.

ZIERAU: Was ist Leben ohne Glückseligkeit?

PRINZ: Handeln macht glücklicher als Genießen. Das Tier genießt auch.

ZIERAU: Wir handeln auch, uns Genuß zu erwerben, zu sichern.

PRINZ: Brav! wenn das geschieht! – und wir dabei auch für andere sorgen.

BEZA: Ja, das ist die Freigeisterphilosophie, die Weltphilosophie – aber zu der schüttelt jeder den Kopf, dem es ein Ernst mit seiner Seele ist. Es ist alles eitel. O Eitelkeit, Eitelkeit, wie doch das die armen Menschen so fesseln kann, darüber den Himmel zu vergessen, und ist doch alles Kot, Staub, Nichts!

PRINZ: Aber wir haben einen Geist, der aus diesem Nichts etwas machen kann.

ZIERAU: Sie werden ihn nicht auf andere Gedanken bringen ich kenne ihn, er hat den Fehler aller Deutschen, er baut, sich ein System, und was dahinein nicht paßt, gehört in die Hölle.

BEZA: Und ihr Herren Kleinmeister und ihr Herren Franzosen lebt immerfort ohne System, ohne Ziel und Zweck, bis euch, mit Respekt zu sagen, der Teufel holt, und dann seid ihr verloren, hier zeitlich und dort ewig.

PRINZ: Weniger Strenge, Herr! eins ist freilich so schlimm als das andere; wer ohne Zweck lebt, wird sich bald zu Tode leben, und wer auf der Studierstube ein System zimmert, ohne es der Welt anzupassen, der lebt entweder seinem System all Augenblick schnurstracks zuwider, oder er lebt gar nicht.

ZIERAU: Mich deucht, vernünftig leben ist das beste System.

BEZA: Ja, das ist die rechte Höhe.

PRINZ: Wohl die rechte – wird aber nie ganz erreicht. Vernunft ohne Glauben ist kurzsichtig und ohnmächtig, und ich kenne vernünftige Tiere so gut als unvernünftige. Der echten Vernunft ist der Glaube das einzige Gewicht, das ihre Triebräder in Bewegung setzen kann, sonst stehen sie still, und rosten ein, und wehe denn der Maschine!

ZIERAU: Die echte Vernunft lehrt uns glücklich sein, unsern Pfad mit Blumen bestreuen.

PRINZ: Aber die Blumen welken und sterben.

BEZA: Ja wohl, ja wohl!

ZIERAU: So pflückt man neue.

PRINZ: Wenn aber der Boden keine mehr hervortreibt? Es wird doch wohl alles auf den ankommen.

ZIERAU: Wir verlieren uns in Allegorien.

PRINZ: Die leicht zu entziffern sind. Geist und Herz zu erweitern, Herr –

ZIERAU: Also nicht lieben, nicht genießen.

PRINZ: Genuß und Liebe sind das einzige Glück der Welt; nur unser innerer Zustand muß ihm den Ton geben.

BEZA: Ei was Liebe – Liebe, das ist eine saubere Religion, die uns die Bordelle noch voller stopft.

ZIERAU: Ich wünschte, wir könnten die Jugend erst lieben lehren, die Bordelle würden bald leer werden.

PRINZ: Aber es würde vielleicht um desto schlimmer mit der Welt stehen. Liebe ist Feuer, und besser ist's, man legt es zu Stroh, als an ein Ährenfeld. Solange da nicht andere Anstalten vorgekehrt werden –

ZIERAU: Wenn die goldenen Zeiten wiederkommen.

PRINZ: Die stecken nur im Hirn der Dichter, und Gott sei Dank! Ich kann nicht sagen, wie mir dabei zumute sein würde. Wir säßen da, wie Midas vielleicht, würden alles anstarren und nichts genießen können. Solange wir selbst nicht Gold sind, nützen uns die goldenen Zeiten zu nichts, und wenn wir das sind, können wir uns auch mit ehernen und bleiernen Zeiten aussöhnen.

—

Siebente Szene

Herr v. Biederling. Frau v. Biederling

HERR V. BIEDERLING: Ich finde nichts Unräsonnables drin, Frau! Setz' den Fall, daß das Mädchen ihn will, und ich habe sie schon oft ertappt, daß sie furchtsame Blicke auf ihn warf, und denn haben ihr seine Augen geantwortet, daß ich dacht', er würde sie in Brand stecken, also wenn der Himmel es so beschlossen hat, und wer weiß, was in fünf Jahren sich noch ändern kann!

FRAU V. BIEDERLING: Du hast immer einen Glauben, Berge zu versetzen, es ist die nämliche Historie wie mit deinem Sohn, die nämliche Historie.

HERR V. BIEDERLING: Red mir nicht davon, ich bitte dich. Wir werden noch Ehr' und Freude an unserm Sohne erleben, wenn er nicht schon tot ist. Wenn nur der Zopf bald kommen wollte, du solltest mir andere Saiten aufziehn.

FRAU V. BIEDERLING: Wenn ich ihn wieder sehe, den infamen Kerl – ich kratz' ihm die Augen aus, ich sag' es dir.

HERR V. BIEDERLING: Zopf ist ein ehrlicher Kerl, was willt du? Unsertwegen eine Reise nach Rom getan, wer tut ihm das nach? Und ich bin versichert, er bleibt nur deswegen so lang aus, weil er die Antwort vom Pater General erwartet, der an den Pater Mons nach Smyrna geschrieben hat; was willst du denn? Wofür Teufel gibt sich der Mann all die Mühe, all die Sorge und Reisen; du solltest dich schämen, daß du sogleich Fickel-Fackel mit ihrem bösen Leumund fertig – und der Mann tut mehr für ihr Kind, als sie selber.

FRAU V. BIEDERLING: Du hast recht, hast immer recht, mache mit Tochter und Sohn, was dir gefällt, verkauf sie auf die Galeeren, ich will deine Strümpfe flicken und Bußelieder singen, wie's einer Frau vom Hause zukommt.

HERR V. BIEDERLING: Nu nu, wenn sie spürt, daß sie unrecht hat, wird sie böse. Wer kann dir helfen?

FRAU V. BIEDERLING: Der Tod. Ich will die Tochter zu dir schicken, mach mit ihr, was dir gefällt, gnädiger Herr, ich will ganz geruhig das Ende absehen.

(Prinz Tandi kommt dazu)

PRINZ: Was haben Sie? Ich würde untröstlich sein, wenn ich Gelegenheit zu ihrem Mißverständnis – (Frau v. Biederling geht ab)

HERR V. BIEDERLING: Nichts, nichts, Prinz. Es ist nur ein klein bißchen Zank, eine kleine Bedenklichkeit, wollt' ich sagen, eine gar zu große Bedenklichkeit von meiner Frau – sie meint nur, unser Kind einem fremden Herrn in die andere Welt mitzugeben – das ist, als ob sie eine Reise in die selige Ewigkeit –

PRINZ: Sagt Wilhelmine auch so?

HERR V. BIEDERLING: Je nun, Sie wissen, wie die Weibsen sind; wir wollen sie hören, die Mutter wird sie herbringen. Und je länger ich dem Ding nachdenke, je enger wird mir's um das Herz auch, Vater und Mutter und allen auf ewig so den Rücken zu kehren, als ob es ein Traum gewesen wäre, und gute Nacht auf ewig. (Er weint)

PRINZ: Sie soll alles in mir wieder finden.

HERR V. BIEDERLING: Aber wir nicht, Prinz, wir nicht. O du weißt nicht, was du uns all mit ihr raubst, Kalmucke! Ich willige von ganzem Herzen drein, aber was ich dabei ausstehe, das weiß Gott im Himmel allein.

PRINZ (umarmt ihn): Mein Vater – ich will sieben Jahr in Europa bleiben.

HERR V. BIEDERLING: So recht – vielleicht bin ich tot in der Zeit, vielleicht sind wir alle beide tot. – Junge! alles kommt auf mein Mädchen an. Wenn sie sich entschließen kann – und sollt' es mir das Leben kosten.

PRINZ: Wenn Sie ein Kirschenreis einem Schleestamm einimpfen wollen, müssen Sie es da nicht vom alten Stamm abschneiden? Es hätte dort keine einzige Kirsche vielleicht hervorgetrieben; gebt ihm einen neuen Stamm, den es befruchten und beseligen kann, auf dem vorigen war es tot und unfruchtbar.

HERR V. BIEDERLING (springt auf): Scharmant, scharmant – eh! sagen Sie mir das noch einmal, sagen Sie das meiner Frau und Tochter auch. Je, es ist ja auch wahr, lass' ich doch Maulbeerbäume aus Smyrna kommen, und setze sie hier ein, und bespinne hier das ganze Land mit, so wird meine Tochter ganz Kumba glücklich machen. – Sie müssen ihr das sagen.

PRINZ: Ich werb' jetzt bei Ihnen um Ihr Kind. – – Hernach muß Wilhelminens Herz alleine sprechen, frei, unabhängig, wie die Gottheit, die Leben oder Tod austeilt. Kein Zureden, keine väterliche Autorität, kein Rat, oder ich springe auf der Stelle in den Wagen fort.

(Frau v. Biederling mit Wilhelmine kommen)

WILHELMINE: Was befehlen Sie von mir?

HERR V. BIEDERLING: Mädchen! – (Hustet und wischt sich die Augen. Es herrscht eine minutenlange Stille)

PRINZ: Fräulein! es ist Zeit, ein Stillschweigen – ein Geständnis, das meine Zunge nicht machen kann – sehen Sie in meinem Aug, in dieser Träne, die ich nicht mehr hemmen kann, all meine Wünsche, all meine schimmernden Entwürfe für die Zukunft. – Wollen Sie mich glücklich machen? – Wenn dieses schnelle Erblassen und Erröten, dieses wundervolle Spiel Ihrer sanften Gesichtswellen, dieses Weinen und Lachen Ihrer Augen mir Erhörung weissagt – o mein Herz macht den untreuen Dolmetscher stumm (drückt ihr die Hand an sein Herz) hier müssen Sie es sprechen hören. – Dies Entzücken tötet mich.

HERR V. BIEDERLING: Antworte! was sagt dein Herz?

FRAU V. BIEDERLING: Wir haben dem Prinzen unser Wort gegeben, dir weder zuzureden noch abzuraten: das mußt du aber doch vorher wissen, daß der Herr Graf hier förmlich um dich angehalten hat, und dich zur Erbin aller seiner Güter machen will.

HERR V. BIEDERLING: Und das sollst du auch vorher wissen, daß der Prinz dir ein ganzes Königreich anbietet, und mir zu Gefallen noch sieben Jahre mit dir bei uns im Lande bleiben will.

WILHELMINE: Befehlen Sie über mich.

HERR V. BIEDERLING: Na, das ist hier der Fall nicht, mein Kind! Still doch, Frau, hast du was gesagt? Ich sage, hier meine Tochter, schlagen wir dich los von allem Gehorsam gegen uns, hier bist du selbst Vater und Mutter: was sagt dein Herz? Das ist die Frage. Beide Herren sind reich, beide haben sich generös gegen mich aufgeführt, beide können dein Glück machen, es kommt hier einzig auf dich an.

FRAU V. BIEDERLING: Frag dein Herz! Du weißt itzt die Bedingungen auf beiden Seiten.

HERR V. BIEDERLING: Aber das mußt du auch noch wissen, daß der Graf nicht beständig bei uns in Naumburg nisten kann, er muß ebensowohl fort, und dich von uns trennen.

FRAU V. BIEDERLING: Aber er führt dich nicht weiter als Amsterdam, und kommt alle Jahre herüber, uns zu besuchen.

HERR V. BIEDERLING: Ja, so entschließ dich kurz, es kommt alles auf dich an. – Prinz! was sehen Sie denn so trostlos aus? Wenn's der Himmel nun so beschlossen hat, und ihr ihr Herz nichts für Sie sagt – es ist mit dem allen doch keine Kleinigkeit, bedenken Sie selber, wenn Sie billig sein wollen, ein junges unerzogenes Kind über die zweitausend Meilen – o meine Tochter, ich kann nicht – das Herz bricht mir. (Fällt ihr um den Hals)

WILHELMINE (an seinem Halse): Ich will ledig bleiben.

HERR V. BIEDERLING (reißt sich los): Sackerment nein! (stampft mit dem Fuß) das will ich nicht. Wenn ich in der Welt zu nichts nutz bin, als dein Glück zu hindern – lieber herunter mit dem alten unfruchtbaren Baume! Nicht wahr, Prinz! was sagen Sie dazu?

PRINZ: Sie sind grausam, daß Sie mich zum Reden zwingen. Ein solcher Schmerz kann durch nichts gelindert werden, als Schweigen (mit schwacher Stimme) Schweigen, Verstummen auf ewig. (Will gehen)

WILHELMINE (hält ihn hastig zurück): Ich liebe Sie.

PRINZ: Sie lieben mich. (Ihr ohnmächtig zu Füßen)

WILHELMINE (fällt auf ihn): O ich fühl's, daß ich ohne ihn nicht leben kann.

HERR V. BIEDERLING: Holla! Gib ihm eins auf den Mund, daß er wach wird. (Man trägt den Prinzen aufs Kanapee, wo Wilhelmine sich neben ihn setzt und ihn mit Schlagwasser bestreicht)

PRINZ (die Augen aufschlagend): O von einer solchen Hand . . .

HERR V. BIEDERLING: Nicht wahr, das ist's. Ja, Mine! dieser Blick, den du ihm gabst. Nicht wahr, er hat's Jawort? Nun, so segne euch der allmächtige Gott! (Legt seine Hände beiden auf die Stirn) Prinz! es geht mir wie Ihnen, der Henker holt mir die Sprache, und es wird nicht lange währen, so kommt die verzweifelte Ohnmacht auch ... (Mit schwacher Stimme) Frau, wirst du mich wecken? (Fällt hin)

FRAU V. BIEDERLING: Gott, was ist ... (Hinzu)

HERR V. BIEDERLING (springt auf): Nichts, ich wollte nur Spaß machen. Hahaha, mit euch Weibern kann man doch umspringen wie man will. Sei nun auch hübsch lustig, mein Frauchen (ihr unters Kinn greifend) und schlag dir deinen Grafen aus dem Sinne; ich will ihn schon aus dem Hause schaffen, laß mich nur machen, ich hab' ihn mit alledem doch nie recht leiden können.

PRINZ (zu Wilhelminen): So bin ich denn -- (stammelnd) kann ich hoffen, daß ich -

WILHELMINE: Hat's Ihnen der Baum nicht schon gesagt?

PRINZ: Das einzige, was mir Mut machte, um Sie zu werben. O als der Mond mir die Züge Ihrer Hand versilberte, als ich las, was mein Herz in seinen kühnsten Ausschweifungen nicht so kühn gewesen war zu hoffen ... ach, ich dachte, der Himmel sei auf die Erde herabgeleitet, und ergieße sich in wonnevollen Träumen um mich herum.

HERR V. BIEDERLING: Nun, Frau! was stehst? ist dir's nicht lieb, die jungen Leute so schwäzzeln und mieneln und liebäugeln ... was ziehst du denn die Stirn wie ein altes Handschuhleder, geschwind, gib ihnen deinen Segen, wünsch ihnen alles, was wir genossen haben, so wird ihnen wohl sein. Nicht wahr, Prinz?

FRAU V. BIEDERLING: Das Ende muß es ausweisen. (Geht ab)

HERR V. BIEDERLING (sieht ihr nach): Närrin! -- ist verliebt in den Grafen, das ist die ganze Sache - aber laß mich nur mit ihm reden ... wart du nur.

—

DRITTER AKT

—

Erste Szene

IM GARTENHÄUSCHEN

Der Graf im Schlafrock trinkt Tee. Herr v. Biederling, einen großen Beutel unterm Arm

HERR V. BIEDERLING: Herr Graf, Sie nehmen mir nicht übel, daß ich Sie so früh überfalle. Ich habe nachgedacht, Ihr

Pachtgut ist mir gar zu gut gelegen; Sie haben meiner Frau gesagt, Sie wollen Ihre Güter verkaufen und nach Amsterdam gehen; wieviel wollen Sie dafür?

GRAF: Ich? – von Ihnen? nichts – ich schenke Ihnen das Gut, aber unter einer Bedingung –

HERR V. BIEDERLING: Nein, nein, da wird nichts von, so können wir sein' Tag nicht zusammenkommen. Ich will's Ihnen nach Kron'staxe bezahlen.

GRAF: Ich nehm' aber nichts.

HERR V. BIEDERLING: Sie sollen nehmen, Herr Graf, ich sag's Ihnen einmal für allemal, ich bin kein Bettler.

GRAF: So zahlen Sie, was Sie wollen.

HERR V. BIEDERLING: Nein, ich will bezahlen, was Sie wollen. Das ist nun wieder nichts. Wofür sehen Sie mich an? Zum Kuckuck!

GRAF: Zehntausend Taler.

HERR V. BIEDERLING: So hier sind (zieht einen Beutel heraus) zehntausend Taler in Bankzetteln, und hier sind (stellt einige Säcke in den Winkel) fünftausend Taler in Gold und Albertusgeld ... und nun profitiere ich doch dabei. Habe die Ehre mich zu empfehlen.

GRAF: Noch ein Wort. (Ihn an der Hand fassend)

HERR V. BIEDERLING: Es ist doch so richtig? Ist's nicht?

GRAF: Sie können mich zum glücklichsten Sterblichen machen.

HERR V. BIEDERLING: Wieso?

GRAF: Sie haben eine Tochter.

HERR V. BIEDERLING: Was wollen Sie damit sagen?

GRAF: Ich heirate sie.

HERR V. BIEDERLING: Da sei Gott vor. Sie ist schon seit drei Tagen Frau.

GRAF: Frau?!

HERR V. BIEDERLING: Wissen Sie nichts davon? Hehehe, nun 's is' wahr, wir haben unsere Sachen in der Stille gemacht. Der Prinz Tandi, mein ehrlicher Reisekamerad, hat sie geheiratet, es ist komisch genug das, keine Mutterseele hat's gemerkt, und doch sind sie von unserm Herrn Pfarrer Straube priesterlich getraut worden, und gestern ist noch obenein groß Festin gewesen. – Wie ist Ihnen, Graf! Sie wälzen ja die Augen im Kopf herum, daß –

GRAF: Scherzen Sie mich?

HERR V. BIEDERLING: Nein gewiß, Herr – es ist mir indessen gleichviel, wofür Sie es nehmen wollen – und so leben Sie denn wohl.

GRAF (faßt ihn an der Gurgel): Stirb, Elender, bevor —

HERR V. BIEDERLING (ringt mit ihm): Sackerment . . . ich will dich . . . (wirft ihn zu Boden und tritt ihn mit Füßen) du Racker!

GRAF (bleibt liegen): Besser! Besser, Herr v. Biederling.

HERR V. BIEDERLING (hebt ihn wieder auf): Was wolltst du denn mit mir?

GRAF (seine Knie umarmend): Können Sie mir verzeihen?

HERR V. BIEDERLING: Nun, so steht nur wieder auf! Der Teufel leide das, wenn man einem die Gurgel zudrückt – und Herr, itzt reis' Er mir aus dem Hause, je eher je lieber, ich leid' Ihn nicht länger.

GRAF: Sagen Sie mir's noch einmal, sind sie verheiratet? Wie? Wo? Wenn?

HERR V. BIEDERLING: Wie? Das kann ich Ihm nicht sagen, aber sie sind in Rosenheim getraut worden, und gestern hat der Prinz ein Bankett gegeben, wo alles, was fressen konnte, teil daran nahm; die Tafel war von morgens bis in die sinkende Nacht gedeckt, die Türen offen, und wer wollte, kam herein, ließ sich traktieren und war lustig. Ich hab' so was in meinem Leben noch nicht gesehen, die Leute waren alle wie im Himmel und das Zeugs durcheinander, Bettler und Studenten und alte Weiber und Juden und ehrliche Bürgersleut' auch genug, ich habe gelacht zuweilen, daß ich aufspringen wollte. Sehen Sie, das ist der Gebrauch in Kumba; von all den übrigen Alfanzereien bei unsern Hochzeiten wissen sie nichts. Sie sagen, es braucht niemand Zeuge von unsrer Hochzeit zu sein, als unsere nächsten Anverwandten und ein Priester, der Gott um seinen Segen bittet.

GRAF: Keine Proklamation! Ich sehe schon, Ihr wollt mir Flor über die Augen werfen, aber ich sehe durch. Ich sollte diese Vermählung nicht hindern? Wie aber, wenn der Prinz schon eine Gemahlin hätte?

HERR V. BIEDERLING: Ja, Herr Graf! So müssen Sie mir nicht kommen. Das Mißtrauen findet nur bei uns Europäern statt. Ich habe darüber mit dem Prinzen lang ausgeredt.

GRAF: Haben die Kumbaner keine Leidenschaften?

HERR V. BIEDERLING: Nein.

GRAF: Das sagen Sie.

HERR V. BIEDERLING: Nein, sag' ich Ihnen. Das macht, was weiß ich, die Erziehung macht's, die Kumbaner haben Gottesfurcht, das macht es, sie finden ihr Vergnügen an der Arbeit, mit Kopf oder Faust, das ist all eins, und nach der Arbeit kommen sie zueinander, sich zu erlustigen, alt und jung, vornehm und gering, alles durcheinander, und wer den andern das meiste Gaudium machen kann, der wird am höchsten gehalten: das macht es, sehen Sie. Dabei haben sie nicht nötig, den Phantasein nachzuhängen, denn die Phantasei, sehen Sie, das ist so ein Ding ... warten Sie, wie hat er mir doch gesagt? ... in Gesellschaft ist es ganz vortrefflich, aber zu Hause taugt's ganz und gar nicht; es ist, wie so ein glänzender Nebel, ein Firnis, den wir über alle Dinge streichen, die uns in Weg kommen, und wodurch wir sie reizend und angenehm machen.

GRAF (schlägt sich an die Stirn): Oh!

HERR V. BIEDERLING: Warten Sie doch, hören Sie mich doch aus! Aber wenn wir diesen Firnis nach Haus mitnehmen, sehen Sie, da kleben wir dran, und da wird denn des Teufels seine Schmiralie draus.

GRAF: Lassen Sie sich nur vorschwatzen ... geht's denn bei uns nicht ebenso? müssen wir nicht arbeiten? kommen wir nicht zusammen, uns zu amüsieren?

HERR V. BIEDERLING: Ja – aber nein, wir wollen nichts, als uns immer amüsieren, und da schmeckt uns am Ende kein einzig Vergnügen mehr, und unser Vergnügen selber wird uns zur Pein, das ist der Unterscheid. Und weil wir nicht mit Verstand arbeiten, so arbeiten wir mit der Phantasei, und was weiß ich – er hat mir das alles expliziert, reden Sie selber mit ihm, Sie werden Ihre Freude an ihm haben.

GRAF: Machen Sie, daß wir gute Freunde werden, Herr v. Biederling. Ich bin in der Tat begierig, ihn näher zu kennen.

HERR V. BIEDERLING: Ja, aber vorderhand dächt' ich, Sie reisten doch immer nur in Gottes Namen nach Amsterdam. – Sie können doch bei mir lange so recht sicher nicht sein

GRAF: Und wo soll ich hin? Alle meine Güter dem Fiskus zufallen lassen?

HERR V. BIEDERLING: Ja so ... aber hören Sie, wenn mir nur der Kurfürst nicht hernach noch Ansprüche gar auf mein Rosenheim macht? Was haben Sie für Nachricht von Ihrem Advokaten?

GRAF: Eben darum, nehmen Sie Ihr Geld nur wieder zurück, bis ich sichere Nachricht von meinem Advokaten habe, wie die Sache am Hofe geht. Mittlerweile können Sie die Pacht immer antreten.

HERR V. BIEDERLING: Ja, aber so muß ich Ihnen doch den Pachtzins zahlen.

GRAF: Wenn Sie mich auf meiner empfindlichsten Seite angreifen wollen.

HERR V. BIEDERLING: Je nun – so hab' ich die Ehre, mich recht schön zu bedanken, wenn Sie's denn durchaus so haben wollen. Ich will auch sehen, daß ich Sie mit dem Prinzen näher bekannt mache; es ist ein gar galanter Mann, ohne Ruhm zu melden, weil er itzt mein Schwiegersohn ist, und das, was vor acht Tagen zwischen Ihnen beiden vorgefallen, hat er längst vergessen! Es war auch so ein klein etwas Kumbanisch das; denn sehen Sie, es passiert dort in der Tat für ein Laster, wenn man einem jungen Mädchen in Abwesenheit seiner Eltern was von Liebe und was weiß ich, vorsagt, das wird dort ebenso für Hurerei bestraft, als wenn ich einem die Gurgel zudrücke, und er bleibt glücklicherweise am Leben. Habe die Ehre mich zu empfehlen.

GRAF: O vorher . . . verzeihen Sie mir.

HERR V. BIEDERLING: Nu nu, *il n'y a pas du mal*, sagt der Franzos. – Speisen Sie heut zu Mittag mit uns? Mit meinem neuen Schwiegersohne, da sollen Sie ihn kennenlernen.

—

Zweite Szene

IN IMMENHOF

Donna Diana. Babet

BABET (einen Brief in der Hand): Ihre Eltern sind beide noch am Leben. Meine gute Freundin schreibt mir's, sie hat's itzt erst erfahren; ein gewisser Edelmann aus Triest hat sich mit ihr eingelassen, der soll mit Ihrem Vater in Briefwechsel stehen.

DONNA: Die Polonaise?

BABET: Eben die.

Donna: Ei, was kümmern mich meine Eltern? Schreibt sie nichts vom Grafen? besucht er sie noch?

Babet: Er ist unvermutet aus Dresden verschwunden.

Donna: Mich in Immenhof sitzen zu lassen! Hast du Geld?

Babet: Das Restchen, das Sie mir aufzuheben gaben, eh' wir zum Karneval herabreisten.

Donna: Gib's her, wir wollen ihm nachreisen, und wenn er in den innersten Höhlen der Erde steckte. Ich hol' ihn heraus, und wehe der Jo, die ich bei ihm betreffe!

Babet: Wohin aber zuerst?

Donna: Laß mich nur machen, ich kann dir's nicht sagen, bis wir unterwegens sind. Mein Herz wird mich schon führen, es ist wie ein Kompaß, es fehlt nicht.

Babet: In Dresden erfahren wir's gewiß, wo er steckt.

Donna: Ich will ihn – red mir nichts! komm! Die Stelle brennt unter mir – ich wünscht', ich hätte nie Mannspersonen gesehen, oder ich könnt' ihnen allen die Hälse umdrehen.

—

Dritte Szene

In Naumburg

Prinz Tandi. Wilhelmine, sitzend beieinander auf dem Kanapee

Prinz: Wollen Sie mir's denn nicht sagen, für wen Sie sich heut so geputzt haben?

Wilhelmine: Ich sag' Ihnen ja, für meinen Vater.

Prinz: Schelm! Du weißt ja, dein Vater wirft kein Auge drauf. Ja, wenn du ein Seidenwürmchen wärst.

Wilhelmine: Denk doch! halten Sie's der Mühe nicht wert, ein Auge auf mich zu werfen?

Prinz: Nein.

Wilhelmine: Ich bedanke mich.

Prinz: Man muß sein ganzes Ich auf dich werfen.

Wilhelmine (hält ihm den Mund): Wo du mir noch einmal so redst, so sag' ich – du bist verliebt in mich, und du hast mir so oft gesagt, die Verliebten seien nicht gescheit.

Prinz: Ich bin aber gescheit. Ich hab's Ihnen doch noch nie gesagt, daß ich verliebt in Sie bin.

WILHELMINE: Nie gesagt? . . . Hahaha! armer unglücklicher Mann! nie gesagt? als nur ein halb wenig gestorben überm Sagen? o du gewaltiger Ritter.

PRINZ: Nie gesagt, mein klein Minchen! es müßte denn heute nacht gewesen sein.

WILHELMINE (hastig): Wenn Sie mir noch einmal so reden – so werd' ich böse.

PRINZ: Und was denn? haben die Mühe wieder gut zu werden.

WILHELMINE: Lasse mich scheiden.

PRINZ: Warum nicht? Du dich scheiden – kleine Närrin! da wärst du tot.

WILHELMINE: Was Sie doch nicht für eine wundergroße Meinung von sich haben! Und Sie hingen sich auf, wenn ich's täte.

PRINZ: O pfui, pfui! nichts mehr von solchen Sachen. Lieber will ich doch gestehen, daß ich verliebt in dich bin.

WILHELMINE: Närrchen, der kleine glänzende Tropfen da an deinem Augenlid hat mir's lange gestanden.

PRINZ: So sei es denn gesagt. (Drückt ihre Hand an seine Augen)

WILHELMINE: So sei es denn beantwortet. (Küßt ihn)

(Herr v. Zopf tritt herein. Sie stehen auf)

HERR V. ZOPF (im Reisekleid): Gehorsamer Diener, Fräulein Minchen! ei wie so hübsch groß geworden seit der Zeit ich Sie zum letztenmal gesehen. Sie kennen mich gewiß nicht, ich heiße Zopf.

WILHELMINE (macht einen tiefen Knicks): Es ist uns sehr angenehm – meine Eltern haben mir oft gesagt –

HERR V. ZOPF: Der Herr Vater nicht zu Hause? Ihre Eltern werden nicht sehr zufrieden mit mir sein, aber sie haben's nicht mehr Ursache. Ich bring' Ihnen und Ihren Eltern eine angenehme Nachricht. (Zu Tandi) Nicht wahr, Sie sind der Prinz Tandi aus Kumba? man hat mir's wenigstens in Dresden gesagt, daß Sie mit Herr von Biederling die Reise hierher gemacht. Es hätte sich nicht wunderlicher fügen können, freuen Sie sich mit uns allen, Sie sind in Ihres Vaters Hause.

PRINZ: Was?

WILHELMINE: Was?

HERR V. ZOPF: Umarmen Sie sich. Sie sind Bruder und Schwester.

(Wilhelmine fällt auf das Sofa zurück. Tandi bleibt bleich mit niederhangendem Haupte stehen)

HERR V. ZOPF: Nun, wie ist's? haben Sie mir keinen Dank? macht's Ihnen keine Freude? Sie können sich drauf verlassen, ich sag' Ihnen, ich hab' eben den Brief vom General der Jesuiten erhalten und mich gleich aufgesetzt, Ihnen die fröhliche Zeitung zu bringen. Sie sind Geschwister, das ist sicher!

(Tandi will gehen. Wilhelmine springt auf und ihm um den Hals)

WILHELMINE: Wo willst du hin?

PRINZ: Laß mich!

WILHELMINE: Nein, nimmer, bis in den Tod. (Tandi macht sich los von ihr. Sie fällt in Ohnmacht)

HERR V. ZOPF (nachdem er sie ermuntert hat): Ich sehe wohl, Fräulein, hier muß etwas vorgefallen sein –

WILHELMINE (erwacht): Wo ist er, ich will mit ihm sterben –

HERR V. ZOPF: Haben Sie sich etwa liebgewonnen? Es ist ja nur ein Tausch. Lieben Sie ihn jetzt als Ihren Bruder.

WILHELMINE (stößt ihn mit dem Fuß): Fort, Scheusal! fort! Wir sind Mann und Frau miteinander. Du sollst mir den Tod geben – oder ihn.

HERR V. ZOPF: Gott im Himmel, was höre ich!

WILHELMINE (reißt ihm den Dolch von der Seite und setzt ihn ihm auf die Brust): Schaff mir meinen Mann wieder. (Schmeißt den Dolch weg) Behalt deinen verfluchten Tausch für dich – (Nimmt ihn wieder auf) Ach, oder durchstoße mich! Du hast mir schon das Herz durchbohrt, unmenschlicher Mann! es wird dir nicht schwer werden.

HERR V. ZOPF: Unter welchem unglücklichen Planeten muß ich geboren sein, daß alle meine Dienstleistungen zu nichts als Jammer ausschlagen! Ich möcht' es verreden und verwünschen, meinem Nächsten zu dienen; noch in meinem ganzen Leben ist mir's nicht gelungen, einem guten Freunde was zugut zu tun, allemal wenn mir etwas einschlug, und ich glaubte ihn glücklich zu machen, so ward mir der Ausgang vergiftet, und ich hatte ihn unglücklich gemacht. Es tut mir von Herzen leid, Gott weiß es –

—

Vierte Szene

IN DRESDEN

Donna Diana. Babet

DONNA: Hast du's gehört? Gustav ist mit ihm nach Naumburg gefahren.

BABET: Ich kann noch nicht zu mir selber kommen.

DONNA: Was ist da zu erstaunen, Närrin! was kannst du Besseres von Mannspersonen erwarten? Giftmischer, Meuchelmörder alle –

BABET: Er Sie vergiften lassen? Gütiger Gott! warum?

DONNA: Warum? närrisch gefragt! darum, daß ich ihn liebte, ist's nicht Ursach' genug? – – – ach, halt mir den Kopf! schnüre mich auf! es wird mir bunt vor den Augen – so – wart – keinen Spiritus (schreit) keinen Spiritus!

BABET: Gott im Himmel! Sie werden ja ohnmächtig.

DONNA (mit schwacher Stimme): Was geht's dich an, wenn ich ohnmächtig werde. (Richtet sich auf) So! nun ist's vorbei. (Geht herum) Nun bin ich wieder Diana. (Schlägt in die Hände) Wir wollen dich wiederkriegen, wart nur! wart nur! Das, liebe Babet, das kannst du dir nimmer einbilden, was er angewandt hat, mich zu verführen! Da waren Schwüre, daß der Himmel sich darüber bewegte, da waren Seufzer, Heulen, Verzweiflung. (Fällt ihr um den Hals) Babet, ich halt' es nicht aus! hab Mitleiden mit mir. Wenn der Teufel in Menschengestalt umherginge, er könnte nichts Listigeres ausdenken, ein Mädchenherz einzunehmen. Und nun will er mich vergiften lassen, weil ich meinen Vater ihm zu Gefallen vergiftet, meine Mutter bestohlen, entehrt bin, geflüchtet bin, von der Gerechtigkeit verfolgt, oh! – vielleicht hat meine Mutter schon an Hof geschrieben, mich als Delinquentin aufheben zu lassen.

BABET: Beruhigen Sie sich, teure gnädige Frau! Das hat sie nicht getan, nein gewiß, das wird sie nicht tun; sie weiß wohl, daß sie selber mit schuld an diesem Unglück ist: sie hat Sie Ihren Eltern gestohlen.

DONNA (steht auf): Still davon! Ich hab' dir's ein für allemal verboten. Lieber meinen Vater umgebracht haben, als die Tochter eines alten abgedankten Offiziers heißen, der Pachter von meinem Gemahl ist. Wie sieht sie aus, die Wilhelmine? Der Himmel hat sich versehn, wenn er sie zu einer Velas machte; ich verdient' es zu sein, und du tatst recht, daß du das Ding in Ordnung brachtest.

BABET: O mein Gewissen!

DONNA: Wie sieht sie aus, geschwind! Ein schön' Pachtermädchen?

BABET: Schön genug, ein Herz zu fesseln, ein paar Augen, als ob der Himmel sich auftät.

DONNA: Das ist recht: wenn er mich für einen häßlichen Affen tauschte, wär's ihm gar nicht zu vergeben. Aber sie hat Adel im Gesicht, hat sie Donna Velas in den Augen?

BABET: Würden die Eltern sie dann vertauscht haben? Eine Stumpfnase – der selige Herr rührte drei Tage keinen Bissen an. Aber als ich Sie von meiner Freundin bekam, das ist ein Velas-Gesicht, schrie er; die Adlernase soll mir den Weg zu einem Thron bahnen, und mit den zwei Augen erschlag' ich den König von Portugal.

DONNA: Nur still, daß ich adoptiert bin, oder es kostet dein Leben. Das Herz will ich dir mit der Zunge zum Mund herausziehn, wo du redst. Ich muß den Grafen zurückbringen und dann nach Madrid zurück. Ich will deine Prophezeiung wahr machen, armer vergifteter Papa! So hast du doch Freud' im Grab über mich. Meiner Mutter die Juwelen zurück, damit sie stillschweigt, und dann – – ist hier noch Feuer genug? (Sieht sie an)

BABET: Die Welt in Brand zu stecken. Aber werden Sie den Grafen zurückbringen?

DONNA: Den Grafen? Elende! O pfui doch! Zurückwinken will ich ihn, den Schmetterling, und will er nicht, so hasch' ich, und zerdrück' ihn in meiner Hand. Seine Güter sind doch mein, er ist mir rechtmäßig angetraut, ich kann Kontrakt und Siegel aufweisen.

BABET: Schonen Sie die arme Wilhelmine.

DONNA: Ei was (schlägt sie) Hexe! Was träumst du? Werd' ich meine Gewalt an Pachtermädchen auslassen? Kot von Weib! Wofür hältst du mich?

BABET: Aber wenn der Graf –

DONNA: Was? Wenn der Graf – red aus, wenn der Graf – wenn er sie liebt, wenn er sie heiratet – ich will ihn verwirren, verzweifeln, zerscheitern durch meine Gegenwart. Wie ein Gott will ich erscheinen, meine Blicke sollen Blitz sein, mein Odem Donner – laß uns unterwegens davon reden, es ist mir Wonne, wenn ich davon reden kann. Er soll in seinem Leben vor keinem Menschen, vor Gott dem Allmächtigen nicht so gezittert haben – die verächtliche Bestie! Wenn ich nur in Madrid wäre, ich ließ' ihn in meinem Tiergarten einschließen!

—

Fünfte Szene

In Rosenheim: ein Garten

Herr v. Biederling im leinenen Kittel, eine Schaufel in der Hand. Herr v. Zopf

Herr v. Biederling (sieht auf): Bist du's, Zopf? – Hier setz' ich eben einen von deinen Bäumen. Nun, wie steht's Leben? (reicht ihm die Hand) Du kommst von Dresden?

Herr v. Zopf: Ich komme – ja, ich komme von Dresden. Es ist mir lieb, daß ich dich hier allein treffe. Der Freudendahl, du weißt wohl, ist mit mir, ich hab' ihn in Naumburg gelassen.

Herr v. Biederling: Was hat der Laffe sich in unsere Händel zu mischen? Weißt du was, ich hab' hier Pulver und Blei, wir können hier unsere Sachen ausmachen.

Herr v. Zopf: Verzeih mir! Er ist Zeuge davon gewesen, daß du mir meine Ehre nahmst.

Herr v. Biederling: Denk doch, und du kannst dem Fickel-Fackel Leipziger Studentchen nur wiedersagen, daß ich sie dir wiedergegeben habe, und wenn er's nicht glauben will, so heiß ihn einen Schurken von meinetwegen. Denk doch, ich werde um des Narren willen wohl zurückreiten? Warum kam der Flegel nicht mit? Wie gefällt dir meine Baumschule?

Herr v. Zopf: Recht gut, Gott geb' dir Gedeihen. – Aber was käm's dir denn auch darauf an, mir in Gegenwart Freudendahls eine Ehrenerklärung – mit ein paar Worten ist die ganze Sache getan.

Herr v. Biederling: Dir abbitten? – Nein, Bruder! das geschieht nicht (fährt fort zu graben); ich zieh' mein Wort nicht zurück, tu, was du willst.

Herr v. Zopf: Hast du mich denn nicht beleidigt? In einem öffentlichen Gasthofe beim ersten Kompliment gleich mit Schimpf und Stockschlägen –

HERR V. BIEDERLING: Du hattst mich auch beleidigt.

HERR V. ZOPF: Wenn ich alles in der Welt tue, dir Dienste zu leisten? Das ist himmelschreiend.

HERR V. BIEDERLING: Wenn ich nüchternen Muts gewesen, wär's vielleicht nicht so weit gekommen, aber – wärm mir den alten Kohl nicht wieder auf, kurz und gut – Und deine Dienste, was Sackerment helfen mir die Dienste, mein Kind verwahrlost, da ich mich auf dich verließ.

HERR V. ZOPF: Das einzige, was ich mir vorzuwerfen habe, ist, daß ich ihn nach Smyrna mitnahm.

HERR V. BIEDERLING: Nicht das, Bruder Monsieur! wo du warst, mußte mein Sohn immer auch gut aufgehoben sein, aber daß du ihn den Jesuiten mitgabst, um seiner loszuwerden – eh! du Jesuit selber, da steckt's (wirft die Schaufel weg); komm, komm heraus itzt, ich bin itzt eben in der rechten Laune, ein paar Kugeln mit dir zu wechseln.

HERR V. ZOPF: Hier hab' ich Seidenwürmereier mitgebracht.

HERR V. BIEDERLING: Zeig (wischt sich die Hand an den Hosen), zeig her! Das ist gut Dings, das ist ganz artig, jetzt soll's mit meinem Seidenbau losgehn, daß es wettert! allein – aber wo tausend noch einmal, sie sind doch nicht feucht geworden? a propos! hast du denn – weißt du nicht, hör einmal! mit dem Ofen, der dazu muß gebauet werden, wie macht man das? ich denk', ich muß nach Leipzig an einen Gelehrten schreiben.

HERR V. ZOPF: Ich dächte, du tätest lieber eine Reise hin.

HERR V. BIEDERLING: Oder ich will den jungen Zierau in Naumburg, das will doch auch ein Ökonom sonst sein – was es doch für wunderbare Geschöpfe Gottes in der Welt gibt, so ein klein schwarz Eichen! wer sollte das meinen, daß da ein Ding herauskommt, das so erstaunende Gewebe spinnt? Apropos! hast du keine Nachricht von Rom?

HERR V. ZOPF: Ja freilich, und recht erwünschte.

HERR V. BIEDERLING: O mein allerliebster Zopf (ihm um den Hals fallend), bald hätt' ich Ei und alles verschüttet – was ist's, was gibt's? ist er noch am Leben? ist eine Spur von Hoffnung da?

HERR V. ZOPF: Er lebt nicht allein, er ist wiedergefunden worden, du wirst ihn sehen.

HERR V. BIEDERLING: O du bist ein Engel! so schießen wir uns nicht, so ist alles vergeben und vergessen. Verzeih du mir nur, ich will dich in Dresden auf dem öffentlichen Rathaus um Verzeihung bitten.

HERR V. ZOPF: Komm nur mit zurück nach Naumburg, da will ich dir meinen Brief vorlesen, aber nicht eher, als bis du mich in Gegenwart Freudendahls um Verzeihung bittest. Hernach wollen wir zusammen in dein Haus gehen, da werden dir die Deinigen das übrige erzählen.

—

Sechste Szene

IN NAUMBURG

Wilhelmine, auf dem Bette liegend. Frau v. Biederling und Graf Camäleon stehen vor ihr

WILHELMINE: Ich will von keinem Troste wissen – laßt mich, laßt mich, ich will sterben.

FRAU V. BIEDERLING: Deiner Mutter zulieb, deinem Vater – nur ein klein klein Schälchen warme Suppe – – du tötest uns mit deinem verzweifelten Gram.

WILHELMINE: Wie soll ich essen, er ist nicht mehr da, wie kann ich essen? Ohne Abschied von mir zu nehmen. Er ist erschossen; er ist ertrunken! o liebe Mama! warum wollen Sie grausamer gegen Ihr Kind sein, als alles, was grausam ist? warum wollen Sie mich nicht sterben lassen?

FRAU V. BIEDERLING: Der Unmensch! ohne seine Mutter zu sehen.

GRAF: Wenn man nur erraten könnte, wo er wäre. Und sollte ich bis an den Hof reisen.

FRAU V. BIEDERLING: O Herr Graf! womit haben wir die Güte verdient, die Sie für unser Haus haben?

GRAF: Ich will gleich meinen Gustav nach Dresden abfertigen, vielleicht frägt er ihn dort aus. Ich weiß schon, zu wem ich ihn schicke.

FRAU V. BIEDERLING: Ich möchte den Schlag kriegen, wenn ich der Sache nachdenke. Mein einziger Sohn – ich hab' ihn vor den Augen und – fort –

WILHELMINE: O weh! o weh!

FRAU V. BIEDERLING: Soll man den Doktor holen? Unbarmherziges Kind.

WILHELMINE: Ja, wenn er töten kann, holen Sie ihn.

GRAF: Um Ihrer unschätzbaren Gesundheit willen. –

FRAU V. BIEDERLING: Da hilft kein Zureden, Herr Graf! Der liebe Gott hat beschlossen, es aus mit uns zu machen. O ich unglücklich Weib! (Weint)

HERR V. BIEDERLING (kommt): Hopsa, Viktoria, Vivat! Was gibt's, Weib! Mädchen! Wo steckt ihr? wo ist unser Sohn? Geschwind, heraus mit ihm, wo ist er?– Na, was soll das bedeuten?

FRAU V. BIEDERLING: Nach wem fragst du?

HERR V. BIEDERLING: Ist das Freud oder Leid? . . /. Haha, ich merk', ihr wollt mich überrumpeln. Nur heraus mit ihm, ich weiß alles, Zopf hat mir alles gesagt –

FRAU V. BIEDERLING: Du weißt alles und kannst lustig sein? Nun, so sei doch die Stunde verflucht – –

HERR V. BIEDERLING: Nun, was ist's, Gott, Herr – –! fängst du schon wieder an zu weissagen? – Wo ist er?

FRAU V. BIEDERLING: Reis' ihm nach, Unmensch! Es ist dein Ebenbild.

GRAF: Der Prinz ist verschwunden.

HERR V. BIEDERLING: Tausend Sackerment! was geht mich der Prinz an? nach meinem Sohn frage ich.

FRAU V. BIEDERLING: Ist der Mann rasend worden?

HERR V. BIEDERLING: Meinen Sohn! heraus damit, oder ich werd' rasend werden, was sollen die Narrenspossen, ich will ihn sehen. Mine, wo ist dein Bruder, ich befehle dir, daß du mir's sagen sollst.

WILHELMINE (schluchzend): Der Prinz?

HERR V. BIEDERLING: Der Prinz dein – (sinkt auf einen Stuhl) Gott allmächtiger Vater –

FRAU V. BIEDERLING: Hat's dir Zopf nicht gesagt?

HERR V. BIEDERLING (starr an die Erde sehend): Nichts – nichts –

GRAF: Er ist verschwunden, kein Mensch kann ihn erfragen, ich will aber sogleich – (Geht ab)

FRAU V. BIEDERLING: Er hat ein englisches Gemüt, der Graf.

HERR V. BIEDERLING: Das – das – (steht auf und geht herum) Gott, du Allmächtiger! womit hab' ich deinen Zorn verdient?

MAGISTER BEZA (kommt): Ich komme, Ihnen meinen herzlichen Glückwunsch und zugleich meine aufrichtige Kondolenz –

HERR V. BIEDERLING: Hier, Herr Magister! reden Sie mit meiner Frau, ich kann Ihnen nicht antworten. Hier ist lauter Jammer im Hause. (setzt sich aufs Bett) Mine! Mine! was werden wir anfangen?

MAGISTER: Erlauben Sie mir, Ihnen zu sagen – mir ist alles bekannt; es hat sich das Gerücht von dieser wunderseltsamen Begebenheit schon in ganz Naumburg ausgebreitet; aber erlauben Sie mir, Ihnen zu Ihrem Trost aus Gottes Wort zu zeigen, daß bei der ganzen Sache, Gott Lob und Dank! nicht die geringste Gefahr ist.

HERR V. BIEDERLING: Wie das? Herr Magister? wie das?

MAGISTER: Ja, das ist zu weitläuftig, Ihnen hier zu explizieren, aber so viel kann ich Ihnen sagen, daß die größten Gottesgelehrten schon über diesen Punkt einig –

HERR V. BIEDERLING: So will ich eine Reise nach Leipzig – vielleicht können sie mir die Heirat gültig machen. Herr Magister, Sie begleiten mich – Mine, beruhige dich.

WILHELMINE: Nimmer und in Ewigkeit.

MAGISTER: Ja, wenn ich nur von meiner Schule mich losmachen – ich wollte Ihnen sonst aus den arabischen Sitten und Gebräuchen klar und deutlich beweisen –

HERR V. BIEDERLING: Ei was, mit der Schule, das will ich verantworten; kommen Sie nur mit mir, Sie können vielleicht den Leipziger Gelehrten noch manches Licht über die Sachen geben, das bin ich versichert, Herr Magister, Sie sind ein gelehrter Mann, das ist der ganzen Welt bekannt.

MAGISTER: O! – ach! –

HERR V. BIEDERLING: Mine! liebe Mine, so beruhige dich doch! Wir wollen gleich einsteigen, Herr! – er wird noch nicht abgespannt haben, und vor allen Dingen, zuerst den Prinzen aufsuchen. – Mine, gutes Mutes, ich bitt' dich um Gottes willen. (Ab)

—

Siebente Szene

AUF DER LANDSTRASSE VON DRESDEN

Donna Diana, Babet fahren in der Kutsche. Gustav begegnet ihnen reitend

DONNA (aus der Kutsche): Halt, wo willt du hin?

GUSTAV (fällt vom Pferde): Gnädige Frau!

DONNA: Nun bin ich gerochen. Der Junge hat Gewissen. (Springt aus dem Wagen) Wohin? (Faßt ihn an) Den Augenblick gesteh mir's.

GUSTAV (zitternd): Nach Dresden.

DONNA: Hinein in die Kutsch' mit dir, und dein Pferd mag nach Dresden laufen. Was hast du dort zu bestellen gehabt?

GUSTAV: Ich weiß nicht mehr.

DONNA: Gesteh!

GUSTAV: Zusehen ob der Prinz Tandi dort sei.

DONNA: Mag dein Pferd zusehen. (Faßt ihn unterm Arm) In die Kutsche mit dir! sei getrost, Junge! es soll dir nichts Leids widerfahren. Du bist mir zu elend, Kreatur! als daß ich mich an dir rächen könnte. Aber hier gesteh mir nur, hat dein Herr Anteil an meiner Ermordung gehabt?

GUSTAV: Gnädige Frau!

DONNA: Wurm, krümme dich nicht, oder ich zertrete dich; – hat dein Herr Anteil an meiner Ermordung gehabt?

GUSTAV: Ich will Ihnen alles erzählen.

DONNA: So auf denn, in die Kutsche; du sollst das Vergnügen haben mit mir zu fahren. Sei ohne Furcht; wir wollen die besten Freunde von der Welt werden, denn was der Graf dir gibt, kann ich dir auch geben. (Steigen in die Kutsche) Fahrt zu!

Achte Szene

NAUMBURG

Frau v. Biederling. Wilhelmine. Jede einen Brief in der Hand

FRAU V. BIEDERLING: Doch in Leipzig – (liest)

WILHELMINE: Erst nach fünf Jahren – Unmenschlicher! (Liest)

FRAU V. BIEDERLING: Ich bin fertig.

WILHELMINE (küßt ihren Brief): Doch! (Reicht ihn der Mutter) Mein Todesurteil. – Er will, ich soll ihn erst hassen lernen, bevor ich ihn sehen darf. –

FRAU V. BIEDERLING: Da kannst du sehn, wie er gegen dich gedacht hat. Ich wünsche nicht, daß der Vater ihn zurückbrächte; er hat kein Gemüt für dich, er hat dich nie geliebt.

WILHELMINE: Wenn Sie ihn kennten!

FRAU V. BIEEDRLING: Ist das Zärtlichkeit? so müßt' es wunderlich zugehen in einem zärtlichen Herzen. Der

Graf ist ein Fremder und fühlt mehr dabei. Ich bin versichert, er hat gestern nachts kein Auge zugetan, er fällt ja ganz ab, der arme Mensch.

WILHELMINE: Mama – Sie tun ihm unrecht, Gott weiß, Sie tun ihm unrecht.

FRAU V. BIEDERLING: Ich verbiete dir, mir jemals wieder von ihm zu reden.

WILHELMINE: Er ist aber Ihr Sohn.

FRAU V. BIEDERLING: Mit drei Worten bittet er mich ganz kalt, nach Leipzig zu kommen, dir aber nichts davon zu sagen. – Du mußt ihn vergessen.

WILHELMINE: Vergessen?

FRAU V. BIEDERLING: Was denn? dich zu Tod um ihn grämen? – Um ihn zu vergessen, mußt du dich zerstreuen, dein Herz an andere Gegenstände gewöhnen, bis du Meister drüber bist. Du warst ja wie blind, solang' er um dich war. Ich werd' nicht nach Leipzig reisen, du liegst mir zu sehr am Herzen.

WILHELMINE: Ach meine gütige Mutter!

FRAU V. BIEDERLING: Wenn du ihr nur folgen wolltest.

WILHELMINE: Erst nach fünf Jahren!

FRAU V. BIEDERLING: Vergiß ihn.

WILHELMINE: Er hält es für Sünde, mich eher zu sehen?

FRAU V. BIEDERLING: Er hat dich nie geliebt. Vergiß ihn.

WILHELMINE: Wenn ich nur könnte.

FRAU V. BIEDERLING: Du mußt – oder du machst uns alle unglücklich.

WILHELMINE: Ja, ich will ihn hassen, damit ich ihn vergessen kann.

—

Neunte Szene

EIN KAFFEEHAUS IN LEIPZIG

Herr v. Biederling und Magister rauchen Tabak, der Kaffeewirt steht vor ihnen und schenkt ihnen ein

KAFFEEWIRT: Ja es ist ein eigener Hecht, wir haben hier viel gehabt, aber von der Espèce nicht. Da war einer, der hunderttausend Gulden hier jährlich verzehrt hat und lag den ganzen Tag bei Keinerts, aber er machte nichts, behüte Gott! Er hatte sein Buch in der Hand und studierte dort, der selige Professor Gellert selber hat ihm das Zeugnis gegeben, er sei der geschickteste Mann unter allen seinen Zuhörern gewesen.

HERR V. BIEDERLING: Und wissen nicht, wo er itzt logiert?

KAFFEEWIRT: Der Prinz aus Arabien? Ei nun, das wollen wir bald wissen, Sie dürften nur im Vorbeigehen im blauen Engel nachfragen, da werden Sie Wunderdinge von ihm hören. Alle Tage, sag' ich Ihnen, ist Assemblee bei ihm von Bucklichten, Lahmen, Blinden, fressen und saufen auf seine Rechnung, als ob sie in einem Feenschloß wären, denn ihn kriegt man nie zu sehen. Ich sagte neulich zum Herrn Gevatter im Engel, weiß er denn nicht, daß in Arabien viel Brahminen – oder wie heißen die Mönche da, die tun oft dergleichen Gelübde und ziehn in der Welt herum.

MAGISTER: O der Einfalt!

KAFFEEWIRT: Hehehe, Herr Magister! Sie müssen mich derhalben nicht auslachen, ich rede von den Sachen, wie ich's verstehe. Andere wollen sagen, er hab' ein Duell gehabt und um sich das Gewissen etwas leichter zu machen – das ist wahr, daß er was auf dem Herzen haben muß, denn ich hab' ihn einmal gesehen, da sah er aus, Gott verzeih mir, wie – – –

HERR V. BIEDERLING (eben im Trinken begriffen, läßt die Tasse aus der Hand fallen): Herr! Warum erzählt Er mir das?

KAFFEEWIRT: Ja so – ich wußte nicht, daß Sie den Herrn kennten, ich bitt' um Verzeihung. – Marqueur, lauft gleich in den Engel, fragt nach, wo der fremde Prinz logiert, der vorige Woche angekommen ist.

—

Zehnte Szene

EIN SAAL · GEDECKTE TAFEL

Bediente. Eine Gesellschaft Bettler und Pöbel um den Tisch herum schmausend

EIN BUCKLICHTER: Des Prinzen Gesundheit, ihr Herren!

LAHMER: Ein braver Herr! Gott tröst' ihn!

BLINDER: Wenn mir Gott nur die Gnade verleihen wollte, ihn von Angesicht zu sehen.

EIN ANDERER BLINDER: Ich wünscht' ihn nicht zu sehen, er soll ja immer so traurig aussehn, und das würd' mir das Herz brechen.

LAHMER: Er soll ein wunderschön Weib verloren haben. Ja ja, der Tod will auch was Saubres haben, die lahmen Hunde läßt er leben. (schenkt sich ein) Ihre Gesundheit, Leut', trinkt ihre Gesundheit! (Stoßen an)

BLINDER: Wo seid Ihr, ich will auch anstoßen?

LAHMER: Ihr nicht, sonst begießt Ihr uns die Hosen.

PRINZ TANDI (kommt herein): Was macht ihr? wem gilt's?

LAHMER (steht auf): Herr, Ihr kommt zu rechter Zeit (schenkt sich ein) ich muß Euch was ins Ohr sagen, gnädiger Herr. (hinkt auf der Krücke zu ihm)

PRINZ (geht ihm entgegen): So bleibt doch, ich kann ja zu Euch kommen. (Beide bleiben mitten in der Stube stehen)

LAHMER (hebt das Glas in die Höhe): Herr Prinz! Gott wird mich erhören, ich trink' eine Gesundheit, die sich nicht sagen läßt, aber sie geht mir von Herzen, Gott weiß!

PRINZ: Wessen denn? heraus damit.

LAHMER: Ja, verstellt Euch nur, Ihr wißt wohl, wen ich meine. Es lebe – haben Sie die werten Eltern noch am Leben? nun, so gehen die voran (trinkt das Glas aus), aber das war noch nicht das rechte. (wieder zum Tisch und schenkt sich ein)

PRINZ: Ich wollt', ich könnte dir die Füße wiedergeben.

LAHMER: Brauch' sie nicht – (hinkt aber zum Prinzen, das Glas hoch). Es lebe – es lebe – es lebe (bei ihm) Euer allerdurchlauchtigster Schatz. (trinkt. Prinz schleunig ab)

ALLE: Des Prinzen Schatz. (werfen die Gläser aus dem Fenster)

(Herr v. Biederling und der Magister treten herein)

HERR V. BIEDERLING: Ei der Hagel! was ist das? bald möcht' ich lachen.

MAGISTER: Orientalisch! orientalisch!

LAHMER: Kommt, Ihr müßt mit uns trinken. (bringt Biederling ein Glas) Geschwind, kein Cerimoniums! und Ihr Herr Schwarzrock, du Buckel! hol's Glas her, hurtig.

HERR V. BIEDERLING: Aber Ihr seid mir ein schlechter Kredenzer, Ihr habt mir das Glas halb ausgeschüttet.

LAHMER: Und Ihr jagt das Glas so in Hals, ohn' einmal dabei zu sagen auf des Prinzen Wohlsein? Wollt Ihr den Augenblick sagen oder – (hebt den Stock und fällt überlang)

HERR V. BIEDERLING: Hahaha, auf des Prinzen Wohlsein! (Zum Magister) Hören Sie, das Ding geht mir durchs Herz, ich könnte weinen darüber.

MAGISTER (trinkt): Auf des Prinzen Wohlsein!

HERR V. BIEDERLING (zu einem Bedienten): Geht, sagt meinem Sohne, ich möchte ihn sprechen.

LAHMER: Was denn? Euer Sohn? nu so (wirft die Krücke in die Höh' und fällt wieder zu Boden) nu so – ist wahr, daß Ihr sein Papa seid? Das wird ihm Freude machen, das wird ihm Freude machen, ich hab' Eure Gesundheit getrunken, Gott hat mein Gebet erhört. – Sauft, Brüder, sauft! wenn mir einer hundert Taler geschenkt hätte, so vergnügt hätte es mich nicht gemacht.

Elfte Szene

EIN GÄRTCHEN AM GASTHOFE

Prinz Tandi. Magister Beza. Bedienter

PRINZ: Ich kann ihn nicht sehen, ich kann noch nicht. Fühlt Ihr das nicht, warum? Und wollt trösten, mit solch einem Herzen trösten? Leidige Tröster, laßt mich!

BEZA: Aber womit hab' ich denn verdient, daß Sie mir Ungerechtigkeiten sagen? Da ich in der besten Absicht, und sozusagen von Amts und Gewissens wegen –

PRINZ: Ich hasse die Freunde in der Not, sie sind grausamer als die ärgsten Feinde, weit grausamer. Ihr kommt, Höllenstein in meine offne Wunde zu streuen, fort von mir.

BEZA: Ich kann und darf Sie nicht verlassen. Die christliche Liebe –

PRINZ: Ha, die christliche Liebe! entehrt das Wort nicht! Wenn Ihr mit mir fühltet, so würdet Ihr begreifen, daß das, was Ihr dem Unglücklichen nehmen wollt, sein Schmerz, sein einziges höchstes Gut ist; das letzte, das ihm übrigbleibt, entreißt Ihr ihm, Barbaren!

BEZA: Was das nun wieder geredt ist.

PRINZ: Es ist wahr geredt! Ihr habt noch nie alles verloren, alles, alles, was Ruhe der Seelen und Wonne nach der Arbeit geben kann; jetzt muß ich meine Wonne in Tränen und Seufzern suchen, und wenn Ihr mir die nehmt, was bleibt mir übrig, als kalte Verzweiflung!

Beza: Wenn ich Ihnen nun aber begreiflich mache, daß all Ihre Bedenklichkeiten nichts sind, daß Gott die nahen Heiraten nicht verboten hat –

Prinz: Nicht verboten?

Beza: Daß das in der besonderen Staatsverfassung der Juden seinen Grund gehabt, in den Sitten, in den Gebräuchen, daß weil sie ihre nächsten Anverwandten ohne Schleier sehen durften, um der frühzeitigen Hurerei vorzubeugen. –

Prinz: Wer erzählt Euch das? Weil die Ehen mit Verwandten verboten waren, durften sie sie ohne Schleier sehen, wie die Römer sie küssen durften. Wenn Gott keine andere Ursache zu dem Verbot gehabt, dürfte er nur das Entschleiern verboten haben.

Beza: Sie sollten nur den Michaelis lesen. Es war eine bloß politische Einrichtung Gottes, die uns nichts anging; wenn's ein allgemeines Naturgesetz gewesen wäre, würde Gott die Ursache des Verbots dazu gesetzt haben.

Prinz: Steht sie nicht da? Steht sie nicht mit großen Buchstaben da? Soll ich Euch den Star stechen?

Beza: Ja was? Was? Du sollst deine Schwester nicht heiraten, denn sie ist deine Schwester.

Prinz: Versteht Ihr das nicht? Weh Euch, daß Ihr's nicht versteht. Auf Eurem Antlitz danken solltet Ihr, daß der Gesetzgeber anders sah als durch Eure Brille. Er hat die ewigen Verhältnisse geordnet, die Euch allein Freud' und Glückseligkeit im Leben geben können, und Ihr wollt sie zerstören? O ihr Giganten, hütet euch, daß nicht der Berg über euch kommt, wenn ihr gegen den Donnerer stürmen wollt. Was macht das Glück der Welt, wenn nicht das harmonische, gottgefällige Spiel der Empfindungen, die von der elendesten Kreatur bis zu Gott hinauf in ewigem Verhältnis zueinander stimmen? Wollt Ihr den Unterschied aufheben, der zwischen den Namen Vater, Sohn, Schwester, Braut, Mutter, Blutsfreundin obwaltet? Wollt Ihr bei einem nichts anderes denken, keine andere Regung fühlen als beim andern? Nun wohl, so hebt Euch denn nicht übers Vieh, das neben Euch ohne Unterschied und Ordnung bespringt, was ihm zu nahe kommt, und laßt die ganze Welt meinethalben zum Schweinstall werden.

BEZA: Das ist betrübt. Sie sind hartnäckig darauf, Ihr Gewissen unnötigerweise zu beschweren, sich und Ihre Schwester unglücklich zu machen –

PRINZ: Das war ein Folterstoß. Solltest du dies Gemälde nicht lieber aus meiner Phantasei weggewischt haben? Ich sehe sie daliegen, mit sich selbst uneins, voll Haß und Liebe den edlen Kampf kämpfen, die Götter anklagen und vor Gotts ich stumm hinwinden. (fällt auf eine Grasbank) Ach Grausamer!

BEZA (nähert sich ihm): Alles das können Sie ihr ersparen.

PRINZ: Und das Gewissen vergiften? Fort, Verräter! Das Bewußtsein, recht getan zu haben, kann nie unglücklich machen. Gram und Schmerz ist noch kein Unglück, sie gelten ein zweideutig Glück, dessen unterste Grundlage Gewissensangst ist. Wilhelmine wird nicht ewig elend sein; unverwahrloste Schönheit hat Beistand im Himmel und braucht keines verräterischen Trostes.

BEZA: Soll ich Ihren Vater rufen?

PRINZ: Um ihr Bild mir zu erneuern? – Hinter mich, Satan! (Stößt ihn zum Garten hinaus)

—

Zwölfte Szene

EINE STRASSE IN LEIPZIG

Herr v. Biederling. Magister Beza

HERR V. BIEDERLING: Nichts. Ich will an Hof reisen, und wenn das Konsistorium die Heirat gutheißt, soll er mir sein Weib wiedernehmen, und sollt' ich ihn mit Wasser und Brot dazu zwingen. Wenn der Bengel nicht mit gutem will – meinethalben, er soll mich nicht zu sehen kriegen, aber er soll mich fühlen. Und Sie bleiben hier inkognito, Herr Magister! Und wenden kein Auge von ihm; ich denke, er wird sobald nicht aus Leipzig, und im Fall der Not dürfen Sie nur von meinetwegen Arrest auf seine Sachen legen; er kann nicht fortreisen, wenn er eine Sache hat, die noch anhängig beim Gerichte des Landes ist.

—

Dreizehnte Szene

In Naumburg

Graf Camäleon. Zierau

Graf: Ich möchte das artige junge Weib gern aus ihrer Melancholei heraustanzen. Ihr Vater soll ein artiges Landhaus hier in der Nähe haben, könnten wir wohl da Platz für ein zwanzig, dreißig Personen –

Zierau: Lassen Sie mich nur dafür sorgen. Obschon mein Vater nicht zu Hause ist – ich werde es bei ihm zu verantworten wissen.

Graf: Was könnte der Spaß kosten?

Zierau: Geben Sie mir vorderhand ein zwanzig, dreißig Dukaten in die Hand, ich will sehen, wie weit ich mit komme. Es kommt oft viel darauf an, wie man die erste Einrichtung macht. –

Graf: Es kommt hier hauptsächlich auf Geschmack an, und ich weiß, den haben Sie. An den Kosten brauchen Sie mir nichts zu sparen. Wie weit ist's von hier?

Zierau: Eine gute Stunde.

Graf: Desto besser, ich säh' gern, daß wir einige Tage drauß blieben. Hätten Sie Betten im Notfall?

Zierau: Ich kann schon welche bereithalten lassen.

Graf: Ich möcht' überhaupt die Gelegenheit besehen. Wollen wir eine Spazierfahrt hinaustun? Gustav! – Johann, wollt' ich sagen, – ist Gustav noch nicht zurück? Spannt mir das Kabriolett an, ich will ausfahren mit dem Herrn da.

Zierau: Ich will gleich vorher gehn und Anstalten machen, daß die gehörige Provisionen an feinen Weinen und an Punsch, Arrak, Zitronen – die Damen lieben das, wenn sie getanzt haben.

Graf: Können Sie guten Punsch machen? und stark, sonst lohnt's nicht.

Zierau: Ich weiß nichts Reizenderes, als eine Dame mit einem kleinen Räuschchen. Sollen auch Masken ausgeteilt werden?

Graf: O ja, wer will – das war ein guter Einfall – ich will selbst *en Masque* erscheinen – recht so, es soll niemand ohne Maske heraufgelassen werden – und ein bequem Zimmer zum Umkleiden haben Sie doch? wir wollen alles besehen.

—

VIERTER AKT

—

Erste Szene

IN NAUMBURG

Frau v. Biederling legt zwei Domino übern Stuhl. Wilhelmine, am Rahmen nähend

WILHELMINE: Aufrichtig zu sein –

FRAU V. BIEDERLING: Na, was ist?

WILHELMINE: Wenn ich Ihnen die Wahrheit sagen soll, Mama –

FRAU V. BIEDERLING: Sag' ich nicht? So oft sie am Rahmen sitzt, ist's, als ob ein böser Geist in sie – weißt du denn nicht, daß es Sünde ist, an ihn zu denken? wozu soll die Narrenteiding; wahrhaftig, eh' du dich versiehst, schneid' ich's heraus und ins Feuer damit.

WILHELMINE: Sie würden damit nur das Übel ärger machen.

FRAU V. BIEDERLING: Willst du dich anziehen oder nicht? Ganz gewiß wird die Gesellschaft schon einige Stunden auf uns gewartet haben.

WILHELMINE (seufzt): Sie werden böse werden.

FRAU V. BIEDERLING: Was denn? Hast du schon wieder deinen Kopf geändert? Alberne Kreatur! Nein, Gott weiß, das ist nicht auszustehen. Gestern verspricht sie dem Grafen feierlich –

WILHELMINE: Ihnen zu Gefallen.

FRAU V. BIEDERLING: Mir? Willst du ewig zu Hause hucken und dir den Narren weinen? was soll da herauskommen? Geschwind tu dich an, es soll dich nicht gereuen, du bist ja unter der Maske, kannst tanzen oder zusehn, wie dir's gefällt, wenn du dich nur zerstreust.

WILHELMINE: Ach, in solcher Gesellschaft! Lustige Gesellschaft ist eine Folterbank für Unglückliche.

FRAU V. BIEDERLING: Was denn? zu Hause sitzen und Verse machen? – Da kommt wahrhaftig schon Botschaft nach uns.

ZIERAU (ganz geputzt): Verzeihen Sie, gnädige Frau! . . . Gnädige! daß ich Sie vielleicht zu früh überfalle. Ich bin mit der Kutsche hereingefahren, Sie abzuholen. (Zu Wilhelminen) Es ist ein klein Divertissement, so Sie Ihrem Schmerz geben.

WILHELMINE: Hier ist mein Divertissement.

ZIERAU: Wie? was? Ach, Sie machen's wie Penelope, um die Anbeter Ihrer Reizungen aufzuhalten – nicht wahr, bis Sie die Stickerei fertig haben, dann – was ist das Dessin, mit Ihrer gnädigen Erlaubnis (stellt sich vor den Rahmen), wie, das ist ja vortrefflich, vortrefflich – aber zu betrübt, gnädige Frau, viel zu ernsthaft, zu schwarz – bei allen Liebesgöttern und Grazien! das ist ja wohl gar Hymen, der seine Fackel auslöscht. Aus welchem alten Leichensermon haben Sie denn die Idee entlehnt? Vortrefflich gezeichnet! das ist wahr, die Stickerei ist bewundernswürdig! wie sein trostloses Auge durch die Hand blickt, mit der er die Stirn hält! das bringt all mein Blut in Bewegung.

WILHELMINE: Es ist aus einer Vignette über Hallers Ode auf seine Mariane.

ZIERAU: Ei, so lassen Sie Haller Haller sein, hat er doch auch wieder geheiratet.

WILHELMINE: Ich wünscht', ich hätt' eine Leiche zu beweinen. Aber itzt, da Hymen unsere Fackel auslöscht, eh' sie ausgebrannt ist, itzt – (weint). Sprechen Sie mich los, Herr Bakkalaureus, der Graf wird mir's nicht übelnehmen.

ZIERAU: Aber mir. Das ganze Fest verliert seinen Glanz, wenn Sie nicht drauf erscheinen. Sie dürfen sich nur zeigen, Sie dürfen nicht tanzen. Bedenken Sie, daß Sie den Himmel von Grazie der Welt schuldig sind.

WILHELMINE: Ich kann Ihre Schmeicheleien jetzt mit nichts beantworten als Verachtung. Nehmen Sie mir's nicht übel. Was würde dort geschehen, wenn ein Fremder mir anfinge mit seinen Schellen unter die Ohren zu klingen.

FRAU V. BIEDERLING: Sie ist auf dem Wege, sag' ich Ihnen, den Verstand zu verlieren.

(Donna Diana tritt mit Babet herein)

DONNA: Ich komme unangemeldt, gnädige Frau! Der Graf Camäleon, der in Ihrem Hause logieren soll, gibt, wie ich höre, ein Festin. Ich bin eine gute Bekannte von ihm, die er wiederzusehen sich nicht vermuten wird.

FRAU V. BIEDERLING: Doch wohl nicht die spanische Gräfin, seine Brudersfrau?

DONNA: Seine Brudersfrau? Ja, seine Brudersfrau. Ich möcht' ihm gern bei dieser Gelegenheit eine unvermutete Freude machen.

FRAU V. BIEDERLING: Der Herr Gemahl vielleicht angekommen? Es ist mir ein unerwartetes Glück –

DONNA: Keine Komplimenten, Frau Hauptmann! Hab' ich Raum in Ihrer Kutsche? Meine würd' er wiedererkennen.

WILHELMINE: O wenn Euer Gnaden meinen Platz einnehmen wollten –

DONNA: Ihren Platz, mein Kind? O Sie sind sehr gütig. Hahaha, verzeihen Sie, es zog mir ein wunderlicher Gedanke durch den Kopf! Es würde mir aber leid tun, mein artiges Kind, wenn ich Sie um Ihren Platz bringen sollte.

ZIERAU (zu Wilhelminen, leise): Was wird aber der Graf sagen, gnädige Frau, wenn Sie –

WILHELMINE: Euer Gnaden erzeigen mir einen unschätzbaren Gefallen. Ich habe fast dem dringenden Anhalten des Herrn Grafen und seines Abgesandten nicht widerstehen können.

DONNA: In der Tat? ist der Abgesandte so dringend? Ich kenne meinen Schwager, er ist sehr galant, aber nicht sehr dringend, vermutlich wird sein Abgeordneter seinen Fehler haben ersetzen wollen. Sie bleiben also gern zu Hause, Fräulein? und leihen mir Ihre Maske, das ist vortrefflich! Hahaha, der Einfall kommt wie gerufen, ich hätt' ihn nicht schöner ausdenken können (legt das Domino an) und damit sind wir fertig, kommen Sie, Frau Hauptmann, wir haben hier keine Zeit zu verlieren. Und Sie, mein Herr, sehn aus wie ein Schachkönig, dem die Königin genommen wird. Geben Sie sich nur zufrieden, wir spielen nicht auf Sie. – Ihre Hand, wenn ich bitten darf. Adieu, Fräulein, wenn ich Ihnen wieder einen Gefallen tun kann – meine Dame d'honneur bleibt bei Ihnen.

—

Zweite Szene

VOR DEM LANDHAUSE DES BAKKALAUREUS · EINE ALLEE VON BÄUMEN. ES IST DÄMMERUNG

Der Graf in der Maske spaziert auf und ab

GRAF: Der verdammte Kerl, wo er bleibt! wo er bleibt, wo er bleibt! Gleich wollt' er zurück sein, wollt' fliegen wie Phaeton mit den Sonnenpferden – poetischer Schurke!

Wenn ich sie nur zum Tanzen bringe! Die Musik, die schwärmende Freude überall, der Tumult ihrer Lebensgeister, der Punsch, mein Pülverchen – o verdammt! (sich an die Stirn schlagend) wie tut es mir im Kopf so weh! Wenn er nur käme, wenn er nur käme, aller Welt Teufel! wenn er nur käme! (stampft mit dem Fuß) Wo bleibt er denn? Ich werde noch rasend werden, eh' alles vorbei ist, und denn ist mein ganzes Spiel verdorben. Vielleicht amüsiert er sich selbst mit ihr – höllischer Satan! ich habe nie was von der Hölle geglaubt und alle dem Kram (schlägt sich an den Kopf und an die Brust) aber hier – und hier – ich muß selbst nach der Stadt laufen – sie wird ihre Meinung geändert haben, sie kommt nicht – vielleicht ist der Prinz zurückgekommen – vielleicht – ich muß selbst nach der Stadt laufen, und wenn der Teufel mich zu ihren Füßen holen sollte.

—

Dritte Szene

In Naumburg

Wilhelmine und Babet spazieren im Garten

Wilhelmine: O gehn Sie noch nicht weg, meine liebe, liebe Frau Wändeln! Wenn Sie wüßten, wieviel Trost Ihre Gegenwart über mich ausbreitet! ich weiß nicht, ich fühl' einen unbekannten Zug – ich kann's Ihnen nicht bergen, die unbekannten Mächte der Sympathie spielen bisweilen so wunderbar, so wunderbar (küßt sie).

Babet (fällt ihr weinend um den Hals): Ach mein unvergleichliches Minchen!

Wilhelmine: Was haben Sie?

Babet: Ich kann es nicht länger zurückhalten, und sollte die Donna mit gezücktem Dolche hinter mir stehen. Es ist Lebensgefahr dabei, Minchen! aber Sie länger leiden zu sehen, das ist mir unmöglich. Sie sind des Prinzen Tandi Schwester nicht.

Wilhelmine: Wie das? meine Teure! wie das? Ich umfasse deine Knie!

Babet: Die Donna ist seine Schwester, ich war ihre Amme, ich habe Sie vertauscht.

WILHELMINE: O meine Amme! (sie umhalsend) o du mehr als meine Mutter! o du gibst mir tausend Leben. Komm, komm, sag mir, erzähl mir, ich kann die Wunder nicht begreifen, ich kann sie nur glauben und selig dabei sein. Nimm mir den letzten Zweifel; wenn diese Freude vergeblich wäre, das wäre mehr als grausam.

BABET (schluchzend): Freuen Sie sich – sie ist nicht vergeblich. Ihr Vater ist der spanische Graf Aranda Velas, der zu eben der Zeit am Dresdner Hofe stand, als der Hauptmann in den schlesischen Krieg mußte. Seine Frau folgte ihm und ließ ihr neugeborenes Kind einer Polin, bis sie wiederkäme, welcher ich Sie gleichfalls auf einige Tage anvertrauen mußte, weil mir die Milch ausgegangen war. Da besuchte Sie Ihre Mutter einst, und weil Sie obenein einen Ansatz von der englischen Krankheit zu bekommen schienen, so beredete ich Ihre Eltern selber mit zu diesem gottlosen Tausch. Ich habe dafür genug von dieser Donna ausstehen müssen, aber Sie, meine Teure, (kniend) Sie, die Sie Ihr ganzes Unglück mir allein zuzuschreiben haben, Sie haben mich noch nicht dafür gestraft.

WILHELMINE: Mit tausend Küssen will ich dich strafen. Unaussprechlich glücklich machst du mich jetzt. Auf, meine Teure, in den Wagen laß uns werfen und ihn aufsuchen, ihn, der mir alles war, ihn, der mir jetzt wieder alles sein darf, meinen einzigen ihn. Oh! oh! was liegt doch in Worten für Kraft, was für ein Himmel! Mit drei Worten hast du mich aus der Hölle in den Himmel erhoben. Fort nun! fliegen laß uns wie ein paar Seraphims, bis wir ihn finden, bis wir – fort! fort! (Läuft mit ausgebreiteten Armen ab)

—

Vierte Szene

VOR DEM LANDHAUSE DES BAKKALAUREUS, WELCHES MIT VIELEN LICHTERN ILLUMINIERT ERSCHEINT
ES IST STOCKDUNKEL

GUSTAV (tritt auf): Das ist wie der höllische Schwefelpfuhl. Sie ist da, ja, sie ist da, ich habe sie ganz deutlich in der Kutsche erkannt – weiß, daß er sie hat vergiften lassen, und wenn er der Teufel selber wäre und mit lebendigem Leibe sie holte, sie liebt ihn. (Schlägt sich an den Kopf) Du allmächtiger Gott und alle Elemente! Ach du vom Himmel gestiegene Großmut, du lebendiger Engel. (Fällt) Ich kann nicht mehr auf den Füßen stehn, das ist ärger als ein Rausch, ärger als Gift – Ich will herein und sehen, ob er sie für Wilhelminen hält, und rührt er sie an – sein Eingeweid' will ich ihm aus dem Leibe reißen, dem seelenmörderischen Hunde. –

Fünfte Szene

GUSTAV (kommt wieder heraus unter der Larve): Das ist die Hölle – tanzen herum drin wie die Furien. Er hat ihr Punsch angeboten, ich glaub', es war ein Liebestränkchen. Das Glas stand fertig eingeschenkt, sie wollt' die Larve nicht abziehn. Wenn du gewußt hättest, wer sie war, dummer Satan! läßt sie die Larve vorbehalten. Ich will hinein und ihm mein Taschenmesser durch den Leib stoßen, daß er lernt klüger sein. – Ach Donna! Donna! Donna! Wenn ich mit dir verdammt werden könnte, die Hölle würde mir süß sein. (Geht hinein)

Sechste Szene

DER TANZSAAL

Große Gesellschaft. Da der Tanz pausiert, führt Zierau Frau v. Biederling an den Punschtisch

FRAU V. BIEDERLING: Sie ist verschwunden mit ihm.

ZIERAU: Befehlen Euer Gnaden nicht Biskuit dazu? – Er hat sie vermutlich erkannt – ich versichere Sie, er hat sie erkannt, sobald sie in die Stube trat.

FRAU V. BIEDERLING: So hätt' er nicht so verliebt in sie getan. Glauben Sie mir, es war mir ärgerlich. Die Gesellschaft steht doch in der Meinung, es sei meine Tochter, sie hat vollkommen ihren Gang, ihre Taille – und er hat sich recht albern aufgeführt.

ZIERAU: Er hat sie wahrhaftig erkannt. Mit Ihrer Tochter hätt' er sich die Freiheiten nimmer erlaubt.

FRAU V. BIEDERLING: Ich hätte nicht gewünscht, daß sein Bruder dazugekommen wäre. Herr Bakkalaureus, wenn das so fortgeht –

ZIERAU: Es tut mir nur leid, daß ich meine Absicht nicht habe erreichen können, Ihrer Fräulein Tochter eine kleine unschuldige Zerstreuung zu geben. Sie wird jetzt zu Hause über ihrem Schmerz brüten, und um einen so krausen kauderwelschen Ritter Don Quichotte lohnt es doch wahrhaftig der Mühe nicht.

(Es wird Lärmen. Die ganze Gesellschaft springt auf)

EINE DAME: In der Kammer hier bei.

EIN CHAPEAU: Die Tür ist verschlossen.

DONNA DIANA (schreit hinter der Szene): Zu Hülfe! Er erwürgt mich.

EINE DAME: Man muß den Schlösser kommen lassen.

EIN DICKER KERL: Ich will sie uffrennen.

ZIERAU: Was ist's, was gibt's?

EINE MASKE: Ein erschröcklich Getös hier in der Kammer.

EINE ANDERE MASKE: Hört, welch ein Gekreisch!

ZIERAU: Tausend, ist denn da kein Mittel! – Axt her, Bediente.

(Der dicke Mann rennt die Tür ein. Ein stockdunkles Zimmer erscheint)

Licht her! Licht her! Sie liegen beide auf der Erde.

(Es werden Lichter gebracht. Donna Diana rafft sich auf)

GRAF (zieht ein Messer aus der Wunde): Ich bin ermordet. (Man verbindet ihn)

DONNA (mit zerstreutem Haar, das sie in Ordnung zu bringen sucht): Der Hund hat mich erwürgen wollen. – Was steht ihr? was gafft ihr, was seid ihr erstaunt? Daß ich einen Hund übern Haufen steche, der mich an der Gurgel packt, und das, weil er mich notzüchtigen will und merkt, daß ich nicht die rechte bin.

ZIERAU: Um Himmels willen.

DONNA: Was, du Kuppler – wo ist mein Federmesser blieben? (faßt ihn am Schopf und wirft ihn zum Grafen auf den Boden) laß dir deinen Lohn vom Grafen geben. Er ist ein Hurenwirt, daß ihr's wißt, daß ihr's an allen Ecken der Stadt anschlagen laßt, daß ihr's in alle europäischen Zeitungen setzt. Ich will gleich gehn und das Drachennest hier zerstören; wart nur, es wird hier doch irgendwo ein Häscher in der Nähe sein. (Ab)

ZIERAU: Das ist eine Furie.

GRAF: Sie hat mir ins Herz gestoßen – Helft mir zu Bette (wendet den Kopf voll Schmerz auf die Seite) Oh! – (starrt) ihr Götter, was seh' ich! löscht die Lichter aus! Der Anblick ist zu schröcklich. (Einer aus der Gesellschaft hebt das Licht empor. Gustav erscheint in einem Winkel erhenkt) Mein Bedienter, oh! (Fällt in Ohnmacht)

—

FÜNFTER AKT

—

Erste Szene

AUF DER LANDSTRASSE VON LEIPZIG NACH DRESDEN EIN POSTHAUS

Herr v. Biederling. Prinz Tandi. Beide aufeinander zueilend, sich umhalsend

HERR V. BIEDERLING: Mein Sohn!

PRINZ: Mein Vater!

HERR V. BIEDERLING: Woher kommst du? wohin gehst du? Hat dich der verdammte Schulkollege doch laufen lassen? Sag' ich nicht? ob man eine Null dahin stellt, oder einen Mann mit dem schwarzen Rock: die Leute sind doch, Gott weiß, als ob sie keinen Kopf auf den Schultern hätten.

PRINZ: Ich gehe nach Dresden.

HERR V. BIEDERLING: Ja ich will dir – du sollst mir schnurstracks nach Naumburg zurück, deine arme Schwester wird ja fast den Tod haben über dein Außenbleiben. Es ist alles gültig und richtig, das Konsistorium hat kein Wort wider die Heirat einzuwenden.

PRINZ (die Augen gen Himmel kehrend): O nun unterstütze mich!

HERR V. BIEDERLING: Geschwind umgekehrt! für wen ist das Pferd gesattelt? haha, deine Equipage wirst du wohl in Leipzig haben lassen müssen? Nun, nun, ich hab' ihm doch unrecht getan, dem Magister Beza. – Hurtig, ich befehl's dir! den Reiserock angezogen. Warum hast du mich denn nicht sehen wollen, Monsieur! da ich deinetwegen acht Stunden gefahren war? Du hast Grillen im Kopf wie die Alchymisten, und darüber muß Vater und Schwester und Mutter und alles zugrunde gehn.

PRINZ (umarmt seine Knie): Mein Vater! Diese Grillen sind mir heilig, heiliger als alles.

HERR V. BIEDERLING: Sie stirbt, hol mich der Teufel, sie muß des Todes sein für Chagrin, das Mädchen läßt sich nicht trösten. Hast du denn deinen Verstand verloren, oder willst du klüger sein als die ganze theologische Fakultät? Ich befehle dir als Vater, daß du dich anziehst und zurück mit mir, oder es geht nimmermehr gut.

PRINZ: Ich will Ihnen gehorchen.

HERR V. BIEDERLING: So, das ist brav! So komm, daß ich dich noch einmal umarme und an mein Herz drücke, (ihn umarmend) verlorner Sohn! Das hab' ich gleich gedacht, wenn man ihm nur vernünftig zuredet, du bist hier nicht in Kumba, mein Sohn, wir sind hier in Sachsen, und was andern Leuten gilt, das muß uns auch gelten. Geh', mach dich fertig, du gibst deiner Schwester das Leben wieder – ich will derweil ein Frühstück essen – ich bin, hol' mich Gott, noch nüchtern von heut morgen um viere. (Ab)

PRINZ: Das war der Augenblick, den ich fürchtete. Ich hab' ihn gesehen, Wilhelmine, deinen Vater gesehen, ich bin zu schwach zu widerstehen. Wenn du Engel des Himmels mich noch liebst – o daß du mich hassetest! O daß du mich hassetest! – Wie, wenn ich itzt mich aufs Pferd schwünge und heimlich fortjagte. – Aber sie ist mein Fleisch! Gott! Sie ist mein Fleisch! Laß los, teures Weib, heiliger Schatten! Der Himmel fordert es, deine Ruhe fordert es – Triumph – (Will aus der Tür. Wilhelmine und Babet stürzen ihm entgegen)

WILHELMINE: Hier!

PRINZ (ihr zu Füßen): Deinen elenden Mann!

WILHELMINE: Ist es ein Traum? (Umarmt ihn) Hab' ich dich wirklich?

PRINZ: Schone meiner! Schone deiner! O Sünde! Wer kann dir widerstehen, wenn du Wilhelminens Gestalt annimmst?

WILHELMINE: Ich bin deine Schwester nicht.

BABET: Ich beteur' es Ihnen mit dem heiligsten Eide, sie ist Ihre Schwester nicht. Ich war ihre Amme, ich habe sie vertauscht.

PRINZ: O mehr Balsam! Mehr Balsam! Göttliche Linderung!

WILHELMINE (wirft sich nochmals in seine Arme): Ich bin deine Schwester nicht.

PRINZ: Das hat mein Schmerz nie gehoffet, nie gewünscht! Vom Tode bin ich erweckt. Wiederholt es mir hundertmal.

WILHELMINE: Ich wünscht' in deinen Armen zu zerfließen, mein Mann! Nicht mehr Bruder! Mein Mann! Ich bin ganz Entzücken, ich bin ganz dein.

PRINZ: Mein auf ewig, mein wiedergefundenes Leben!

WILHELMINE: Meine wiedergefundene Seele!

HERR V. BIEDERLING (mit der Serviette): Was gibt's hier? – Nu Gotts Wunder! Wo kommst du her? Sag' ich doch, wenn man ihm vernünftig zuredet – da sind sie wie Mann und Frau miteinander, und den Augenblick vor einer halben Stunde wollt' er sich noch kastrieren um deinetwillen.

BABET: O wir haben Ihnen Wunderdinge zu erzählen, gnädiger Herr.

HERR V. BIEDERLING: So kommt herein, kommt herein! Schämt euch doch, vor den Augen der ganzen Welt mit dem Weibe Rebekka zu scherzen; das geht in Kumba wohl an, lieber Mann! Aber in Sachsen nicht, in Sachsen nicht. (Gehen hinein)

—

Zweite Szene

IN NAUMBURG

Zierau sitzt und streicht die Geige. Sein Vater, der Bürgermeister, tritt herein im Roquelaure, den Hut auf

BÜRGERMEISTER: Schöne Historien! Schöne Historien! Ich will dich lehren, Bälle anstellen – – He! Komm mit mir, es ist so schlecht Wetter, ich brauch' heut abend eine Rekreation.

ZIERAU: Wo wollen Sie denn hin, Papa? Ich bin schon halb ausgezogen.

BÜRGERMEISTER: Die Fiedel weg! Ins Püppelspiel. Ich hab' mich heut lahm und blind geschrieben, ich muß eins wieder lachen.

ZIERAU: O pfui doch, Papa! Abend für Abend! Sie prostituieren sich.

BÜRGERMEISTER: Sieh doch, was gibt's da wieder, was hast du wider das Püppelspiel? Ist's nicht so gut als eure da in Leipzig, wie heißen sie –? Wenn ich nur von Herzen auslachen kann dabei, ich hab' den Kerl, den Hanswurst, so lieb, ich will ihn wahrhaftig diesen Neujahr beschicken.

ZIERAU: Vergnügen ohne Geschmack ist kein Vergnügen.

BÜRGERMEISTER: Ich kann doch wahrhaftig nicht begreifen, was Er immer mit seinem Geschmack will. Bist du närrisch im Kopf? Bube! Warum soll denn das Püppelspiel kein Vergnügen für den Geschmack sein?

ZIERAU: Was die schöne Natur nicht nachahmt, Papa! Das kann unmöglich gefallen.

BÜRGERMEISTER: Aber das Püppelspiel gefällt mir, Kerl! Was geht mich deine schöne Natur an! Ist dir's nicht gut genug, wie's da ist, Hanshasenfuß? Willst unsern Herrgott lehren besser machen? Ich weiß nicht, es tut mir immer weh in den Ohren, wenn ich den Fratzen so räsonieren höre.

ZIERAU: Aber in aller Welt, was für Vergnügen können Sie an einer Vorstellung finden, in der nicht die geringste Illusion ist.

BÜRGERMEISTER: Illusion? was ist das wieder für ein Ding?

ZIERAU: Es ist Täuschung.

BÜRGERMEISTER: Tausch willst du sagen.

ZIERAU: Ei Papa! Sie sehen das Ding immer als Kaufmann an, darum mag ich mich mit Ihnen darüber nicht einlassen. Es gibt gewisse Regeln für die Täuschung, das ist, für den sinnlichen Betrug, da ich glaube das wirklich zu sehen, was mir doch nur vorgestellt wird.

BÜRGERMEISTER: So! und was sind denn das für Regeln? Das ist wahr! ich denke immer dabei, das wird nur so vorgestellt.

ZIERAU: Ja, aber das müssen Sie nicht mehr denken, wenn das Stück nur mittelmäßig sein soll. Zu dem Ende sind gewisse Regeln festgesetzt worden, außer welchen dieser sinnliche Betrug nicht stattfindet; dahin gehören vornehmlich die so sehr bestrittenen drei Einheiten, wenn nämlich die ganze Handlung nicht in Zeit von vierundzwanzig Stunden aufs höchste, an einem bestimmten Orte geschieht, so kann ich sie mir nicht wohl denken, und da geht denn das ganze Vergnügen des Stücks verloren.

BÜRGERMEISTER: Wart! hm! das will ich doch heut examinieren; ich begreif', ich fang' an zu begreifen; drei Einheiten – das ist soviel als dreimal eins. Und zweimal vierundzwanzig Stunden darf das ganze Ding nur währen? wie aber, was? – es hat ja sein Tag noch nicht so lang gewährt.

ZIERAU: Ja, Vater! das ist nun wieder ein ganz ander Ding, ich muß mir einbilden, daß es nur vierundzwanzig Stunden gewährt hat.

BÜRGERMEISTER: Na gut, gut, so will ich mir's einbilden – willst du nicht mitkommen? ich will doch das Ding heut einmal untersuchen; und verstehn sie mir ihre Sachen nicht, so sollen die Kerls gleich aus der Stadt. (Ab)

Dritte Szene

ZIERAU (im Schlafrock, wirft die Violine auf den Tisch): Langeweile! Langeweile! – O Naumburg, was für ein Ort bist du? Kann man sich doch auf keine gescheite Art amüsieren, es ist unmöglich, purplatt unmöglich. Wenn ich Tobak rauchen könnte und Bier trinken – pfui Teufel! und bei den Mädchens find' ich auch nichts mehr – ich habe zuviel gelebt – was hab' ich? ich habe zuwenig – ich bin nichts mehr. Wenn ich nur mein Buch zu Ende hätte, meine Goldwelt, wahrhaftig, ich macht's wie der Engelländer und schöss' mich vorn Kopf. Das hieß' doch auf eine eklatante Art beschlossen – und würd' auch meinem Buche mehr Ansehn geben – hm! wenn ich nur – ich habe noch nie eine losgeschossen – und wenn ich zitterte und verfehlte wie der junge Brandrecht – o wenn's lange währt, Desperation! so hast du mich. (Wirft sich aufs Bette)

DER BÜRGERMEISTER (tritt herein mit aufgehobenem Stock): Luderst du noch hier? Wart, ich will dir die drei Einheiten und die vierunddreißig Stunden zurückgeben. (schlägt ihn) Den Teufel auf deinen Kopf. Ich glaube, du ennuyierst dich, ich will dir die Zeit vertreiben. (Tanzt mit ihm in der Stube herum)

ZIERAU: Papa, was fehlt Ihnen, Papa?

BÜRGERMEISTER: Du Hund! willst du ehrlichen Leuten ihr Pläsier verderben? Meinen ganzen Abend mir zu Gift gemacht, und ich hatte mich krumm geschrieben im Kontor; da kommt so ein hundsföttischer Tagdieb und sagt mir von dreimaleins und schöne Natur, daß ich den ganzen Abend da gesessen bin wie ein Narr, der nicht weiß, wozu ihn Gott geschaffen hat. Gezählt und gerechnet und nach der Uhr gesehen (schlägt ihn); ich will dich lehren mir Regeln vorschreiben, wie ich mich amüsieren soll.

ZIERAU: Papa, was kann ich denn dafür?

BÜRGERMEISTER: Ja freilich kannst du dafür, räsoniere nicht. Ich seh', der Junge wird faul, daß er stinkt! sonst las er doch noch, sonst tat er, aber itzt – die Stell' an der Pforte wollte er auch nicht annehmen, da war der Herr zu kommod zu oder zu vornehm, was weiß ich? oder vielleicht, weil man da die dreimaldrei nicht beobachtet; wart, ich will dich bedreimaldreien. Du sollst mir in mein Kontor hinein, Geschmackshöcker! Dich krumm und lahm schreiben, da soll dir das Püppelspiel schon drauf schmecken. Hab' ich in meinem Leben das gehört; ich glaube, die junge Welt stellt sich noch zuletzt auf den Kopf vor lauter schöner Natur. Ich will euch kuranzen, ich will euch's Kollegia über die schöne Natur lesen, wart nur!

—

JAKOB MICHAEL REINHOLD LENZ

DIE SOLDATEN

EINE KOMÖDIE

*

LEIPZIG

BEI WEIDMANNS ERBEN UND REICH

1776

PERSONEN

WESENER, ein Galanteriehändler in Lille
Frau WESENER, seine Frau
MARIE, CHARLOTTE – ihre Töchter
STOLZIUS, Tuchhändler in Armentières
Seine MUTTER
DESPORTES, ein Edelmann aus dem französischen Hennegau, in französischen Diensten
Der GRAF VON SPANNHEIM, sein Obrister
PIRZEL, ein Hauptmann
EISENHARDT, Feldprediger
HAUDY, RAMMLER, MARY – Offiziers
Die GRÄFIN DE LA ROCHE
Ihr SOHN
Frau BISCHOF
Ihre COUSINE und andere

Der Schauplatz ist im französischen Flandern

ERSTER AKT

—

Erste Szene

IN LILLE

Marie. Charlotte

MARIE (mit untergestütztem Kopf einen Brief schreibend): Schwester, weiß du nicht, wie schreibt man Madam, *Ma ma, tamm tamm, me me*.

CHARLOTTE (sitzt und spinnt): So 'st recht.

MARIE: Hör, ich will dir vorlesen, ob's so angeht, wie ich schreibe: »Meine liebe Matamm! Wir sein gottlob glücklich in Lille arriviert«; ist's so recht arriviert: ar ar, riew wiert?

CHARLOTTE: So 'st recht.

MARIE: »Wir wissen nicht, womit die Gütigkeit nur verdient haben, womit uns überschüttet, wünschte nur imstand zu sein«, ist so recht?

CHARLOTTE: So lies doch, bis der Verstand aus ist.

MARIE: »Ihro alle die Politessen und Höflichkeit wieder zu erstatten. Weil aber es noch nicht in unsern Kräften steht, als bitten um fernere Kontinuation.«

CHARLOTTE: Bitten wir um fernere.

MARIE: Laß doch sein, was fällst du mir in die Rede.

CHARLOTTE: Wir bitten um fernere Kontinuation.

MARIE: Ei, was redst du doch, der Papa schreibt ja auch so. (Macht alles geschwind wieder zu und will den Brief versiegeln)

CHARLOTTE: Nu, so les Sie doch aus.

MARIE: Das übrige geht dich nichts an. Sie will allesfort klüger sein als der Papa; letzthin sagte der Papa auch, es wäre nicht höflich, wenn man immer wir schriebe und ich und so dergleichen. (Siegelt zu) Da Steffen (gibt ihm Geld), tragt den Brief auf die Post.

CHARLOTTE: Sie wollt' mir den Schluß nicht vorlesen, gewiß hat Sie da was Schönes vor den Herrn Stolzius.

MARIE: Das geht dich nichts an.

CHARLOTTE: Nu seht doch, bin ich denn schon schalu darüber gewesen? Ich hätt' ja ebensogut schreiben können als du, aber ich habe dir das Vergnügen nicht berauben wollen, deine Hand zur Schau zu stellen.

MARIE: Hör, Lotte, laß mich zufrieden mit dem Stolzius, ich sag' dir's, oder ich geh' gleich herunter und klag's dem Papa.

CHARLOTTE: Denk doch, was mach' ich mir daraus, er weiß ja doch, daß du verliebt in ihn bist, und daß du's nur nicht leiden kannst, wenn ein andrer ihn nur mit Namen nennt.

MARIE: Lotte! (Fängt an zu weinen und läuft herunter)

—

Zweite Szene

IN ARMENTIÈRES

Stolzius und seine Mutter

STOLZIUS (mit verbundenem Kopf): Mir ist nicht wohl, Mutter!

MUTTER (steht eine Weile und sieht ihn an): Nu, ich glaube, Ihm steckt das verzweifelte Mädel im Kopf, darum tut er Ihm so weh. Seit sie weggereist ist, hat Er keine vergnügte Stunde mehr.

STOLZIUS: Aus Ernst, Mutter, mir ist nicht recht.

MUTTER: Nu, wenn du mir gute Worte gibst, so will ich dir das Herz wohl leichter machen. (Zieht einen Brief heraus)

STOLZIUS (springt auf): Sie hat Euch geschrieben?

MUTTER: Da, kannst du's lesen. (Stolzius reißt ihn ihr aus der Hand und verschlingt den Brief mit den Augen) Aber hör, der Obrist will das Tuch ausgemessen haben für die Regimenter.

STOLZIUS: Laßt mich den Brief beantworten, Mutter.

MUTTER: Hans Narr, ich rede vom Tuch, das der Obrist bestellt hat für die Regimenter. Kommt denn –

—

Dritte Szene

In Lille

Marie. Desportes

Desportes: Was machen Sie denn da, meine göttliche Mademoiselle?

Marie (die ein Buch weiß Papier vor sich liegen hat, auf dem sie kritzelte, steckt schnell die Feder hinters Ohr): O nichts, nichts, gnädiger Herr – (Lächelnd) Ich schreib' gar zu gern.

Desportes: Wenn ich nur so glücklich wäre, einen von Ihren Briefen, nur eine Zeile von Ihrer schönen Hand zu sehen.

Marie: O verzeihen Sie mir, ich schreibe gar nicht schön, ich schäme mich von meiner Schrift zu weisen.

Desportes: Alles, was von einer solchen Hand kommt, muß schön sein.

Marie: O Herr Baron, hören Sie auf, ich weiß doch, daß das alles nur Komplimenten sind.

Desportes (kniend): Ich schwöre Ihnen, daß ich noch in meinem Leben nichts Vollkommeneres gesehen habe, als Sie sind.

Marie (strickt, die Augen auf ihre Arbeit niedergeschlagen): Meine Mutter hat mir doch gesagt – sehen Sie, wie falsch Sie sind.

Desportes: Ich falsch? Können Sie das von mir glauben, göttliche Mademoiselle? Ist das falsch, wenn ich mich vom Regiment wegstehle, da ich mein Semestre doch verkauft habe und jetzt riskiere, daß, wenn man erfährt, daß ich nicht bei meinen Eltern bin, wie ich vorgab, man mich in Prison wirft, wenn ich wiederkomme, ist das falsch, nur um das Glück zu haben, Sie zu sehen, Vollkommenste?

Marie (wieder auf ihre Arbeit sehend): Meine Mutter hat mir doch oft gesagt, ich sei noch nicht vollkommen ausgewachsen, ich sei in den Jahren, wo man weder schön noch häßlich ist.

(Wesener tritt herein)

Wesener: Ei, sieh doch! gehorsamer Diener, Herr Baron, wie kommt's denn, daß wir wieder einmal die Ehre haben? (Umarmt ihn)

Desportes: Ich bin nur auf einige Wochen hier, einen meiner Verwandten zu besuchen, der von Brüssel angekommen ist.

WESENER: Ich bin nicht zu Hause gewesen, werden verzeihen, mein Marieel wird Sie ennuyiert haben; wie befinden sich denn die werten Eltern, werden die Tabatieren doch erhalten haben –

DESPORTES: Ohne Zweifel, ich bin nicht bei ihnen gewesen. Wir werden auch noch eine Rechnung miteinander haben, Vaterchen.

WESENER: O das hat gute Wege, es ist ja nicht das erstemal. Die gnädige Frau sind letzten Winter nicht zu unserm Karneval herabgekommen.

DESPORTES: Sie befindet sich etwas unpaß – waren viel Bälle?

WESENER: So, so, es ließ sich noch halten – Sie wissen, ich komme auf keinen und meine Töchter noch weniger.

DESPORTES: Aber ist denn das auch erlaubt, Herr Wesener, daß Sie Ihren Töchtern alles Vergnügen so versagen? Wie können sie dabei gesund bleiben?

WESENER: O wenn sie arbeiten, werden sie schon gesund bleiben. Meinem Marieel fehlt doch, Gott sei Dank, nichts, und sie hat immer rote Backen.

MARIE: Ja, das läßt sich der Papa nicht ausreden, und ich krieg' doch so bisweilen so eng um das Herz, daß ich nicht weiß, wo ich vor Angst in der Stube bleiben soll.

DESPORTES: Sehn Sie, Sie gönnen Ihr Mademoiselle Tochter kein Vergnügen, und das wird noch einmal Ursache sein, daß sie melancholisch werden wird.

WESENER: Ei was, sie hat Vergnügen genug mit ihren Kamerädinnen; wenn sie zusammen sind, hört man sein eigen Wort nicht.

DESPORTES: Erlauben Sie mir, daß ich die Ehre haben kann, Ihre Mademoiselle Tochter einmal in die Komödie zu führen. Man gibt heut ein ganz neues Stück.

MARIE: Ach Papa!

WESENER: Nein – Nein, durchaus nicht, Herr Baron! Nehmen Sie mir's nicht ungnädig, davon kein Wort mehr. Meine Tochter ist nicht gewohnt, in die Komödie zu gehen, das würde nur Gerede bei den Nachbarn geben, und mit einem jungen Herrn von den Milizen dazu.

DESPORTES: Sie sehen, ich bin im Bürgerskleide, wer kennt mich.

WESENER: *Tant pis*! ein für allemal, es schickt sich mit keinem jungen Herren; und denn ist es auch noch nicht einmal zum Tisch des Herrn gewesen und soll schon in die Komödie und die Staatsdame machen. Kurz und gut, ich erlaube es nicht, Herr Baron.

MARIE: Aber Papa, wenn den Herrn Baron nun niemand kennt!

WESENER (etwas leise): Willstu's Maul halten? niemand kennt, *tant pis* wenn ihn niemand kennt. Werden pardonnieren, Herr Baron! so gern als Ihnen den Gefallen tun wollte, in allen andern Stücken haben zu befehlen.

DESPORTES: Apropos, lieber Wesener! wollten Sie mir doch nicht einige von Ihren Zitternadeln weisen?

WESENER: Sogleich. (Geht heraus)

DESPORTES: Wissen Sie was, mein englisches, mein göttliches Marieel, wir wollen Ihrem Vater einen Streich spielen. Heut geht es nicht mehr an, aber übermorgen geben sie ein fürtreffliches Stück, *la chercheuse d'esprit*, und die erste Piece ist der Deserteur – haben Sie hier nicht eine gute Bekannte?

MARIE: Frau Weyher.

DESPORTES: Wo wohnt sie?

MARIE: Gleich hier, an der Ecke beim Brunnen.

DESPORTES: Da komm' ich hin, und da kommen Sie auch hin, so gehn wir miteinander in die Komödie.

(Wesener kommt mit einer großen Schachtel Zitternadeln. Marie winkt Desportes lächelnd zu)

WESENER: Sehen Sie, da sind zu allen Preisen – Diese zu hundert Talern, diese zu funfzig, diese zu hundertfunfzig, wie es befehlen.

DESPORTES (besieht eine nach der andern und weist die Schachtel Marien): Zu welcher rieten Sie mir? (Marie lächelt, und sobald der Vater beschäftigt ist, eine herauszunehmen, winkt sie ihm zu)

WESENER: Sehen Sie, die spielt gut, auf meine Ehr'.

DESPORTES: Das ist wahr. (Hält sie Marien an den Kopf) Sehen Sie, auf so schönem Braun, was das für eine Wirkung tut. O hören Sie, Herr Wesener, sie steht Ihrer Tochter gar zu schön, wollen Sie mir die Gnade tun und sie behalten?

WESENER (gibt sie ihm lächelnd zurück): Ich bitte Sie, Herr Baron – das geht nicht an – meine Tochter hat noch in ihrem Leben keine Präsente von den Herren angenommen.

MARIE (die Augen fest auf ihre Arbeit geheftet): Ich würde sie auch zudem nicht haben tragen können, sie ist zu groß für meine Frisur.

DESPORTES: So will ich sie meiner Mutter schicken. (Wickelt sie sorgfältig ein)

WESENER (indem er die andern einschachtelt, brummt etwas heimlich zu Marien): Zitternadel du selber! sollst in deinem Leben keine auf den Kopf bekommen, das ist kein Tragen für dich. (Sie schweigt still und arbeitet fort)

DESPORTES: So empfehle ich mich denn, Herr Wesener! Eh' ich wegreise, machen wir richtig.

WESENER: Das hat gute Wege, Herr Baron, das hat gute Wege, sein Sie so gütig und tun uns einmal wieder die Ehre an.

DESPORTES: Wenn Sie mir's erlauben wollen – Adieu, Jungfer Marie. (Geht ab)

MARIE: Aber sag Er mir doch, Papa, wie ist Er denn auch!

WESENER: Na, hab' ich's dir schon wieder nicht recht gemacht. Was verstehst du doch von der Welt, dummes Keuchel.

MARIE: Er hat doch gewiß ein gutes Gemüt, der Herr Baron.

WESENER: Weil er dir ein paar Schmeicheleien und so und so – Einer ist so gut wie der andere, lehr du mich die jungen Milizen nit kennen. Da laufen sie in alle Aubergen und in alle Kaffeehäuser und erzählen sich, und eh' man sich's versieht, wips ist ein armes Mädel in der Leute Mäuler: Ja, und mit der und der Jungfer ist's auch nicht zum besten bestellt, und die und die kenne ich auch, und die hätt' ihn auch gern –

MARIE: Papa! (Fängt an zu weinen) Er ist auch immer so grob.

WESENER (klopft sie auf die Backen): Du mußt mir das so übel nicht nehmen, du bist meine einzige Freude, Narr, darum trag' ich auch Sorge für dich.

MARIE: Wenn Er mich doch nur wollte für mich selber sorgen lassen. Ich bin doch kein klein Kind mehr.

—

Vierte Szene

In Armentières

Der Obriste Graf Spannheim am Tisch mit seinem Feldprediger Eisenhardt, einem jungen Grafen, seinem Vetter und dessen Hofmeister, Haudy, Untermajor, Mary und andern Offiziers

Der junge Graf: Ob wir nicht bald wieder eine gute Truppe werden herbekommen?

Haudy: Das wäre zu wünschen, besonders für unsere junge Herren. Man sagt, Godeau hat herkommen wollen.

Hofmeister: Es ist doch in der Tat nicht zu leugnen, daß die Schaubühne eine fast unentbehrliche Sache für eine Garnison ist, *c'est à dire* eine Schaubühne, wo Geschmack herrscht, wie zum Exempel auf der französischen.

Eisenhardt: Ich sehe nicht ab, wo der Nutzen stecken sollte.

Obrister: Das sagen Sie wohl nur so, Herr Pastor, weil Sie die beiden weißen Läppchen unterm Kinn haben; ich weiß, im Herzen denken Sie anders.

Eisenhardt: Verzeihen Sie, Herr Obriste! ich bin nie Heuchler gewesen, und wenn das ein notwendiges Laster für unsern Stand wäre, so dächt' ich, wären doch die Feldprediger davon wohl ausgenommen, da sie mit vernünftigeren Leuten zu tun haben. Ich liebe das Theater selber und gehe gern hinein, ein gutes Stück zu sehen, aber deswegen glaube ich noch nicht, daß es ein so heilsames Institut für das Korps Offiziers sei.

Haudy: Aber um Gottes willen, Herr Pfaff oder Herr Pfarr, wie Sie da heißen, sagen Sie mir einmal, was für Unordnungen werden nicht vorgebeugt oder abgehalten durch die Komödie. Die Offiziers müssen doch einen Zeitvertreib haben?

Eisenhardt: Mit aller Mäßigung, Herr Major! sagen Sie lieber: was für Unordnungen werden nicht eingeführt unter den Offiziers durch die Komödie.

Haudy: Das ist nun wieder so in den Tag hinein räsoniert. Kurz und gut, Herr, (lehnt sich mit beiden Ellenbogen auf den Tisch) ich behaupte Ihnen hier, daß eine einzige Komödie, und wenn's die ärgste Farce wäre, zehnmal mehr Nutzen, ich sage nicht unter den Offiziers allein, sondern im ganzen Staat, angerichtet hat als alle Predigten zusammengenommen, die Sie und Ihresgleichen in Ihrem ganzen Leben gehalten haben und halten werden.

OBRISTER (winkt Haudy unwillig): Major!

EISENHARDT: Wenn ich mit Vorurteilen für mein Amt eingenommen wäre, Herr Major, so würde ich böse werden. So aber wollen wir alles das beiseite setzen, weil ich weder Sie noch viele von den Herren für fähig halte, den eigentlichen Nutzen unsers Amts in Ihrem ganzen Leben beurteilen zu können, und wollen nur bei der Komödie bleiben, und den erstaunenden Nutzen betrachten, den sie für die Herren vom Korps haben soll. Ich bitte Sie, beantworten Sie mir eine einzige Frage, was lernen die Herren dort?

MARY: Ei was, muß man denn immer lernen, wir amüsieren uns, ist das nicht genug?

EISENHARDT: Wollte Gott, daß Sie sich bloß amüsierten, daß Sie nicht lernten! So aber ahmen Sie nach, was Ihnen dort vorgestellt wird, und bringen Unglück und Fluch in die Familien.

OBRISTER: Lieber Herr Pastor, Ihr Enthusiasmus ist löblich, aber er schmeckt nach dem schwarzen Rock, nehmen Sie mir nicht übel. Welche Familie ist noch je durch einen Offizier unglücklich geworden? – daß ein Mädchen einmal ein Kind kriegt, das es nicht besser haben will.

HAUDY: Eine Hure wird immer eine Hure, sie gerate unter welche Hände sie will; wird's keine Soldatenhure, so wird's eine Pfaffenhure.

EISENHARDT: Herr Major, es verdrießt mich, daß Sie immer die Pfaffen mit ins Spiel mengen, weil Sie mich dadurch verhindern, Ihnen freimütig zu antworten. Sie könnten denken, es mische sich persönliche Bitterkeit in meine Reden, und wenn ich in Feuer gerate, so schwöre ich Ihnen doch, daß es bloß die Sache ist, von der wir sprechen, nicht Ihre Spöttereien und Anzüglichkeiten über mein Amt. Das kann durch alle dergleichen witzige Einfälle weder verlieren noch gewinnen.

HAUDY: Na, so reden Sie, reden Sie, schwatzen Sie, dafür sind wir ja da, wer verbietet es Ihnen?

EISENHARDT: Was Sie vorhin gesagt haben, war ein Gedanke, der eines Nero oder Oglei Oglu Seele würdig gewesen wäre, und auch da bei seiner ersten Erscheinung vielleicht Grausen würde verursacht haben. Eine Hure wird immer eine Hure – kennen Sie das andere Geschlecht so genau?

HAUDY: Herr, Sie werden es mich nicht kennen lehren.

EISENHARDT: Sie kennen es von den Meisterstücken Ihrer Kunst vielleicht; aber erlauben Sie mir, Ihnen zu sagen, eine Hure wird niemals eine Hure, wenn sie nicht dazu gemacht wird. Der Trieb ist in allen Menschen, aber jedes Frauenzimmer weiß, daß sie dem Triebe ihre ganze künftige Glückseligkeit zu danken hat, und wird sie die aufopfern, wenn man sie nicht drum betrügt?

HAUDY: Red' ich denn von honetten Mädchen?

EISENHARDT: Eben die honetten Mädchen müssen zittern vor Ihren Komödien, da lernen Sie die Kunst, sie malhonett zu machen.

MARY: Wer wird so schlecht denken.

HAUDY: Der Herr hat auch ein verfluchtes Maul über die Offiziers. Element, wenn mir ein anderer das sagte! Meint Er, Herr, denn, wir hören auf, Honettehommes zu sein, sobald wir in Dienste treten?

EISENHARDT: Ich wünsche Ihnen viel Glück zu diesen Gesinnungen. Solang ich aber noch entretenierte Mätressen und unglückliche Bürgerstöchter sehen werde, kann ich meine Meinung nicht zurücknehmen.

HAUDY: Das verdiente einen Nasenstüber.

EISENHARDT (steht auf): Herr, ich trag' einen Degen.

OBRISTER: Major, ich bitt' Euch – Herr Eisenhardt hat nicht unrecht, was wollt Ihr von ihm? Und der erste, der ihm zu nahe kommt – setzen Sie sich, Herr Pastor, er soll Ihnen Genugtuung geben. (Haudy geht hinaus) Aber Sie gehen auch zu weit, Herr Eisenhardt, mit alledem. Es ist kein Offizier, der nicht wissen sollte, was die Ehre von ihm fordert.

EISENHARDT: Wenn er Zeit genug hat, dran zu denken. Aber werden ihm nicht in den neusten Komödien die gröbsten Verbrechen gegen die heiligsten Rechte der Väter und Familien unter so reizenden Farben vorgestellt, den giftigen Handlungen so der Stachel genommen, daß ein Bösewicht dasteht, als ob er ganz neulich vom Himmel gefallen wäre? Sollte das nicht aufmuntern, sollte das nicht alles ersticken, was das Gewissen aus der Eltern Hause mitgebracht haben kann? Einen wachsamen Vater zu betrügen, oder ein unschuldig Mädchen in Lastern zu unterrichten, das sind die Preisaufgaben, die dort aufgelöst werden.

HAUDY (im Vorhause mit andern Offiziers: da die Tür aufgeht): Der verfluchte Schwarzrock –

OBRISTER: Laßt uns ins Kaffeehaus gehn, Pfarrer, Sie sind mir die Revanche im Schach schuldig – und Adjutant! wollten Sie doch den Major Haudy für heut bitten, nicht aus seiner Stube zu gehen. Sagen Sie ihm, ich werde ihm morgen früh seinen Degen selber wiederbringen.

Fünfte Szene

IN LILLE

Wesener sitzt und speist zu Nacht mit seiner Frau und ältesten Tochter. Marie tritt ganz geputzt herein

MARIE (fällt ihm um den Hals): Ach Papa! Papa!

WESENER (mit vollem Munde): Was ist's, was fehlt dir?

MARIE: Ich kann's Ihm nicht verhehlen, ich bin in der Komödie gewesen. Was das für Dings ist!

(Wesener rückt seinen Stuhl vom Tisch weg und kehrt das Gesicht ab)

MARIE: Wenn Er gesehen hätte, was ich gesehen habe, Er würde wahrhaftig nicht böse sein, Papa. (Setzt sich ihm auf den Schoß) Lieber Papa, was das für Dings alles durcheinander ist, ich werde die Nacht nicht schlafen können vor lauter Vergnügen. Der gute Herr Baron!

WESENER: Was, der Baron hat dich in die Komödie geführt?

MARIE (etwas furchtsam): Ja, Papa – lieber Papa!

WESENER (stößt sie von seinem Schoß): Fort von mir, du Luder – willst die Mätresse vom Baron werden?

MARIE (mit dem Gesicht halb abgekehrt, halb weinend): Ich war bei der Weyhern – und da stunden wir an der Tür – (stotternd) und da redt' er uns an.

WESENER: Ja, lüg nur, lüg nur dem Teufel ein Ohr ab – geh mir aus den Augen, du gottlose Seele.

CHARLOTTE: Das hätt' ich dem Papa wollen voraussagen, daß es so gehen würde. Sie haben immer Geheimlichkeiten miteinander gehabt, sie und der Baron.

MARIE (weinend): Willst du das Maul halten.

CHARLOTTE: Denk doch, vor dir gewiß nicht. Will noch kommandieren dazu, und führt sich so auf.

MARIE: Nimm dich selber in acht mit deinem jungen Herrn Heidevogel. Wenn ich mich so schlecht aufführte, als du –

WESENER: Wollt ihr schweigen? (Zu Marieel) Fort in deine Kammer, den Augenblick, du sollst heut nicht zu Nacht essen – schlechte Seele! (Marie geht fort) Und schweig du auch nur, du wirst auch nicht engelrein sein. Meinst du, kein Mensch sieht, warum der Herr Heidevogel so oft ins Haus kommt?

CHARLOTTE: Das ist alles des Marieel Schuld. (Weint) Die gottsvergeßne Allerweltshure will honette Mädels in Blame bringen, weil sie so denkt.

WESENER (sehr laut): Halt's Maul! Marie hat ein viel zu edles Gemüt, als daß sie von dir reden sollte, aber du schalusierst auf deine eigene Schwester; weil du nicht so schön bist als sie, sollst du zum wenigsten besser denken. Schäm dich – (Zur Magd) Nehmt ab, ich esse nichts mehr. (Schiebt Teller und Serviette fort, wirft sich in einen Lehnstuhl und bleibt in tiefen Gedanken sitzen)

—

Sechste Szene

MARIENS ZIMMER

Sie sitzt auf ihrem Bette, hat die Zitternadel in der Hand und spiegelt damit, in den tiefsten Träumereien. Der Vater tritt herein, sie fährt auf und sucht die Zitternadel zu verbergen

MARIE: Ach Herr Jesus – –

WESENER: Na, so mach' Sie doch das Kind nicht. (Geht einigemal auf und ab, dann setzt er sich zu ihr) Hör, Marieel! du weißt, ich bin dir gut, sei du nur recht aufrichtig gegen mich, es wird dein Schade nicht sein. Sag mir, hat dir der Baron was von der Liebe vorgesagt?

MARIE (sehr geheimnisvoll): Papa! – er ist verliebt in mich, das ist wahr. Sieh Er einmal, diese Zitternadel hat er mir auch geschickt.

WESENER: Was tausend Hagelwetter – Potz Mord noch einmal, (nimmt ihr die Zitternadel weg) hab' ich dir nicht verboten –

MARIE: Aber Papa, ich kann doch so grob nicht sein und es ihm abschlagen. Ich sag' Ihm, er hat getan, wie wütend, als ich's nicht annehmen wollte, (läuft nach dem Schrank) hier sind auch Verse, die er auf mich gemacht hat. (Reicht ihm ein Papier)

WESENER (liest laut):

Du höchster Gegenstand von meinen reinen Trieben,
Ich bet' dich an, ich will dich ewig lieben.
Weil die Versicherung von meiner Lieb' und Treu,
Du allerschönstes Licht, mit jedem Morgen neu.

Du allerschönstes Licht, hahaha.

MARIE: Wart Er, ich will Ihm noch was weisen, er hat mir auch ein Herzchen geschenkt mit kleinen Steinen besetzt in einem Ring. (Wieder zum Schrank. Der Vater besieht es gleichgültig)

WESENER (liest noch einmal): Du höchster Gegenstand von meinen reinen Trieben. (Steckt die Verse in die Tasche) Er denkt doch honett, seh' ich. Hör aber, Marieel, was ich dir sage, du mußt kein Präsent mehr von ihm annehmen. Das gefällt mir nicht, daß er dir so viele Präsente macht.

MARIE: Das ist sein gutes Herz, Papa.

WESENER: Und die Zitternadel gib mir her, die will ich ihm zurückgeben. Laß mich nur machen, ich weiß schon, was zu deinem Glück dient, ich hab' länger in der Welt gelebt, als du, mein' Tochter, und du kannst nur immer allesfort mit ihm in die Komödie gehn, nur nimm jedesmal die Madam Weyher mit, und laß dir nur immer nichts davon merken, als ob ich davon wüßte, sondern sag nur, daß er's recht geheim hält, und daß ich sehr böse werden würde, wenn ich's erführe. Nur keine Präsente von ihm angenommen, Mädel, um Gotteswillen!

MARIE: Ich weiß wohl, daß der Papa mir nicht übel raten wird. (Küßt ihm die Hand) Er soll sehn, daß ich Seinem Rat in allen Stücken folgen werde. Und ich werde Ihm alles wieder erzählen, darauf kann Er sich verlassen.

WESENER: Na, so denn. (Küßt sie) Kannst noch einmal gnädige Frau werden, närrisches Kind. Man kann nicht wissen, was einem manchmal für ein Glück aufgehoben ist.

MARIE: Aber, Papa, (etwas leise) was wird der arme Stolzius sagen?

WESENER: Du mußt darum den Stolzius nicht sogleich abschrecken, hör einmal. – Nu, ich will dir schon sagen, wie du den Brief an ihn einzurichten hast. Unterdessen schlaf Sie gesund, Meerkatze.

MARIE (küßt ihm die Hand): Gute Nacht, Pappuschka! – (Da er fort ist, tut sie einen tiefen Seufzer, und tritt ans Fenster, indem sie sich aufschnürt) Das Herz ist mir so schwer. Ich glaub', es wird gewittern die Nacht. Wenn es einschlüge – (sieht in die Höhe, die Hände über ihre offene Brust schlagend) Gott! Was hab' ich denn Böses getan? – – Stolzius – ich lieb' dich ja noch – aber wenn ich nun mein Glück besser machen kann – und Papa selber mir den Rat gibt, (zieht die Gardine vor) trifft mich's, so trifft mich's, ich sterb' nicht anders als gerne. (Löscht ihr Licht aus)

—

ZWEITER AKT

—

Erste Szene

IN ARMENTIÈRES

Haudy und Stolzius spazieren an der Lys

HAUDY: Er muß sich dadurch nicht gleich ins Bockshorn jagen lassen, guter Freund! Ich kenne den Desportes, er ist ein Spitzbube, der nichts sucht, als sich zu amüsieren, er wird ihm darum seine Braut nicht gleich abspenstig machen wollen.

STOLZIUS: Aber das Gerede, Herr Major! Stadt und Land ist voll davon. Ich könnte mich den Augenblick ins Wasser stürzen, wenn ich dem Ding nachdenke.

HAUDY (faßt ihn unterm Arm): Er muß sich das nicht so zu Herzen gehn lassen, zum Teufel! Man muß viel über sich reden lassen in der Welt. Ich bin sein bester Freund, das kann Er versichert sein, und ich würd' es Ihm gewiß sagen, wenn Gefahr dabei wäre. Aber es ist nichts, Er bild't sich das nur so ein, mach Er nur, daß die Hochzeit noch diesen Winter sein kann, solang' wir noch hier in Garnison liegen; und macht Ihm der Desportes alsdenn die geringste Unruhe, so bin ich sein Mann, es soll Blut kosten, das versichere ich Ihn. Unterdessen kehr' Er sich ans Gerede nicht, Er weiß wohl, die Jungfern, die am bravsten sind, von denen wird das meiste dumme Zeug räsoniert; das ist ganz natürlich, daß sich die jungen Fats zu rächen suchen, die nicht haben ankommen können.

—

Zweite Szene

Das Kaffeehaus

Eisenhardt und Pirzel im Vordergrunde, auf einem Sofa und trinken Kaffee. Im Hintergrunde eine Gruppe Offiziere schwatzend und lachend

Eisenhardt (zu Pirzel): Es ist lächerlich, wie die Leute alle um den armen Stolzius herschwärmen, wie Fliegen um einen Honigkuchen. Der zupft ihn da, der stößt ihn hier, der geht mit ihm spazieren, der nimmt ihn mit ins Kabriolett, der spielt Billard mit ihm, wie Jagdhunde, die Witterung haben. Und wie augenscheinlich sein Tuchhandel zugenommen hat, seitdem man weiß, daß er die schöne Jungfer heiraten wird, die neulich hier durchgegangen.

Pirzel (faßt ihn an der Hand mit viel Energie): Woher kommts', Herr Pfarrer? Daß die Leute nicht denken. (Steht auf in einer sehr malerischen Stellung, halb nach der Gruppe zugekehrt) Es ist ein vollkommenstes Wesen. Dieses vollkommenste Wesen kann ich entweder beleidigen oder nicht beleidigen.

Einer aus der Gesellschaft (kehrt sich um): Nun, fängt er schon wieder an?

Pirzel (sehr eifrig): Kann ich es beleidigen, (kehrt sich ganz gegen die Gesellschaft) so würde es aufhören, das Vollkommenste zu sein.

Ein anderer aus der Gesellschaft: Ja, ja, Pirzel, du hast recht, du hast ganz recht.

Pirzel (kehrt sich geschwind zum Feldprediger): Kann ich es nicht beleidigen – (Faßt ihn an der Hand und bleibt stockstill in tiefen Gedanken)

ZWEI, DREI AUS DEM HAUFEN: Pirzel, zum Teufel! redst du mit uns?

PIRZEL (kehrt sich sehr ernsthaft zu ihnen): Meine lieben Kameraden, ihr seid verehrungswürdige Geschöpfe Gottes, also kann ich euch nicht anders als respektieren und hochachten; ich bin auch ein Geschöpf Gottes, also müßt ihr mich gleichfalls in Ehren halten.

EINER: Das wollten wir dir auch raten.

PIRZEL (kehrt sich wieder zum Pfarrer): Nun –

EISENHARDT: Herr Hauptmann, ich bin in allen Stücken Ihrer Meinung. Nur war die Frage, wie es den Leuten in den Kopf gebracht werden könne, vom armen Stolzius abzulassen, und nicht Eifersucht und Argwohn in zwei Herzen zu werfen, die vielleicht auf ewig einander glücklich gemacht haben würden.

PIRZEL (der sich mittlerweile gesetzt hatte, steht wieder sehr hastig auf): Wie ich Ihnen die Ehre und das Vergnügen hatte zu sagen, Herr Pfarrer! das macht, weil die Leute nicht denken. Denken, denken, was der Mensch ist, das ist ja meine Rede. (Faßt ihn an der Hand) Sehen Sie, das ist Ihre Hand, aber was ist das? Haut, Knochen, Erde, (klopft ihm auf den Puls) da, da steckt es, das ist nur die Scheide, da steckt der Degen drein, im Blut, im Blut – (Sieht sich plötzlich herum, weil Lärm wird)

(Haudy tritt herein mit großem Geschrei)

HAUDY: Leute, nun hab' ich ihn, es ist der frömmste Herrgott von der Welt. (Brüllt entsetzlich) Madam Roux! gleich lassen Sie Gläser schwenken und machen uns guten Punsch zurecht. Er wird gleich hier sein, ich bitte euch, geht mir artig mit dem Menschen um.

EISENHARDT (bückt sich vor): Wer, Herr Major, wenn's erlaubt ist –

HAUDY (ohne ihn anzusehen): Nichts, ein guter Freund von mir.

(Die ganze Gesellschaft drängt sich um Haudy)

EINER: Hast du ihn ausgefragt, wird die Hochzeit bald sein?

HAUDY: Leute, ihr müßt mich schaffen lassen, sonst verderbt ihr mir den ganzen Handel. Er hat ein Zutrauen zu mir, sag' ich euch, wie zum Propheten Daniel, und wenn einer von euch sich darein mengt, so ist alles verschissen. Er ist ohnedem eifersüchtig genug, das arme Herz; der Desportes macht ihm grausam zu schaffen, und ich hab' ihn mit genauer Not gehalten, daß er nicht ins Wasser sprang. Mein Pfiff ist, ihm Zutrauen zu seinem Weibe beizubringen, er muß sie wohl kennen, daß sie keine von den sturmfesten ist. Das sei euch also zur Nachricht, daß ihr mir den Menschen nicht verderbt.

RAMMLER: Was willst du doch reden! ich kenn' ihn besser als du, er hat eine feine Nase, das glaub du mir nur.

HAUDY: Und du eine noch feinere, merk' ich.

RAMMLER: Du meinst, das sei das Mittel, sich bei ihm einzuschmeicheln, wenn man ihm Gutes von seiner Braut sagt. Du irrst dich, ich kenn' ihn besser, gerad das Gegenteil. Er stellt sich, als ob er dir's glaubte, und schreibt es sich hinter die Ohren. Aber wenn man ihm seine Frau verdächtig macht, so glaubt er, daß wir's aufrichtig mit ihm meinen –

HAUDY: Mit deiner erhabenen Politik, Rotnase! Willst du dem Kerl den Kopf toll machen, meinst du, er hat nicht Grillen genug drin? Und wenn er sie sitzen läßt oder sich aufhängt – so hast du's darnach. Nicht wahr, Herr Pfarrer, eines Menschen Leben ist doch kein Pfifferling?

EISENHARDT: Ich menge mich in Ihren Kriegsrat nicht.

HAUDY: Sie müssen mir aber doch recht geben?

PIRZEL: Meine werten Brüder und Kameraden, tut niemand unrecht. Eines Menschen Leben ist ein Gut, das er sich nicht selber gegeben hat. Nun aber hat niemand ein Recht auf ein Gut, das ihm von einem andern ist gegeben worden. Unser Leben ist ein solches Gut –

HAUDY (faßt ihn an der Hand): Ja, Pirzel, du bist der bravste Mann, den ich kenne, (setzt sich zwischen ihn und den Pfarrer) aber der Jesuit, (den Pfarrer umarmend) der gern selber möchte Hahn im Korbe sein.

RAMMLER (setzt sich auf die andere Seite zum Pfarrer und zischelt ihm in die Ohren): Herr Pfarrer, Sie sollen nur sehen, was ich dem Haudy für einen Streich spielen werde.

(Stolzius tritt herein; Haudy springt auf)

HAUDY: Ach, mein Bester! Kommen Sie, ich habe ein gut Glas Punsch für uns bestellen lassen, der Wind hat uns vorhin so durchgeweht. (Führt ihn an einen Tisch)

STOLZIUS (den Hut abziehend zu den übrigen): Meine Herren, Sie werden mir vergeben, daß ich so dreist bin, auf Ihr Kaffeehaus zu kommen; es ist auf Befehl des Herrn Majors geschehen.

(Alle ziehen die Hüte ab, sehr höflich, und schneiden Komplimente. Rammler steht auf und geht näher)

RAMMLER: O gehorsamer Diener, es ist uns eine besondere Ehre.

STOLZIUS (rückt noch einmal den Hut, etwas kaltsinnig, und setzt sich zu Haudy): Es geht ein so scharfer Wind draußen, ich meine, wir werden Schnee bekommen.

HAUDY (eine Pfeife stopfend): Ich glaub' es auch. – Sie rauchen doch, Herr Stolzius?

STOLZIUS: Ein wenig.

RAMMLER: Ich weiß nicht, wo denn unser Punsch bleibt, Haudy, (steht auf) was die verdammte Roux so lange macht.

HAUDY: Bekümmere dich um deine Sachen. (Brüllt mit einer erschrecklichen Stimme) Madam Roux! Licht her – und unser Punsch, wo bleibt er?

STOLZIUS: O mein Herr Major, als ich Ihnen Ungelegenheit machen sollte, würd' es mir sehr von Herzen leid tun.

HAUDY: Ganz und gar nicht, lieber Freund. (Präsentiert ihm die Pfeife) Die Lysluft kann doch wahrhaftig der Gesundheit nicht gar zu zuträglich sein.

RAMMLER (setzt sich zu ihnen an den Tisch): Haben Sie neulich Nachrichten aus Lille gehabt? Wie befindet sich Ihre Jungfer Braut? (Haudy macht ihm ein paar fürchterliche Augen; er bleibt lächelnd sitzen)

STOLZIUS (verlegen): Zu Ihren Diensten, mein Herr – aber ich bitte gehorsamst um Verzeihung, ich weiß noch von keiner Braut, ich habe keine.

RAMMLER: Die Jungfer Wesener aus Lille, ist sie nicht Ihre Braut? Der Desportes hat es mir doch geschrieben, daß Sie verlobt wären.

STOLZIUS: Der Herr Desportes müßte es denn besser wissen als ich.

HAUDY (rauchend): Der Rammler schwatzt immer in die Welt hinein, ohne zu wissen, was er redt und was er will.

EINER AUS DEM HAUFEN: Ich versichere Ihnen, Herr Stolzius, Desportes ist ein ehrlicher Mann.

STOLZIUS: Daran habe ich ja gar nicht gezweifelt.

HAUDY: Ihr Leute wißt viel vom Desportes. Wenn ihn ein Mensch kennen kann, so muß ich es doch wohl sein; er ist mir von seiner Mutter rekommandiert worden, als er ans Regiment kam, und hat nichts getan, ohne mich zu Rate zu ziehen. Aber ich versichere Ihnen, Herr Stolzius, daß Desportes ein Mensch ist, der Sentiment und Religion hat.

RAMMLER: Und wir sind Schulkameraden miteinander gewesen. Keinen blödern Menschen mit dem Frauenzimmer habe ich noch in meinem Leben gesehen.

HAUDY: Das ist wahr, darin hat er recht. Er ist nicht imstande, ein Wort hervorzubringen, sobald ihn ein Frauenzimmer freundlich ansieht.

RAMMLER (mit einer pedantisch plumpen Verstellung): Ich glaube in der Tat – wo mir recht ist – ja es ist wahr, er korrespondiert noch mit ihr, ich habe den Tag seiner Abreise einen Brief gelesen, den er an eine Mademoiselle in Brüssel schrieb, in die er ganz zum Erstaunen verliebt war. Er wird sie wohl nun bald heiraten, denke ich.

EINER AUS DER GESELLSCHAFT: Ich kann nur nicht begreifen, was er so lang in Lille macht.

HAUDY: Wetter Element, wo bleibt unser Punsch denn – Madam Roux!!!

RAMMLER: In Lille? O das kann euch niemand erklären als ich. Denn ich weiß um alle seine Geheimnisse. Aber es läßt sich nicht öffentlich sagen.

HAUDY (verdrießlich): So sag heraus, Narre! was hältst du hinter dem Berge.

RAMMLER (lächelnd): Ich kann euch nur so viel sagen, daß er eine Person dort erwartet, mit der er in der Stille fortreisen will.

STOLZIUS (steht auf und legt die Pfeife weg): Meine Herren, ich habe die Ehre, mich Ihnen zu empfehlen.

HAUDY (erschrocken): Was ist – wohin, liebster Freund – wir werden den Augenblick bekommen.

STOLZIUS: Sie nehmen mir's nicht übel – mir ist den Moment etwas zugestoßen.

HAUDY: Was denn? – Der Punsch wird Ihnen gut tun, ich versichere Sie.

STOLZIUS: Daß ich mich nicht wohl befinde, lieber Herr Major. Sie werden mir verzeihen – erlauben Sie – aber ich kann keinen Augenblick länger hier bleiben, oder ich falle um –

HAUDY: Das ist die Rheinluft – oder war der Tabak zu stark?

STOLZIUS: Leben Sie wohl. (Geht wankend ab)

HAUDY: Da haben wir's! Mit euch verfluchten Arschgesichtern!

RAMMLER: Hahahaha – (besinnt sich eine Weile, herumgehend) Ihr dummen Teufels, seht ihr denn nicht, daß ich das alles mit Fleiß angestellt habe – Herr Pfarrer, hab' ich's Ihnen nicht gesagt?

EISENHARDT: Lassen Sie mich aus dem Spiel, ich bitte Sie.

HAUDY: Du bist eine politische Gans, ich werd' dir das Genick umdrehen.

RAMMLER: Und ich brech' dir Arm und Bein entzwei und werf' sie zum Fenster hinaus. (Spaziert thrasonisch umher) Ihr kennt meine Finten noch nicht.

HAUDY: Ja du steckst voll Finten wie ein alter Pelz voll Läuse. Du bist ein Kerl zum Speien mit deiner Politik.

RAMMLER: Und ich pariere, daß ich dich und all euch Leute hier beim Stolzius in Sack stecke, wenn ich's darauf ansetze.

HAUDY: Hör, Rammler! es ist nur schade, daß du ein bißchen zu viel Verstand bekommen hast, denn er macht sich selber zunicht; es geht dir, wie einer allzu vollen Bouteille, die man umkehrt und doch kein Tropfen herausläuft, weil einer dem andern im Wege steht. Geh, geh, wenn ich eine Frau habe, geb' ich dir die Erlaubnis, bei ihr zu schlafen, wenn du sie dahin bringen kannst.

RAMMLER (sehr schnell auf und ab gehend): Ihr sollt nur sehen, was ich aus dem Stolzius noch machen will. (Ab)

HAUDY: Der Kerl macht einem das Gallenfieber mit seiner Dummheit. Er kann nichts als andern Leuten das Konzept verderben.

EINER: Das ist wahr, er mischt sich in alles.

MARY: Er hat den Kopf immer voll Intrigen und Ränken und meint, andere Leute können ebensowenig darohne leben als er. Letzt sagt' ich dem Reitz ins Ohr, er möcht' mir doch auf morgen seine Sporen leihen – ist er mir nicht den ganzen Tag nachgegangen und hat mich um Gottes willen gebeten, ich möcht' ihm sagen, was wir vor hätten. Ich glaub', es ist ein Staatsmann an ihm verdorben.

EIN ANDRER: Neulich stellt' ich mich an ein Haus, einen Brief im Schatten zu lesen; er meinte gleich, es wär' ein Liebesbrief, der mir aus dem Haus wär' herabgeworfen worden, und ist die ganze Nacht bis um zwölf Uhr um das Haus herum geschlichen. Ich dachte, ich sollte aufbersten vor Lachen, es wohnt ein alter Jude von sechzig Jahren in dem Hause, und er hatte überall an der Straße Schildwachen ausgestellt, die mir auflauern sollten und ihm ein Zeichen geben, wenn ich hereinginge. Ich habe einen von den Kerls mit drei Livres das ganze Geheimnis abgekauft; ich dacht', ich sollte rasend werden.

ALLE: Hahaha, und er meint, es sei ein hübsch Mädchen drin.

MARY: Hört einmal, wollt ihr einen Spaß haben, der echt ist, so wollen wir den Juden avertieren, es sei einer da, der Absichten auf sein Geld habe.

HAUDY: Recht, recht, daß euch die schwere Not – wollen wir gleich zu ihm gehen. Das soll uns eine Komödie geben, die ihresgleichen nicht hat. Und du, Mary, bring ihn nur immer mehr auf die Gedanken, daß da die schönste Frau in ganz Armentières wohnt, und daß Gilbert dir anvertraut hat, er werde diese Nacht zu ihr gehen.

—

Dritte Szene

IN LILLE

Marie weinend auf einem Lehnstuhl, einen Brief in der Hand. Desportes tritt herein

DESPORTES: Was fehlt Ihnen, mein goldnes Marieel, was haben Sie?

MARIE (will den Brief in die Tasche stecken): Ach –

DESPORTES: Ums Himmels willen, was ist das für ein Brief, der Ihnen Tränen verursachen kann?

MARIE (etwas leiser): Sehen Sie nur, was mir der Mensch, der Stolzius, schreibt, recht als ob er ein Recht hätte, mich auszuschelten. (Weint wieder)

DESPORTES (liest stille): Das ist ein impertinenter Esel. Aber sagen Sie mir, warum wechseln Sie Briefe mit solch einem Hundejungen?

MARIE (trocknet sich die Augen): Ich will Ihnen nur sagen, Herr Baron, es ist, weil er angehalten hat um mich, und ich ihm schon so gut als halb versprochen bin.

DESPORTES: Er um Sie angehalten? Wie darf sich der Esel das unterstehen? Warten Sie, ich will ihm den Brief beantworten.

MARIE: Ja, mein lieber Herr Baron! Und Sie können nicht glauben, was ich mit meinem Vater auszustehen habe; er liegt mir immer in den Ohren, ich soll mir mein Glück nicht verderben.

DESPORTES: Ihr Glück – mit solch einem Lümmel! Was denken Sie doch, liebstes Marieel, und was denkt Ihr Vater? ich kenne ja des Menschen seine Umstände. Und kurz und gut, Sie sind für keinen Bürger gemacht.

MARIE: Nein, Herr Baron, davon wird nichts, das sind nur leere Hoffnungen, mit denen Sie mich hintergehen. Ihre Familie wird das nimmermehr zugeben.

DESPORTES: Das ist meine Sorge. Haben Sie Feder und Tinte, ich will dem Lumpenhund seinen Brief beantworten, warten Sie einmal.

MARIE: Nein, ich will selber schreiben. (Setzt sich an den Tisch und macht das Schreibzeug zurecht, er stellt sich ihr hinter die Schulter)

DESPORTES: So will ich Ihnen diktieren.

MARIE: Das sollen Sie auch nicht. (Schreibt)

DESPORTES (liest ihr über die Schulter): Monsieur – Flegel setzen Sie dazu. (Tunkt eine Feder ein und will dazu schreiben)

MARIE (beide Arme über den Brief ausbreitend): Herr Baron – (Sie fangen an zu schäkern, sobald sie den Arm rückt, macht er Miene zu schreiben; nach vielem Lachen gibt sie ihm mit der nassen Feder eine große Schmarre übers Gesicht. Er läuft zum Spiegel, sich abzuwischen, sie schreibt fort)

DESPORTES: Ich belaure Sie doch. (Er kommt näher, sie droht ihm mit der Feder; endlich steckt sie das Blatt in die Tasche; er will sie daran verhindern, sie ringen zusammen; Marie kitzelt ihn, er macht ein erbärmliches Geschrei, bis er endlich halb atemlos auf den Lehnstuhl fällt)

WESENER (tritt herein): Na, was gibt's – die Leute von der Straße werden bald hereinkommen.

MARIE (erholt sich): Papa, denkt doch, was der grobe Flegel, der Stolzius, mir für einen Brief schreibt, er nennt mich Ungetreue! Denk doch, als ob ich die Säue mit ihm gehütet hätte; aber ich will ihm antworten darauf, daß er sich nicht vermuten soll, der Grobian.

WESENER: Zeig mir her den Brief – ei sieh doch die Jungfer Zipfersaat – ich will ihn unten im Laden lesen. (Ab)

(Jungfer Zipfersaat tritt herein)

MARIE (hier und da launicht herumknicksend): Jungfer Zipfersaat, hier hab' ich die Ehre, dir einen Baron zu präsentieren, der sterblich verliebt in dich ist. Hier, Herr Baron, ist die

Jungfer, von der wir soviel gesprochen haben, und in die Sie sich neulich in der Komödie so sterblich verschameriert haben.

JUNGFER ZIPFERSAAT (beschämt): Ich weiß nicht, wie du bist, Marieel.

MARIE (mit einem tiefen Knicks): Jetzt können Sie Ihre Liebesdeklaration machen. (Läuft ab, die Kammertür hinter sich zuschlagend. Jungfer Zipfersaat, ganz verlegen, tritt ans Fenster. Desportes, der sie verächtlich angesehen, paßt auf Marien, die von Zeit zu Zeit die Kammertür ein wenig eröffnet. Endlich steckt sie den Kopf heraus; höhnisch) Na, seid bald ihr fertig? (Desportes sucht sich zwischen die Tür einzuklemmen, Marie sticht ihn mit einer großen Stecknadel fort; er schreit und läuft plötzlich heraus, um durch eine andere Tür in jenes Zimmer zu kommen. Jungfer Zipfersaat geht ganz verdrießlich fort, derweil das Geschrei und Gejauchz im Nebenzimmer fortwährt. Weseners alte Mutter kriecht durch die Stube, die Brille auf der Nase, setzt sich in eine Ecke des Fensters und strickt und singt oder krächzt vielmehr mit ihrer alten rauhen Stimme)

Ein Mädele jung ein Würfel ist,
Wohl auf dem Tisch gelegen:
Das kleine Rösel aus Hennegau
Wird bald zu Gottes Tisch gehen.

(Zählt die Maschen ab)

Was lächelst so froh, mein liebes Kind,
Dein Kreuz wird dir'n schon kommen.
Wenn's heißt, das Rösel aus Hennegau
Hab' nun einen Mann genommen.

O Kindlein mein, wie tut's mir so weh,
Wie dir dein' Äugelein lachen,
Und wenn ich die tausend Tränelein seh',
Die werden dein' Bäckelein waschen.

(Indessen dauert das Geschäker im Nebenzimmer fort. Die alte Frau geht hinein, sie zu berufen)

—

DRITTER AKT

—

Erste Szene

In Armentières

Des Juden Haus

Rammler (mit einigen verkleideten Leuten, die er stellt. Zum letzten): Wenn jemand hineingeht, so huste – ich will mich unter die Treppe verstecken, daß ich ihm gleich nachschleichen kann. (Verkriecht sich unter der Treppe)

Aaron (sieht aus dem Fenster): Gad, was ein gewaltiger Camplat ist das unter meinem eignen Hause.

Mary (im Rocklor eingewickelt kommt die Gasse heran, bleibt unter des Juden Fenster stehen und läßt ein subtiles Pfeifchen hören)

Aaron (leise herab): Sein Sie's, gnädiger Herr? (Jener winkt) Ich werde soglach aufmachen.

Mary (geht die Treppe hinauf. Einer hustet leise. Rammler schleicht ihm auf den Zehen nach, ohne daß er sich umsieht. Der Jude macht die Türe auf, beide gehen hinein)
(Der Schauplatz verwandelt sich in das Zimmer des Juden. Es ist stockdunkel. Mary und Aaron flüstern sich in die Ohren. Rammler schleicht immer von weitem herum, weicht aber gleich zurück, sobald jene eine Bewegung machen)

Mary: Er ist hier drinne.

Aaron: O wai mer!

Mary: Still nur, er soll Euch kein Leides tun; laßt mit Euch machen, was er will, und wenn er Euch auch knebelte, in einer Minute bin ich wieder bei Euch mit der Wache, es soll ihm übel genug bekommen. Legt Euch nur zu Bette.

Aaron: Wenn er mich aber ams Leben bringt, he?

Mary: Seid nur ohne Sorgen, ich bin im Augenblick wieder da. Er kann sonst nicht überführt werden. Die Wache steht hier unten schon parat, ich will sie nur hereinrufen. Legt Euch – (Geht hinaus. Der Jude legt sich zu Bette. Rammler schleicht näher hin an)

Aaron (klappt mit den Zähnen): Adonai! Adonai!

Rammler (für sich): Ich glaube gar, es ist eine Jüdin. (Laut, indem er Marys Stimme nachzuahmen sucht) Ach, mein Schätzchen, wie kalt ist es draußen.

AARON (immer leiser): Adonai!

RAMMLER: Du kennst mich doch, ich bin dein Mann nicht, ich bin Mary. (Zieht sich Stiefel und Rock aus) Ich glaube, wir werden noch Schnee bekommen, so kalt ist es.

(Mary mit einem großen Gefolge von Offizieren mit Laternen stürzen herein und schlagen ein abscheulich Gelächter auf. Der Jude richtet sich erschrocken auf)

HAUDY: Bist du toll geworden, Rammler, willst du mit dem Juden Unzucht treiben?

RAMMLER (steht wie versteinert da. Endlich zieht er seinen Degen): Ich will euch in Kreuzmillionen Stücke zerhauen, alle miteinander. (Läuft verwirrt heraus; die andern lachen nur noch rasender)

AARON: Ich bin wäs Gad halb tot gewesen. (Steht auf. Die andern laufen alle Rammlern nach, der Jude folgt ihnen)

—

Zweite Szene

STOLZIUS WOHNUNG

Er sitzt mit verbundenem Kopf an einem Tisch, auf dem eine Lampe brennt, einen Brief in der Hand, seine Mutter neben ihm

MUTTER (die auf einmal sich ereifert): Willst du denn nicht schlafen gehen, du gottloser Mensch! So red doch, so sag, was dir fehlt, das Luder ist deiner nicht wert gewesen. Was grämst du dich, was wimmerst du um eine solche – Soldatenhure.

STOLZIUS (mit dem äußersten Unwillen vom Tisch sich aufrichtend): Mutter –

MUTTER: Was ist sie denn anders – du – und du auch, daß du dich an solche Menscher hängst.

STOLZIUS (faßt ihr beide Hände): Liebe Mutter, schimpft nicht auf sie, sie ist unschuldig, der Offizier hat ihr den Kopf verrückt. Seht einmal, wie sie mir sonst geschrieben hat. Ich muß den Verstand verlieren darüber. Solch ein gutes Herz!

MUTTER (steht auf und stampft mit dem Fuß): Solch ein Luder – Gleich zu Bett mit dir, ich befehl' es dir. Was soll daraus werden, was soll da herauskommen. Ich will dir weisen, junger Herr, daß ich deine Mutter bin.

STOLZIUS (an seine Brust schlagend): Marieel – nein, sie ist es nicht mehr, sie ist nicht dieselbige mehr – (springt auf) laßt mich –

MUTTER (weint): Wohin, du Gottvergessener?

STOLZIUS: Ich will den Teufel, der sie verkehrt hat – (Fällt kraftlos auf die Bank, beide Hände in die Höhe) O du sollst mir's bezahlen. Du sollst mir's bezahlen. (Kalt) Ein Tag ist wie der andere, was nicht heut kommt, kommt morgen, und was langsam kommt, kommt gut. Wie heißt's in dem Liede, Mutter: wenn ein Vögelein von einem Berge alle Jahre ein Körnlein wegtrüge, endlich würde es ihm doch gelingen.

MUTTER: Ich glaube, du phantasierst schon (greift ihm an den Puls) leg dich zu Bett, Carl, ich bitte dich um Gottes willen. Ich will dich warm zudecken, was wird da herauskommen, du großer Gott, das ist ein hitziges Fieber – um solch eine Metze –

STOLZIUS: Endlich – endlich – alle Tage ein Sandkorn, ein Jahr hat zehn, zwanzig, dreißig, hundert (die Mutter will ihn fortleiten) Laßt mich, Mutter, ich bin gesund.

MUTTER: Komm nur, komm (ihn mit Gewalt fortschleppend) Narre! – Ich werd' dich nicht loslassen, das glaub mir nur.

(Ab)

—

Dritte Szene

IN LILLE

Jungfer Zipfersaat. Eine Magd aus Weseners Hause

JUNGFER ZIPFERSAAT: Sie ist zu Hause, aber sie läßt sich nicht sprechen? Denk' doch, sie ist so vornehm geworden?

MAGD: Sie sagt, sie hat zu tun, sie liest in einem Buch.

JUNGFER ZIPFERSAAT: Sag Sie ihr nur, ich hätt' ihr etwas zu sagen, woran ihr alles in der Welt gelegen ist.

(Marie kommt, ein Buch in der Hand. Mit nachlässigem Ton)

MARIE: Guten Morgen, Jungfer Zipfersaat. Warum hat Sie sich nicht gesetzt?

JUNGFER ZIPFERSAAT: Ich kam Ihr nur zu sagen, daß der Baron Desportes diesen Morgen weggelaufen ist.

MARIE: Was redest du da? (Ganz außer sich)

JUNGFER ZIPFERSAAT: Sie kann es mir glauben; er ist meinem Vetter über die siebenhundert Taler schuldig geblieben, und als sie auf sein Zimmer kamen, fanden sie alles ausgeräumt, und einen Zettel auf dem Tisch, wo er ihnen schrieb, sie sollten sich keine vergebliche Mühe geben, ihm nachzusetzen, er hab' seinen Abschied genommen und wolle in österreichische Dienste gehen.

MARIE (läuft schluchzend heraus und ruft): Papa! Papa!

WESENER (hinter der Szene): Na, was ist!

MARIE: Komm Er doch geschwind herauf, lieber Papa!

JUNGFER ZIPFERSAAT: Da sieht Sie, wie die Herren Offiziers sind. Das hätt' ich Ihr wollen zum voraus sagen.

WESENER (kommt herein): Na, was ist – Ihr Diener, Jungfer Zipfersaat.

MARIE: Papa, was sollen wir anfangen? Der Desportes ist weggelaufen.

WESENER: Ei sieh doch, wer erzählt dir denn so artige Histörchen?

MARIE: Er ist dem jungen Herrn Seidenhändler Zipfersaat siebenhundert Taler schuldig geblieben und hat einen Zettel auf dem Tisch gelassen, daß er in seinem Leben nicht nach Flandern wiederkommen will.

WESENER (sehr böse): Was das ein gottloses verdammtes Gered' – (sich auf die Brust schlagend) Ich sag' gut für die siebenhundert Taler, versteht Sie mich, Jungfer Zipfersaat? Und für noch einmal soviel, wenn Sie's haben will. Ich hab' mit dem Hause über die dreißig Jahre verkehrt, aber das sind die gottesvergessenen Neider –

JUNGFER ZIPFERSAAT: Das wird meinem Vetter eine große Freude machen, Herr Wesener, wenn Sie es auf sich nehmen wollen, den guten Namen vom Herrn Baron zu retten.

WESENER: Ich geh' mit Ihr, den Augenblick. (Sucht seinen Hut) Ich will den Leuten das Maul stopfen, die sich unterstehen wollen, mir das Haus in übeln Ruf zu bringen; versteht Sie mich.

MARIE: Aber, Papa – (ungeduldig) Oh, ich wünschte, daß ich ihn nie gesehen hätte. (Wesener und Jungfer Zipfersaat gehen ab. Marie wirft sich in den Sorgstuhl, und nachdem sie eine Weile in tiefen Gedanken gesessen, ruft sie ängstlich) Lotte! – – Lotte!

(Charlotte kommt)

CHARLOTTE: Na, was willst du denn, daß du mich so rufst?

MARIE (geht ihr entgegen): Lottchen – mein liebes Lottchen. (Ihr unter dem Kinn streichelnd)

CHARLOTTE: Na, Gott behüt', wo kommt das Wunder?

MARIE: Du bist auch mein allerbestes Scharlottel, du.

CHARLOTTE: Gewiß will Sie wieder Geld von mir leihen.

MARIE: Ich will Dir auch alles zu Gefallen tun.

CHARLOTTE: Ei was, ich habe nicht Zeit. (Will gehen)

MARIE (hält sie): So hör doch – nur für einen Augenblick – kannst du mir nicht helfen einen Brief schreiben?

CHARLOTTE: Ich habe nicht Zeit.

MARIE: Nur ein paar Zeilen – ich laß' dir auch die Perlen für sechs Livres.

CHARLOTTE: An wen denn?

MARIE (beschämt): An den Stolzius.

CHARLOTTE (fängt an zu lachen): Schlägt Ihr das Gewissen?

MARIE (halb weinend): So laß doch –

CHARLOTTE (setzt sich an den Tisch): Na, was willst du ihm denn schreiben – Sie weiß, wie ungern ich schreib'.

MARIE: Ich hab' so ein Zittern in den Händen – schreib so oben oder in einer Reihe, wie du willst – Mein liebwertester Freund.

CHARLOTTE: Mein liebwertester Freund.

MARIE: Dero haben in Ihrem letzten Schreiben mir billige Gelegenheit gegeben, da meine Ehre angegriffen.

CHARLOTTE: Angegriffen.

MARIE: Indessen müssen nicht alle Ausdrücke auf der Waagschale legen, sondern auf das Herz ansehen, das Ihnen – wart, wie soll ich nun schreiben.

CHARLOTTE: Was weiß ich?

MARIE: So sag doch, wie heißt das Wort nun!

CHARLOTTE: Weiß ich denn, was du ihm schreiben willst.

MARIE: Daß mein Herz und – (Fängt an zu weinen und wirft sich in den Lehnstuhl. Charlotte sieht sie an und lacht)

CHARLOTTE: Na, was soll ich ihm denn schreiben?

MARIE (schluchzend): Schreib was du willst.

CHARLOTTE (schreibt und liest): Daß mein Herz nicht so wankelmütig ist, als Sie es sich vorstellten – ist's so recht?

MARIE (springt auf und sieht ihr über die Schulter): Ja, so ist's recht, so ist's recht. (Sie umhalsend) Mein altes Scharlottel du.

CHARLOTTE: Na, so laß mich doch ausschreiben.

(Marie spaziert ein paarmal auf und ab, dann springt sie plötzlich zu ihr, reißt ihr das Papier unter dem Arm weg und zerreißt es in tausend Stücke)

CHARLOTTE (in Wut): Na, seht doch – ist das nicht ein Luder – eben da ich den besten Gedanken hatte – aber so eine Canaille ist sie.

MARIE: *Canaille vous même.*

CHARLOTTE (droht mit dem Tintenfaß): Du –

MARIE: Sie sucht einen noch mehr zu kränken, wenn man schon im Unglück ist.

CHARLOTTE: Luder! Warum zerreißt du denn, da ich eben im besten Schreiben bin.

MARIE (ganz hitzig): Schimpf nicht!

CHARLOTTE (auch halb weinend): Warum zerreißt du denn?

MARIE: Soll ich ihm denn vorlügen? (Fängt äußerst heftig an zu weinen und wirft sich mit dem Gesicht auf einen Stuhl)

(Wesener tritt herein. Marie steht auf und fliegt ihm an den Hals)

MARIE (zitternd): Papa, lieber Papa, wie steht's – um Gottes willen, red Er doch.

WESENER: So sei doch nicht so närrisch, er ist ja nicht aus der Welt – Sie tut ja wie abgeschmackt –

MARIE: Wenn er aber fort ist –

WESENER: Wenn er fort ist, so muß er wiederkommen; ich glaube, sie hat den Verstand verloren und will mich auch wunderlich machen. Ich kenne das Haus seit länger als gestern, sie werden doch das nicht wollen auf sich sitzen lassen. Kurz und gut, schick herauf zu unserm Notarius droben, ob er zu Hause ist, ich will den Wechsel, den ich für ihn unterschrieben habe, vidimieren lassen, zugleich die Kopie von dem *Promesse de Mariage* und alles den Eltern schicken.

MARIE: Ach Papa, lieber Papa! Ich will gleich selber laufen und ihn holen. (Läuft über Hals und Kopf ab)

WESENER: Das Mädel kann, Gott verzeih mir, einem *Louis quatorze* selber das Herz machen in die Hosen fallen. Aber schlecht ist das auch von *Monsieur le Baron*; ich will es bei seinem Herrn Vater schon für ihn kochen; wart du nur. – Wo bleibt sie denn? (Geht Marien nach)

—

Vierte Szene

In Armentières

Ein Spaziergang auf dem eingegangenen Stadtgraben. Eisenhardt und Pirzel spazieren

Eisenhardt: Herr von Mary will das Semester in Lille zubringen, was mag das zu bedeuten haben? Er hat doch dort keine Verwandte, soviel ich weiß.

Pirzel: Er ist auch keiner von denen, die es weghaben. Flüchtig, flüchtig – Aber der Obristleutnant, das ist ein Mann.

Eisenhardt (beiseite): Weh mir, wie bring' ich den Menschen aus seiner Metaphysik zurück – (Laut) Um den Menschen zu kennen, müßte man meines Erachtens bei dem Frauenzimmer anfangen.

Pirzel (schüttelt mit dem Kopf)

Eisenhardt (beiseite): Was die andern zuviel sind, ist der zuwenig. O Soldatenstand, furchtbare Ehrlosigkeit, was für Karikaturen machst du aus den Menschen!

Pirzel: Sie meinen, beim Frauenzimmer – das wär' grad, als ob man bei den Schafen anfinge. Nein, was der Mensch ist – (Den Finger an der Nase)

Eisenhardt (beiseite): Der philosophiert mich zu Tode. (Laut) Ich habe die Anmerkung gemacht, daß man in diesem Monat keinen Schritt vors Tor tun kann, wo man nicht einen Soldaten mit einem Mädchen karessieren sieht.

Pirzel: Das macht, weil die Leute nicht denken.

Eisenhardt: Aber hindert Sie das Denken nicht zuweilen im Exerzieren?

Pirzel: Ganz und gar nicht, das geht so mechanisch. Haben doch die andern auch nicht die Gedanken beisammen, sondern schweben ihnen alleweile die schönen Mädchens vor den Augen.

Eisenhardt: Das muß seltsame Bataillen geben. Ein ganzes Regiment mit verrückten Köpfen muß Wundertaten tun.

Pirzel: Das geht alles mechanisch.

Eisenhardt: Ja, aber Sie laufen auch mechanisch. Die preußischen Kugeln müssen Sie bisweilen sehr unsanft aus Ihren süßen Träumen geweckt haben. (Gehen weiter)

—

Fünfte Szene

In Lille · Marys Wohnung

Mary. Stolzius als Soldat

Mary (zeichnet, sieht auf): Wer da, (sieht ihn lang an und steht auf) Stolzius?

Stolzius: Ja, Herr.

Mary: Wo zum Element kommt Ihr denn her? und in diesem Rock? (Kehrt ihn um) Wie verändert, wie abgefallen, wie blaß? Ihr könntet mir's hundertmal sagen, Ihr wärt Stolzius, ich glaubt' es Euch nicht.

Stolzius: Das macht der Schnurrbart, gnädiger Herr. Ich hörte, daß Ew. Gnaden einen Bedienten brauchten, und weil ich dem Herrn Obristen sicher bin, so hat er mir die Erlaubnis gegeben, hierher zu kommen, um allenfalls Ihnen einige Rekruten anwerben zu helfen und Sie zu bedienen.

Mary: Bravo! Ihr seid ein braver Kerl! und das gefällt mir, daß Ihr dem König dient. Was kommt auch heraus bei dem Philisterleben. Und Ihr habt was zuzusetzen, Ihr könnt honett leben und es noch einmal weit bringen, ich will für Euch sorgen, das könnt Ihr versichert sein. Kommt nur, ich will gleich ein Zimmer für Euch besprechen, Ihr sollt diesen ganzen Winter bei mir bleiben, ich will es schon gut machen beim Obristen.

Stolzius: Solang' ich meine Schildwachten bezahle, kann mir niemand was anhaben. (Gehen ab)

—

Sechste Szene

Frau Wesener. Marie. Charlotte

Frau Wesener: Es ist eine Schande, wie sie mit ihm umgeht. Ich seh' keinen Unterschied, wie du dem Desportes begegnet bist, so begegnest du ihm auch.

Marie: Was soll ich denn machen, Mama? Wenn er nun sein bester Freund ist, und er uns allein noch Nachrichten von ihm beschaffen kann.

Charlotte: Wenn er dir nicht so viele Präsente machte, würdest du auch anders mit ihm sein.

MARIE: Soll ich ihm denn die Präsente ins Gesicht zurückwerfen? Ich muß doch wohl höflich mit ihm sein, da er noch der einzige ist, der mit ihm korrespondiert. Wenn ich ihn abschrecke, da wird schön Dings herauskommen, er fängt ja alle Briefe auf, die der Papa an seinen Vater schreibt, das hört Sie ja.

FRAU WESENER: Kurz und gut, du sollst nun nicht ausfahren mit diesem, ich leid' es nicht.

MARIE: So kommen Sie denn mit, Mama! er hat Pferd und Kabriolett bestellt, sollen die wieder zurückfahren?

FRAU WESENER: Was geht's mich an.

MARIE: So komm du denn mit, Lotte – Was fang' ich nun an? Mama, Sie weiß nicht, was ich alles aussteh' um Ihrentwillen.

CHARLOTTE: Sie ist frech obenein.

MARIE: Schweig du nur still.

CHARLOTTE (etwas leise für sich): Soldatenmensch!

MARIE (tut als ob sie's nicht hörte und fährt fort, sich vor dem Spiegel zu putzen): Wenn wir den Mary beleidigen, so haben wir alles uns selber vorzuwerfen.

CHARLOTTE (laut, indem sie schnell zur Stube hinausgeht): Soldatenmensch!

MARIE (kehrt sich um): Seh Sie nur, Mama! (Die Hände faltend)

FRAU WESENER: Wer kann dir helfen, du machst es darnach.

(Mary tritt herein)

MARIE (heitert schnell ihr Gesicht auf. Mit der größten Munterkeit und Freundlichkeit ihm entgegengehend): Ihre Dienerin, Herr von Mary! Haben Sie wohl geschlafen?

MARY: Unvergleichlich, meine gnädige Mademoiselle! Ich habe das ganze gestrige Feuerwerk im Traum zum andernmal gesehen.

MARIE: Es war doch recht schön.

MARY: Es muß wohl schön gewesen sein, weil es Ihre Approbation hat.

MARIE: Oh, ich bin keine Connoisseuse von den Sachen, ich sage nur wieder, wie ich es von Ihnen gehört habe. (Er küßt ihr die Hand, sie macht einen tiefen Knix) Sie sehen uns hier noch ganz in Rumor; meine Mutter wird gleich fertig sein.

MARY: Madam Wesener kommen also mit?

FRAU WESENER (trocken): Wieso? ist kein Platz für mich da?

MARY: O ja, ich steh' hinten auf, und mein Casper kann zu Fuß vorangehen.

MARIE: Hören Sie, Ihr Soldat gleicht sehr viel einem gewissen Menschen, den ich ehemals gekannt habe, und der auch um mich angehalten hat.

MARY: Und Sie gaben ihm ein Körbchen. Daran ist auch der Desportes wohl schuld gewesen?

MARIE: Er hat mir's eingetränkt.

MARY: Wollen wir? (Er bietet ihr die Hand, sie macht ihm einen Knix und winkt auf ihre Mutter, er gibt Frau Wesener die Hand, und sie folgt ihnen)

—

Siebente Szene

IN PHILIPPEVILLE

DESPORTES (allein, ausgezogen, in einem grünen Zimmer, einen Brief schreibend, ein brennend Licht vor ihm, brummt, indem er schreibt): Ich muß ihr doch das Maul ein wenig schmieren, sonst nimmt das Briefschreiben kein Ende, und mein Vater fängt noch wohl gar einmal einen auf. (Liest den Brief) »Ihr bester Vater ist böse auf mich, daß ich ihn so lange aufs Geld warten lasse, ich bitte Sie, besänftigen Sie ihn, bis ich eine bequeme Gelegenheit finde, meinem Vater alles zu entdecken und ihn zu der Einwilligung zu bewegen, Sie, meine Geliebte, auf ewig zu besitzen. Denken Sie, ich bin in der größten Angst, daß er nicht schon einige von Ihren Briefen aufgefangen hat, denn ich sehe aus Ihrem letzten, daß Sie viele an mich müssen geschrieben haben, die ich nicht erhalten habe. Und das könnte uns alles verderben. Darf ich bitten, so schreiben Sie nicht eher an mich, als bis ich Ihnen eine neue Adresse geschickt habe, unter der ich die Briefe sicher erhalten kann.« (Siegelt zu) Wenn ich den Mary recht verliebt in sie machen könnte, daß sie mich vielleicht vergißt. Ich will ihm schreiben, er soll nicht von meiner Seite kommen, wenn ich meine anbetungswürdige Marie werde glücklich gemacht haben, er soll ihr Cicisbeo sein, wart nur. (Spaziert einigemal tiefsinnig auf und nieder, dann geht er heraus)

—

Achte Szene

IN LILLE · DER GRÄFIN LA ROCHE WOHNUNG

Die Gräfin. Ein Bedienter

GRÄFIN (sieht nach ihrer Uhr): Ist der junge Herr noch nicht zurückgekommen?

BEDIENTER: Nein, gnädige Frau.

GRÄFIN: Gebt mir den Hauptschlüssel und legt Euch schlafen. Ich werde dem jungen Herrn selber aufmachen. Was macht Jungfer Cathrinchen?

BEDIENTER: Sie hat den Abend große Hitze gehabt.

GRÄFIN: Geht nur noch einmal hinein und seht, ob die Mademoiselle auch noch munter ist. Sagt ihr nur, ich gehe nicht zu Bett, um ein Uhr werde ich kommen und sie ablösen. (Bedienter ab)

GRÄFIN (allein): Muß denn ein Kind seiner Mutter bis ins Grab Schmerzen schaffen? Wenn du nicht mein einziger wärst, und ich dir kein so empfindliches Herz gegeben hätte. (Man pocht. Sie geht heraus und kommt wieder herein mit ihm)

JUNGE GRAF: Aber, gnädige Mutter, wo ist denn der Bediente, die verfluchten Leute, wenn es nicht so spät wäre, ich ließ den Augenblick nach der Wache gehen und ihm alle Knochen im Leibe entzweischlagen.

GRÄFIN: Sachte, sachte, mein Sohn. Wie, wenn ich mich nun gegen dich so übereilte, wie du gegen den unschuldigen Menschen.

JUNGE GRAF: Aber es ist doch nicht auszuhalten.

GRÄFIN: Ich selbst habe ihn zu Bette geschickt. Ist's nicht genug, daß der Kerl den ganzen Tag auf dich passen muß, soll er sich auch die Nachtruhe entziehen um deinetwillen. Ich glaube, du willst mich lehren die Bedienten anzusehen wie die Bestien.

JUNGE GRAF (küßt ihr die Hand): Gnädige Mutter!

GRÄFIN: Ich muß ernsthaft mit dir reden, junger Mensch! Du fängst an mir trübe Tage zu machen. Du weißt, ich habe dich nie eingeschränkt, mich in alle deine Sachen gemischt als deine Freundin, nie als Mutter. Warum fängst du mir denn jetzt an, ein Geheimnis aus deinen Herzensangelegenheiten zu machen, da du doch sonst keine deiner jugendlichen Torheiten vor mir geheim hieltest, und ich, weil ich selbst ein Frauenzimmer bin, dir allezeit den besten Rat zu geben wußte. (Sieht ihn steif an) Du fängst an liederlich zu werden, mein Sohn.

JUNGE GRAF (ihr die Hand mit Tränen küssend): Gnädige Mutter, ich schwöre, ich habe kein Geheimnis für Sie. Sie haben mir nach dem Nachtessen mit Jungfer Wesener begegnet, Sie haben aus der Zeit und aus der Art, mit der wir sprachen, Schlüsse gemacht – es ist ein artig Mädchen, und das ist alles.

GRÄFIN: Ich will nichts mehr wissen. Sobald du Ursache zu haben glaubst, mir was zu verhehlen – aber bedenk auch, daß du hernach die Folgen deiner Handlungen nur dir selber zuzuschreiben hast. Fräulein Anklam hat hier Verwandte, und ich weiß, daß Jungfer Wesener nicht in dem besten Ruf steht, ich glaube, nicht aus ihrer Schuld, das arme Kind soll hintergangen worden sein –

JUNGE GRAF (kniend): Eben das, gnädige Mutter! Eben ihr Unglück – wenn Sie die Umstände wüßten, ja, ich muß Ihnen alles sagen, ich fühle, daß ich einen Anteil an dem Schicksal des Mädchens nehme – und doch – wie leicht ist sie zu hintergehen gewesen, ein so leichtes, offenes, unschuldiges Herz – es quält mich, Mama! daß sie nicht in bessere Hände gefallen ist.

GRÄFIN: Mein Sohn, überlaß das Mitleiden mir. Glaube mir, (umarmt ihn) glaube mir, ich habe kein härteres Herz als du. Aber mir kann das Mitleiden nicht so gefährlich werden. Höre meinen Rat, folge mir. Um deiner Ruhe willen, geh nicht mehr hin, reis' aus der Stadt, reis' zu Fräulein Anklam – und sei versichert, daß es Jungfer Wesener hier nicht übel werden soll. Du hast ihr in mir ihre zärtlichste Freundin zurückgelassen – versprichst du mir das?

JUNGE GRAF (sieht sie lange zärtlich an): Gut, Mama, ich verspreche Ihnen alles – Nur noch ein Wort, eh' ich reise. Es ist ein unglückliches Mädchen, das ist gewiß.

GRÄFIN: Beruhige dich nur. (Ihm auf die Backen klopfend) Ich glaube dir's mehr, als du es mir sagen kannst.

JUNGE GRAF (steht auf und küßt ihr die Hand): Ich kenne Sie – (Beide gehen ab)

—

Neunte Szene

Frau Wesener. Marie

MARIE: Laß Sie nur sein, Mama! Ich will ihn recht quälen.

FRAU WESENER: Ach geh doch, was? Er hat dich vergessen, er ist in drei Tagen nicht hier gewesen, und die ganze Welt sagt, er hab' sich verliebt in die kleine Madam Düval, da in der Brüßler Straße.

MARIE: Sie kann nicht glauben, wie kompläsant der Graf gegen mich ist.

FRAU WESENER: Ei was, der soll ja auch schon versprochen sein.

MARIE: So quäl' ich doch den Mary damit. Er kommt den Abend nach dem Nachtessen wieder her. Wenn uns doch der Mary nur einmal begegnen wollte mit seiner Madam Düval!

(Ein Bedienter tritt herein)

BEDIENTER: Die Gräfin La Roche läßt fragen, ob Sie zu Hause sind?

MARIE (in der äußersten Verwirrung): Ach Himmel, die Mutter vom Herrn Grafen – Sag Er nur – Mama, so sag Sie doch, was soll er sagen?

(Frau Wesener will gehen)

MARIE: Sag Er nur, es wird uns eine hohe Ehre – Mama! Mama! so red Sie doch.

FRAU WESENER: Kannst du denn das Maul nicht auftun? Sag Er, es wird uns eine hohe Ehre sein – wir sind zwar in der größten Unordnung hier –

MARIE: Nein, nein, wart Er nur, ich will selber an den Wagen herabkommen. (Geht herunter mit dem Bedienten. Die alte Wesener geht fort)

—

Zehnte Szene

Die Gräfin La Roche und Marie, die wieder hereinkommen

MARIE: Sie werden verzeihen, gnädige Frau, es ist hier alles in der größten Rappuse.

GRÄFIN: Mein liebes Kind, Sie brauchen mit mir nicht die allergeringsten Umstände zu machen. (Faßt sie an der Hand und setzt sich mit ihr aufs Kanapee) Sehen Sie mich als Ihre beste Freundin an, (sie küssend) ich versichere Sie, daß ich den aufrichtigsten Anteil nehme an allem, was Ihnen begegnen kann.

MARIE (sich die Augen wischend): Ich weiß nicht, womit ich die besondere Gnade verdient habe, die Sie für mich tragen.

GRÄFIN: Nichts von Gnade, ich bitte Sie. Es ist mir lieb, daß wir allein seind, ich habe Ihnen viel, vieles zu sagen, das mir auf dem Herzen liegt, und Sie auch manches zu fragen. (Marie sehr aufmerksam, die Freude in ihrem Gesicht) Ich liebe Sie, mein Engel! ich kann mich nicht enthalten, es Ihnen zu zeigen. (Marie küßt ihr inbrunstvoll die Hand) Ihr ganzes Betragen hat so etwas Offenes, so etwas Einnehmendes, daß mir Ihr Unglück dadurch doppelt schmerzhaft wird. Wissen Sie denn auch, meine neue liebe Freundin, daß man viel, viel in der Stadt von Ihnen spricht?

MARIE: Ich weiß wohl, daß es allenthalben böse Zungen gibt.

GRÄFIN: Nicht lauter böse, auch gute sprechen von Ihnen. Sie sind unglücklich; aber Sie können sich damit trösten, daß Sie sich Ihr Unglück durch kein Laster zugezogen. Ihr einziger Fehler war, daß Sie die Welt nicht kannten, daß Sie den Unterschied nicht kannten, der unter den verschiedenen Ständen herrscht, daß Sie die Pamela gelesen haben, das gefährlichste Buch, das eine Person aus Ihrem Stande lesen kann.

MARIE: Ich kenne das Buch ganz und gar nicht.

GRÄFIN: So haben Sie den Reden der jungen Leute zuviel getraut.

MARIE: Ich habe nur einem zuviel getraut, und es ist noch nicht ausgemacht, ob er falsch gegen mich denkt.

GRÄFIN: Gut, liebe Freundin! aber sagen Sie mir, ich bitte Sie, wie kamen Sie doch dazu, über Ihren Stand heraus sich nach einem Mann umzusehen. Ihre Gestalt, dachten Sie, könnte Sie schon weiter führen als Ihre Gespielinnen; ach liebe Freundin, eben das hätte Sie sollen vorsichtiger machen. Schönheit ist niemals ein Mittel, eine gute Heirat zu stiften, und niemand hat mehr Ursache zu zittern als ein schön Gesicht. Tausend Gefahren mit Blumen überstreut, tausend Anbeter und keinen Freund, tausend unbarmherzige Verräter.

MARIE: Ach, gnädige Frau, ich weiß wohl, daß ich häßlich bin.

GRÄFIN: Keine falsche Bescheidenheit. Sie sind schön, der Himmel hat Sie damit gestraft. Es fanden sich Leute über Ihren Stand, die Ihnen Versprechungen taten. Sie sahen gar keine Schwierigkeit, eine Stufe höher zu rücken; Sie verachteten Ihre Gespielinnen, Sie glaubten nicht nötig zu haben, sich andere liebenswürdige Eigenschaften zu erwerben, Sie scheuten die Arbeit, Sie begegneten jungen Mannsleuten Ihres Standes verächtlich, Sie wurden gehaßt. Armes Kind! Wie glücklich hätten Sie einen rechtschaffenen Bürger machen können, wenn Sie diese vortrefflichen Gesichtszüge, dieses einnehmende bezaubernde Wesen mit einem demütigen menschenfreundlichen Geist beseelt hätten, wie wären Sie von allen Ihresgleichen angebetet, von allen Vornehmen nachgeahmt und bewundert worden. Aber Sie wollten von Ihresgleichen beneidet werden. Armes Kind, wo dachten Sie hin, und gegen welch ein elendes Glück wollten Sie alle diese Vorzüge eintauschen? Die Frau eines Mannes zu werden, der um Ihrentwillen von seiner ganzen Familie gehaßt und verachtet würde. Und einem so unglücklichen Hasardspiel zu Gefallen Ihr ganzes Glück, Ihre ganze Ehre, Ihr Leben selber auf die Karte zu setzen. Wo dachten Sie hinaus? Wo dachten Ihre Eltern hinaus? Armes betrogenes, durch die Eitelkeit gemißhandeltes Kind! (Drückt sie an ihre Brust) Ich wollte mein Blut hergeben, daß das nicht geschehen wäre.

MARIE (weint auf ihre Hand): Er liebte mich aber.

GRÄFIN: Die Liebe eines Offiziers, Marie – eines Menschen, der an jede Art von Ausschweifung, von Veränderung gewöhnt ist, der ein braver Soldat zu sein aufhört, sobald er ein treuer Liebhaber wird, der dem König schwört, es nicht zu sein und sich dafür von ihm bezahlen läßt. Und Sie glaubten, die einzige Person auf der Welt zu sein, die ihn, trotz des Zorns seiner Eltern, trotz des Hochmuts seiner Familie, trotz seines Schwurs, trotz seines Charakters, trotz der ganzen Welt treu erhalten wollten? Das heißt, Sie wollten die Welt umkehren. – – Und da Sie nun sehen, daß es fehlgeschlagen hat, so glauben Sie, bei andern Ihren Plan auszuführen, und sehen nicht, daß das, was Sie für Liebe bei den Leuten halten, nichts als Mitleiden mit Ihrer Geschichte oder gar was Schlimmeres ist.
(Marie fällt vor ihr auf die Knie, verbirgt ihr Gesicht in ihren Schoß

und schluchzt) Entschließ dich, bestes Kind! Unglückliches Mädchen, noch ist es Zeit, noch ist der Abgrund zu vermeiden, ich will sterben, wenn ich dich nicht herausziehe. Lassen Sie sich alle Anschläge auf meinen Sohn vergehen, er ist versprochen, die Fräulein Anklam hat seine Hand und sein Herz. Aber kommen Sie mit in mein Haus, Ihre Ehre hat einen großen Stoß gelitten, das ist der einzige Weg, sie wiederherzustellen. Werden Sie meine Gesellschafterin, und machen Sie sich gefaßt, in einem Jahr keine Mannsperson zu sehen. Sie sollen mir meine Tochter erziehen helfen – kommen Sie, wir wollen gleich zu Ihrer Mutter gehen und sie um Erlaubnis bitten, daß Sie mit mir fahren dürfen.

MARIE (hebt den Kopf rührend aus ihrem Schoß auf): Gnädige Frau – es ist zu spät.

GRÄFIN (hastig): Es ist nie zu spät, vernünftig zu werden. Ich setze Ihnen tausend Taler zur Aussteuer aus, ich weiß, daß Ihre Eltern Schulden haben.

MARIE (noch immer auf den Knien, halb rückwärts fallend, mit gefalteten Händen): Ach, gnädige Frau, erlauben Sie mir, daß ich mich drüber bedenke – daß ich alles das meiner Mutter vorstelle.

GRÄFIN: Gut, liebes Kind, tun Sie Ihr Bestes – Sie sollen Zeitvertreib genug bei mir haben, ich will Sie im Zeichnen, Tanzen und Singen unterrichten lassen.

MARIE (fällt auf ihr Gesicht): O gar zu, gar zu gnädige Frau!

GRÄFIN: Ich muß fort – Ihre Mutter würde mich in einem wunderlichen Zustand antreffen. (Geht schnell ab, sieht noch durch die Tür hinein nach Marien, die noch immer wie im Gebet liegt) Adieu, Kind! (Ab)

—

VIERTER AKT

—

Erste Szene

Mary. Stolzius

MARY: Soll ich dir aufrichtig sagen, Stolzius, wenn der Desportes das Mädchen nicht heiratet, so heirate ich's. Ich bin zum Rasendwerden verliebt in sie. Ich habe schon versucht, mir die Gedanken zu zerstreuen, du weißt wohl, mit der Düval, und denn gefällt mir die Wirtschaft mit dem Grafen gar nicht, und daß die Gräfin sie nun gar ins Haus genommen hat, aber alles das – verschlägt doch nichts, ich kann mir die Narrheit nicht aus dem Kopf bringen.

STOLZIUS: Schreibt denn der Desportes gar nicht mehr?

MARY: Ei, freilich schreibt er. Sein Vater hat ihn neulich wollen zu einer Heirat zwingen und ihn vierzehn Tage bei Wasser und Brot eingesperrt – (Sich an den Kopf schlagend) Und wenn ich noch so denke, wie sie neulich im Mondschein mit mir spazieren ging und mir ihre Not klagte, wie sie manchmal mitten in der Nacht aufspränge, wenn ihr die schwermütigen Gedanken einkämen, und nach einem Messer suchte.

(Stolzius zittert)

MARY: Ich fragte, ob sie mich auch liebte. Sie sagte, sie liebte mich zärtlicher als alle ihre Freunde und Verwandten, und drückte meine Hand gegen ihre Brust.

(Stolzius wendet sein Gesicht gegen die Wand)

MARY: Und als ich sie um ein Schmätzchen bat, so sagte sie, wenn es in ihrer Gewalt stände, mich glücklich zu machen, so täte sie es gewiß. So aber müßte ich erst die Erlaubnis vom Desportes haben. – (Faßt Stolzius hastig an) Kerl, der Teufel soll mich holen, wenn ich sie nicht heirate, wenn der Desportes sie sitzen läßt.

STOLZIUS (sehr kalt): Sie soll doch recht gut mit der Gräfin sein.

MARY: Wenn ich nur wüßte, wie man sie zu sprechen bekommen könnte. Erkundige dich doch.

—

Zweite Szene

IN ARMENTIÈRES

Desportes in der Prison. Haudy bei ihm

DESPORTES: Es ist mir recht lieb, daß ich in Prison itzt bin, so erfährt kein Mensch, daß ich hier sei.

HAUDY: Ich will den Kameraden allen verbieten, es zu sagen.

DESPORTES: Vor allen Dingen, daß es nur der Mary nicht erfährt.

HAUDY: Und der Rammler. Der ohnedem so ein großer Freund von dir sein will und sagt, er ist mit Fleiß darum ein paar Wochen später zum Regiment gekommen, um dir die Anziennität zu lassen.

DESPORTES: Der Narr!

HAUDY: O hör, neulich ist wieder ein Streich mit ihm gewesen, der zum Fressen ist. Du weißt, der Gilbert logiert bei einer alten krummen schielenden Witwe, bloß um ihrer schönen Cousine willen. Nun gibt er alle Wochen der zu Gefallen ein Konzert im Hause, einmal besäuft sich mein Rammler, und weil er meint, die Cousine schläft dort, so schleicht er sich vom Nachtessen weg und nach seiner gewöhnlichen Politik obenauf in der Witwe Schlafzimmer, zieht sich aus und legt sich zu Bette. Die Witwe, die sich auch den Kopf etwas warm gemacht hat, bringt noch erst ihre Cousine, die auf der Nachbarschaft wohnt, mit der Laterne nach Hause, wir meinen, unser Rammler ist nach Hause gegangen, sie steigt hernach in ihr Zimmer herauf, will sich zu Bett legen und findet meinen Monsieur da, der in der äußersten Konfusion ist. Er entschuldigt sich, er habe die Gelegenheit vom Hause nicht gewußt, sie transportiert ihn ohne viele Mühe wieder herunter, und wir lachen uns über den Mißverstand die Bäuche fast entzwei. Er bittet sie und uns alle um Gottes willen, doch keinem Menschen was von der Historie zu sagen. Du weißt nun aber, wie der Gilbert ist, der hat's nun alles dem Mädel wiedererzählt, und die hat dem alten Weibe steif und fest in den Kopf gesetzt, Rammler wäre verliebt in sie. In der Tat hat er auch ein Zimmer in dem Hause gemietet, vielleicht um sie zu bewegen, nicht Lärm davon zu machen. Nun solltest du aber dein Himmelsgaudium haben, ihn und das alte Mensch in Gesellschaft beisammen zu sehen. Sie minaudiert und liebäugelt und verzerrt ihr schiefes runzlichtes Gesicht gegen ihn, daß man sterben möchte, und er mit seiner roten Habichtsnase und den stieren erschrockenen Augen – siehst du, es ist ein Anblick, an den man nicht denken kann, ohne zu zerspringen.

DESPORTES: Wenn ich wieder frei werde, soll doch mein erster Gang zu Gilbert sein. Meine Mutter wird nächstens an den Obristen schreiben, das Regiment soll für meine Schulden gutsagen.

—

Dritte Szene

In Lille

Ein Gärtchen an der Gräfin La Roche Hause

Die Gräfin (in einer Allee): Was das Mädchen haben mag, daß es so spät in den Garten hinausgegangen ist. Ich fürchte, ich fürchte, es ist etwas Abgeredtes. Sie zeichnet zerstreut, spielt die Harfe zerstreut, ist immer abwesend, wenn ihr der Sprachmeister was vorsagt – still, hör' ich nicht jemand – ja, sie ist oben im Lusthause, und von der Straße antwortet ihr jemand. (Lehnt ihr Ohr an die grüne Wand des Gartens)

(Hinter der Szene)

Marys Stimme: Ist das erlaubt, alle Freunde, alles, was Ihnen lieb war, so zu vergessen?

Mariens Stimme: Ach, lieber Herr Mary, es tut mir leid genug, aber es muß schon so sein. Ich versichere Ihnen, die Frau Gräfin ist die scharmanteste Frau, die auf Gottes Erdboden ist.

Mary: Sie sind ja aber wie in einem Kloster da, wollen Sie denn gar nicht mehr in die Welt? Wissen Sie, daß Desportes geschrieben hat, er ist untröstlich, er will wissen, wo Sie sind, und warum Sie ihm nicht antworten?

Marie: So? – Ach ich muß ihn vergessen, sagen Sie ihm das, er soll mich nur auch vergessen.

Mary: Warum denn? – Grausame Mademoiselle! ist das erlaubt, Freunden so zu begegnen?

Marie: Es kann nun schon nicht anders sein – – Ach Herr Gott, ich höre jemand im Garten unten. Adieu, Adieu – Flattieren Sie sich nur nicht – (Kommt herunter)

Gräfin: So, Marie! Ihr gebt euch Rendezvous?

Marie (äußerst erschrocken): Ach, gnädige Frau – es war ein Verwandter von mir – mein Vetter, und der hat nun erst erfahren, wo ich bin –

Gräfin (sehr ernsthaft): Ich habe alles gehört.

Marie (halb auf den Knien): Ach Gott! so verzeihen Sie mir nur diesmal.

Gräfin: Mädchen, du bist wie das Bäumchen hier im Abendwinde, jeder Hauch verändert dich. Was denkst du denn, daß du hier unter meinen Augen den Faden mit dem Desportes wieder anzuspinnen denkst, dir Rendezvous mit seinen guten Freunden gibst. Hätt' ich das gewußt, ich hätte mich deiner nicht angenommen.

MARIE: Verzeihen Sie mir nur diesmal!

GRÄFIN: Ich verzeih' es dir niemals, wenn du wider dein eigen Glück handelst. Geh. (Marie geht ganz verzweiflungsvoll ab)

GRÄFIN (allein): Ich weiß nicht, ob ich dem Mädchen ihren Roman fast mit gutem Gewissen nehmen darf. Was behält das Leben für Reiz übrig, wenn unsere Imagination nicht welchen hineinträgt, Essen, Trinken, Beschäftigungen ohne Aussicht, ohne sich selbstgebildetem Vergnügen sind nur ein gefristeter Tod. Das fühlt sie auch wohl und stellt sich nur vergnügt. Wenn ich etwas ausfindig machen könnte, ihre Phantasie mit meiner Klugheit zu vereinigen, ihr Herz, nicht ihren Verstand zu zwingen, mir zu folgen.

—

Vierte Szene

IN ARMENTIÈRES

Desportes im Prison, hastig auf und ab gehend, einen Brief in der Hand

Wenn sie mir hierher kommt, ist mein ganzes Glück verdorben – zu Schand' und Spott bei allen Kameraden. (Setzt sich und schreibt) – – Mein Vater darf sie auch nicht sehen –

—

Fünfte Szene

IN LILLE · WESENERS HAUS

Der alte Wesener. Ein Bedienter der Gräfin

WESENER: Marie fortgelaufen –! Ich bin des Todes.

(Läuft hinaus. Der Bediente folgt)

—

Sechste Szene

Marys Wohnung

Mary. Stolzius, der ganz bleich und verwildert dasteht

Mary: So laßt uns ihr nachsetzen, zum tausend Element. Ich bin schuld an allem. Gleich lauf hin und bring Pferde her.

Stolzius: Wenn man nur wissen könnte, wohin –

Mary: Nach Armentières. Wo kann sie anders hin sein. (Beide ab)

—

Siebente Szene

Weseners Haus

Frau Wesener und Charlotte in Kappen.
Wesener kommt wieder

Wesener: Es ist alles umsonst. Sie ist nirgends ausfindig zu machen. (Schlägt in die Hände) Gott! – Wer weiß, wo sie sich ertränkt hat!

Charlotte: Wer weiß aber noch, Papa –

Wesener: Nichts. Die Boten der Frau Gräfin sind wiedergekommen, und es ist noch keine halbe Stunde, daß man sie vermißt hat. Zu jedem Tor ist einer hinausgeritten, und sie kann doch nicht aus der Welt sein in so kurzer Zeit.

—

Achte Szene

In Philippeville

Desportes Jäger, einen Brief von seinem Herrn in der Hand

Oh! Da kommt mir ja ein schönes Stück Wildbret recht ins Garn hereingelaufen. Sie hat meinem Herrn geschrieben, sie würde grad nach Philippeville zu ihm kommen, (sieht in den Brief) zu Fuß – o das arme Kind – ich will dich erfrischen.

—

Neunte Szene

IN ARMENTIÈRES

Ein Konzert im Hause der Frau Bischof. Verschiedene Damen im Kreise um das Orchester, unter denen auch Frau Bischof und ihre Cousine. Verschiedene Offiziere, unter denen auch Haudy, Rammler, Mary, Desportes, Gilbert, stehen vor ihnen und unterhalten die Damen

MADEMOISELLE BISCHOF (zu Rammler): Und Sie sind auch hier eingezogen, Herr Baron?

(Rammler verbeugt sich stillschweigend und wird rot über und über)

HAUDY: Er hat sein Logis im zweiten Stock genommen, grad gegenüber Ihrer Frau Base Schlafkammer.

MADEMOISELLE BISCHOF: Das hab' ich gehört. Ich wünsche meiner Base viel Glück.

MADAME BISCHOF (schielt und lächelt auf eine kokette Art): Hehehe, der Herr Baron wäre wohl nicht eingezogen, wenn ihm nicht der Herr von Gilbert mein Haus so rekummandiert hätte. Und zum andern begegne ich allen meinen Herren auf eine solche Art, daß sie sich nicht über mich werden zu beklagen haben.

MADEMOISELLE BISCHOF: Das glaub' ich, Sie werden sich gut miteinander vertragen.

GILBERT: Es ist mit alledem so ein kleiner Haken unter den beiden, sonst wäre Rammler nicht hier eingezogen.

MADAME BISCHOF: So? (Hält den Fächer vors Gesicht) Hehehe, seiter wenn denn, meinten Sie, Herr Gilbert, seiter wenn denn?

HAUDY: Seit dem letzten Konzertabend, wissen Sie wohl, Madame.

RAMMLER (zupft Haudy): Haudy!

MADAME BISCHOF (schlägt ihn mit dem Fächer): Unartiger Herr Major! müssen Sie denn auch alles gleich herausplappern.

RAMMLER: Madame! ich weiß gar nicht, wie wir so familiär miteinander sollten geworden sein, ich bitte mir's aus –

MADAME BISCHOF (sehr böse): So, Herr? und Sie wollen sich noch mausig machen, und zum andern müßten Sie sich das noch für eine große Ehre halten, wenn eine Frau von meinem Alter und von meinem Charaktere sich familiär mit Ihnen gemacht hätte, und denk doch einmal, was er sich nicht einbild't, der junge Herr.

ALLE OFFIZIERS: Ach Rammler – Pfui Rammler – das ist doch nicht recht, wie du der Madam begegnest.

RAMMLER: Madame, halten Sie das Maul, oder ich brech' Ihnen Arm und Bein entzwei und werf' Sie zum Fenster hinaus.

MADAME BISCHOF (steht wütend auf): Herr, komm Er – (Faßt ihn am Arm) Den Augenblick komm Er, probier Er, mir was Leids zu tun.

ALLE: In die Schlafkammer, Rammler, sie fordert dich heraus.

MADAME BISCHOF: Wenn Er sich noch breit macht, so werf' ich Ihn zum Hause heraus, weiß Er das. Und der Weg zum Kommandanten ist nicht weit. (Fängt an zu weinen) Denk doch, mir in meinem eigenen Hause Impertinenzien zu sagen, der impertinente Flegel –

MADEMOISELLE BISCHOF: Nun still doch, Bäslein, der Herr Baron hat es ja so übel nicht gemeint. Er hat ja nur gespaßt, so sei Sie doch ruhig.

GILBERT: Rammler, sei vernünftig, ich bitte dich. Was für Ehre hast du davon, ein alt Weib zu beleidigen.

RAMMLER: Ihr könnt mir alle – (Läuft hinaus)

MARY: Ist das nicht lustig, Desportes? Was fehlt dir? Du lachst ja nicht.

DESPORTES: Ich hab' erstaunende Stiche auf der Brust. Der Katarrh wird mich noch umbringen.

MARY: Ist das aber nicht zum Zerspringen mit dem Original? Sahst du, wie er braun und blau um die Nase ward vor Ärgernis? Ein anderer würde sich lustig gemacht haben mit der alten Vettel

(Stolzius kommt herein und zupft Mary)

MARY: Was ist?

STOLZIUS: Nehmen Sie doch nicht ungnädig, Herr Leutnant! wollten Sie nicht auf einen Augenblick in die Kammer kommen?

MARY: Was gibt's denn? Habt Ihr wo was erfahren?

STOLZIUS (schüttelt mit dem Kopf)

MARY: Nun denn – (geht etwas weiter vorwärts) So sagt nur hier.

STOLZIUS: Die Ratten haben die vorige Nacht Ihr bestes Antolagen-Hemd zerfressen, eben als ich den Wäscheschrank aufmachte, sprangen mir zwei, drei entgegen.

MARY: Was ist daran gelegen? laßt Gift aussetzen.

STOLZIUS: Da muß ich ein versiegeltes Zettelchen von Ihnen haben.

MARY (unwillig): Warum kommt Ihr mir denn just itzt?

STOLZIUS: Auf den Abend hab' ich nicht Zeit, Herr Leutnant – ich muß heute noch bei der Lieferung von den Montierungsstücken sein.

MARY: Da habt Ihr meine Uhr, Ihr könnt ja mit meinem Petschaft zusiegeln. (Stolzius geht ab – Mary tritt wieder zur Gesellschaft)

(Eine Symphonie hebt an)

DESPORTES (der sich in einen Winkel gestellt hat, für sich): Ihr Bild steht unaufhörlich vor mir – Pfui Teufel! fort mit den Gedanken. Kann ich dafür, daß sie so eine wird. Sie hat's ja nicht besser haben wollen. (Tritt wieder zur andern Gesellschaft und hustet erbärmlich)

(Mary steckt ihm ein Stück Lakritz in den Mund. Er erschrickt. Mary lacht)

—

Zehnte Szene

IN LILLE · WESENERS HAUS

Frau Wesener. Ein Bedienter der Gräfin

FRAU WESENER: Wie? Die Frau Gräfin haben sich zu Bett gelegt vor Alteration? Vermeld Er unsern untertänigsten Respekt der Frau Gräfin und der Fräulein, mein Mann ist nach Armentières gereist, weil ihm die Leute alles im Hause haben versiegeln wollen wegen der Kaution, und er gehört hat, daß der Herr von Desportes beim Regiment sein soll. Und es tut uns herzlich leid, daß die Frau Gräfin sich unser Unglück so zu Herzen nimmt.

—

Elfte Szene

IN ARMENTIÈRES

Stolzius geht vor einer Apotheke herum. Es regnet

Was zitterst du? – Meine Zunge ist so schwach, daß ich fürchte, ich werde kein einziges Wort hervorbringen können. Er wird mir's ansehen – Und müssen denn die zittern, die Unrecht leiden, und die allein fröhlich sein, die Unrecht tun? – – Wer weiß, zwischen welchem Zaun sie jetzt verhungert. Herein, Stolzius. Wenn's nicht für ihn ist, so ist's doch für dich. Und das ist ja alles, was du wünschest – – (geht hinein)

—

FÜNFTER AKT

—

Erste Szene

Auf dem Wege nach Armentières

Wesener, der ausruht

Nein, keine Post nehm' ich nicht, und sollt' ich hier liegen bleiben. Mein armes Kind hat mich genug gekostet, eh' sie zu der Gräfin kam, das mußte immer die Staatsdame gemacht sein, und Bruder und Schwester sollen's ihr nicht vorzuwerfen haben. Mein Handel hat auch nun schon zwei Jahr gelegen – wer weiß, was Desportes mit ihr tut, was er mit uns allen tut – denn bei ihm ist sie doch gewiß. Man muß Gott vertrauen – (bleibt in tiefen Gedanken)

—

Zweite Szene

Marie auf einem andern Wege nach Armentières unter einem Baum ruhend, zieht ein Stück trocknes Brot aus der Tasche

Ich habe immer geglaubt, daß man von Brot und Wasser allein leben könnte. (Nagt daran) O hätt' ich nur einen Tropfen von dem Wein, den ich so oft aus dem Fenster geworfen – womit ich mir in der Hitze die Hände wusch – (Kontorsionen) O das quält – – nun ein Bettelmensch – (sieht das Stück Brot an) Ich kann's nicht essen, Gott weiß es. Besser verhungern. (Wirft das Stück Brot hin und rafft sich auf) Ich will kriechen, so weit ich komme, und fall' ich um, desto besser.

—

Dritte Szene

In Armentières · Marys Wohnung

Mary und Desportes sitzen beide ausgekleidet an einem kleinen gedeckten Tisch. Stolzius nimmt Servietten aus

Desportes: Wie ich dir sage, es ist eine Hure vom Anfang an gewesen, und sie ist mir nur darum gut gewesen, weil ich ihr Präsenten machte. Ich bin ja durch sie in Schulden gekommen, daß es erstaunend war, sie hätte mich um Haus und Hof gebracht, hätt' ich das Spiel länger getrieben. Kurzum, Herr Bruder, eh' ich's mich versehe, krieg' ich einen Brief von dem Mädel, sie will zu mir kommen nach Philippeville. Nun stell dir das Spektakel vor, wenn mein Vater die hätte zu sehen gekriegt. (Stolzius wechselt einmal ums andere die Servietten um, um Gelegenheit zu haben, länger im Zimmer zu bleiben) Was zu tun, ich schreib' meinem Jäger, er soll sie empfangen und ihr so lange Stubenarrest auf meinem Zimmer ankündigen, bis ich selber wieder nach Philippeville zurückkäme und sie heimlich zum Regiment abholte. Denn sobald mein Vater sie zu sehen kriegte, wäre sie des Todes. Nun mein Jäger ist ein starker robuster Kerl, die Zeit wird ihnen schon lang werden auf einer Stube allein. Was der nun aus ihr macht, will ich abwarten, (lacht höhnisch) ich hab' ihm unter der Hand zu verstehen gegeben, daß es mir nicht zuwider sein würde.

Mary: Hör, Desportes, das ist doch malhonett.

Desportes: Was malhonett, was willst du – Ist sie nicht versorgt genug, wenn mein Jäger sie heiratet? Und für so eine –

Mary: Sie war doch sehr gut angeschrieben bei der Gräfin. Und hol mich der Teufel, Bruder, ich hätte sie geheiratet, wenn mir nicht der junge Graf in die Quer gekommen wäre, denn der war auch verflucht gut bei ihr angeschrieben.

Desportes: Da hättest du ein schön Sauleder an den Hals bekommen. (Stolzius geht heraus)

Mary (ruft ihm nach): Macht, daß der Herr seine Weinsuppe bald bekommt – Ich weiß nicht, wie es kam, daß der Mensch ihr bekannt ward, ich glaube gar, sie wollte mich eifersüchtig machen, denn ich hatte eben ein paar Tage her mit ihr gemault. Das hätt' alles noch nichts zu sagen gehabt, aber einmal kam ich hin, es war in den heißesten Hundstagen, und sie hatte eben wegen der Hitze nur ein dünnes, dünnes Röckchen von Nesseltuch an, durch das ihre schönen Beine durchschienen. So oft sie durchs Zimmer ging, und das Röckchen ihr so nachflatterte – hör, ich hätte die Seligkeit drum geben mögen, die Nacht bei ihr zu schlafen. Nun stell dir vor, zu allem Unglück muß den Tag der Graf hinkommen, nun kennst du des Mädels Eitelkeit. Sie tat wie unsinnig mit ihm, ob nun mich zu schagrinieren, oder weil solche Mädchens gleich nicht wissen, woran sie sind, wenn ein Herr von hohem Stande sich herabläßt, ihnen ein freundlich Gesicht zu weisen. (Stolzius kommt herein, trägt vor Desportes auf und stellt sich totenbleich hinter seinen Stuhl) Mir ging's wie dem überglühenden Eisen, das auf einmal kalt wie Eis wird. (Desportes schlingt die Suppe begierig in sich) Aller Appetit zu ihr verging mir. Von der Zeit an hab' ich ihr nie wieder recht gut werden können. Zwar wie ich hörte, daß sie von der Gräfin weggelaufen sei.

DESPORTES (im Essen): Was reden wir weiter von dem Knochen? Ich will dir sagen, Herr Bruder, du tust mir einen Gefallen, wenn du mir ihrer nicht mehr erwähnst. Es ennuyiert mich, wenn ich an sie denken soll. (Schiebt die Schale weg)

STOLZIUS (hinter dem Stuhl, mit verzerrtem Gesicht): Wirklich?

(Beide sehen ihn an voll Verwunderung)

DESPORTES (hält sich die Brust): Ich kriege Stiche – Aye! –

(Mary steif den Blick auf Stolzius geheftet ohne ein Wort zu sagen)

DESPORTES (wirft sich in einen Lehnstuhl): Aye! – (mit Kontorsionen) Mary!

STOLZIUS (springt hinzu, faßt ihn an den Ohren, und heftet sein Gesicht auf das seinige. Mit fürchterlicher Stimme): Marie! – Marie! – Marie!

(Mary zieht den Degen und will ihn durchbohren)

STOLZIUS (kehrt sich kaltblütig um und faßt ihm in den Degen): Geben Sie sich keine Mühe, es ist schon geschehen. Ich sterbe vergnügt, da ich den mitnehmen kann.

MARY (läßt ihm den Degen in der Hand und läuft heraus): Hilfe! – Hilfe!

DESPORTES: Ich bin vergiftet.

STOLZIUS: Ja, Verräter, das bist du – und ich bin Stolzius, dessen Braut du zur Hure machtest. Sie war meine Braut. Wenn Ihr nicht leben könnt, ohne Frauenzimmer unglücklich zu machen, warum wendet Ihr Euch an die, die Euch nicht widerstehen können, die Euch aufs erste Wort glauben. – Du bist gerochen, meine Marie! Gott kann mich nicht verdammen. (Sinkt nieder)

DESPORTES: Hilfe! (Nach einigen Verzuckungen stirbt er gleichfalls)

—

Vierte Szene

Wesener spaziert an der Lys in tiefen Gedanken. Es ist Dämmerung. Eine verhüllte Weibsperson zupft ihn am Rock

WESENER: Laß Sie mich – ich bin kein Liebhaber von solchen Sachen.

DIE WEIBSPERSON (mit halb unvernehmlicher Stimme): Um Gottes willen, ein klein Almosen, gnädiger Herr!

WESENER: Ins Arbeitshaus mit Euch. Es sind hier der liederlichen Bälge die Menge, wenn man allen Almosen geben sollte, hätte man viel zu tun.

WEIBSPERSON: Gnädiger Herr, ich bin drei Tage gewesen, ohne einen Bissen Brot in Mund zu stecken, haben Sie doch die Gnade und führen mich in ein Wirtshaus, wo ich einen Schluck Wein tun kann.

WESENER: Ihr liederliche Seele! schämt Ihr Euch nicht, einem honetten Mann das zuzumuten? Geht, lauft Euern Soldaten nach.

(Weibsperson geht fort ohne zu antworten)

WESENER: Mich deucht, sie seufzte so tief. Das Herz wird mir so schwer. (Zieht den Beutel hervor) Wer weiß, wo meine Tochter itzt Almosen heischt. (Läuft ihr nach und reicht ihr zitternd ein Stück Geld) Da hat Sie einen Gulden – aber bessere Sie sich.

WEIBSPERSON (fängt an zu weinen): O Gott! (Nimmt das Geld und fällt halb ohnmächtig nieder) Was kann mir das helfen?

WESENER (kehrt sich ab und wischt sich die Augen. Zu ihr ganz außer sich): Wo ist Sie her?

WEIBSPERSON: Das darf ich nicht sagen – Aber ich bin eines honetten Mannes Tochter.

WESENER: War Ihr Vater ein Galanteriehändler?

(Weibsperson schweigt stille)

WESENER: Ihr Vater war ein honetter Mann? – Steh Sie auf, ich will Sie in mein Haus führen. (Sucht ihr aufzuhelfen)

WESENER: Wohnt Ihr Vater nicht etwa in Lille – (Beim letzten Wort fällt sie ihm um den Hals)

WESENER (schreit laut): Ach, meine Tochter!

MARIE: Mein Vater! (Beide wälzen sich halbtot auf der Erde. Eine Menge Leute versammeln sich um sie und tragen sie fort)

—

Fünfte und letzte Szene

DES OBRISTEN WOHNUNG

Der Obriste Graf von Spannheim. Die Gräfin La Roche

GRÄFIN: Haben Sie die beiden Unglücklichen gesehen? Ich habe das Herz noch nicht. Der Anblick tötete mich.

OBRISTER: Er hat mich zehn Jahre älter gemacht. Und daß das bei meinem Korps – ich will dem Mann alle seine Schulden bezahlen und noch tausend Taler zu seiner Schadloshaltung obenein. Hernach will ich sehen, was ich bei dem Vater des Bösewichts für diese durch ihn verwüstete Familie auswirken kann.

GRÄFIN: Würdiger Mann. Nehmen Sie meinen heißesten Dank in dieser Träne – das beste liebenswürdigste Geschöpf! Was für Hoffnungen fing ich nicht schon an von ihr zu schöpfen. (Sie weint)

OBRISTER: Diese Tränen machen Ihnen Ehre. Sie erweichen auch mich. Und warum sollte ich nicht weinen, ich, der fürs Vaterland streiten und sterben soll; einen Bürger desselben durch einen meiner Untergebenen mit seinem ganzen Hause in den unwiederbringlichsten Untergang gestürzt zu sehen.

GRÄFIN: Das sind die Folgen des ehelosen Standes der Herren Soldaten.

OBRISTER (zuckt die Schultern): Wie ist dem abzuhelfen? Schon Homer hat, deucht mich, gesagt, ein guter Ehemann sei ein schlechter Soldat. Und die Erfahrung bestätigt's. – Ich habe allezeit eine besondere Idee gehabt, wenn ich die Geschichte der Andromeda gelesen. Ich sehe die

Soldaten an wie das Ungeheuer, dem schon von Zeit zu Zeit ein unglückliches Frauenzimmer freiwillig aufgeopfert werden muß, damit die übrigen Gattinnen und Töchter verschont bleiben.

GRÄFIN: Wie verstehen Sie das?

OBRISTER: Wenn der König eine Pflanzschule von Soldatenweibern anlegte; die müßten sich aber freilich denn schon dazu verstehen, den hohen Begriffen, die sich ein junges Frauenzimmer von ewigen Verbindungen macht, zu entsagen.

GRÄFIN: Ich zweifle, daß sich ein Frauenzimmer von Ehre dazu entschließen könnte.

OBRISTER: Amazonen müßten es sein. Eine edle Empfindung, deucht mich, hält hier der andern die Waage. Die Delikatesse der weiblichen Ehre dem Gedanken, eine Märtyrerin für den Staat zu sein.

GRÄFIN: Wie wenig kennt ihr Männer doch das Herz und die Wünsche eines Frauenzimmers.

OBRISTER: Freilich müßte der König das Beste tun, diesen Stand glänzend und rühmlich zu machen. Dafür ersparte er die Werbegelder, und die Kinder gehörten ihm. Oh, ich wünschte, daß sich nur einer fände, diese Gedanken bei Hofe durchzutreiben, ich wollte ihm schon Quellen entdecken. Die Beschützer des Staates würden sodann auch sein Glück sein, die äußere Sicherheit desselben nicht die innere aufheben, und in der bisher durch uns zerrütteten Gesellschaft Fried' und Wohlfahrt aller und Freude sich untereinander küssen.

—

JAKOB MICHAEL REINHOLD LENZ

DIE FREUNDE MACHEN DEN PHILOSOPHEN

EINE KOMÖDIE

★

LEMGO

IM VERLAGE DER MEYERSCHEN BUCHHANDLUNG

1776

PERSONEN

STREPHON, ein junger Deutscher, reisend aus philosophischen Absichten

ARIST, sein Vetter, hamburgischer Agent zu Algier, auf dem Heimwege begriffen

DORANTINO, STROMBOLO, MEZZOTINTO — Spanier, Strephons Freunde

DORIA, auch ein junger Deutscher auf Reisen und Strephons Freund

DON ALVAREZ, ein Grand d'Espagne, ursprünglich aus Granada, der nicht lesen und schreiben kann

DONNA SERAPHINA, seine Schwester

DON PRADO, in Seraphinen verliebt

Einige französische Damen und Marquis, als stumme Personen

Einige Komödianten

Bediente und andere Statisten

Der Schauplatz ist in Cadiz

ERSTER AKT

—

Erste Szene

IN CADIZ

Strephon. Arist

STREPHON: Ich bin allen alles geworden – und bin am Ende nichts. Sie haben mich abgeritten wie ein Kurierpferd: ich bringe den Meinigen ein Skelett nach Hause, dem nicht einmal die Kraft übriggelassen ist, sich über seine erstandenen Mühseligkeiten zu beklagen.

ARIST: Das Herz möchte mir brechen. Wie ich Euch zu Hause 'kannt habe! Wo ist Eure Munterkeit, Witz, Galle, alle das nun? All unsre fröhlichen Zirkel erstarben, als ihr uns verließet: ihr werd't sie nicht wieder beleben.

STREPHON: Ins Kloster oder in eine Wüstenei, das sind so meine Gedanken. Jeder Mensch, den ich ansehe, jagt mir einen Schrecken ein; ich denke, er verlangt wieder etwas von mir, und ich habe nichts mehr ihm zu geben.

ARIST (ihn steif ansehend): Das der Ausschlag Eurer philosophischen Träume? – Eurer Erforschung der Menschen? Eurer Entwürfe zu ihrer Verbesserung? –

STREPHON: Ich will auch nicht gut mehr sein, wenn ich noch so viel Kraft übrig habe, böse zu scheinen. Aber meine Fasern sind durch die lange Übung so biegsam geworden, meine Geister so willfahrend, daß ich vor dem Gedanken, jemand etwas abzuschlagen, wie vor einem Verbrechen zusammenfahre. Es geht mir wie angefressenen Früchten, die immer noch ihre Röte behalten; ich kann die Gestalt der Liebe nicht ablegen, obschon das Herz mir zerfressen und bitter ist.

ARIST: Was haben sie Euch denn zuleide getan?

STREPHON: Sie haben mir nichts getan, weder Liebes noch Leides, aber sie verlangten, daß ich ihnen tun sollte. Wirkung ohne Gegenwirkung erstirbt endlich, all meine

Liebe war wie ein Mairegen, der auf einen kalten Felsen gießt und dem nicht ein einziges belohnendes Veilchen nachkeimt.

ARIST: Bedenkt, daß es der Gottheit selbst nicht besser geht.

STREPHON: Aber ich bin kein Gott. Und verlangte keinen Dank als Liebe und Vergnügen um mich her. Darum suchte ich in ihrem Augenstern auf, was sie etwa wünschen, was sie sich etwa von mir versprechen könnten, und die mehresten Male überraschte ich sie, eh' sie ausgewünscht hatten. Alles umsonst, ihre Wünsche sind Fässer der Danaiden – die nie voll werden.

ARIST: Kommt nach Hause, wir wollen euch danken.

STREPHON: Mein Kräfte sind verbraucht, das Öl ist verzehrt, was wollt Ihr mit der stinkenden verlöschenden Lampe? Alle meine Kenntnisse, alle meine Vorzüge sind in fremden Händen; es ist nichts mein geblieben als der Gram über ihren Verlust. Ihr seht hier einen von den Menschen aus dem Evangelio vor Euch, denen auch das genommen ist, was sie hatten.

ARIST: Ihr erschrecket mich. Ihr seid in der Wahl Eurer Freunde zu unvorsichtig gewesen. Euer Herz hat Euch verführt.

STREPHON: Es ist all eins. Ich habe brave Leute gekannt; sobald sie meine Freunde waren, mußt' ich vor ihnen auf der Hut sein. Ich übergab mich ihnen mit aller Offenheit eines gerührten Herzens, sobald ich eine schöne Seite an ihnen wahrnahm; und dafür mißhandelten sie mich. Ihr Hochmut blähte sich so weit über mich hinaus, daß sie mich als einen weggeworfenen Lumpen im Kot liegen sahen, blind dafür, daß ich mich ihnen weggeworfen. Sie vernachlässigten mich dafür, daß ich ihnen zuvorkam; ich stellte sie auf ihre Füße, daß sie stehen konnten, und sie traten mich mit Füßen.

—

Zweite Szene

Man pocht stark an. Dorantino tritt herein, den Hut in die Stirn gedrückt

STREPHON (leise zu Arist): Da ist einer zum Anbiß.

DORANTINO (bleibt mitten in der Stube stehen und winkt Strephon, ohne zu grüßen): Bßt! – Strephon! (Gebieterisch) Strephon!

STREPHON (geht ihm entgegen, etwas leise): Hast du mir was zu sagen? Du kannst es laut tun, der Herr ist kein Fremder.

DORANTINO (komplimentiert Aristen übertrieben höflich): Vermutlich ein Landsmann von Herrn Strephon?

ARIST: Das bin ich, komm' aber itzt von Algier und habe einen Umweg genommen, als ich hörte, daß er hier sei.

DORANTINO: Reisen also itzt nach Hamburg?

ARIST: Ja, und wünschte ihn mitzunehmen, wenn's möglich wäre.

DORANTINO: Das sollte mir herzlich lieb sein – so ungern ich ihn hier verlöre.

STREPHON: Was hast du mir zu sagen, Dorantino? Du brauchst dich nicht zu gewahrsamen, mein Vetter weiß um all meine Geheimnisse.

DORANTINO (kalt): Ich wollte nur – wegen Rosalinden – du weißt wohl – sie hat mir die Verse zurückgegeben (lächelt) sie verstünde sie nicht, sagte sie.

STREPHON (etwas betreten): Ich will dir andere machen.

DORANTINO: Darum hab' ich dich bitten wollen. Du weißt wohl, ich kann mich mit solchen Sachen nicht abgeben, sonst schmiert' ich in der Geschwindigkeit selbst was – denn, wie gesagt, es braucht gar keine Gelehrsamkeit oder allzuviel Witz drin zu sein, wenn du ihr nur auf eine ziemlich handgreifliche Art ein paar Schmeicheleien – doch du wirst schon selber wissen, wie du das einzurichten hast. (Strephon, der mittlerweile ans Fenster getreten ist, nachgehend) Hör' noch was, die Clelia, was meinst du, hat sich gestern bei meinem Vater beschwert – daß ich's nicht vergesse, diese Nacht gehen wir doch und bringen ihr eine Katzenmusik?

STREPHON (aus dem Fenster sehend): Es ist naß und kalt, und der Spaß lohnt der Mühe nicht.

DORANTINO: Ja, wenn du nicht mitgehst, geh' ich auch nicht hin. Es ist alles darauf eingerichtet, Bruder! die Musikanten sind bestellt, wir wollen ein wenig lachen; es soll dir nichts kosten; wenn's hoch kommt, gehen wir hernach zu Longchamps herauf und leeren etwa eine Bowle Punsch miteinander. Ja so, wie steht's mit deinen Finanzen, hast du Nachrichten von deinem Vater?

STREPHON: Es wird Regen geben auf die Nacht.

DORANTINO: Ja du bist zu gut, liebes Kind. (Zu Arist) Sagen Sie selbst, mein Herr, in sieben Jahren ihm kein Geld zu schicken, bloß weil er seine Talente nicht zu Hause im Schweißtuch hat vergraben wollen. Sie müssen ihm das vorstellen – Hör', komm morgen doch zum Strombolo, er ist recht böse auf dich, morgen um neune, genau, ich habe dir was Wichtiges zu sagen, aber um neune, verstehst du mich? (Heimlich) Und da bringst du mir auch die Schrift mit an den Korregidor – du weißt wohl – ich muß itzt aufs Rathaus; ein Pinsel hat micht verklagt, daß ich ihm eine Schuld zweimal abgefodert, du weißt die Historie mit Bromio, mit dem Bolognoserhündchen. Also morgen beim Strombolo. (Geht ab)

STREPHON: Solltest du nicht aus dieses Menschen Benehmen schließen, er sei einer meiner ersten Wohltäter in Cadiz? Und alle seine Liebesdienste erstrecken sich auf zehn Realen, die er mir einmal im Notfalle vorschoß und ich ihm zu acht Prozent wiederbezahlte. Seit der Zeit sind wir in dem Klienten- und Patrontone verblieben, er hat Aufträge ohne Ende an mich, beleidigt meinen Geschmack und Gefühlszärtlichkeit so unaufhörlich, daß ich kein ander Mittel vor mir sehe, mich seiner einmal zu entledigen, als daß ich Händel mit ihm anfange.

ARIST: Wer ist denn der Strombolo? und warum ist der böse auf dich?

STREPHON: Auch einer von meinen Folterern. Ich ging sonst täglich nach dem Essen zu ihm und half ihm durch meine Gespräche verdauen. Er ist ein Mann, der die Welt kennt, und von dem ich immer lernen konnte, mittlerweil' ich ihm die Zeit vertrieb. Das hat nun seit einigen Tagen nicht geschehen können, weil mich meine Gläubiger ins Gefängnis stecken wollten und ich, dem äußersten Elend zuvorzukommen, meinem einzigen Patron allhier, dem Don Alvarez, für fünfzehn Realen dreißig geheime Briefe abschrieb.

ARIST: Das ist der granadische Edelmann, der nicht lesen noch schreiben kann.

STREPHON: Der beste unter allen meinen Freunden; der einzige, der es einsieht, daß ich ihm nützlich bin, und mich dafür belohnt. Mit der Hälfte dieser funfzehn Realen bewirtete ich meinen vornehmsten Gläubiger und machte ihm durch tausend Maschinereien meines Witzes begreiflich, daß es wohl sein Vorteil sein könnte, wenn er mir seine zwanzig Realen noch auf einen Monat stehen ließe.

ARIST: Und warum kehrst du nicht nach Hause zurück, Unglücklicher? – Ist's deinem Vater zu verdenken, daß er dich im Elende untersinken läßt, wenn dein Eigensinn – (Da Strephon auf einen Stuhl niedersinkt, hält er inne)

STREPHON: Mehr – mehr, Vetter – ich verdiene mehr –

ARIST: Was hält dich – deine Freunde? die dich verderben lassen? denen du das Herz nicht einmal hast, dich zu entdecken?

STREPHON: Freilich – mein Stolz – meine Freiheit – (Springt auf) Gott, da kommt Strombolo.

—

Dritte Szene

Strombolo. Die Vorigen

STROMBOLO: Ich muß wohl zu Ihnen kommen, wenn Sie nicht zu mir kommen. (Ganz böse sich stellend) Was zum Kuckuck stellen Sie denn an? Man sieht Sie ja den ganzen langen lieben Tag nicht.

STREPHON (ganz schüchtern): Herr Strombolo! ein naher Blutsfreund, der von Ceuta angekommen ist. (auf Aristen deutend)

STROMBOLO (Aristen gleichgültig ansehend): Den Herren hätten Sie ja zu mir bringen können. Wissen Sie was, es ist ein so schöner Tag heut, wir wollen einen Spaziergang um die Wälle der Stadt machen.

STREPHON: Ich weiß nicht, ob mein Vetter – er reist heut abend noch fort.

STROMBOLO: Desto besser, so nimmt er eine Idee von unserer Stadt mit.

ARIST: Mein Herr, ich reise in sein Vaterland und möchte ihn selbst gern mitnehmen, wenn es möglich wäre. Er ist aber hier so verschuldet, daß, da mir selbst das Reisegeld schmal zugeschnitten, – Sie sind einer seiner besten Freunde, wie ich höre. –

STROMBOLO: Es würde mir leid tun, ihn hier zu verlieren. Ich weiß auch nicht, warum er so nach Hause eilen sollte, wenn er etwa nicht selbst einen Beruf dazu spürt. Sollte ihm unsere Stadt so übel gefallen? Einem Philosophen, wie ihm, muß jeder Ort gleich sein –

ARIST: Davon ist hier die Frage nicht. Nur die Mittel, sich zu erhalten.

STROMBOLO: Es fehlt Ihnen ja hier an Freunden nicht, Herr Strephon. Es kostet Ihnen nur ein Wort an Don Alvarez, so macht er Ihnen eine Bedienung aus –

ARIST: Wenn aber seine Empfindlichkeit, seine Unabhängigkeit, die Muße selber, die er zu seinem Studieren braucht –

STROMBOLO: Ja, man muß bisweilen in die saure Schale beißen, um auf den Kern zu kommen. Wissen Sie was, es ist gar zu schönes Wetter, Sie gehen so weit mit mir, als Sie kommen können.

ARIST: Ich wenigstens muß packen.

STROMBOLO: Nun so wünsch' ich Ihnen denn recht viel Vergnügen. (Ab)

STREPHON: Du siehst, wohinter er sich verschanzt. Sobald ich ihm nur von weitem her etwas von meiner Not merken lasse, schlägt er mich mit einer Sentenz zu Boden, die er von mir selbst gehört hat. Er ist nur zu wohl von meinen Verbindungen mit Alvarez unterrichtet, und wie hart es den ankommt, etwas übriges zu tun. Übrigens weiß er, daß er gar keinen Einfluß in die öffentlichen Geschäfte allhier hat, und daß, sobald ich ihm die geringste Verbindlichkeit hätte, die Gleichheit, die unsere ganze Freundschaft unterhält, wegfallen und ich in einem Nu ihm unter den Füßen sein würde –

ARIST: Vetter – Vetter, kommt weg von hier – und solltet Ihr heimlich davongehen. Wenn wir in Hamburg sind, will ich alles schon wieder gutmachen. Ich lass' Euch nun nicht mehr, ich schwöre es zu.

STREPHON (ihn schnell an die Hand fassend): Halt inne – Vetter, muß denn nicht jeder bittere Erfahrungen in der Welt machen, um die Welt kennen zu lernen? Alle diese Leute – sind dennoch meine Freunde.

ARIST: Eure Freunde? – Ihr bringt mich außer mich – die über Euer artiges Benehmen lächeln, wenn Ihr auf der Folter liegt. Ich sah da eine große Rolle Papier aus seiner Tasche gucken, es war gewiß wieder ein nichtswürdiges Geschäfte für Euch, er hatte nur nicht das Herz, es wie jener junge Gelbschnabel Euch in meiner Gegenwart aufzutragen. Ist das freundschaftlich, einem Menschen, der von seinen Talenten leben muß, seine Zeit und folglich sein letztes Hilfsmittel stehlen? und das – wofür?

STREPHON: Ach, nehmen wir, was wir bekommen können, oder wählen uns die Bären zu Gesellschaftern! Ich bin ein Fremder, ich habe keinen Umgang, keine andere Mittel, dieses Land und seine Sitten kennen zu lernen, und jeder dieser Leute vermehrt meine innere Konsistenz durch das, was er mir entzieht. Ich suche denn nach in mir, ob ich nicht noch etwas habe, das sie mir nicht entziehen können, und das gibt mir einen gewissen Stolz, der mich über sie hinaussetzt und mein Herz wieder ruhig macht.

ARIST: Wo will das aber hinaus, Mensch? – da läuft jemand die Treppe herauf; vielleicht bringt er dir irgendeine angenehme Nachricht.

STREPHON (der aus dem Fenster gesehen): Es ist dieselbige Seele unter einer andern Haut. Da sollst du sehen, wie sinnreich die Natur in Hervorbringung der verschiedenen Wesen ist, die uns zu peinigen bestimmt sind.

—

Vierte Szene

Doria tritt ungestüm herein, den Hut auf dem Kopf

STREPHON: Wie befinden Sie sich, Herr Doria?

DORIA: Wie Sie sehen, *vir illustrissime et doctissime.* (Tritt zu Strephons kleinem Bücherschrank, in dem er herumwühlt)

ARIST (heimlich zu Strephon): Wer ist das?

STREPHON: Laß nur – es ist der junge Deutsche, von dem ich dir vorhin erzählte.

DORIA: Ich suche hier – ich suche hier – die Buchhändler werden Ihnen die ewige Seligkeit wünschen, Sie lassen sich von ihnen bezahlen und nehmen ihnen nichts ab.

STREPHON: Was suchen Sie?

DORIA: Ich sehe schon, Sie haben's nicht, Sie haben da lauter alte Tröster – (Über die Schulter herab) Was haben Sie denn neulich wieder herausgegeben, das so vielen Lärm in der gelehrten Welt macht?

STREPHON: Sie sind zu gütig, Herr Doria! Ich wüßte nichts als den kleinen Bogen vom Wasserbau, den der hiesige Baudirektor aus dem Französischen ins Spanische hat übersetzen lassen. Sie wissen aber, daß das schon seit zwei Jahren ist.

DORIA: Sie tun auch verflucht geheimnisvoll. Alle gelehrte Zeitungen in Spanien sind voll davon. Das ist wahr, es wird heutzutage in die Welt hineingeschmiert, daß einem angst und bange dabei wird. Junge Leute, die noch kaum angefangen haben zu denken –

ARIST: Haben Sie sein Buch gelesen, Herr?

STREPHON: Still doch, Vetter, Sie verstehen Herrn Doria nicht–

DORIA: Ich wünschte, daß allen unnützen Schmierern von Obrigkeits wegen die rechte Hand abgehauen würde.

ARIST: Ich will den Kerl zum Fenster herauswerfen.

STREPHON: Wollen Sie sich nicht setzen, Herr Doria?

DORIA: Ich denke, Sie kennen mich zu gut, liebster Strephon, als daß ich nicht den lebhaftesten Anteil an Ihrem Ruhm nehmen sollte! Ich bin zum voraus überzeugt, daß in Ihren acht Blättern mehr Wahres sein wird, als vielleicht jemals in allen Zeitungen Spaniens von der Arche Noah an ist gesagt worden! he, he –

STREPHON: Sagen Sie mir doch, Herr Doria, haben Sie mit Don Alvarez wegen der Sekretärstelle gesprochen? Sie können dreist zu ihm gehen, er kennt Sie aus meinem Munde.

DORIA: O, gehorsamer Diener, gehorsamster Diener, davon reden wir ein andermal. Also heut abend, mein allerliebster Herr Strephon, ich spreche Sie doch heut abend in Ihrer Pension. Ich will Sie nicht weiter aufhalten. Sie werden vermutlich mit dem Herrn was zu reden haben.
(Geht ab)

ARIST: Was ein Ochse ist denn das da? Und den willst du bei Alvarez unterbringen? Tor! und bei deiner eigenen Ratlosigkeit!

STREPHON: Alvarez braucht einen Sekretär, besonders, da er itzt eine Reise nach Frankreich vorhat, der in seiner Abwesenheit seine Briefe von der Westindischen Kompagnie, bei der er mit interessiert ist, empfängt und beantwortet.

ARIST: Und du selber, du selber?

STREPHON: Ich schicke mich nicht dazu, auch braucht er mich zu andern Sachen, ich bin sein Freund; kurzum, daß du es weißt, und da er freundschaftliche und zärtliche Briefe zu beantworten hat und doch nicht will merken lassen, daß er das nicht könne – du verstehst mich, ich darf dir nichts weiter sagen, um meine Empfindlichkeit für ihn nicht zu beleidigen.

ARIST: Und warum grad' diesem den Bissen vorwerfen, den du dir vor dem Munde abschneidest? diesem Grobian, diesem –

STREPHON: Siehst du denn nicht, daß er mir nicht so begegnen würde, wenn er nicht etwas von mir verlangte? Das Rauhe seiner Situation hat mich zuerst sympathetisch für ihn gemacht, und das Rauhe in seinem Betragen noch mehr –

ARIST: Wenn er's noch mit Manier täte, so aber –

STREPHON: Lieber Gott, er schmeichelt und trotzt, beides zusammen; es muß weit mit einem Menschen gekommen sein, wenn er dazu gezwungen ist.

ARIST: Und in deinen eigenen verzweifelten Umständen – Wollen wir gehn und ein Billett auf die Landkutsche für Euch ausnehmen? Ich seh', Ihr seid nichts nutz hier, Eure Freunde haben Euch angefressen, Ihr geht drauf, wenn's so fortwährt.

STREPHON (ganz in Gedanken): Was ist dran gelegen?

ARIST: Nicht diesen finstern, tauben Blick der Mutlosigkeit! Kommt mit mir, Eurem Vater, Eurer Mutter in die Arme, die noch immer nach Euch ausgestreckt sind.

STREPHON (fällt ihm an die Brust): O Grausamer!

ARIST: Kommt! Euer vaterländischer Himmel wird Euch neues Leben in die Gebeine strömen.

STREPHON: Ich kann nicht.

ARIST: Ihr sollt. (Faßt ihn an den Arm) Fort –

STREPHON (setzt sich): Tötet mich lieber! Ich kann keinen Nagelbreit fort von hier.

ARIST: Was ist Euch? Was soll ich aus Euch machen? – Soll ich Euch mit Gewalt zu Eurem Glück zwingen? – (Tritt vor ihn) Ich glaube, Ihr seid nicht recht bei Euch – Strephon – ermuntere dich, Reinhold Strephon!

STREPHON: So draufzugehen, Ihr glaubt nicht, welche Wollust darin steckt.

ARIST: Wahnwitziger –

STREPHON: Spart Eure Ausrufungen! Mein Vorsatz ist unerschütterlich –

ARIST (geht ganz erhitzt und legt sich ins Fenster. Nach einer Pause): Da kommt wieder jemand: ich glaub', es ist ein Gläubiger.

STREPHON (springt auf): Ein Gläubiger – wie sieht er aus?

ARIST: Es war eins der verwischten Gesichter, das den Stempel der Natur verloren hat. Man sollte ihn für einen Peruckenstock halten, dem man Hut und Degen angetan.

—

Fünfte Szene

Mezzotinto tritt herein

MEZZOTINTO: Ei, Ihr Diener, Ihr Diener, lieber Herr Strephon. (Schüttelt ihm die Hand) Wie geht's denn, was leben Sie, man sieht Sie ja gar nicht? Sie sind immer der Mann von Geschäften.

STREPHON: Ach Gott, ich habe gar keine.

MEZZOTINTO: Ja, gehn Sie nur, gehn Sie nur, man weiß doch, was man weiß. Ich komme eben vom Hafen; es kam ein Schiff an für einen meiner guten Freunde, dem Don Alvarez und seine Schwester zusahen. Er sagte mir, er ginge ins Bad; wir haben auch von Ihnen gesprochen und Sie rechtschaffen ausgemacht. Donna Seraphina gleichfalls. (Vertraulich winkend)

STREPHON (über und über rot): Und wie kam das Gespräch auf mich, daß ich fragen darf?

MEZZOTINTO: Wie es zu kommen pflegt. Sie wissen, wie die Donna ist; sie lag dem Bruder immer in den Ohren, Sie mitzunehmen. Er schien sich nur zum Schein zu wehren, aber Seraphine sagte: »Er muß mit mir, er mag wollen oder nicht.« Und in der Tat, Herr, Sie wären ein Tor, eine Gelegenheit wie die vorbeigehen zu lassen.

ARIST: Ich hoffe, mein Vetter wird ein solcher Tor sein und, um das Maß vollzumachen, mit mir in sein Vaterland zurückkehren.

MEZZOTINTO: Also ein Landsmann von Herrn Strephon? Ei was, er geht nun nicht mehr heim. Die Ideen sind einmal alle ausgelöscht, ich weiß, wie das ist – Aber Strephon! wissen Sie auch, was man in der Stadt sagt? Seraphina soll meinem Patron den Ring zurückgeschickt haben, Sie wissen doch, daß sie so gut als verlobt waren, und will mit ihrem Bruder nach Frankreich gehen, weil sie keine Lust zum Heiraten hat. Prado ist untröstlich darüber und möchte seinen Nebenbuhler kennen.

STREPHON: Was für Märchen plaudern Sie mir denn da?

MEZZOTINTO (ihm die Hand schüttelnd): Ja, ja, mein lieber Herr Strephon, ich weiß mehr Neuigkeiten, als Sie wünschen, nicht wahr? Sie wissen, Prado hat nach Seraphinen schon acht Jahr gefreit, als sie noch im Flügelkleide ging; er hat sie aufknospen sehen, er hat sie gewartet, he, und eine solche Blume läßt man sich nicht gern unter den

Fingern wegbrechen. Sie können denken, wie er zu Kehr geht.

STREPHON (ganz verwirrt): Was geht mich denn alles das an? ich bitte Sie.

MEZZOTINTO: Ich sage nur, Sie sollen die Gelegenheit nicht vorbeilassen, mitzugehen. Ich habe mit Alvarez drüber gesprochen, er schien etwas empfindlich über Ihre Widerspenstigkeit. Ich sagte, es wäre einmal Ihr Charakter, und denn könnten Sie noch andere kleine Ursachen haben – »O, die Bären sollen ihn nicht beißen, die er etwa hier angebunden hat«, antwortete er mir.

(Ein Bedienter tritt herein. Strephon winkt ihm und geht heraus mit ihm)

MEZZOTINTO (zu Arist): Ja, mein werter Herr, so geht's Ihrem armen Vetter hier. Wenn er nicht noch Freunde hätte, die sich für ihn beflissen, so wäre es längst getan um ihn gewesen. Denn allgemein genommen ist der Charakter der Nation hier der allerunerträglichste am ganzen Mittelländischen Meer. Hier ist der Hefen von Spanien.

ARIST: Ich glaube es wohl. Darum sollte er mit mir.

MEZZOTINTO: Ja, das geht nun einmal nicht. Wenn man über die Jahre hinaus ist, es geht einem damit wie mit dem Heiraten. Man schiebt es von einer Zeit zur andern auf, bis einem die Lust vergeht. Auch wäre es schade um ihn, er würde sein Glück verscherzen. Er steht ungefähr mit Don Alvarez auf demselben Fuß, als ich mit Prado stehe. Ich kann mich rühmen, daß ich sein vertrautester Freund bin, den er wohl in seinem Leben gehabt, ich war auch der erste, der ihn in dem Hause bekannt machte. Alvarez hat ihn sogleich wegen seiner Gelehrsamkeit und Talente geschätzt und ihn zum Vertrauten aller seiner Geheimnisse gemacht. Unter uns, er schreibt ihm, glaub' ich, Liebesbriefe, weil ich weiß, daß der Alvarez ein schlechter Franzos' ist und dennoch mit einer gewissen Marquisin Chateauneuf, die jetzt seit zwei Jahren in Marseille wohnt, ein geheimes Verständnis unterhalten soll. Er hat mir alles anvertraut, aber – (die Finger auf den Mund legend) ich weiß wohl, daß ein plauderhafter Freund oft ebenso gefährlich ist als ein verschwiegener Feind. (Winkt) Die Donna Seraphina ist ihm auch sehr gewogen.

ARIST: Wem?

MEZZOTINTO: Ihrem Vetter – je, von wem reden wir denn?

(Strephon tritt wieder herein, etwas verlegen)

STREPHON: Sie haben mir doch Wind vorgemacht, Mezzotinto! Donna Seraphina denkt nicht an die Reise. Eben krieg' ich ein Billett vom Don Alvarez, wo er meinen letzten Entschluß verlangt.

MEZZOTINTO: Wie? sie reist nicht mit? – So muß ich mich verhört haben.

STREPHON: Oder sie hat Sie zum besten gehabt. (Wickelt das Papier auf) »Ich reise mit einem Bedienten und einem Koffer morgen vor Tage. Ich hoffe, die Wintertage werden so anhalten, entschließen Sie sich kurz, ich lasse für Ihre Schulden eine Anweisung zurück. Um fünf Uhr auf den Schlag kommen Sie zu mir, so reden wir weiter. Meine Schwester geht soeben mit ihrer Kammerfrau nach Sevilla ab, wo eine meiner Tanten auf den Tod liegt.«

MEZZOTINTO: Weisen Sie mir doch das Billett, es ist nicht möglich.

STREPHON: Es ist möglich (das Billett einsteckend) weil es so ist.

ARIST (beiseite): Das gefällt mir nicht.

STREPHON (zu Arist): Also, lieber Vetter! was soll ich tun? –

MEZZOTINTO: Ei, Sie werden doch das nicht ausschlagen, oder Sie wären der größte Tor, der auf dem Erdboden –

ARIST: Ich rate Euch, Vetter, kommt mit mir. Warum wollt Ihr Euch in den Sturm wagen, da Ihr in den Hafen einlaufen könnt? Die Gelegenheit kommt nicht wieder, und Euer Vater ist sehr aufgebracht.

STREPHON (die Hand vor den Augen): Ach –

ARIST: Was wird er sagen, wenn er weiß, daß Ihr mit mir hättet mitkommen können und nicht gewollt habt?

STREPHON: Schonet meiner!

ARIST: Ich darf Eurer nicht schonen. Es sind acht Jahr, daß Ihr ihn nicht gesehen habt, daß Ihr so herumirrt und Euren nichtswürdigen Grillen folgt –

STREPHON (aufgebracht): Vetter, das stille Land der Toten ist mir so fürchterlich und öde nicht als mein Vaterland. Sogar im Traum, wenn Wallungen des Bluts mir recht angsthafte Bilder vors Gesicht bringen wollen, so deucht mich's, ich sehe mein Vaterland.

ARIST: Schande genug für Euch – rühmt Euch nicht, mein Vetter zu sein – Ihr? ein Philosoph? –

STREPHON (schlägt an die Brust): Was soll ich tun dabei?

MEZZOTINTO (geht in der Stube herum, trallernd): *Grazie agl' inganni tuoi.*

STREPHON: Kann ich dafür, daß dem so ist? Daß dies allgewaltige, unerklärbare, unerklärbarste aller Gefühle mich zu Boden drückt?

MEZZOTINTO: Ja, wenn Sie gehen wollen, so haben Sie Zeit (die Uhr hervorziehend) es ist gleich –

ARIST (auf einmal hastig und gerührt auf Strephon zugehend und ihn an die Hand fassend): Noch ist es Zeit – (Die Stadtuhr schlägt fünfe)

STREPHON: Wie zum Schafott klingt mir das. – Meine Eltern – (Aristen heftig umarmend) Wirst du es gut machen?

ARIST: Wie kann ich – (Auch gerührt) Unglückseliger Starrkopf – Vielleicht sehen wir uns niemals wieder.

STREPHON: Niemals? – Lebt wohl! Grüßt meine Eltern! (Reißt sich von ihm los und eilt halb ohnmächtig ab)

ARIST (wischt sich die Augen, ohne ein Wort zu sprechen)

MEZZOTINTO (zu Arist): Hab' ichs nicht gesagt, daß er mitreist? und ich weiß auch, wohin sie gehen, ich will Ihnen alles zum voraus sagen.

ARIST: Ach, mein Herr, lassen Sie mich – ich muß packen, und denn gleich auf die Post – Ich wünscht', ich wäre nie nach Cadiz kommen.

MEZZOTINTO: Gehorsamer Diener. Und ich will gehn und meinem Prado von alledem Nachricht geben. Ich weiß, er wundert sich nicht wenig darüber –

—

Sechste Szene

DER SCHAUPLATZ VERWANDELT SICH IN EINE STRASSE VOR ALVAREZ HAUSE

Strephon tritt wankend auf

STREPHON: Mögen sie aus mir machen, was sie wollen, ich gehe mit Seraphinen. Gott, wie kann es mir so dunkel in der Seele sein, der ich an der Schwelle des Himmels stehe! Seraphine – (Zieht das Billett aus der Tasche, wickelt es auf, küßt es und fällt auf die Knie) Sie will nicht heiraten – sie will nach Frankreich – in das angenehme, freie, gefährliche – nein, ich will so wenig von ihr weichen als ihr Schatten, und sollt' es mir Tugend und Leben kosten. (Geht hinein)

—

ZWEITER AKT

—

Erste Szene

DER HAFEN VON MARSEILLE

Strephon, der Seraphinen aus dem Schiff hebt

STREPHON: Willkommen!

SERAPHINE: Willkommen! (Reicht Strephon die Hand und läuft mit ihm das Ufer hinauf) Hier, Strephon, sind wir gleich.

STREPHON (wirft sich auf die Erde, die er küßt): Glücklicher Boden, wo die Freiheit atmet. Hier Ihnen einen Tempel hinzusetzen, Seraphine –

SERAPHINE: Ich sähe lieber eine Schäferhütte und Schäfchen so herum.

STREPHON (sich über ihre Hand bückend, die er mit seinen Lippen berührt): Göttliche Seele, die alles verachtet, womit die armselige Welt sie zu belohnen suchte!

SERAPHINE: So ein Gärtchen nebenan, da wollt' ich selber drin arbeiten.

STREPHON (ihre Hand emporhebend): Mit dieser Hand? –

SERAPHINE: Wir beide zusammen. Ich wünschte, ich könnte einmal recht arm werden, um mich selber kennen zu lernen.

STREPHON: O wünschen Sie das nicht! Der fürchterlichste aller Wünsche, die Sie tun könnten. Wenn das Schicksal die vernachlässigte, die seine vorzügliche Sorgfalt verdienen – so wär' es das grausamste, das ungerechteste, das widersinnigste und unleidlichste unter allen Spielen des Ohngefährs, die sich nur jemals ein menschlicher Verstand –

SERAPHINE (ihm ihr Kästchen Juwelen unter dem Arm wegreißend): Ob Sie mich noch so reizend finden werden – (Läuft damit nach dem Ufer zurück und wirft es ins Meer)

STREPHON (ihr vergeblich nacheilend): Um alles – um Ihrer selbst willen – (zieht den Dolch) halten Sie inne –

SERAPHINE (kehrt lachend um): Nun? (In den Dolch fassend)

STREPHON: Aus Mutwillen – und ich die Veranlassung –

(Don Alvarez, sehr feierlich aus der Kajüte hervortretend, mit verschiedenen Bedienten)

ALVAREZ: Was gibt's?

SERAPHINE: Nichts, Bruder! eine Kleinigkeit, um die Strephon so viel Lärm macht. Als er mir aus dem Schiff half, ließ ich mein Kästchen Juwelen ins Wasser fallen – und nun glaubt er, er sei schuld daran, und will sich umbringen deswegen.

ALVAREZ: *Bon.* Wir müssen den französischen Fischen wissen lassen, daß Spanier angekommen sind.

STREPHON: Aber –

ALVAREZ: Ich hab' Euch nicht mitgenommen, für mein Hauswesen zu sorgen. Schämt Euch, daß Ihr Euch umbringen wollt um solch einer Kleinigkeit. Wenn Ihr Mohrenblut unter Euren Ahnen hättet, so wollt' ich's verzeihen: aber zu sterben geziemt nur einem Edelmann. Man muß auch in seinem Scherz Grenzen zu halten wissen. – Kommt, sagt mir einen witzigen Einfall, den ich der Marquisin über unsre Ankunft sagen kann.

SERAPHINE: Wie sie erschrecken wird, Bruder, wenn sie uns sieht.

ALVAREZ: Da seh' ich unsern Pietro schon mit einer Kutsche kommen. Laßt uns hineinsitzen. (Gehen ab)

Zweite Szene

DER SCHAUPLATZ VERWANDELT SICH IN EINEN GASTHOF IN CADIZ

Dorantino, Strombolo, Doria, Mezzotinto und andere Gäste an einer Table d'hote

STROMBOLO (in der Zeitung lesend): Er ist dem Hofe nach Ildefonse gefolgt, aber nur zwei Tage da geblieben.

DORIA: Ein schlechter Kerl! Das ein Philosoph? Wenn zu einem Genie nichts mehr gehört, als Spitzbubenstreiche zu machen.

STROMBOLO (läßt das Blatt fallen): Mit Ihrer Erlaubnis, von wem reden Sie?

DORIA: Von wem Sie auch reden –

STROMBOLO: Vom Minister?

DORIA: Vom Strephon, zum Teufel, vom Strephon, von wem anders? Ich dachte, Sie red'ten auch vom Strephon. Ein Spitzbube in *optima forma.* Er schickt mich zum Don

Alvarez, der einen Gesellschafter sucht und mich hundertmal drüber angered't hat, und als ich mich endlich entschließe und eben hinkommen will, ihm meine Einwilligung zu geben –

STROMBOLO: Ich dachte, er brauchte einen Sekretär, haben Sie mir gesagt –

DORIA: Nun ja, so hat er sich davongemacht, ist mit Herrn Strephon zu Schiff gegangen.

MEZZOTINTO: Zu Schiff, sagen Sie? – Mit Ihrer Erlaubnis, Herr Doria, das muß ich besser wissen. Er ist nach Orensee ins Bad gereist mit seiner Schwester, von da werden sie –

DORIA: Sie sind schlecht berichtet, Herr Mezzotinto. Ich muß es doch zum Teufel aus guter Hand haben, da ich mit dem Kastellan selber gesprochen, der ihnen in ihrem Jagdschiff das Geleit gegeben.

MEZZOTINTO: Sie wollen nach Hofe gehn, um Strephon eine Stelle dort auszumachen?

DORIA: Nach Frankreich sind sie gegangen, mein Herr, nach Frankreich; und schweigen Sie still, wenn Sie es nicht wissen, und reden nicht so in den Tag hinein. Nach Frankreich, das können Sie Ihrem Neuigkeitskrämer wiedererzählen.

MEZZOTINTO: Muß man denn alles sagen, was man weiß? Sehen Sie denn nicht, daß es nötig war, die wahre Absicht ihrer Reise zu maskieren? da Strephon – ich darf nichts weiter sagen, aber Sie sind doch alle einig mit mir, meine Herren, daß Strephon ein kluger Kopf ist. Ein wenig zu geheimnisvoll war er sonst, aber gegen mich nicht. (Lacht und trinkt)

STROMBOLO (mit einem vielbedeutenden Kopfschütteln, indem er Doria langsam auf die Schulter schlägt): Ja, mein lieber Herr Doria, Herr Strephon war ein Mensch, wie alle andern Menschen auch sind.

DORIA: Er war ein Spitzbube, ein Mensch ohne Ehre, ohne Treu' und Glauben.

STROMBOLO: Das möcht' ich nun eben nicht sagen. (Lächelnd) Verstand genug dazu hatte er –

DORIA: Und auch den Willen. Das beweist die Tat.

STROMBOLO: Er kann vielleicht in der Übereilung weggereist sein, ohne vorher an sein Versprechen zu denken, wiewohl das nun auch nicht artig ist –

MEZZOTINTO (schmatzend): Ja, meine lieben Herren, Sie können von alledem gar kein Urteil fällen, sehen Sie einmal, weil Sie von den Umständen nicht unterrichtet sind. Ich weiß es vielleicht allein, warum Strephon nicht anders hat handeln können, als er gehandelt hat. (Kehrt sich zu Dorantino, indem er sich auf den Tisch lehnt, der ihm zur Linken sitzt) Der Gemahl einer schönen und reichen Donna zu werden, Herr! das ist keine Narrenposse – da kann man die Philosophie schon scheitern lassen –

DORIA: Was sagen Sie, mein Herr! (Mezzotinto sieht ihn an, ohne ihm zu antworten)

STROMBOLO (der gehorcht hat): Ja so – nun begreif' ich's auch –

DORANTINO (sehr freundschaftlich zu Mezzotinto): Aber hört einmal, lieber Mann, das ist doch nicht schön vom Herrn Strephon, daß er mir nichts davon gesagt hat. Ich bin sein ander Ich gewesen, er hat nichts vor mir geheimgehalten, ich bin der einzige gewesen, der ihn hier unterstützt hat; hätt' ich ihm nicht auf die Beine geholfen, er läge itzt vielleicht am Zaun verreckt – (Trinkt) Ich kann mir doch nicht einbilden, daß er so undankbar gegen mich sein würde und mir ein Geheimnis aus seinem Glück gemacht habe.

MEZZOTINTO: Wenn ein gewisser Herr seinen Trauring von einer gewissen Person zurückgeschickt bekommt, so muß das doch seinen zureichenden Grund haben, und den Grund weiß ich. (Trinkt)

STROMBOLO: Das ist wahr, daß Herr Strephon immer für sich selbst zuerst zu sorgen pflegte. Er wußte sich aber doch bisweilen einen sehr großmütigen Anstrich zu geben.

DORIA: Und war doch nichts als Judas dahinter. Da haben Sie nun ein wahres Wort gesagt, mein allerliebster Herr Strombolo.

STROMBOLO: Alle Leute von Verstand und Genie handeln so. Und das muß auch sein. Es muß ein Unterscheid sein.

DORIA: Darum wollt' ich eben kein Mann von Verstand und Genie sein. – Ihr Herren, es hat zwei geschlagen, wer kommt mit mir aufs Kaffeehaus?

—

Dritte Szene

IN MARSEILLE

Strephon allein im Saal auf und ab gehend

STREPHON: Tod oder Liebe! Strephon! Strephon! wie lang hast du gezaudert? Wie unerträglich ist's alle Tage? Blick auf Blick geheftet, Auge in Auge gewurzelt, mit brennenden Lippen vor ihr dazustehn und immer die Unmöglichkeit zu wissen, ihr Verlangen mein Verlangen – ist denn kein Krieg da – es gibt keinen – überall Friede, schändlicher Friede – daß ich ein Teufel wäre, welchen anzuspinnen – und wo soll ich hin von ihr – von ihr, die so jung, so reizbar, so wankelhaft – sie vielleicht zur Beute eines andern – eines Franzosen, der durch nachgemachte Empfindungen, verstellte Lebhaftigkeit sie hintergeht – ich weiß nicht, was der La Fare immer um sie hat, das gepuderte Totengeripp' – er schwatzt in einem Atem mehr als ich in zehn Wochen, und sie hört aufmerksam zu, wenn er schwatzt – O ich sehe wohl, Seraphine war das höchste Gut, das ich mir wünschen konnte, aber ich bin unterwegens am Angel hängengeblieben und muß mich verbluten – Was soll sie auch, wenn kein Mittel abzusehen ist, wie wir vereinigt – o verwünschte Philosophie, wie hast du mich zurückgesetzt? wo wär' ich? auf dem Gipfel des Glücks, der Ehre, trüge itzt vielleicht Seraphinen eine Hand an, auf die sie stolz sein könnte – wenn du mich nicht mit deinen elenden Täuschungen in meiner beobachtenden Untätigkeit – ha, ein kühner Entschluß ist besser als tausend Beobachtungen – ich bin verfehlt – die Seufzer meiner Eltern haften auf mir – Seraphine, wenn ich nicht noch Hoffnung – (Zieht mit konvulsivischen Bewegungen den Dolch. Seraphine tritt herein, im Domino)

—

Vierte Szene

SERAPHINE: Was gibt's, Strephon? ich glaube, Sie überhören Ihre Rolle schon.

STREPHON (steckt ein): Nein, Donna, ich spiele nicht mit – ich habe zu lange zugesehen – ja doch, ich spiele mit. Meine

Rolle soll Ihnen Vergnügen machen. Ich mache den Sohn der Lenclos.

SERAPHINE: Ich bin so begierig auf das Stück als auf die Aufführung. Die Marquisin Chateauneuf gleichfalls, ich versichere Sie. Und der Marquis La Fare, Sie können sich nicht vorstellen, wie er sich auf Ihr Schauspiel freut.

STREPHON (halb die Zähne knirschend): Er gibt Ihnen den Arm zum Ball heut.

SERAPHINE: Er wird gleich kommen und mich abholen. Bin ich Ihnen so recht geputzt, Strephon? (Auf und nieder gehend)

STREPHON (halb abgewandt): Diese zuvorkommende Güte stopft mir den Mund. Und doch hab' ich nicht weniger Ursache zu klagen.

SERAPHINE: Was murren Sie da für sich? – (Auf ihn zugehend) Geschwind, Strephon! Sie haben was – Sagen Sie's, eh' die Kutsche kommt –

STREPHON (mit gebogenem Knie): Ach, so viel Güte wohnt nicht in sterblichen Körpern – Ich fühle jetzt, Fräulein, das ganze Gewicht meiner unglückseligen Bestimmung! Leidenschaft genug in der Brust, das Höchste zu wünschen, und doch zu wenig Mut und Kraft, was anders als Ihr Sklave zu sein.

SERAPHINE (ein wenig nachdenkend und lächelnd): Ich errate – Wessen Schuld ist es? liegt es nicht an Ihnen allein? –

STREPHON (heftig): An mir – ja, an mir – ich Elender!

SERAPHINE: Sie waren nicht zum Fidalgo geboren – Sie könnten, wenn Sie wollten –

STREPHON: Reden Sie aus, ich beschwöre Sie –

SERAPHINE: Sie sind in Frankreich, wo man Ihren Ursprung nicht weiß – mein Beutel, meines Bruders Beutel steht Ihnen zu Diensten – Ha, der Wagen hält, ich will den Marquis nicht bemühen, heraufzusteigen. Leben Sie wohl, Strephon – (Läuft ab)

STREPHON (außer sich): Kein Krieg da – keine Gefahr da, der ich um Seraphinens willen trotzen könnte. Nicht einen, tausend Tode zu sterben, wäre mir Wollust, nicht den körperlichen Tod allein, Tod der Ehre, der Freundschaft, der Freude, des Genusses, alles dessen, was Menschen wert sein kann. Wenn ein Abgrund offen stünde vor mir, ich stürzte mich hinab – Und La Fare, La Fare – La Fare, der den Freier macht – der durch mich, durch seine verstellte Freundschaft für mich, ihr Herz zu erobern sucht –

was ich empfinde, was ich verschweige, ihr vorplaudert und auf Kosten meiner innern Qualen genießen will – o, wie elend – elend bin ich. Und sie selbst, die Furcht, sie zu verlieren, verhindert mich, sie zu gewinnen, mich von ihr zu entfernen und in der schrecklichen Einöde des Hofes mein Glück zu versuchen – Ha, wenn ich mich ihres Herzens erst versichert habe – und das muß durch meine Ninon geschehen – so will ich die Gewalt sehen, die meine Bemühungen, sie zu erhalten, aufhalten soll.

—

Fünfte Szene

Alvarez tritt herein, einen Brief in der Hand

ALVAREZ: Da, ein Brief, Strephon, vom Don Prado – seht doch einmal, was dran ist, und beantwortet ihn – wenn Ihr vorher mit meiner Schwester gered't habt.

STREPHON (nimmt den Brief zitternd): Vom Don Prado? – (Beiseite) Welch ein kalter Schauder überfällt mich! (Etwas bebend im Ton der Stimme) Don Prado, wo mag er unsern Aufenthalt erfahren haben?

ALVAREZ: Weiß ich es? Die Schwester, glaube ich, könnte nach Polen gehen, er würde sie doch immer mit Briefen dahin verfolgen. Ich wünschte, der Mensch könnte sie vergessen, denn es tut mir doch leid um ihn.

STREPHON (mit schwacher Stimme): Mir auch –

ALVAREZ: Na, wie steht's mit unserm kleinen Theater? Seid Ihr bald fertig mit Euren Schauspielern? Ihr könntet Euer Stück auch immer nachher auf dem großen Theater spielen lassen, wenn die Marquisin von Chateauneuf es billigt, denn sie ist eine Kennerin.

STREPHON: Das bin ich versichert. Ich will den Brief nicht aufbrechen, bis alles vorbei ist. Er könnte mich sonst in meiner Aktion stören.

ALVAREZ: Gut, gut, wer treibt Euch denn? Mir zu Gefallen könnt Ihr ihn auch übers Jahr aufmachen. Nur daß unser kleines Spektakel was Guts werde, denn die Marquisin, hört einmal, hat einen sehr verwöhnten Geschmack. Ihr dürft ihr nichts Mittelmäßiges bringen, ich rat' es Euch. Es muß nicht zu – tragisch sein, auch nicht zu – komisch, nicht zu heftig – auch nicht zu kalt, nicht zu hoch – auch nicht zu gemein – kurzum, Ihr wißt schon, was ich sagen will.

STREPHON: Ich hoffe, daß Sie alle sollen befriedigt werden.

ALVAREZ: Na, ich glaube, Ihr habt Euch eben vorbereitet, ich will Euch nicht stören. Lebt wohl und haltet Euch gut. (Geht ab)

STREPHON: Vom Don Prado. (Den Brief auf der Hand schlagend) Nimmer, nimmer will ich ihn erbrechen. – Don Prado, der alles das ist, was ich sein könnte – zu sein hoffe – nie sein werde – – – Und bin ich schuld daran? hab' ich sie dir entzogen? hab' ich den mindesten Schritt, die geringste Bewegung gemacht, sie zu dem Bruch zu vermögen? Hab' ich ein Haar dir im Weg gelegt? – Don Prado, Don Prado, du erdrückest mich – du verdienst sie, du verdienst sie – aber ich kann sie dir nicht abtreten, nimmer, nimmer, solange noch Muskelkraft in diesem Herzen ist. – Wenn Doria – Mezzotinto – ach, wie werden meine Freunde meinen Namen vierteilen – Doria – ach, ich habe vergessen, von ihm mit Alvarez – Ich Unglücklicher, er hat einen andern – Guter Gott, was ist der Mensch? Mögen sie mich schwarz machen wie den Teufel, wenn ich Seraphinen erhalte, bin ich engelrein.

—

DRITTER AKT

—

Erste Szene

EIN KLEINES THEATER IN ALVAREZ WOHNUNG, DER VORHANG IST NIEDERGELASSEN · VORN STEHT EINE REIHE STÜHLE

Vor ihnen spaziert Strephon herum, eine kleine Brieftasche in der Hand

STREPHON: Das erstemal meines Lebens, daß ich so dreist bin, etwas anzurühren, das ihr gehört. Aber es muß sein, es muß sein, mein ganzes Leben hängt ab davon, das Schicksal hat es nicht umsonst in meine Hände fallen lassen. Sie, die sonst alles verschließt, dies im Speisesaal verloren – ha, wenn alles vorherbestimmt ist, was wir

tun – er könnte mir nicht gelegener kommen, der Zufall, als in Augenblicken, die so entscheidend für mich sind. (Durchsucht die Brieftasche) Vom Don Prado – vom Don Prado – die hat sie noch? hm! Das beste der weiblichen Herzen ist doch nicht von Eitelkeit ausgenommen – La Fare – ha! ich bin verloren, La Fare – an der Spitze aller meiner Entwürfe, meiner Laufbahn – La Fare – – wenn ich nur das Herz erst hätte, zu lesen – sollte sie es mit Fleiß haben liegen lassen, mich zu warnen – mich zu überzeugen, wie wenig sie sich aus Briefen der Art mache – ha, ich will nur lesen, eh' sie kommen – mag darin enthalten sein, was da wolle. (Steckt die Brieftasche ein und liest das Billett) Ich denke, da sie weiß, daß ich eben im Begriff stehe, nach Paris zu gehen und alle unsere großen Hoffnungen auszuführen, wird sie doch so grausam nicht sein und mich – mich (greift sich an den Kopf) – nein, nein, lesen wir nur, lesen wir nur –
»Wie, Donna! der Fidalgo mit dem abstudierten bleichen Gesicht und weiter nichts sollte mir im Wege stehen.«
Weiter nichts – –

(Liest weiter)

»Hüten Sie sich, sich so ein Lächerliches zu geben. Es wäre das erstemal Ihres Lebens. Er bild't sich ein, ein außerordentlicher Mensch zu sein. Ich schätze seine Gelehrsamkeit« –
Gelehrsamkeit? – Sie ist eine Verräterin – »noch mehr die Dienste, die er Ihrem Herrn Bruder erwiesen haben soll. Auch soll er mir im mindesten nicht beschwerlich, so wenig als gefährlich sein. Bleiben Sie immerhin seine Freundin, so wie ich um Ihrentwillen sein Freund sein will. Mag er allenfalls, wenn er von seinen frostigen Beschäftigungen Atem holen will, vor den Kamin Ihrer Augen treten und sich, wie es solchen Sylphen zukommt, mit einem Blick auf einige Monate abspeisen; ich bin ein Franzose, Donna, das einige Wort schließt mehr in sich, als Ihnen hundert Briefe erklären könnten.«
Holla! Marquis La Fare, nicht so gemeint – Ich merke – ich merke die ganze Absicht, warum sie ihn hat liegen lassen. Hier muß eingelenkt werden. Die Liebe leidet keine Teilung, mein luftiger Marquis, und wenn sie mir geraubt werden soll, müssen andere Leute als du mir sie streitig machen – Also mich nach Paris zu entfernen, und

mittlerweile ich Leben und Ehre in die Schanze schlage – – schöner Plan – sie kommen. Itzt den Komödianten gemacht, Strephon, oder den Narren auf ewig –

(Alvarez mit der Marquisin, La Fare mit Donna Seraphina kommen und nehmen ihre Plätze ein. Strephon komplimentiert sie und entfernt sich nachher. Der Vorhang wird aufgezogen. Ein Zimmer der Ninon Lenclos erscheint)

Zweite Szene

Das kleine Theater

Vorn als Zuschauer Alvarez, die Marquisin von Chateauneuf, Seraphina und der Marquis La Fare

Ninon tritt auf in einem reizenden Negligé und sieht einem Maler zu, der auf die Decke ihres Zimmers die Geburt der Venus malt. Ninon brummt folgendes Liedchen für sich —

Gute Laune, Lieb' und Lachen
Soll mich hier
Unaufhörlich glücklich machen
Und die ganze Welt mit mir.
Auf dem Samt der Rosen wiegen
Sich die Weisen nur allein;
Liebe? ist sie nicht Vergnügen?
Nur die Treue macht die Pein. V. A.

Maler: Mademoiselle (sich die Augen wischend) ich habe die Venus malen wollen und habe Sie getroffen. Glücklicher Mann, der das alles einmal sein nennen kann.

Ninon: Den Wunsch nehm' Er zurück; es wäre der unglücklichste Mann auf dem Erdboden, wenn ich gewissenlos genug sein könnte, mich einem zu ergeben. Liebe ist ein Augenblick, und nur die unbändigste Eitelkeit der Mannspersonen kann sich überreden, diesen Augenblick dauren zu machen. Ich bitt' Ihn, sag' Er doch allen Mannspersonen, daß dem nicht so ist.

Maler: So ein schönes Herz bei so schlimmen Grundsätzen. O Mademoiselle, warum sind Sie doch keine Deutsche? denen es die Väter so oft vorsagen, daß sie ihrer los sein möchten, daß sie beim ersten freundlichen Blick, den ein

Mann ihnen zuwirft, gleich fragen: Mein Herr, werden Sie mich auch heiraten?

(Strephon tritt auf als der junge Lenclos, unter dem Namen des Ritters von Villiers)

NINON: Sehen Sie hier unsere künftige Stoa. Und die Göttin der Weisheit oben.

VILLIERS (wirft einen unbedeutenden Blick drauf): Ich höre, Ninon, Sie wollen den Marquis Riparo heiraten.

NINON: Wer hat Ihnen das gesagt? (Zum Maler) Lassen Sie es nur für heute so gut sein. (Maler geht langsam ab)

VILLIERS: Es gibt viele unbeständige Dinge in der Welt, aber das unbeständigste ist ein Frauenzimmer.

NINON: Ich bin Ihre Freundin und als die beständig.

VILLIERS: Den Marquis Riparo, den kalten Narziß? Wenn Sie mich wenigstens einem jüngern feurigern Liebhaber aufopferten, aber – he, Sie haben drauf gesonnen, mich durch eine unerhörte Handlung zu einer ganz neuen Art von Verzweiflung zu treiben. Und das mit dieser Gleichgültigkeit, mit dieser heitern Miene –

NINON (faßt ihn an die Hand): Ritter Villiers, ich bin nicht gleichgültig.

VILLIERS: Gehen Sie, Sie sind weder freundschaftlich noch mitleidig, was auch diese Träne mir weismachen will, die Ihnen keine Mühe kostet. Soll ich Ihnen den wahren Inhalt Ihrer Miene sagen? Sie freuen sich, daß mich diese Heirat rasend macht, Sie sind nicht bloß gleichgültig gegen mich, Sie hassen mich.

NINON: Ja, ich hasse Sie, junger Mann, wenn Sie mir Liebe abzwingen wollen. Unbesonnener, weißt du auch, was du verlangst? hört Liebe nicht auf, Liebe zu sein, sobald sie Gefälligkeit wird, liegt nicht ihr ganzer Zauber in ihrem Eigensinn?

VILLIERS: Ach, hätten Sie mir das das erstemal gesagt, als meine von Wollust schwimmenden Augen sich zu den Ihrigen erhoben und Blick auf Blick unsere Seelen verschwisterte. Hätten Sie mir's gesagt, als ich zum erstenmal zitternd Ihre Hand an diese Brust legte (Seraphine unten wischt sich die Augen) und Sie leise riefen: Strephon, Strephon, was will aus uns werden? (Es wird ein Geräusch unten. Alvarez klatscht)

ALVAREZ: Ha, ha, ha, Strephon, du hast dich versprochen, du Ochsenkopf.

VILLIERS (fährt fort): Und jetzt diese Verwandlung – oder tatst du das nur, um mir deinen Verlust desto empfindlicher zu machen, wenn du mich anfangs mit der süßesten aller Hoffnungen geschmeichelt hättest? Ninon – (ihr die Hand vom Gesicht nehmend) du weinst? – Ninon – es ist das unnatürlichste Schauspiel, das ich mir je einbilden konnte – ein Weib in Tränen über einen Menschen, den sie zu verderben sucht. Entehre dein Geschlecht nicht, dessen Zierde du sonst warst. Ninon, Wohnplatz aller Freuden, aller Reize, aller Seligkeiten in der Natur – Und kann ich dich zu Tränen bringen und nicht zum Mitleid? Lache lieber, lache über meine Verzweiflung – (Ninon eilt ab)

VILLIERS: Sie geht, lächelt, gleitet so hin über meine Qualen, ihr Leichtsinn wirft so ein falsches Licht darauf. O das ist der menschlichen Leiden höchstes, für einen Komödianten angesehen zu werden, derweilen wir doch fühlen, daß unsere Pein es so ernstlich meint. – Sterben – Sterben – das einzige, was mir übrigbleibt – ha sterben, und ausgelacht zu werden – (Pocht an ihr Kabinett) Ninon! Ninon! – Sie werden glauben, ich töte mich aus Verdruß, aus Rache – nein, Ninon! ich sterbe aus Liebe. (Er zieht den Degen)

(Ein Bedienter öffnet die Kammertür und gibt ihm ein Billett. Er bricht es auf und liest. Bedienter ab)

»Gehen Sie sogleich nach meinem Gartenhause in der Vorstadt des heiligen Antons. Ich werde Ihnen in einer Viertelstunde dahin folgen und Neuigkeiten von der äußersten Wichtigkeit entdecken« – Sagt Eurer Frau, ich fliege – er ist fort – (Küßt und drückt das Billett und eilt ab)

(Grammont und der Marquis Riparo treten auf, Freunde der Ninon)

RIPARO: Sagen Sie mir doch, Grammont, was fehlt unserer Lenclos? Sie ist seit einiger Zeit ungewöhnlich bleich und nachsinnend. Nicht wahr, seit ihrer Mutter Tod hat sie noch nie diese Farbe gehabt? Sollte man die Ursache nicht erraten können?

GRAMMONT: Ihr Rosenbett muß doch auch seine Dornen haben. Das Andenken ihrer Mutter vielleicht –

RIPARO: Sollte man nicht vielmehr vermuten, daß sich ihr Herz an einen glücklichen Gegenstand zu befestigen anfinge, und daß dieser Streit zwischen ihren Grundsätzen und Empfindungen – –

GRAMMONT: Und wer sollte der Glückliche sein?

RIPARO (lachend): Ich weiß nicht.

GRAMMONT: Schmeicheln Sie sich nicht, Marquis – oder beunruhigen Sie sich nicht. Sie sind der Mann nicht, Ninon schwermütig zu machen.

RIPARO (indem er eine Kapriole mit den Füßen schneidet): Wenn aber eine unvermutete eigensinnige Leidenschaft den Weg zu diesem Herzen gefunden – Es kann nicht anders sein, auf einen langen Sonnenschein muß einmal ein Wetter folgen.

GRAMMONT: Wenn Sie der Herr von Elbene wären, würde ich sagen, Sie hätten in einem Heldengedicht gelesen. Wie? Sie können töricht genug sein, sich einzubilden, daß es Ninon mit ihrer Verheiratung an Sie ein Ernst sei? Daß Sie der Alexander sei'n, der diese mit so vieler Weisheit und Entschlossenheit seit so langen Jahren bei ihr angelegten Befestigungen gegen den Ehestand mit einem Blick über den Haufen wirft? – Marquis, haben Sie denn in Ihrem ganzen Kopf nicht so viel gesunde Vernunft, einzusehen, daß diese vorgegebene Leidenschaft für Sie nichts als ein blinder Lärmen ist, den armen Ritter Villiers zurechtzubringen, dessen ungestüme und unheilbare Leidenschaft sie um desto mehr bedauert, je weniger sie sie zu erhören willens ist. Lassen Sie sich also nur immer zum Temperierpulver brauchen, aber bilden Sie sich nicht ein –

RIPARO: Gehen Sie, gehen Sie, Sie sind nicht klug. Lassen Sie uns nur hineingehen, Sie werden sehen.

GRAMMONT (klopft ihm lachend auf die Schulter): Guter Marquis Riparo. (Beide gehen ins Nebenzimmer)

LA FARE (unten): Sie werden mir verzeihen, Donna, es fällt mir ein, daß ich bei einem meiner Freunde, der auf den Tod krank liegt, einen Besuch zu machen habe. (Er empfiehlt sich, nachdem er Alvarez gleichfalls ins Ohr geflüstert)

(Der dritte Vorhang wird aufgezogen. Es erscheint das Gartenhaus der Ninon. Ninon in Trauerkleidern. Villiers vor ihr auf den Knien)

DIE MARQUISIN CHATEAUNEUF (unten zu Alvarez): Jetzt wird das Gemetzel angehen, ich liebe dergleichen Szenen nicht. Wissen Sie was, es sind hier Seiltänzer angekommen, wollen wir gehen und ihnen zusehen?

ALVAREZ: Seraphina, willst du mitkommen, wir wollen die Seiltänzer sehen?

SERAPHINE: Mein Gott, lassen Sie uns doch wenigstens die Katastrophe abwarten.

ALVAREZ: Die Marquisin liebt die Strophen nicht. – Weißt du was, du kannst ja mit Strephon nachkommen, wenn alles vorbei ist. (Führt die Marquisin ab. Donna Seraphina bleibt sitzen. Das Schauspiel geht fort)

NINON (oben): So gibt es denn Zufälle, die alle Vorsicht der menschlichen Klugheit zuschanden machen. (Schlägt in die Hände) Unglücklicher! was hab' ich nicht angewandt, Ihren verirrten Sinnen die Ruhe wiederzuschenken! So wissen Sie denn, weil Sie das so außer sich setzt, daß meine ganze Heirat mit Riparo nur eine Erdichtung war. Ich kann Sie nicht lieben, ich darf Sie nicht lieben, und doch könnte ich mein Leben hergeben, Sie ruhig zu sehen. (Villiers nimmt sie in seine Arme) Unsinniger, heben Sie Ihre Augen zu jener Uhr auf! Es sind schon fünfundsechzig Jahr, daß ich auf der Welt bin.

VILLIERS: Wird die Sonne alt? Wärmt sie weniger als vor tausend Jahren? O Sie! noch immer Zauberin, heilige Beweglichkeit, unaufhörlicher Wirbel aller Reize! (Will sie küssen)

NINON: Meine Kräfte verlassen mich. Gott! mußt' ich bis zu diesem Augenblick leben?

VILLIERS: Vollkommenstes, reizendstes, seligstes – (Küßt sie oft und feurig)

NINON (halb sterbend): Mäßigt Euch – (Erholt sich und rafft sich auf) Mäßigt Euch, Rasender! was fängst du an – (Stößt ihn von sich) Ungeheuer! deine Mutter – –

VILLIERS: Was ist Ihnen?

NINON: Ich bin deine Mutter.

VILLIERS (stürzt hin, sie sinkt neben ihn)

NINON: Was für ein Herz muß ich dir gegeben haben, daß es dir an diesem Orte nichts sagte. Ja, unnatürlicher Sohn, erkenne das Haus, wo ich dich zur Welt brachte – der Fluch meiner Mutter trifft mich itzt – Wenn ich nicht fürchten müßte, daß die Leidenschaft eines Bastards Gott und Natur aus den Augen setzen könnte – ach, die einzige Wonne meines Lebens, dich an dieses Mutterherz zu pressen – sie ist mir versagt –

VILLIERS (nachdem er sie mit wilden und wütenden Blicken angesehen, zieht jähling den Dolch hervor und ersticht sich)

SERAPHINE (von unten winkt mit dem Schnupftuch)

(Der Vorhang fällt zu. Strephon kommt noch in der Kleidung des Ritters Villiers herab zu Seraphinen)

SERAPHINE (da sie ihn sieht): Ach Strephon! wie gehen Sie um mit mir?

STREPHON (vor den Stühlen knieend): Donna! es war notwendig – meine teuerste Donna – Wenn ich Sie beleidigt – wenn ich Sie durch diese Vorstellungen auch nur zu sehr beunruhigt habe – denn auch das ist Beleidigung – sprechen Sie, sprechen Sie das Todesurteil aus über mir. Ich bin bereit, es zu vollziehen –. Sie werden mich glücklich machen.

SERAPHINE: Setzen Sie sich – setzen Sie sich – – (Strephon setzt sich auf der Reihe Stühle, die vor ihr stehen, neben ihr) Sagen Sie mir, Sie, der Sie so scharfsinnig die Herzen zu erraten wissen (sie sieht ihn lange an und schweigt) was sind Ihre Absichten mit mir?

STREPHON (seinen Mund auf ihre Hand drückend, die sie auf die Lehne des Stuhls gelegt hatte): O wie kann ich reden – bei diesem Übermaß von Glück – Aber Donna! Gottheit! wider die zu murren ich mich nie unterstehen werde – eh' ich Ihnen meine Plane, um Sie zu erhalten, entdecke – (zieht einen Brief heraus) kennen Sie diesen Brief?

SERAPHINE: Der Brief des La Fare? – (nimmt ihn ihm gelassen aus der Hand) und der setzt Sie so außer sich?

STREPHON (äußerst unruhig): Wundert Sie das? –

SERAPHINE: Ich wußte kein ander Mittel, unser beider Wünsche zu befördern, als meine Verheiratung mit ihm.

STREPHON: O daß Sie das Wort nie gesagt hätten! Ein tötender Donnerschlag aus einem heitern Himmel wäre mir angenehmer gewesen. Wozu wollen Sie mich machen? zu einem Petrarkischen Sylphen, der in ewigen Elegieen seufzend um Sie herumgeht? Glauben Sie, daß die Wünsche, die in dieser Brust toben, so schal, so schwach und so ohnmächtig sind, sich damit zu befriedigen? Ich muß Sie besitzen, Donna – oder nicht leben.

SERAPHINE: Und was für Mittel haben Sie? lassen Sie doch hören. Sie wollen nach Paris gehn, Geschäfte zu übernehmen, die Sie bald zu einem Rang heben werden, der meinem Bruder den letzten Vorwand benehmen soll, unsere Verbindung zu hindern. Haben Sie das auch recht überdacht? Ist etwa in Paris ein Mangel an großen Leuten, sowohl in Ansehung der Talente, als – was Ihnen noch fehlt, Strephon – der Erfahrungen? Wie wollen Sie sich durch diese weg machen, lieber Strephon, diesen vordrängen? Sie sind keiner von den jungen Aufgeblasenen, die sich in der ganzen Welt als den Mittelpunkt sehen und glauben, daß die ganze Welt auch so sehen werde. Bedenken Sie, was dazu gehört, an einem Hofe, wie der französische, nur bemerkt zu werden, geschweige sich emporzuarbeiten, sich unentbehrlich zu machen –

STREPHON (in tiefen Gedanken, mit einem unterdrückten Seufzer): Ach –

SERAPHINE: Sie könnten grau darüber werden. Auch haben wir dort keine Freunde, keine Unterstützungen, keinen Zusammenhang, weit weniger könnten wir Ihnen welche verschaffen – Wo also da Ausweg für uns, lieber Strephon, für unsere Wünsche? – Und glauben Sie, ein Frauenzimmer könne unterdrückte Wünsche so ruhig nähren, derweile Sie die Erlaubnis haben, sie ausbrechen, sie wüten und toben zu lassen? O ihr Mannspersonen, wie wenig besitzt ihr das Geheimnis, in einer weiblichen Seele zu lesen!

STREPHON (in die Höhe sehend): Unbarmherziger Himmel! (Nach einer Pause) Aber was hindert uns, Donna! das, was das neidische Schicksal uns versagt, uns selber zuzueignen? (Fällt auf die Knie) Ich weiß, ich bin ein Verbrecher, indem ich dieses sage, aber der Himmel läßt mir keinen andern Ausweg übrig. Ach, hinter dem süßen Schleier des Geheimnisses würden alle unsere Freuden, wenn es möglich wäre, noch einen höheren Reiz gewinnen, und es hat etwas Erhebendes für die Seele, Gott allein zum Zeugen einer Verbindung zu nehmen, die so ewig als er selber ist –

SERAPHINE: Strephon, hören Sie alles! Ich hätte mich mit Don Prado verheiratet, wenn er nicht ein Mann gewesen wäre, von dem Sie alles zu befürchten gehabt hätten. Zu betrügen war er nicht, er wollte mein Herz, nicht meine Person, er hätte dieses Herz erworben, er hätt' es Ihnen entzogen. La Fare ist ein Franzose, La Fare ist einer der bequemen Ehemänner, denen man nichts raubt, wenn man ihnen das Herz entzieht, die, mit Höflichkeit zufrieden, unsere Liebe nicht vermissen – Sie staunen, Strephon! sehen Sie denn nicht, daß der Mann ausgebraust hat, ausgelebt hat? – und damit Sie den Schlüssel zu all meinen Entwürfen – zu unserer ganzen künftigen Glückseligkeit haben – (sie steht auf) La Fare ist arm. – Ich erkaufe unserer Liebe einen Beschützer. (Geht schleunig ab)

STREPHON (allein): Wo bin ich? – Sie ging, ihre Verwirrung, ihre Röte, ihre Tränen zu verbergen – Und ich – wie glücklich – wie schrecklich die Aussicht! La Fare sie in seine Arme schließen – der Leichnam – Nimmermehr. Gott! so viel Liebe – und ich hier, staunend, ohnmächtig, zerrissen von Dankbarkeit, Verzweiflung und Freude – sie arbeitet darauf, mich wenigstens zur Hälfte glücklich zu machen – und ich so untätig – ha, Strephon – sie – sie muß ganz dein sein – oder du bist ihrer nicht wert – nicht wert, auf einem Erdboden zu stehen, den sie betrat. Wie? du, ein Mann? – und dich so von einem Frauenzimmer übertroffen zu sehen? von einem Frauenzimmer, das an Jahren unter dir ist? Was hast du getan für sie? – der Gedanke tötet mich. – Diesen Engel mit einem La Fare zu teilen – zu sehn, wie seine Liebkosungen sie entweihen – wohl gar unsere schüchterne Liebe unter seiner Herrschaft – wenn er seinen Zweck erreicht hat – unter seiner Tyrannei zu sehen. Welch ein Licht geht mir auf! Welch ein Abgrund eröffnet sich mir? Zu zärtliche Seraphine! wohinein wolltest du dich stürzen? Nein, nein, ich habe noch Mittel, Alvarez hat Freunde, hat Unterstützungen, hat Zusammenhang in Buenretiro. Alvarez muß nach Spanien zurück, Seraphine muß aus den Klauen des Todes gerissen werden, eh' ihre unglückliche Leidenschaft für mich – für einen Nichtswürdigen sie dahinreißt – sie muß, sie muß – und sollte ich sie verlieren – eh' Seraphine unglücklich wird, muß die ganze Natur sich aufmachen, sie an dem Bösewicht zu rächen, der die Ursache davon ist.

VIERTER AKT

Erste Szene

IN CADIZ · ALVAREZ WOHNUNG

Strephon sitzt an einem Tisch und schreibt. Auf einmal springt er auf und geht herum

STREPHON: Was für Wonnegenuß zerstörte ich mir! – – Mag's! man muß aufopfern, um mehr zu gewinnen, um alles – ha, wie erkältend, wie erkältend die Angst über mir schwebt, vielleicht alles – zu verlieren. Ha, wenn ein großer Mann sich durch dergleichen Besorgnisse abhalten ließe, den entscheidenden Schlag zu wagen – und ich muß Seraphinen verdienen oder auf alles Verzicht tun. Ihrer unwürdig – ich kann den Gedanken nicht aushalten. Liebe ist nur unter Gleichen, unterschied sie die Geburt von mir, so muß mich mein Herz zu ihr erheben.

—

Zweite Szene

Seraphine tritt herein

Seraphine: Ich komme, Ihnen Glück zu wünschen, Strephon! Sie triumphieren. Sie haben ein Meisterstück gemacht; genießen Sie jetzt mit aller Selbstzufriedenheit, die Ihnen möglich ist, die Früchte desselbigen.

Strephon: Dieser Ton, Donna? –

Seraphine: Kann Ihnen nicht unerwartet sein. Wie gesagt, Ihr Anschlag ist gelungen, alles, was darauf erfolgen kann, müssen Sie vorausgesehen haben; genießen Sie jetzt der einzigen Belohnung aller großen Anschläge, des schmeichelhaften Beifalls Ihres eigenen Herzens.

Strephon: Vorwürfe? –

Seraphine (setzt sich): Nein Strephon! dazu bin ich itzt zu kalt geworden. Auch seh' ich die ganze Triebfeder Ihrer unverbesserlichen Politik; denn zum Staatsmann sind Sie einmal geboren. Sie waren zu stolz, mich mir zu danken zu haben; Sie wollten mich Ihnen, Ihren eigenen Heldentaten verdanken, Sie spannen, trieben, arbeiteten bei meinem Bruder dahin, daß er seine Hochzeit mit der Marquisin hier in Cadiz vollziehen sollte, um mich an Ihrem Triumphwagen mit nach Cadiz zu schleppen; ein wunderbarer Staatsstreich! Und wir hier, Herr Strephon! hier, wo jedermann Sie kennt, mit Fingern auf Sie weist – oder bilden Sie sich ein, daß, wenn Sie in sich ein höheres Maß von Talenten vor einigen Ihrer hiesigen Freunde fühlen, Sie ebendarum auch so hoch in der Meinung der Welt über sie herausgerückt sind? Bilden Sie sich ein, daß der Hof urteilen werde, wie Ihre Freunde? und Ihnen den Vorzug eines großen Mannes mit ebenso vieler Unterwerfung einräumen, als sie tun? Sie haben meinem Bruder gesagt, daß Sie nach Buenretiro gehen wollten, Sie haben ihn um Geld angesprochen; bilden Sie sich ein, daß der Herzog von Aranda zu regieren sei wie mein Bruder? Daß Sie einem ganzen Hofe vielleicht mit einer Komödie die Köpfe umdrehen wollen?

Strephon: O Donna, der Spott –

Seraphine: Sie haben mir weit weher getan. Alles, alles zernichtet, was Liebe und Schwärmerei für Sie unternehmen konnte, und mich, die ich für Sie weiter ging, als je eine meines Geschlechts für den erkenntlichsten Liebhaber getan haben würde.

Strephon (stürzt hin vor ihr)

Seraphine: Stehen Sie auf – diese Schauspielerstellungen kommen itzt zu spät. Auch ich bin entschlossen – so fest entschlossen, als eine Sterbliche sein kann – weil Sie allen meinen Wünschen entgegengearbeitet, weil kein ander Mittel zu ergreifen ist – lesen Sie diesen Brief. (Legt einen Brief auf den Tisch) Er ist von Don Prado – – (Strephon nimmt den Brief stumm) Strephon – (Sie fällt ihm schluchsend um den Hals; dann plötzlich sich losreißend) Sie haben mich auf ewig verloren. (Ab)

Strephon (fällt hin auf einen Stuhl und bleibt eine lange Weile sitzen, ohne sich zu bewegen. Endlich öffnet er das Papier und scheint drin zu lesen, läßt aber bald die Hände auf den Schoß sinken und sagt mit gebrochener Stimme): Auf ewig – (Er fällt in Ohnmacht)

—

Dritte Szene

Zwei Bediente

Ein Bedienter aus dem Hause: Komm' Er nur herein, komm' Er nur hier herein, die Herrschaften sind alle zum Don Prado auf die Assemblee gefahren, wir sind hier allein.

Strephon (der sich erholt): Don Prado? – Wo war ich? – – (Zum Bedienten) Wo ist Don Prado?

Bedienter: Nichts, gnädiger Herr – verzeih' Er, daß wir hereingekommen sind; wir dachten, Er wär' auch auf die Assemblee gefahren – bitten sehr um Verzeihung. (Gehn heraus)

STREPHON (nimmt den Brief von Don Prado aus seinem Schoß auf und liest ihn stillschweigend. Am Ende wird er laut): »Den unbekannten Freund möchte ich kennen, der wie mein Schutzengel für mich gesorgt haben soll« – für dich? – Da ist der große Mann, den ihr aus mir gemacht habt, meine Freunde – ein Kuppler – (Nach langem Nachdenken) Der Mensch ist so geneigt, sich selber zu betrügen; hat er Verstand genug, sich vor seiner Eigenliebe zu verwahren, so kommen tausend andere und vereinigen ihre Kräfte, seine entschlafene Eigenliebe zu wecken, um den Selbstbetrug unerhört zu machen. – Also ein Philosoph? – Und nichts weiter? – Und diese Sentenz, die ich gelernt habe, der Preis aller meiner Bemühungen? – Seraphine! wie gehst du um mit mir? – Es ist zu viel: ich bin es satt. (Steht auf) Lahm – lahm nun alle Triebfedern, die mich zum Leben spornten. Was soll ich denn hier länger? (Sucht nach seinem Degen) Das ist die kälteste Überzeugung, die ein Mensch haben kann, daß sein Tod von höheren Mächten beschlossen sei.

—

Vierte Szene

Don Prado tritt herein

DON PRADO: Ich komme, Sie tausendmal an mein Herz zu drücken, bester unter allen Freunden, den mir jemals die Vorsicht gab. Sie schenken mir Seraphinen wieder, die ich schon auf ewig verloren glaubte, edler Mann, edelster unter allen Menschen. (Umarmt und küßt ihn) Glauben Sie nicht, daß Sie meinem Dank entgehen wollen: einen Wohltäter wie Sie würde ich aufgesucht haben, soweit menschliche Kräfte reichen. Sie sollen bei mir bleiben, Sie sollen Haus und Habe und unser beider Herz teilen, fürtrefflicher junger Mann.

STREPHON (fängt an zu weinen)

DON PRADO: O ich fühle sie, ich fühle sie, die Belohnung eines Herzens, wie das Ihrige, in Tränen, wie die sind, Tränen über das Glück eines andern. (Umarmt ihn nochmals) Mein vollkommenster Freund!

STREPHON: Ich habe nichts für Sie getan. Die Güte ihres eignen Herzens wirft einen falschen Schein der Großmut auf das meinige.

DON PRADO: Nichts für mich getan? – Diese Bescheidenheit wird Lästerung – In Seraphinens Herz die Abneigung gegen den Ehestand, die sie allein zu dem Schritt gegen mich vermochte, durch das Beispiel der Ninon mit einemmal nach sieben Jahren herausgewurzelt, einen Liebhaber, mit allen Künsten französischer Galanterie gewaffnet, ihr lächerlich gemacht, ihren Bruder und sie wieder in meine Arme geführt, sie sogar beredet, zu unserer Wiederaussöhnung und Wiedervereinigung den ersten Schritt zu tun –

STREPHON (sich an einen Stuhl haltend, im Begriff umzufallen): Das ist zuviel –

DON PRADO: Freilich zuviel für alle meine Erkenntlichkeit. Wenn ich irgendein seltenes, ein über die gewöhnlichen Wünsche der Sterblichen hinausreichendes Gut hätte, Ihnen zur Belohnung anzubieten. Eine Seraphine müßte ich haben, die Ihnen so teuer wäre wie mir die meinige.

STREPHON (fährt auf): Was sagen Sie? – (Faßt sich) Mein Herr, Ihre Trunkenheit der Freude leiht meinen Handlungen ein Licht, das ihnen nicht gehört. Wenn Sie wüßten, wie sehr ein nicht verdientes Lob erniedrigt, demütigt, zerknirscht –

DON PRADO: Kommen Sie mit mir, Sie sollen Zeuge von meiner und Alvarez' Freude sein, von der wir beide Sie als die vornehmste Triebfeder ansehn. Wir halten heute abend unsere doppelte Hochzeit, Sie sollen uns in die Kirche, zum Altar begleiten und Ihre Fürbitte wie die Fürbitte eines Heiligen alle Freuden des Himmels auf unsere beiderseitige Verbindung herabziehn. (Führt Strephon mit einigem Widerstande ab)

STREPHON (beiseite): O unerforschlicher Himmel! Nur daß ich ihnen nicht fluchen darf – – (Ab)

—

FÜNFTER AKT

—

Erste Szene

MEZZOTINTOS ZIMMER IN DON PRADOS HAUSE,
MIT EINEM ALKOV

Mezzotinto und Strephon hochzeitlich geputzt, in der
Morgenstunde nach Hause kommend

MEZZOTINTO: Ihr seid ja so still, so in Euch gekehrt? Auf der ganzen Hochzeit seid Ihr ja fast stumm gewesen. Was ist Euch, Strephon? was habt Ihr?

STREPHON: Nichts.

MEZZOTINTO: Ihr habt Prados ganzes Herz, das ist nicht wenig. Und könnt zuversichtlich einmal auf eine Beförderung bei Hofe rechnen, der Mann hat mehr Einfluß, als Ihr wohl glaubt. (Sich den Rock ausziehend) Nun zieht Euch aus, schwatzen wir noch miteinander, ich kann doch so bald nicht einschlafen.

STREPHON: Legt Euch schlafen, Mezzotinto, ich werde in Kleidern bleiben.

MEZZOTINTO: Was? seht Ihr mich denn nicht an, wenn Ihr mit mir sprecht? Der Herr ist grausam abwesend, (scherzend) er wird doch wohl nicht gar noch Grillen in Ansehung der Donna Seraphina –? he, he, he –

STREPHON: Ich will nur noch einen Brief schreiben, Mezzotinto, und da werd't Ihr mir ein wahres Vergnügen machen, wenn Ihr Euch zu Bette legt, daß ich ungestört bin.

MEZZOTINTO (der fortgefahren sich auszukleiden, tritt hinter den Alkov): Ihr seid ja doch sonst immer ein Philosoph gewesen –

STREPHON: Seid ohne Sorgen!

MEZZOTINTO: Da ist Tinte und Papier in meinem Schreibepult – Gute Nacht denn! (hinter der Szene rufend)

STREPHON: Gute Nacht!

STREPHON (allein): So ist es denn bis dahin gekommen. In diesem Augenblick umfaßt er sie, genießt all der unaussprechlichen Reize, die mein waren, die ich aus – Philosophie in Besitz zu nehmen versäumte. Und ich mußte bis zu diesem Augenblick leben und Schritt vor Schritt ihn zu seiner grausamen Eroberung begleiten. Gut, so muß ich auch Zeuge von dem letzten sein, um seinen Triumph und meine Verzweiflung vollkommen zu machen. (Steht auf und geht zu Mezzotintens Kleiderschrank, wo er aus einer Schublade den Pulverbeutel hervorlangt) Ich will ihm die Hochzeit einschießen. (Er nimmt eine Pistole von der Wand und lädt) Philosoph – welch ein Schimpf in meinen letzten Augenblicken! Ein Mensch, der allen Rechten der Menschheit entsagt, um sich bei andern in ein törichtes Ansehen zu setzen. So einer war ich freilich, Mezzotinto, wie jeder Mensch gern das wird, wofür andere ihn halten. Seraphine hat meine Eitelkeit zuerst überwunden und mich überzeugt, daß ein bloßer Beobachter nur ein halber Mensch sei. Ihr, ihrem Glück, ihrer Ehre soll er aufgeopfert werden, dieser halbe Mensch, dessen Tod seine erste schöne Handlung ist. (Er setzt die Pistole an die Stirn) Ha, diese Hand soll nicht zittern, dieser Fuß nicht wanken, keinen unzufriednen Laut will ich von mir geben, um ihre Hochzeitsfreude festlich zu machen. – Vorher aber muß ich sie noch einmal sehen, in den Armen ihres Buhlers, vielleicht vom lüsternen Monde beguckt. Ich will die Miene sehen, mit der sie eingeschlafen ist, ob in derselben keine Spur von Mitleid mit ihrem Strephon zu entdecken ist, damit ich getröstet sterben kann. Wenn er sollte zugeriegelt haben – so wird immer ein Fenster zu ersteigen sein. Ich komme nicht, dich in deinem Glück zu stören, liebenswürdiger, gefährlicher Prado, ich komme, dir die letzte Hindernis desselben auf ewig aus dem Wege zu räumen. Dieser Tod ist des wahren Philosophen würdig, dieser Tod ist die erste gute Handlung meines Lebens. (Geht mit wankenden Schritten heraus)

—

Zweite Szene

DAS BRAUTGEMACH IN DON PRADOS HAUSE · DAS BRAUTBETT AUFGEPUTZT · AUF EINEM WINKELTISCH EINE HALB AUSGEBRANNTE WACHSKERZE

Seraphine sitzt an demselbigen auf einem Stuhl, die Hand auf den Tisch gestützt, mit der sie die Augen bedeckt, in einem reizenden Negligé. Graf Prado im Schlafrock steht vor ihr

PRADO: Nun, meine Seraphine. (Er versucht ihr ins Gesicht zu sehen; sie, ohne aus ihrer Stellung zu kommen, wirft ihm den linken Arm auf den Nacken)

PRADO (liebreich): Was bedeutet dies? Ist der letzte Augenblick der Freiheit so schmerzhaft? – Noch ist's Zeit, Seraphine! ich will Ihr Unglück nicht. (Indem er seinen Mund an ihren Ellenbogen drückt) Noch sind Sie Meister Ihrer Entschließungen. Sprechen Sie mein Urteil, und ich werde mich über nichts beklagen.

SERAPHINE (immer wie vorher): Gott! –

PRADO: Ach hab' ich so wenig Zutrauen bei Ihnen? Kennen Sie mich noch nicht? Zweifeln Sie noch, daß ich Sie um Ihrer selbst willen liebe, daß ich Sie mehr liebe als mich, mehr als Ihren Besitz selbst? – –

SERAPHINE (sieht auf): Prado – es gibt Augenblicke, in denen man sich selber haßt, (wieder ihr Gesicht in ihre Hand versteckend) und das sind die unerträglichsten Augenblicke unsers Lebens – –

PRADO (nimmt einen Stuhl und setzt sich zu ihr, sehr aufmerksam sie ansehend): Wie verstehen Sie das?

SERAPHINE (steht verwildert auf): Es muß, es muß – (vor ihm niederknieend, ihr Gesicht auf seinen Schoß) vollkommenster Mann! können Sie mir verzeihen?

PRADO (außer sich): Seraphine! –

SERAPHINE: Ich schätze Sie zu hoch, als daß ich Sie hintergehen kann. Ich habe mich selbst hintergangen, ich habe geglaubt, wenn ich Ihnen die liebsten Wünsche meines Herzens aufopferte, würde die Gewalt, die ich mir antat, und die Marter, die es mich kostete, mich Reize in Ihrer Verbindung finden lassen, die mein halsstarriges Herz sonst nicht drinne fand. Aber dieser entscheidende feierliche Augenblick leidet keinen Zwang, keine Verstellung mehr, es ist umsonst, Tugend und Pflicht sind nicht Liebe, Prado, und Sie wollen mein Herz – Sie verdienen eine Frau, die Sie liebt – und ich kann Sie nicht lieben.

PRADO (auf den Tisch fallend): Nicht lieben? –

SERAPHINE: Ich habe mich selbst überredet, ich könnte es – aber wie kann ich, wie kann ich Sie mit einer nachgemachten Leidenschaft hintergehen – Ein anderer hat mein Herz, Prado – töten Sie mich, wenn das Sie beleidigt.

PRADO (springt auf): Ein anderer – Wo ist der Glückliche, daß ich ihm die Nachricht bringe – daß ich ihm alles abtrete, um Sie wieder lächeln zu sehen? –

SERAPHINE (noch immer auf den Knieen): Diese Großmut ist vergebens – wenn Sie mich damit zu gewinnen hoffen. Nein, Prado! Sie sind zu hoch über mir, als daß ich Sie lieben kann; ich könnte vor Ihnen zeitlebens auf den Knieen liegen, aber nimmer in Ihre Arme, an Ihren Busen fliegen anders als mit dem Gefühl einer Tochter.

PRADO: Nein, Donna, Sie irren sich; meine Großmut ist keine Verstellung, kein Kunstgriff, etwas von Ihnen damit zu gewinnen – ich entsage allem, allem, und Gott nehme ich zum Zeugen, daß ich Sie glücklich sehen will. Ich kenne kein Glück, unter dem Sie leiden sollen, ich verabscheue dieses Glück, wenn es Sie einen Seufzer, einen grämlichen Gedanken kosten könnte.

SERAPHINE (mit dem Gesicht auf die Erde): O mein Schutzengel – (In flehender Stellung mit gerungenen Händen) So höre denn alles, alles und ahme der Gottheit nach, die mit Schonung in den geheimsten Gedanken der Sterblichen liest. Seit sieben Jahren liebe ich ihn.

PRADO: Wen? Seraphine!

SERAPHINE: Ihn, den mein letzter Atem noch nennen wird. Seit er meines Bruders Vertrauter wurde, seit ich sah, mit welcher Geduld er alle seine wunderlichen Launen und üblen Bewegungen verschmerzte, ohne sich jemals nur mit einem Laut, nur mit einer finstern Miene, nur mit einem Gedanken darüber zu beklagen. Ach Prado, er hat mehr gelitten, als du leidst, er hatte mir alles aufgeopfert – und nun verlor er auch mich – Es muß ihn das Leben kosten – ich sehe ihn immer noch vor mir, wie er gegen mich über stand, als ich am Altare dir den Meineid meiner ewigen Treue schwur – wie sein starrer verwilderter Blick auf dem Boden ruhte, wo ich stand, und sich da sein Grab ausersah. Er stirbt, Prado, und ich habe ihn ganz umgebracht –

PRADO (richtet sie auf): Nein, er soll nicht sterben, Seraphine – Nenne mir ihn, und wenn noch ein Mittel ist, euch zu vereinigen – –

SERAPHINE (fällt an seine Brust): Ach, daß ich so viel Großmut nicht lieben kann! Prado! wenn du uns vereinigst – ich bin eine Unglückliche, die ihres Herzens nicht mehr mächtig ist – aber das Heiligtum meines Herzens soll dir bleiben – in meinen süßesten Augenblicken der Erkenntlichkeit, der Bewunderung, der Begeisterung für alles, was groß ist, will ich dich nennen, und er soll deinen Namen von meinen stammelnden Lippen küssen – –

PRADO (ungeduldig und heftig): Wer ist es, Seraphine, wer ist es?

SERAPHINE: Einer, dem du alles zu danken hattest, und der dir wieder alles zu danken haben soll.

PRADO: Strephon?

SERAPHINE: So sei es denn Strephon!

PRADO: O mit diesem Kuß empfange die letzte aller meiner Anforderungen auf dich. Die Flamme, die für dich in diesem Herzen brennt, ist viel zu rein, als daß ihr ältere Verbindungen, die du getroffen hast, nicht heilig sein sollten. Strephon sei dein, weil du ihn zuerst gewählt hast, und wenn dein Bruder sich dieser Heirat widersetzen sollte, weil der Himmel so viele Ungleichheit zwischen eure Geburt gelegt hat –

SERAPHINE: Eben dieses Wenn –

PRADO: O er tat es nur, um mir Gelegenheit zu geben, euch nützlich zu sein. Liebt mich, meine Freunde, ihr müßt mich lieben, ich zwinge euch dazu, ich bin das Werkzeug des Himmels zu eurem Glück – (mit einer Art der Entzückung)

SERAPHINE (äußerst gerührt nach ihm hinaufblickend): Prado!

PRADO: Ich will den Namen eurer Heirat tragen.

SERAPHINE (fällt auf ihr Angesicht): O mehr als ein Mensch!

—

Letzte Szene

Strephon öffnet das Fenster und steigt, ohne sie gewahr zu werden, herein, eine Pistole in der Hand

Strephon (der sich umsieht): Ha, noch Licht – (Indem er sie gewahr wird) Ein tröstender Anblick! Seraphine knieend vor dem Liebenswürdigen – Gott, wie konnte sie sich sieben Jahre lang verstellen! (Seraphine und Prado fahren erschrocken auf, als sie ihn sehen) Ich komme nicht, euer Glück zu stören, junges Paar – ich komme, es vollkommen zu machen – (Indem er losdrücken will, fällt ihm Prado in die Arme)

Prado: Unglücklicher, was machst du? Sie ist dein –

Seraphine (vor ihm niederknieend): Um unserer Liebe willen, Strephon! leben Sie für mich!

Strephon: Für Sie? –

Seraphine (nimmt seine Hand, aus der Prado die Pistole gewunden): Für mich, für mich – diese Hand war es, der ich heute am Altar ewige Treue schwur. Prado war nur dein Abgeordneter.

Strephon: So sucht man einen, der im hitzigen Fieber liegt, zurechtzubringen.

Prado: Nein, kennen Sie Ihr Glück ganz, redlicher Strephon. Ich bin zu stolz, Ihnen ein Herz zu entziehen, das Ihnen mit so vielem Recht gehört. Vielmehr will ich dem Wink des Himmels folgen, der mich zum Mittel hat brauchen wollen, zwei so standhafte Herzen auf ewig miteinander zu vereinigen. Sie heiraten Seraphinen in meinem Namen, und ich will Ihr beiderseitiger Beschützer sein. Die Wollust einer großen Tat wiegt die Wollust eines großen Genusses auf, und es wird noch die Frage sein, wer von uns am meisten zu beneiden ist. Kommen Sie in den Garten; der Morgen bricht an, er soll unsere gemeinschaftlichen Freudentränen sehen, und derweile Sie beide, Hand an Hand, die letzten Töne der einschlafenden Nachtigall genießen, will ich Ihnen den Plan unserer künftigen Lebensart erzählen, der unter uns dreien ein ewiges Geheimnis bleiben soll.

Strephon (faßt ihn an die Hand und sieht ihm fest in die Augen): So ist es denn möglich, Prado? –

Prado (umarmt ihn schluchzend, ohne ein Wort zu antworten)

Strephon (windet sich los aus seinen Armen; indem er ihm die Kniee umschlingt): O welche Wollust ist es, einen Menschen anzubeten!

JAKOB MICHAEL REINHOLD LENZ

DRAMATISCHE ENTWÜRFE

DER TUGENDHAFTE TAUGENICHTS

SCHAUPLATZ IN SCHLESIEN

ERSTER AKT

—

Erste Szene

David und Just sitzen an einem Tisch mit Büchern vor sich. Leybold tritt herein im Schlafrock

LEYBOLD (scherzend): Nun, seid ihr fleißig? – brav so! Hast du ihn herausgebracht, Just, den Magister Matheseos? Den David will ich nicht fragen, da weiß ich schon, was ich für Bescheid erhalte.

JUST (weist sein Blatt sehr munter): Hier, gnädigster Vater.

LEYBOLD (geht durch): Weil $x+y$ gleich $a+b$, – recht, recht! ich seh' schon, ich seh' schon – sollst eine goldne Uhr haben. Der Erfinder hat tausend Ochsen geopfert, als er's zum erstenmal herausbrachte, das wollt' zu den damaligen Zeiten viel sagen. Und du, Herr David, wirst wohl dich selber opfern müssen, wenn du's herausbringst; nicht? weis mir doch dein Blatt her!

DAVID: Gnädigster Vater –

LEYBOLD: Na was? – Wirst's doch versucht haben, Träumer? ich will nicht hoffen –

DAVID: Ich habe das Blatt verlegt –

LEYBOLD: Verlegt? (Hitzig)

DAVID: Ich dachte, weil Just es schon gemacht hat –

LEYBOLD: So hättest du's nicht nötig. – Einfältiger Hund! Soll Just für dich lernen? Und was wird denn mit dir?

DAVID: Papa, ich kann's nicht begreifen, ich kann's ohnmöglich begreifen. Ich will ja schon andere Sachen lernen, die nicht so den Kopf zerbrechen.

LEYBOLD: Andere Sachen – und was für andere Sachen weißt du denn? so sage mir, so erzähle mir was davon!

DAVID: Ich weiß, daß der, der es erfunden hat, auf sein Grab hat die Zahlen 1 2 3 schreiben lassen –

LEYBOLD: Einfältiger Hund, 3 4.5 war es! Was hilft dir dein Wissen nun, wenn du den geheimen Sinn dieser Zahlen nicht begreifst? 3 4 5, Bursche, und warum 3 4 5?

DAVID: Weil – weil – ich weiß nicht, Papa!

LEYBOLD: Also du weißt nur, daß er sich hat begraben lassen? So klug ist der Bauerbube auch – (Stößt ihn verächtlich weg) Geh – geh in Wald und hack' Holz, Bursch; ein Holzhacker hat dich gemacht, nicht ich, du stumpfe Seele! Ich werde noch grau vor der Zeit über dir. Und was hast du sonst getan? worin weißt du was? sage mir! Wenn es nur was ist, wenn es nur so viel ist, daß eine Mücke drauf stehen kann. Wohin geht deine vorzügliche Neigung? sag' mir das! Ich will dich ja nicht zwingen, Mensch, ich will ja nicht grausam oder hart gegen dich sein, nur etwas muß ich doch aus dir machen, oder ich werf' dich zum Hause 'naus, und du sollst nie meinen Namen tragen, verstehst du mich? Sieh deinen Bruder an; sieh, wie er dich in allen Stücken übertrifft. Es ist kein Kaiser in der Geschichte, von dem er mir nicht Namen und Jahrzahl weiß. Könnt ihr sagen, daß es euch an Aufmunterung fehlt? Hab' ich euch nicht für tausend Dukaten noch voriges Jahr allein Preise für eure Studien gekauft? sie hängen da, du siehst sie alle Tage, und die Lust kommt dir nicht einmal an, dir einmal einen zu verdienen. Habe ich nicht alles, was die Sinnen ergötzen kann, für euch zuhauf gebracht? Sängerinnen, Musikanten, Komödianten, alles, alles! Was kann ein Vater mehr tun? und ihr wollt ihm nicht vor seinem Alter die wenige Freude machen, an seinen Söhnen Ehre zu erleben? (Er weint) Wenn euch nichts bewegen kann, seht diese grauen Haare, Unholde! Die Sorgen für euch haben sie grau gemacht!

JUST (faßt seine Hand mit Ungestüm und drückt sie an die Lippen): Ach, mein Vater!

DAVID (steht von fern, unbeweglich, die Augen an den Boden geheftet)

LEYBOLD: Komm, Just, komm, deinen Preis einzuholen. Kränke und quäle ihn mit der Uhr, bis der Nichtswürdige sich schämen lernt. Ha, keinen Funken Ehre im Leibe zu haben!

(Führt Just ab)

DAVID (geht auf und ab): Holzhacker! – – ja, Holzhacker, Holzhacker war meine Bestimmung! – das Schicksal meint's gut mit meinem Bruder – ich will ihn auch nicht verdunkeln, ihm nicht zuvorkommen. Sein Verstand ist viel fähiger, sein Herz viel besser als meins. (Tritt vor einen Spiegel) Und sein Äußerliches! – Warum soll ich ihm auch noch die Güter entziehn, da ich der älteste bin? ich verdiene sie nicht. – Aber Brighella, Brighella! – o Brighella! wenn du mich nicht liebst – was ladest du auf dich?!

(Johann, ein Bedienter, tritt herein)

JOHANN: Wie? so allein, junger Herr? gehen Sie denn nicht auch herüber, an den Festivitäten Anteil zu nehmen?

DAVID: An was für Festivitäten?

JOHANN: Die Ihrem Herrn Bruder zu Ehren angestellt werden. Es wird ein großes Konzert gegeben, und Mlle. Brighella und der junge Musikus Schlankard ist auch dabei.

DAVID: Brighella singt? – was ist das für ein Schlankard?

JOHANN: Den Ihr Herr Vater hat reisen lassen, erinnern Sie sich nicht mehr? Der junge schöne große Mensch mit dem Weibergesicht und den langen schwarzen Haaren.

DAVID: Den er nach Italien reisen ließ?

JOHANN: Eben der – o nun sollten Sie ihn hören. Das ist ein Strich, das ist ein Strich, sag' ich Ihnen – doch er spielt, daß man meinen sollte, man ist verzuckt – und wenn sie dazu singt!

DAVID: Sind Fremde da?

JOHANN: O ja! eben ist die Frau Landdrostin angekommen mit ihren beiden Töchtern; sie fragte nach Ihnen, Ihr Vater sagte, Sie wären krank.

DAVID (setzt sich auf den Stuhl): Brighella! Brighella! – Wie ist Brighella geputzt heut?

JOHANN: Weiß, junger Herr, ganz weiß, eine rote Rose vor der Brust – sie sieht aus wie die Unschuld selber.

DAVID (schlägt ein Buch auf, liest, schlägt es wieder zu und ein anderes auf): Hörte Brighella, als mein Vater sagte, daß ich krank seie?

JOHANN: Nein, sie sprach eben mit Schlankard.

DAVID (steht auf): John – (noch einmal herumgehend) John, wenn du mir einen Gefallen tun wolltest –

JOHANN: Was steht zu Diensten, gnädiger Herr?

DAVID: John – es ist doch sehr voll im Konzertsaal?

JOHANN: Gepfropft voll – der Herr Landmarschall ist auch gekommen mit einigen Fremden und vielen Bedienten.

DAVID: Könntest du mir – nein! wenn mein Vater es merkte, ich wäre des Todes!

JOHANN: Was denn? so sagen Sie doch –

DAVID: Könntest du mir auf einen Augenblick deine Livree –

JOHANN: Anzuziehen geben?

DAVID: Ich will dir sagen, ich möchte das Konzert gern anhören, und doch möcht' ich meinem Vater den Verdruß nicht machen, ihn durch meine Gegenwart Lügen zu strafen.

JOHANN (sich ausziehend): Ei freilich, von ganzem Herzen. Ich weiß auch nicht, was er drunter hat, daß Sie nicht dabeisein sollen. – Nur aber, wenn er Sie erkennte – hören Sie, halten Sie sich immer an der Tür nahe beim Orchester, dort ist eine große Menge Menschen, und der Kronleuchter an der Tür brennt nicht. Sie müssen aber wohl achtgeben, daß Sie sich mit dem Gesicht immer gegen die Wand kehren.

DAVID: Laß mich nur machen, es sei gewagt! (Zieht die Livree an) Ich muß Brighella singen hören, und sollt' ich des Todes sein! (Geht hinaus)

JOHANN: Und ich will mich so lang aufs Bett legen, wenn Sie mir erlauben wollen. Ich habe die vorige Nacht noch nicht recht ausgeschlafen. (Geht in den Alkoven)

—

Zweite Szene

DER KONZERTSAAL

Eine große Menge Menschen vor dem Orchester, das so gerichtet ist, daß das Ende davon bis an den Rand der Szene geht; der alte Baron sitzt mit Justen, der einen großen Blumenstrauß an der Brust hat und alle Augenblick nach der Uhr sieht, unter vielen Damen, von denen manche von Zeit zu Zeit mit Justen sprechen. Schlankard spielt Solo, hernach begleitet er Brighella, die eine italienische Arie singt:

Ah non lasciarmi, no,
Bel Idol mio!

David in Johanns Livree steht ganz vorn am Theater, in einem Winkel, das Gesicht gegen die Wand gekehrt, und nimmt sich von Zeit zu Zeit eine Träne aus den Augen. Als die Arie zu Ende ist, klatscht Leybold

LEYBOLD: *Tu Dieu*! bravo! – bravissimo, bravissimo! Herr Schlankard, mich reut's nicht, daß ich Sie habe reisen lassen. Sie haben Ihre Zeit vortrefflich angewandt. Nicht wahr, meine Damen? Und Sie, Brighella, haben's heut auch nicht schlecht gemacht. Vortrefflich! Vortrefflich! (Singt nach durch die Fistel) *Ahi non lasciarmi, no*! (jedermann lacht) *se tu m' inganni* – das tu – hu – hu! – das hat mich gerührt, Gott weiß! ich hab's in Neapel nicht besser gehört.

BRIGHELLA: Herr Schlankards Akkompagnement hat vieles beigetragen.

DAVID (vor sich): Welche wunderbare und verborgene Wege der Himmel bei Austeilung der Talente geht. Dieser junge Mensch, der jetzt die ganze Gesellschaft an dem Haar seines Fiedelbogens wie ein Zauberer herumführt und den Himmel in die Herzen aller Weiber geigt, war ein schläfriger, unbeholfnerer Bursch als ich. Seine Dreistigkeit allein und sein schönes Gesicht haben ihm Weg gemacht. – Mir aber, dem dieses alles versagt ist –

SCHLANKARD (zu Brighella): O Mademoiselle, wenn Sie Ihre Stimme nicht mit den süßesten Tönen der Musik vereinigt hätten, ich würde der Gesellschaft nie das Herz mitten im Schlagen haben stillstehen machen, wie Sie taten. Wissen Sie, daß mir Tränen auf meine Geige gefallen sind und mir bald das ganze Spiel verdorben?

LEYBOLD (den Kopf schüttelnd): Nu, ba, ba! sagt euch eure Galanterien ein andermal! (Scherzend) Schmeichelei, Schmeichelei! Fuchsschwanz! wollt ihr euch beide verderben? ist's euch nicht genug, daß wir euch loben? (Etwas beiseite zu den Damen) Einfältige Hunde! daß die Virtuosen doch immer sich kratzen müssen!

EINE VON DEN DAMEN: Gnädiger Herr, das ist sehr natürlich.

LEYBOLD: Natürlich oder nit! es taugt nit – es verderbt sie!

JUST: Aber, gnädigster Vater, der Beifall eines Virtuosen muß dem andern immer viel angenehmer sein als der Beifall eines andern, weil der am besten imstande ist, von dem Wert des andern zu urteilen.

LEYBOLD: Hast du was gesagt? – (Zu dem Orchester) Nu, da komplimentieren sie sich noch! Blitz Wetter! laßt uns nicht zu lange warten!

DAVID: Wie begierig ihr Blick den seinigen auffängt! Sie glaubt Beifall, Bewunderung, Unsterblichkeit von ihm einzusaugen. – Was es doch macht, wenn man ein schönes Gesicht hat! – ach! sie sieht nicht von ihm, die ganze Gesellschaft verschwind't aus ihren Augen, er steht allein vor ihr – ich kann es nicht länger aushalten! (Verschwindet)

—

ZWEITER AKT

—

Erste Szene

NEBEL UND REGEN · EIN NACKTES FELD IN DER MORGENSTUNDE

DAVID (in der Livree): Ja, ich will fortlaufen, ich will meiner unglücklichen Bestimmung entgegengehn. Sie liebt ihn, es ist nur zu gewiß. Was sollte sie auch nicht? Ich würde ihn auch lieben, wenn ich ein Mädchen wäre. Wohin laufen? was anfangen? ich bin wohl schlimmer dran als jene Krähe da, die so jämmerlich auf dem wüsten Felde nach Futter krächzt. – Dort seh' ich Soldaten kommen. Es sind preußische Werber. Wie, wenn ich – ha! so kommt mein Leben doch wem zupaß. Ich will streiten und fechten, daß Brighella lieben und karessieren kann. Sie wird vielleicht von meinem Tode hören und über mich nachdenken und weinen. Oder ich kann durch meine Bravour im Kriege mich hervortun, daß sie doch einigen Reiz an mir findet und mein Vater mir auch verzeiht. – (Geht den Werbern entgegen) Guten Tag, meine Herren.

EIN WERBER: Guten Tag. Wer seid Ihr?

DAVID: Ich wollte mich gern in Kriegsdienste geben.

WERBER: Ihr sollt uns willkommen sein. Aber wer seid Ihr?

DAVID: Ich bin ein Edelmann.

WERBER: Ein Edelmann? – Ihr macht uns lachen!

DAVID: Ein Bedienter meines Vaters, wollte ich sagen.

WERBER: Ein Bedienter Eures Vaters? Das ist noch ärger.

DAVID: Nein, ich verred'te mich. Ein Bedienter bin ich und weiter nichts. Ich wäre gern in Kriegsdiensten. Besonders in den preußischen.

WERBER: Nun, dazu wollen wir Euch bald verhelfen; Ihr sollt diese Livree mit einer bessern austauschen. Ihr habt doch das Maß und seid nicht bucklig, krumm, schief oder lahm, wart', wir wolln einmal sehen. (Besichtigt ihn, dann zieht er ein Maß heraus) Drei Zoll, nu das geht schon mit. Wir haben dem König einen guten Bursche gebracht. Kommt, Ihr sollt auch dafür mit uns zechen. Nur gutes Muts! es soll Euch bei uns an nichts abgehn, das glaubt mir nur. Wir wollen in das nächste Dorf in den »Schwan« gehn, da will ich Euch Euer Handgeld auszahlen.

DAVID: Aber macht, daß wir nur bald weiter kommen. Mein Vater könnte mich sonst hier suchen lassen.

WERBER: Euer Vater? Wer ist denn Euer Vater?

DAVID: Er ist – Amtmann bei der gnädigen Herrschaft von Ingolsheim. Er ist sehr hastig.

—

Zweite Szene

DES ALTEN LEYBOLDS SCHLAFZIMMER

Just, der mit ihm gefrühstückt hat, im Schlafrock an einem kleinen Teetisch, der vor Leybolds Bett steht

JUST: Wenn ich Ihnen die Wahrheit sagen soll, Papa! wissen Sie, worin, wie ich glaube, die ganze Ursache von der Verstimmung meines Bruders liegt?

LEYBOLD: Nun denn?

JUST: Ich weiß nicht – (sich die Stirne reibend) ich möchte mir nicht gern das Ansehen eines Verleumders geben, indessen – wenn dies das Mittel, ihn zu bessern –

LEYBOLD: Was zu bessern, was ist's?

JUST: Kurz heraus, Papa! er ist verliebt –

LEYBOLD: Verliebt! Daß dich Blitz Wetter – heraus damit, in wen ist er verliebt?

JUST: Ich weiß nicht, Papa – es sind freilich nur Mutmaßungen – er hat mich nie zu seinem Vertrauten eben gemacht.

LEYBOLD: Heraus damit – Einfältiger Hund, was sind das für Umschweife?

JUST: Brighella – wie ich glaube.

LEYBOLD: Brighella – (mit dem Finger vor sich hindeutend, sehr lebhaft) hast du nicht – Brighella! Und was will er mit Brighella?

JUST: Was er mit ihr will – das weiß ich nicht – sie heuraten vermutlich.

LEYBOLD: Sie heuraten – Blitz Wetter! der Junge hat noch keinen Gänsebart, und schon ans Heuraten – – (Springt aus dem Bett und zieht an der Schelle) Brighella! Brighella! laßt sie augenblicks herkommen – – (zum Bedienten, ruft ihm nach) der Schlankard auch – der Schlankard auch –

JUST: Es hätte nichts zu sagen, bester Vater, wenn nur nicht – Sie sehn wohl, er bekommt das Gut, und wenn er Ihren Namen und Vermögen auf die Kinder einer Sängerin erbte –

LEYBOLD: Nee – da kann nun schon nichts von werden – Es ist gut, daß du mir gesagt hast, Just – (Steigt wieder ins Bett) Da kann schon nichts von werden – – Ich will sie des Augenblicks zusammengeben.

JUST (erschrocken): Wen?

LEYBOLD: Den Schlankard und die Brighella. Ich habe schon lange gesehn, daß sich die beiden Leute liebhaben und sich's vielleicht nicht sagen durften –

JUST: Ach gnädiger Herr, wenn Sie das tun wollten – ich habe einen Einfall, der sich vielleicht nicht ausführen läßt –

LEYBOLD: Nun, nun, geschwind – was zauderst du – laß hören deinen Einfall. Blitz Wetter, mach' mir nicht lange Weile, einfältiger Hund.

JUST: Wenn Sie – sie in meines Bruders Zimmer zusammengeben könnten. – Er liegt, glaube ich, noch im Bette – er ist diesen Morgen nach seiner gewöhnlichen Weise noch nicht aufgestanden gewesen, als ich aus dem Zimmer ging – und der Verdruß, daß er gestern abend nicht mit beim Konzert hat sein können –

LEYBOLD: Ach, was wird der Holzkopf sich darüber Verdruß – Aber du hast recht, du hast recht! das ist noch das einzige Mittel, sein schläfriges Gefühl wieder aufzuwecken. Man muß ihn anfassen, wo es ihm wehe tut.

JUST: Freilich scheint er für alles schon unempfindlich geworden zu sein.

LEYBOLD: Gott hat mir den Jungen gegeben, um mich zum Narren zu haben. Gott verzeih' mir meine schwere Sünde. Ich kann nicht aus ihm klug werden, sag' ich dir. Andere Menschen haben doch auch Kinder, aber so eine Nachtmütze! Komm herüber, komm herüber – (Zum Bedienten) Sagt den beiden, sie sollen auf die Schulstube kommen, versteht ihr –

JUST: Er wird eben nicht auf die beste Art geweckt werden, der arme David!

Dritte Szene

DIE SCHULSTUBE

JOHANN (der die Gardinen vor dem Alkoven wegzieht, streckt sich und gähnt): Was ist das? – Ich glaub', ich habe lang geschlafen – es kommt mir vor, als – ist das schon Morgen? (Indem tritt Leybold und Just herein, er zieht schnell die Gardinen wieder vor)

LEYBOLD (der dies gewahr geworden, leise, aber doch ziemlich vernehmlich zu Justen): Merkst du was? (Lacht heimlich; laut) Wo bleiben sie denn? Eine Nachricht wie die sollte ihnen doch Füße machen?

JUST (heimlich zu Leybolden): Er horcht vermutlich. – Ich weiß doch nicht, wo sie so lang bleiben. Es ahndet ihnen vielleicht nichts Guts.

LEYBOLD (setzt sich): Ich will sie doch ein wenig ängstigen zum Willkommen.

(Schlankard und Brighella kommen)

LEYBOLD: Seid ihr da? – Kommt näher, Lumpengesindel! – Du weißt, daß ich keine Frau habe, Schlankard!

SCHLANKARD: Weh mir! was werd' ich hören?

LEYBOLD: Kommt näher! – (Schreit) Schlankard! Ihr seid ein Bube! – Kommt näher! hört! gebt mir Red' und Antwort! Ihr wißt, ich bin ein alter Mann. Ich habe so meine eigene Grillen, weswegen ich in Stadt und Land bekannt bin. Meinen Kindern eine gute Erziehung zu geben, versammle ich alle Vergnügungen weit und breit um sie her, damit sie nicht nötig haben, sich andere schädlichere Vergnügungen aufzusuchen. Ich lehre sie zugleich an meinem Beispiel, vergessene Talente aus dem

Staube zu ziehn und die Künste mit ihrem ganzen Vermögen [zu] befördern und belohnen. Das ist doch Verdienst, nicht wahr? wenn Ihr ein Wildfremder wärt, Ihr müßtet mich hochschätzen!

SCHLANKARD: Ganz gewiß, gnädiger Herr!

LEYBOLD (schreit): Nun Ihr – Ihr –! wartet, wartet! – Könnt Ihr mir leugnen, daß ich alles an Euch getan, daß ich wie ein Vater gegen Euch gehandelt? Hab' ich Euch nicht nach Italien reisen lassen, weil ich merkte, daß Ihr die Musik liebtet? habe ich Euch nicht zehn Jahre drinnen bleiben lassen und mit Geld und Ansehen unterstützt? hab' ich Euch nicht sogar meinen Namen und Titel gegeben, damit Ihr desto bessere Gelegenheit haben könntet, alles zu sehn und zu hören? könnt Ihr's leugnen?

SCHLANKARD: Gnädiger Herr, wenn ich's jemals leugnete – oder nicht feurig, nicht dankbar genug erkennte und bekennte, so wünschte ich, daß die Erde sich unter mir auftäte –

LEYBOLD: Warte, warte, einfältiger Hund! Wir sind noch nicht am Ende! – Ist das, Blitz Wetter! artig gegen einen Wohltäter gehandelt, wenn man weiß, er, der keine Frau hat und sein Herz nirgends aufzuhängen weiß, weidet sich an dem schönen Gesicht, an den Reizungen, an der Stimme einer seiner Sängerinnen, deren Dankbarkeit er bisher immer für Liebe gehalten hat?

BRIGHELLA (fällt ihm zu Fuß): Gnädiger Herr! –

LEYBOLD: Ba, ba, ba! – Wer hat mit Ihr gered't, Dulzinea?

SCHLANKARD (fällt ihm gleichfalls zu Fuß): Gnädiger Herr! –

LEYBOLD (ihm stark auf den Kopf schlagend): Ihr seid verliebt, junger Bursche! verliebt! – Hab' ich Euch dazu reisen lassen? Mir das mit Euren Talenten und Schmeicheleien zu stehlen, abwendig zu machen, was ich so lange Jahre für mich gepflegt und großgezogen habe? Ihr seid ein Flegel! – Aber steht auf und gebt ihr die Hand! sie ist Euer Weib, und damit ihr nicht Ursach' zu schalusieren habt, morgen sollt ihr von meinem Landgut fort, und ich will euch auch noch zehntausend Gulden an Hals schmeißen, eure Wirtschaft damit einzurichten; denn wenn ich über den Hund komme, komm' ich auch über den Schwanz.

SCHLANKARD (seine Füße umarmend, Brighella von der andern Seite): O gnädiger Herr, lassen Sie unsere Tränen für uns sprechen!

LEYBOLD: Ba, ba, ba! Tränen! – Was gibt's? steht euch das Anerbieten auch nicht an? Nun gut, so könnt ihr bei mir bleiben, bis es euch bei mir nicht mehr ansteht. Wenn Euch aber etwa die Eifersucht plagen sollte, Schlankard, so seid Ihr Herr und Meister, zu tun, was Ihr wollt.

SCHLANKARD: Großmütigster unter allen Sterblichen!

LEYBOLD: Aber – Blitz Wetter! ich habe vergessen, zu fragen, ob ihr euch auch haben wollt? Ich hab's bisher nur aus euren Blicken geschlossen. Mögt Ihr den Burschen, Jungfer Brighella? Ihr seid doch gestern so empfindsam gegen sein Lob gewesen?

BRIGHELLA: Ich muß gestehen, gnädiger Herr, daß mir's eine der größesten Empfindungen meines Lebens war, wenn Ihr aller Beifall mir mitten unterm Singen als ein Ungewitter hier, da, dort klatschend auszubrechen anfing, bis endlich der einstimmige große Schlag erfolgte, der mich für Entzücken außer mich setzte. – Aber mit alledem – ein Wort von Schlankarden –

LEYBOLD: War dir lieber! – o du Schelm du! so eifersüchtig ich auf ihn bin, ich muß dich für das Geständnis umarmen, denn es ist ehrlich – mein Lebtag! ehrlich, ehrlich! (Umarmt und küßt sie) Da hast du den letzten Beweis meiner Passion für dich, und hiemit tret' ich dich deinem Liebsten ab. – Aber – warte, warte! Blitz Wetter! es ist noch einer da, der Ansprüche auf dich macht, und von dem du dich nicht so geschwind wirst loskaufen können. (Nimmt sie komisch an die Hand und führt sie ans Bette, schreit aus allen Kräften) Junker David! ich hab' Euch nun das Exempel einer Aufopferung gegeben (zieht die Gardinen weg, Johann hat sich gegen die Wand gekehrt) wie sie einem Edelmann ziemt. Auf also und tue desgleichen; es ist hier die Frage, zwei Leute glücklich zu machen, die einander von Herzen liebhaben, und die einander vorherbestimmt sind. Du weißt, was ich von den Vorherbestimmungen halte. – Nun, einfältiger Hund! was liegst du da? kehr' dich um und sag' ja oder nein! ich will dich ebensowenig unglücklich machen als diese beiden Leute, nur will ich dich vernünftig zugleich haben. Blitz Wetter! sag' ja oder nein! (Faßt Johann beim Arm und kehrt ihn um) Was ist das –

JOHANN: Gnädiger Herr! um Gottes willen, ich weiß nicht, wie ich in dies Bett gekommen bin.

LEYBOLD: Mein Lebtag! – gleich, Canaille, gesteh mir alles! Wo ist der junge Herr? hab' ich das mein Lebtag gehört? der Bediente in des Herrn Bett die Nacht geschlafen! – Ich will dich – vierteln und rädern lassen, du infamer Nichtswürdiger!

JOHANN: Lassen Sie mich hängen, gnädiger Herr! so komm' ich am kürzesten ab. Ich verlange nichts Besseres.

LEYBOLD: Daß dich das Wetter! *cospettone baccone*! – Ha, ha, ha! – macht mich der Lumpenhund doch zu lachen – wo ist der junge Herr? ich will es wissen! wo ist der junge Herr?

JOHANN: Ich weiß es nicht –

LEYBOLD: Du weißt es nicht? – Georg! laßt mir sogleich den Stabhalter kommen mit zwei handfesten Kerls! – ich will dir das Morgenbrot in deines Herrn Bette geben!

JOHANN: Gnädiger Herr, jagen Sie mich lieber aus dem Hause!

LEYBOLD: Das sollst du mir nicht zweimal gesagt haben! – den Augenblick packe dich! – ich will solche liederliche Bestie keine Minute länger im Hause leiden, der mir meine Kinder verderbt! – Aber vors erste sollst du mir sagen, wo Junker David ist.

JOHANN: So wahr ich ein Kind Gottes bin, ich weiß es nicht! Er hat mich gestern gebeten, ihm meine Livree anzuziehen zu geben, damit er dem Konzert zuhören könnte, weil Sie gesagt hatten, er wäre krank, und er Sie doch nicht Lügen strafen wollte – und weil ich mich nicht recht wohl befand, legt' ich mich derweile schlafen – und weiß, so wahr Gott lebt! nicht, ob's Abend oder Morgen jetzund ist.

LEYBOLD: *Cospetto*! Du sollst mir für deine Faulheit bezahlen! – laßt den Stabhalter kommen! bald! – oder wie? – gleich steh auf, Lumpengesindel! und geh und such mir den Junker auf! Du mußt seine geheimen Gänge kennen und wo er die Nächte zubringen kann, wenn er nicht zu Hause kommt, und bringst du ihn mir nicht wieder, so zieh' ich dir das Fell über die Ohren. Es soll ihm alles verziehen sein, sag' ihm nur, er soll wiederkommen, – und sag' ihm nichts von dem, was hier vorgegangen ist, einfältiger Hund! verstehst du mich? – aber er soll wiederkommen! – – Hab' ich das mein Lebtag gehört? der Bediente in des Herrn Bett die Nacht schlafen!

o stelle! stelle! was hat über mich geherrscht, als ich den Jungen auf die Welt setzte? – Kommt! Wir wollen dem nichtswürdigen Kerl die Zeit lassen, in die Hosen zu kommen. (Zieht die Vorhänge wieder zu und geht ab mit Schlankard und Brighella. Just folgt ihm)

—

DRITTER AKT

—

Erste Szene

WIRTSHAUS IN EINEM DORF

An verschiedenen Bänken sitzen Soldaten, Bauren und Gesindel und trinken. David in einem Winkel, die Hand unter den Kopf gestützt, noch immer in der Livree, Johann tritt herein, etwas frostig, in seines Herrn Kleidern, späht überall herum, endlich wird er seinen Herrn gewahr und eilt auf ihn zu

JOHANN: Ach, gnädiger Herr! wo muß ich Sie antreffen?

DAVID (sieht erschrocken auf): John, bist du es? (Einige von den Gästen merken auf)

DAVID: Wir werden hier beobachtet, laß uns beiseits gehn. (Gehen vorwärts)

EIN BAUER: Ein schnackischer Kerl das! er war in Gold und Silber und sagte gnädiger Herr! zu seinem Lakaien.

EIN ZWEITER: Weiß du denn nicht, Narr, daß Fastnacht ist? da machen sie mit Fleiß bisweilen solche Maskereien.

DAVID (zu Johann): Freilich, lieber John, ist das der Ort nicht, wo du mich antreffen solltest. Auf dem Felde der Ehren, so wenn die Kugeln so um den Kopf pfeifen, entweder tot oder General! –

JOHANN: General! freilich! – Haben Sie sich denn wirklich anwerben lassen? Wenn das ist, so nehme ich den Augenblick auch Kriegsdienste und komme nie von Ihrer Seite. Ich will leben und sterben mit Ihnen, gnädiger Herr.

DAVID: Guter John, hast du denn auch schon getrunken? – (greift in die Tasche) wiewohl – ich habe selbst nichts – du mußt meinen Beutel in meiner Westentasche haben; die

Werber sind eben fortgegangen, sie haben mir noch das Handgeld nicht ausgezahlt.

JOHANN: Aber, gnädiger Herr, in aller Welt schämen Sie sich doch! Sie werden sich doch nicht als gemeiner Soldat anwerben lassen? Sobald Sie Ihren Namen sagen, sind Sie Fähndrich oder Lieutenant zum wenigsten.

DAVID: Nein, John, das geht nicht an! Sobald ich meinen Namen sage, erführe es mein Vater, und meinst du, daß er nicht alles in der Welt anwenden würde, mich wieder loszukaufen? Du weißt, welche Abneigung er wider die Kriegsdienste hat, und wie oft er uns seine lebenslängliche Ungnade angekündigt hat, wenn sich einer von uns jemals einfallen ließe, nur an den Soldatenstand zu denken. Ich will aber trotz seiner Ungnade mich seiner Gnade würdig machen, und denn laß sehen, ob er sie mir noch entziehen kann! Ein Mensch, der nicht von unten auf gedient hat, John, kann es nie weit bringen; ich habe dem nachgedacht: ein großer Feldherr muß immer auch eine Zeitlang Soldat gewesen sein, damit er von allem Kenntnis hat.

JOHANN: O wenn aus Ihnen nichts wird, so wird aus niemand was! Ich habe es immer gesagt, Gott weiß am besten, was in unserm ältesten jungen Herrn verborgen liegt. Er ist so still, aber stille Wasser gründen tief, und ich weiß wohl, daß Sie unter Ihrem Bett Risse von Festungen liegen hatten, die Sie Ihrem Herrn Vater nie gewiesen haben. Sie stellten sich immer so dumm gegen ihn, damit er Sie an Ihrem Vorhaben nicht hindern sollte. O wenn aus Ihnen kein Generalfeldmarschall wird, so will ich nicht John heißen! – Aber eine böse Zeitung muß ich Ihnen bringen. Sie sollen nach Hause zurück, oder Ihr Herr Vater zieht mir das Fell über die Ohren.

DAVID (erschrocken): Weiß denn mein Vater, wo ich bin?

JOHANN: Den Teuker weiß er! sonst würde er mich nicht geschickt haben. Er meint, Sie haben die Nacht wo bei einem Mädchen im Dorf zugebracht, und Sie wissen, wie er auf den Punkt ist. Er weiß wohl, wie's ihm geschmeckt hat, daß Ihr Herr Großvater ihm in dem Stück alle Freiheit ließ. Aber Sie sollen nach Hause kommen, will er, es soll Ihnen alles verziehen sein. Sie sollen ihm die Hochzeit der Mademosell Brighella begehen helfen.

DAVID: Die Hochzeit der Brighella? – was sagst du? – doch nicht mit –?

JOHANN: Mit Schlankard, mit wem anders? Eben diesen Morgen hat Ihr Vater alles in Richtigkeit gebracht.

DAVID: Mein Vater selber alles in –?

JOHANN: Ja freilich; er war selbst verliebt in sie; aber er hat sie dem Schlankard abgetreten, und sie sollen auf seinem Landgut bleiben, und er will für ihre erste Einrichtung sorgen. Nun, was stehen Sie denn da, als ob Sie umfallen wollten? Greift Sie das so sehr an? Sind Sie etwa selber verliebt in sie? – Daraus, meine ich, kann nun nichts werden, daß wir zurückgehen; denn ich will bei Ihnen bleiben, ich will mit Ihnen in den Krieg ziehen, und wenn wir beide als Generals zurückkommen, dann laß Ihren Herrn Vater versuchen, mir das Fell über die Ohren zu ziehen! – Potzdonner! wie wollen wir ihn prellen!

DAVID: Nein John! es ist eine schöne Sache um einen Feldherrn, aber – – zum Feldherrn gehört Verstand – und ich bin dumm!

JOHANN: Was sind das nun wieder für Reden? Wie, Herr? vor ein paar Minuten sprachen Sie ja noch ganz anders. Von unten auf, Herr, von unten auf! ja, wir müssen auch erfahren, wie einem armen Soldaten zumut ist, damit wir wissen, wie weit seine Tapferkeit reicht, wenn es zur Schlacht kommt!

DAVID: Spottest du auch meiner? (Fällt auf einen Stuhl)

JOHANN: O Herr! ich Ihrer spotten? Sagen Sie mir doch, ich kann Sie nicht begreifen – Wenn ich Ihrer spotte, Herr! – hier haben Sie meinen Hirschfänger – so schinden Sie mich lebendig! Von Ihnen will ich mir gern die Haut über die Ohren ziehen lassen. Ich will leben und sterben mit Ihnen, sag' ich Ihnen.

DAVID (springt auf): So komm, John! – Ich höre schon Trommeln und Trompeten und Kanonen! – o Tod! Tod! Tod! – Wenn ich mich gleich in die Säbels stürzen könnte! – (Ab mit Johann)

JOHANN: Ich will die Österreicher herunterfegen wie Mohnköpfe! Panduren, Kroaten, Freund und Feind, alles durcheinander! und wenn ich nicht General werde, so ist der Jüngste Tag nicht weit.

—

Zweite Szene

Leybolds Schloss

Just. Ein Postmeister

Just: Ich habe Sie nur rufen lassen, lieber Herr Postmeister, um Ihnen zu sagen – um Sie zu bitten – um Ihnen zu sagen, daß mein Vater sich nicht wohl befindet; es hat ihn seit der unvermuteten Entweichung meines Bruders eine Gemütskrankheit überfallen, von der ich fürchte, daß sie gefährliche Folgen für ihn haben könnte. Wollten Sie also wohl die Freundschaft für uns haben und alle Briefe, die von heut an an ihn kommen könnten, bei sich aufbehalten, bis ich sie durch unsern Jäger abholen lasse? Ich will Ihnen die Ursache sagen: er hat an verschiedene Orte hingeschrieben, um Nachrichten von seinem Sohn zu erhalten. Diese Nachrichten möchten aber wohl nicht die heilsamsten für ihn sein, denn es lauft schon im ganzen Lande das Gerücht herum, mein Bruder sei Soldat worden und bei der Affäre von Kolin auf dem Walplatz geblieben. Ich glaube es noch nicht, denn mich deucht, die Bataille bei Kolin ist zu geschwinde nach seiner Flucht gehalten worden, als daß er hätte dabei sein können. Indessen wenn etwas Ähnliches einlaufen sollte, wie ich mir denn nichts Bessers vorstellen kann, so ist es nötig, daß ich dergleichen Nachrichten meinem Vater beibringe, damit er nicht den Tod drüber nimmt.

—

Dritte Szene

Vor Lissa

Ein Teil der österreichischen und der preußischen Armee gegeneinander über. David im ersten Gliede unter diesen, unterm Gewehr

David (für sich): Wenn ich bedenke, wieviel Künste andere Mädchen anwenden, ihre Liebhaber treu zu erhalten! Und ich, der ich sterbe für eine Ungetreue, daß ich so vergessen sein soll! – Sie denkt nicht an mich, fragt nicht nach mir – o wenn ich doch lieber unter der Erde läge, als daß ich hier so lange auf den Tod passen muß! – Wenn der Major mein Herz hätte, er kommandierte geschwinder. –

(Es wird in der Ferne unvernehmlich kommandiert. Das erste Glied kniet und schießt. Indem es aufsteht und lad't, schießen die Österreicher. David fällt. Es wird von beiden Seiten geschossen, die Österreicher dringen näher, die Preußen fliehen, sie verfolgen sie. Der Walplatz wird leer außer einigen Toten und Schwerverwundeten, unter denen David ist)

DAVID (kehrt sich um): Gottlob! – Wenn jemand da wär', ihr die Nachricht zu bringen! – Aber so! – Mein Vater! Mein Vater! – Brighella, meine Geliebte! das ist euer Werk! Wenn ihr wenigstens hier wärt, daß ihr darüber triumphieren könntet! (Bleibt eine Zeitlang still liegen)

(Johann hinter einem Gebüsch hervor, schleicht sich heran ohne Flinte, im Kamisol)

JOHANN: Das war ein häßliches Scheibenschießen! – Wenn unser Major wüßte, daß ich der erste war, der ausriß! Aber freilich, er hat gut reden, er steht hinter der Fronte und kommandiert, und wir müssen uns für ihn totschießen lassen. Wenn ich General wäre, ich würde auch herzhafter sein – hinter der Fronte. Das ist es eben, wenn die Leute nicht von unten auf dienen, wie mein Herr sagt; darum, wer kein Soldat gewesen ist, kann mein Lebtag kein guter Feldherr sein. Aber ich (sich auf die Brust schlagend) wenn dies Ungewitter erst vorbei ist – so apropos, ich meine, ich kann der ganzen Welt sagen, wir haben den Walplatz behalten, ich und die ehrlichen Leute, die hier ins Gras gebissen haben, nur daß ich doch ein wenig klüger war als sie alle miteinander. Aber ich muß sie doch ein wenig näher kennen lernen, ob keine von meiner Bekanntschaft drunter sind. (Hebt eine Leiche auf) Das ist ein wildfremdes Gesicht. Es freut mich, Monsieur, daß ich bei dieser Gelegenheit die Ehre habe – Still! ich höre einen Lärmen, ich glaube, sie kommen wieder – Nein doch, sie sind hinter jenem Berge, da lassen sich die Österreicher nicht weg von treiben. (Besieht eine andere Leiche) Guten Abend, Kamerad! ich kondoliere von Herzen, warum warst du so ein Narr und folgtest dem Major. Hättst du's gemacht wie ich – O weh mir! ich höre galoppieren. (Läuft fort)

(Man hört trommeln in einiger Entfernung. Im Grunde des Theaters sieht man Handgemenge von Preußen und Österreichern. Die Österreicher fliehen, die Preußen verfolgen)

DAVID (wälzt sich noch einmal und schreit mit unterdrücktem Schmerz): Oh!

(Ein Bauer tritt auf die Bühne)

BAUER: Ich denke, sie sind weit genug – und hier wäre was zu holen für unsereinen. Es hat manchmal so einer was in den Hosensäcken, das er in jene Welt nicht mitnehmen kann. Und da uns die Kriegsleute doch bestrupfen, he, he, he, so, denk' ich, können wir sie wohl auch einmal behumfeien, wenn sie tot sein. Wie unser Herr Pfarrer einmal erzählt hat, er habe geträumt, er sei in Himmel gewest und habe wollen auf die Kommodität gehn, da hab' er gesehn, daß seine ganze christliche Gemeine drunter säße, aber der heilige Petrus hab' ihm zugerufen, er sollt' sich nur nit scheuen, denn hab' seine christliche Gemeine ihn so oft – – Eia! der lebt ja wohl noch – (Indem er sich David nähert) Wenn ich ihm auf den Kopf gäbe, daß er der Qual los wäre – (Indem er seinen Knüttel aufhebt, fällt ihm ein andrer Bauer von hinten in die Arme)

ZWEITER BAUER: Kanaille, was willst du machen?

ERSTER BAUER: Schwager! he, Schwager! laß mich los! laß nur so gut sein, Schwager! – Der Kerl hat doch nicht mehr für zwei Pfennig Leben in sich. Schick' wir ihn in jene Welt, er verlangt doch nichts Bessers!

(David macht ein Zeichen mit der Hand)

ZWEITER BAUER (wirft den ersten zu Boden): Du Schwerenotshund! ich tret' dich mit Füßen, wo du nit den Augenblick kommst und mir den Menschen hilfst zurechtbringen. Du Hund, hast noch in deinem Leben kein Vieh vom Tod errettet, geschweig' einen Menschen. Du verdienst das nit, denn du bist wie ein wildes Vieh, du! (Macht sich an David, zieht ein Tuch aus seinem Busen und verbind't ihm die durchschossene Schulter, dann lad't er ihn auf und trägt ihn fort) Na, will Er wohl mit anfassen! (Der andere hilft ihm, sie gehen ab)

—

VIERTER AKT

—

Erste Szene

Leybold in Küssen eingewickelt auf einem Lehnstuhle, den Fuß auf einem andern Stuhl, ein Buch in der Hand. Ein Bedienter trägt ihm Schokolade auf

LEYBOLD (winkt mit der Hand): Bringt sie weg – bringt sie weg! – mein Lebtag! ich will keine mehr trinken.

BEDIENTER: Es ist keine Vanille drin.

LEYBOLD: Einfältiger Hund! – (wirft das Buch auf den Tisch) es ist um des Schweißes der Wilden willen, der drauf liegt!

BEDIENTER (steht ganz versteinert)

LEYBOLD: Verstehst du das nicht? sieh hier! (Das Buch aufnehmend) Komm hieher – guck' her! – Blitz Wetter! will Er herkommen? (Bedienter nähert sich ihm, er faßt ihn an die Hand und zieht ihn auf einen Stuhl, der neben dem seinigen steht) Sieh dieses Kupfer, es ist aus der *Voyage de l'Isle-de-France* – seht, ihr Kanaillen, wenn ihr euch über unsere Launen beschwert, seht diese Negers an! hat unser Herr Christus mehr leiden können als sie? und das, damit wir unsern Gaumen kützeln! – Ihr sollt mir sein Lebtag keine Schokolate mehr machen, auch kein Gewürz mehr auf die Speisen tun, sagt dem Koch!

BEDIENTER: Der Medikus hat Ihnen aber doch selbst die Schokolate erlaubt.

LEYBOLD (ganz außer sich): Einfältiger Hund! (Sieht sich nach etwas um) Wenn ich doch was Unschädliches finden könnte, ihm an den Kopf zu werfen! – Der Medikus! der Medikus! – ich tu's um meines Gewissens willen, Lumpengesindel, nicht um den Medikus – um meines verlornen Sohns willen, durch den mich Gott zur Erkenntnis bringt. Wer bin ich, daß andere Leute um meinetwillen Blut schwitzen sollen? Sie dürften mir ja nur auf den Kopf schlagen, so wäre mein Gold ihre! – Komm her, Mensch! setz' dich an den Tisch und trink mir deine Schokolate selber aus! Du hast sie gemacht, sie gehört dir, und wenn ich dich worin beleidigt habe oder dir was Ungebührliches befohlen – (Faßt ihn sehr rührend an die Hand und zieht die Mütze ab) Kannst du mir verzeihen, Peter?

BEDIENTER (küßt ihm die Hand): Gnädiger Herr – (Geht weinend ab mit der Schokolade)

LEYBOLD (liest laut): Betrübt, betrübt! – wer weiß, auf welches Schiff sich mein unglücklicher David gesetzt hat und ein ähnliches Schicksal itzt ausstehen muß! (Legt das Buch weg, faltet die Hände) Ja, vielleicht hab' ich durch meine Grillen – durch meine Grillen, durch meine Narrheiten [gemacht], daß sich der Junge in das Mädchen verlieben mußte! – Gleich – gleich! (Zieht an der Schelle, Bediente kommt) Laßt mir die Mädels alle herkommen, Sänger und Sängerinnen, Zwerge und alles – den ganzen Spektakel – fort mit ihnen ins Dorf, zu den Kühen mit ihnen! – sie haben mich um meinen Sohn gebracht! – Laßt mir die Brighella kommen, den Schlankard! – die Pension soll ihnen entzogen werden, sie können laufen, wohin sie wollen! – wart', ich will selber zu ihnen gehen. (Steht auf und hinkt heraus)

BEDIENTER: Gott behüt' in Gnaden! was kommt dem alten Mann an? So boshaft hab' ich ihn doch in seinem Leben noch nicht gesehen!

—

Zweite Szene

JUST (kommt herein, einen Brief in der Hand): Er lebt noch? – nun, das ist artig! und will sich bei meinem Vater wieder einschmeicheln? Nein, mein lieber Bruder David, daraus wird nichts! – Du bist einmal bürgerlich tot, es ist gleichviel, ob du als Holzhacker oder als Soldat lebst. – Wenn ich meinem Vater nur eine falsche Nachricht von seinem Tode beibringen könnte, an der er gar nicht mehr zweifeln kann! Denn des Menschen Herz ist einmal so, er glaubt unangenehme Neuigkeiten nicht, und wenn er sie mit seinen eignen Augen sehen sollte. (Johann tritt herein, Just kehrt sich hastig um) He! der kommt mir ja eben recht! wie vom Himmel gefallen. Mein lieber Johann, was bringst du?

JOHANN: Viel Neues, aber nicht viel Gutes! Alles ist zugrunde gegangen, gnädiger Herr; ich habe zwar die Walstatt behalten, aber es hat mich Blut genug gekostet und meinen armen Herrn auch.

JUST: Wo ist denn dein Herr?

JOHANN: Ach! er ist im Reich der Toten vermutlich; denn ich lag bei ihm unter den Blessierten, und da kamen auf einmal die lüderlichen Husaren und schleppten ihn fort, daß ich weiter nichts von ihm gesehen habe.

JUST: Also kannst du meinem Vater mit Gewißheit sagen, daß er tot sei? Hör', es ist einerlei, der alte Mann muß es einmal wissen, später oder früher, was liegt daran? Die Ungewißheit ist ihm Gift.

[*Ende des Fragments*]

—

CATO

—

Ideen

Seine Seele war heiter wie eine grüne Wiese von der Sonne bestrahlt, und seine Wünsche wie eine friedsame Herde weißer Lämmer, die darin weidet.
Er saß mit zusammengefalteten Flügeln wie ein Adler, der von seiner Warte nach der Sonne sieht. Plötzlich breitete er die Schwingen voneinander, der Sonne zuzufliegen – und die Welt lag im Schatten und trauerte.
Hast du den Schilf gesehen am Meeresufer, wenn ein Sturm ihn bewegt? Alle die Halmen bücken sich tief auf eine Seite, als ob eine schwere Last sie zu Boden drückte, dann richten sie sich plötzlich alle empor, schütteln die bärtigen Häupter, dann bücken sie sich alle wieder mit immerwährendem klagenden Geräusch – also bewegte sich die Menge des versammleten Volks, als sie die Nachricht von Catos Tode hörten.
Er war wie ein Wandrer, der in einer dichtbewachsenen Allee reist, wenn mittags die Sonne senkrecht über ihr steht. Eben ist sie aus einer dunklen Wolke hervorgegangen, die den ganzen Himmel erfüllt und die ganze Erde mit kaltem und stürmischem Schatten bedeckt. Er aber geht seine bestrahlte Bahn, da rings um ihn her die ganze Natur trauert, mit fröhlichem Herzen und ungerunzelter Stirn, und singt oder pfeift ein muntres Lied, wie die Lerche dem Frühling entgegensingt – Also ist Cato, da rings um ihn her sein Vaterland trauert.
Er stand bei allen diesen furchtbaren Nachrichten so unbeweglich wie die Statue der Geduld in einem Garten, wo herbstliche Stürme sie umwehen.
Ich sah das Heer sich nahen; eh' ich es sah, hört' ich schon seine Stimme, die durchs entflüchtete, öde gelassene Land brüllte.

Er stand von soviel schlimmen Zeitungen betäubt und kraftlos, wie ein dürrer Baum am Abhang eines Felsens im herbstlichen Sturm steht und um die letzten Blätter zittert, die an seinen nackten Zweigen hängen.
Unerkanntes Verdienst. Cato im Unglück glich einem Berg in Nebeln eingewickelt. Wer des Landes nicht kundig, geht vorbei und sagt: hier ist Ebne. Aber die wiederkehrende Sonne enthüllt ihm seinen Irrtum und läßt ihn vor Verwunderung atemlos dastehn.
Traurigkeit verändert alle Gegenstände um uns herum, wie der Winternebel aus einer prächtigen Stadt Ruinen, ja selbst aus der göttlichen, wärmenden, belebenden Sonne einen kalten Flecken macht.
Sie lächelt ihm umsonst – wie der zum andernmal grünbekleidete Acker im späten Herbst vergeblich dem rauhen Himmel entgegenlächelt.

*

CATO (Monolog nach langem, stummen, tiefen, öden Stillschweigen):
O ich will der Welt mit meinem Tode gar nicht beschwerlich fallen: ich will ins Grab schlüpfen, niemand soll merken, wie geschwind. (Ersticht sich)

*

Nach seinem Tode und Verbrennung steht Statyllius, den Fuß auf seine Urne gesetzt:
Hier steh' ich, setze meinen Fuß auf die Größe menschlicher Natur und jauchze, daß auch ich vergehen werde wie er. Kommt alle, die ihr noch ein Herz unter euren Rippen fühlt – kommt, betrachtet, schauet, schluchst und wünscht zu sterben. Ich wünsche zu sterben, denn Cato lebt nicht mehr; mit ihm ist Großmut, Freundschaft, Uneigennützigkeit, alle heilige Namen, Wert des Lebens von der Erde entwichen, sie verdient uns nicht länger. (Ersticht sich)

—

DER MAGISTER

—

Magister. Lieschen

MAGISTER (im Reisehabit): Gott grüß Euch! wie stehts? wo kommt Ihr her?

LIESCHEN: Herr Magister, ich wollte Sie um Gotteswillen gebeten haben, sich meiner anzunehmen. Ich bin in einer Not, die sich nicht beschreiben läßt. Nirgends Dach oder Fach, die neue Herrschaft, bei der Sie mich untergebracht haben, hat mich ausgestoßen, weil ich dem gnädigen Herrn nicht zu willen sein wollte, denn Sie wissen, wie rachgierig er ist –

MAGISTER: Hat er Euch was zugemutet? Es ist gut, daß Ihr weggegangen seid. Ihr könnt bei mir bleiben, bis Ihr neue Herrschaft habt. Was habt Ihr Neues von Eurem Sohn? Wie gehts ihm in Holland?

LIESCHEN: Gut genug, nur ist seine Herrschaft gar zu geizig. Er schreibt mir, er wisse sich die Zeit nicht mehr zu erinnern, da er sich satt gessen. Und sein Magen ist feurig; ach, das ist Gott zu klagen, ein Junge von zehn Jahren und nicht satt zu essen.

MAGISTER (zieht einen Dukaten heraus): Da, schickt ihm das zum neuen Jahr; laßt ihn Semmel dafür essen. Aber dafür müßt Ihr auch diese Nacht in meinem Bette schlafen. Wollt Ihr? –

LIESCHEN: Ach Herr Magister, wenn ich mich der Sünde nicht fürchtete. Es ist noch nicht verschmerzt, lieber Herr Magister, unser armes Sußchen – ich hab es hundertmal gedacht, wie unser Herr Pfarrer das vierte Gebot erklärte, daß Gott die Sünden der Eltern an den Kindern heimsucht (küßt ihm die Hand) nehmen Sie es nicht übel, allerliebster Herr Magister!

MAGISTER: So gebt mir meinen Dukaten zurück –

LIESCHEN: Allerliebster Herr Magister! das Bild unserer kleinen Sußchen schwebt mir immer vor Augen! (abermals die Hand küssend) nehmen Sie es doch nicht übel – wie sie an der englischen Krankheit da unter meinen Händen aufdörrte! (beide Hände vor dem Gesicht, schluchsend) O Gott!

[MAGISTER:] ... schuld, oder seid Ihr daran schuld gewesen? Redt!

LIESCHEN: Aber was kann ich nun dafür, daß mein Herz mich so reden heißt? hätten Sie mich geheiratet, wie Sie anfangs tun wollten, so wär alles besser gegangen. Und das Pulverchen, daß sie dem Kind eingaben, mag auch dazu was getan haben (abermals ihm die Hand) um Gotteswillen! nehmen Sie mirs doch nicht übel.

MAGISTER: Kurz und gut, Ihr schlaft die Nacht bei mir, oder kommt mir mein Lebtag nicht wieder unter die Augen! und wenn Ihr auf dem Misthaufen verhungern müßtet!

LIESCHEN: Ach Herr! was soll aber – (küßt ihm die Hand) nehmen Sie mirs doch nicht übel –

MAGISTER: Was?

LIESCHEN: Aus unsern Kindern –

MAGISTER: Ihr seid nicht klug! Wird es denn gleich Kinder geben? – Geht, ich habe nicht Zeit. Hier habt Ihr noch einen Gulden, Ihr habt in zwei Tagen nichts gegessen, sagt Ihr; laßt Euch dafür was zu essen machen und trinkt ein Glas Wein. Ihr seht ja aus, daß es einem weh tut, Euch anzusehen. Und wenn ihr gessen und getrunken habt, so kommt zu mir auf mein Studierstübchen im Garten; ich werd Euer warten. Und seid wegen des Zukünftigen unbekümmert: Ihr wißt, ich sorge besser für Euch als Ihr selber.

LIESCHEN: Gott wirds Ihnen vergelten. –

—

HERNACH · GARTENHÄUSCHEN

Die Vorhänge sind zugezogen, auf einem Strohstuhl vor dem Bett des Magisters steht eine Lampe

MAGISTER (ins Bett steigend): Sie kommt nicht! (sieht nach der Uhr) es ist elf Uhr – Ich mag nicht heraus und nach ihr sehen, das würde den Hausleuten gar zu viel Verdacht – Ja, ja, sie haben so schon – der Rat hats in einer großen Gesellschaft erzählt, ich unterhielt eine Maitresse – Aber der Henker soll sie holen, wenn sie nicht kommt. – Ich will derweil im Ovidius lesen und das Licht brennen lassen – wenigstens soll sie mir einen hübschen Traum machen – (liest)

—

Auf der Strasse

Lieschen (mit zerstörtem Haar, schlägt in die Hände): Feuer! – Feuer!– hier ins Rat Neiburs Hause – ins Magisters Studierstube. – Daß Gott! er ist verbrannt, er ist hin, o weh mir! weh mir! Hilfe! Hilfe! Feuer! weh mir! Feuer! weh, weh, weh mir! – – – (Eine Menge Leute laufen herzu mit Spritzen und Eimern)

FRAGMENT AUS EINER FARCE

DIE HÖLLENRICHTER GENANNT

EINER NACHAHMUNG DER *βατϱαχοι*

DES ARISTOPHANES

—

Bacchus geht nach der Hölle hinunter, eine Seele wiederzuholen

DOKTOR FAUST (einsam umher spazierend):
In ewiger Unbehäglichkeit,
In undenkbarer Einsamkeit,
Ach! von nichts mehr angezogen,
Verschnauf' ich hier des Erebus Wogen.
Bittre Fluten, liebtet ihr mich,
Wär' ich in eurem Schoß' ersunken,
Hätte da Vernichtung getrunken;
Aber, ach! ihr haßtet mich!
Fühltet ihr, wie's mich gelabt,
Als ihr brennend mich umgabt,
Wie es kühlte meine Pein,
Mich von etwas umfangen zu wissen!
Von der Schöpfung losgerissen
Noch von etwas geliebt zu sein!
Aber, ach! betrogen, betrogen!
Auch ihr haßt mich, grausame Wogen!
Ist kein Wesen in der Natur,
Das nicht lieben, nicht erbarmen,
Daß mich grenzenlosen Armen
Bei sich dulden wollte nur?

BACCHUS (tritt von hinten herzu und berührt ihn mit Merkurs Stabe):
Mein Freund!

DOKTOR FAUST (wendet sich um): Ihr Götter!
(Bacchus zu Füßen) Welche Stimme!
Kommst du vielleicht mit zehnfachem Grimme,

Großes Wesen, meiner Pein
Neue endlose Stacheln zu leihn?
Willst du eines Verzweifelten spotten?
Oder kömmst du, wie dein Gesicht,
Liebenswürdigster! mir verspricht,
Mich auf ewig auszurotten? –
Nimm meinen Dank und zögre nicht!

BACCHUS: Keins von beiden. – Dein Herz war groß –
Faust – – – du bist deines Schicksals los,
Und, wenn dir die Gesellschaft gefällt,
Komm mit mir zur Oberwelt!

(Faust sinkt in einer Betäubung hin, die, weil sie der Vernichtung so ähnlich war, eine unaussprechliche Ruhe über sein ganzes Wesen ausbreitet)

PANDAEMONIUM GERMANICUM

EINE SKIZZE VON

J. M. R. LENZ

★

AUS DEM HANDSCHRIFTLICHEN NACHLASSE

DES VERSTORBENEN DICHTERS

HERAUSGEGEBEN

★

NÜRNBERG

BEI FRIEDRICH CAMPE

1819

Difficile est satyram non scribere

*

Der deutschen Wändekritzler Heer,
Unzählbar wie der Sand am Meer,
Ist meiner Seel, beim Lichte besehn,
Nicht einmal wert, am Pranger zu stehn.
Ein Dunsiadisch Spottgedicht
Lohnt da, Gott weiß! der Mühe nicht,
Und ihre Namen nur aufzuschreiben,
Das ließ der Teufel selbst fein bleiben.

ERSTER AKT

Erste Szene

Der steil Berg

Goethe. Lenz im Reisekleid

GOETHE: Was ist das für ein steil Gebirg' mit so vielen Zugängen?

LENZ: Ich weiß nicht, Goethe, ich komm' erst hier an.

GOETHE: Ist's doch herrlich dort von oben zuzusehn, wie die Leutlein ansetzen und immer wieder zurückrutschen. Ich will hinauf.

LENZ: Wart' doch, wo willst du hin, ich hab' dir noch so manches zu erzählen.

GOETHE: Ein andermal. (Goethe geht um den Berg herum und verschwind't)

LENZ: Wenn er hinaufkommt, werd' ich ihn schon zu sehen kriegen. Hätt' ihn gern kennen lernen, er war mir wie eine Erscheinung. Ich denk', er wird mir winken, wenn er auf jenen Felsen kommt. Unterdessen will ich den Regen von meinem Reiserock schütteln.

(Erscheint eine andere Seite des Berges, ganz mit Busch überwachsen. Lenz kriecht auf allen vieren)

LENZ (sich umkehrend und ausruhend): Das ist böse Arbeit. Seh' ich doch niemand hier, mit dem ich reden könnte. Goethe! Goethe! wenn wir zusammenblieben wären. Ich fühl's, mit dir wär' ich gesprungen, wo ich jetzt klettern muß. Es sollte mich einer der stolzen Kritiker sehn, wie würd' er die Nase rümpfen! Was gehn sie mich an, kommen sie mir hier doch nicht nach und sieht mich hier keiner. Aber weh, es fängt wieder an zu regnen. Himmel! bist du so erbost über einen handhohen Sterblichen, der nichts als sich umsehen will. Fort! das Nachdenken macht Kopfweh. (Klettert von neuem)

(Wieder eine andere Seite des Berges, aus der ein kahler Fels hervorsticht. Goethe springt 'nauf)

GOETHE (sich umsehend): Lenz! Lenz! daß er da wäre – Welch herrliche Aussicht! – Da – o da steht Klopstock. Wie, daß ich ihn von unten nicht wahrnahm? Ich will zu ihm. Er deucht mich auszuruhen, auf dem Ellbogen gestützt. Edler Mann! wie wird's dich freuen, jemand Lebendiges hier zu sehn.

(Wieder eine andere Seite des Berges. Lenz versucht zu stehen)

LENZ: Gottlob, daß ich einmal wieder auf meine Füße kommen darf. Mir ist vom Klettern das Blut in den Kopf geschossen. O so allein. Daß ich stürbe! Ich sehe hier wohl Fußtapfen, aber alle hinunter, keinen herauf. Gütiger Gott, so allein.

(In einiger Entfernung Goethe auf einem Felsen, der ihn gewahr wird. Mit einem Sprung ist er bei ihm)

GOETHE: Lenz, was Teutscher machst du denn hier?

LENZ (ihm entgegen): Bruder Goethe! (Drückt ihn ans Herz)

GOETHE: Wo zum Henker bist du mir nachkommen?

LENZ: Ich weiß nicht, wo du gegangen bist, aber ich hab' einen beschwerlichen Weg gemacht.

GOETHE: Ruh' hier aus – und dann weiter.

LENZ: An deiner Brust. Goethe, es ist mir, als ob ich meine ganze Reise gemacht, um dich zu finden.

GOETHE: Wo kommst du denn her?

LENZ: Aus dem hintersten Norden. Ist mir's doch, als ob ich mit dir geboren und erzogen wäre. Wer bist du denn?

GOETHE: Ich bin hier geboren. Weiß ich, wo ich her bin. Was wissen wir alle, wo wir herstammen?

LENZ: Du edler Junge! Ich fühl' kein Haar mehr von all meinen Mühseligkeiten.

GOETHE: Tatst du die Reise für deinen Kopf?

LENZ: Wohl für meinen. Alle kluge und erfahrne Leute widerrieten's mir. Sie sagten, ich suche zu sehr, was zum Gutsein gehöre, und versäume darüber das Sein. Ich dachte: seid! und ich will gut sein.

GOETHE: Bis mir willkommen, Bübchen! Es ist mir, als ob ich mich in dir bespiegelte.

LENZ: O mach' mich nicht rot.

GOETHE: Weiter!

LENZ: Weiß es der Henker, wie mir mein Schwindel vergangen ist, seitdem ich dich unter den Armen habe. (Gehn beide einer Anhöhe zu)

Zweite Szene

Die Nachahmer

Goethe steht auf einem Felsen und ruft herunter zu einem ganzen Haufen Gaffer

Goethe: Meine werte Herrn! wollt ihr's auch so gut haben, dürft nur da herumkommen – denn daherum – und denn daherum, 's ist gar nicht hoch, ich versichere euch, und die Aussicht ist herrlich. – Lenz, nun sollst du deinen Spaß haben.

(Geht ein jämmerlich Gepurzel an. Bleiben ihrer etliche am Fuß des Berges auf Feldsteinen stehen und rufen den andern zu):

Meine Herren, wollt ihr's auch so gut haben, dürft nur daherum kommen.

Andere von dem Haufen: Sollst gleich herunter sein, Hans Pickelhäring, bist ja nur um eine Hand hoch höher als wir. (Stoßen einander herunter, jene wehren sich mit den Steinen, auf welchen sie stunden)

(Goethe schlägt in die Hände. Zu Lenz)

Goethe: Ist das nicht ein Gaudium?

(Die, so jene vorher heruntergestoßen, sagen):

Wollen doch sehen, ob wir die von oben nicht auch hinabbekommen können, ist's uns doch mit diesen gelungen.

Einer: Hör', hast du nicht eine Lorgnette bei dir, ich kann sie nicht recht unterscheiden dort oben, ich möchte dem einen zu Leibe, der uns herabgerufen hat.

Der andere: Mensch, wo denkst du hin, wie willst du an ihn kommen?

Erster: Kam doch David mit der Schleuder bis an Goliath herauf, und ich bin doch auch so niedrig nicht. Ich will mich auf jenen Stein stellen dort gegen ihm über.

Der andere: Probier's.

(Goethe stößt Lenzen an, der lauert gleichfalls hinunter)

Erster (schwingt einen Stein): Hör' du dort, halt mir ein wenig den Arm fest, er ist mir aus dem Gelenk gegangen.

Zweiter (durch die Lorgnette guckend): Da, da oben, gerade, wo ich mit dem Finger hindeute, da steht der Goethe, ich kenn' ihn eigentlich mit seinen großen schwarzen Augen, er paßt auf, er wird sich wohl bücken, wenn der Stein kommt, und der andere hat sich hinter ihm verkrochen.

ERSTER (schleudert aus aller seiner Macht): Da mag er's denn darnach haben. (Der Stein fällt wieder zurück und ihm auf den Fuß. Hinkt herum) Aie! Aie! was hab' ich doch gemacht?

ZWEITER: O du alte Hure! hat grade so viel Kraft in seiner Hand als meine alte Großmutter. (Wirft die Lorgnette weg, faßt den Stein ganz wütend und wirft blindlings über die Schulter seinem Nachbar ins Gesicht, daß der tot zur Erde fällt) Der Teufel! ich dacht' ihn doch recht gezielt zu haben. So hat mich die Lorgnette betrogen. Es wird heutzutage doch kein vernünftig Glas mehr geschliffen.

GOETHE: Wollen uns doch die Lust machen und was herunterwerfen! Hast du ein Bogen Papier bei dir?

LENZ: Da ist.

GOETHE: Sie werden meinen, es sei ein Felsstück. Du sollst dich zu Tode lachen.

(Läßt den Bogen herabfallen. Sie laufen alle mit erbärmlichem Geschrei):

Oh weh! er zermalmt uns die Eingeweide, er wird einen zweiten Ätna auf uns werfen. (Einige springen ins Wasser, andere kehren alle vier in die Höhe, als ob der Berg schon auf ihnen läge)

EIN PAAR PEDANTEN: Wir wollen sehen, ob wir uns nicht Schilde flechten können, *testudines*, nach Art der Alten. Es werden solcher mehr kommen. (Verlieren sich in ein Weidengebüsch)

EIN GANZER HAUFEN (auf Knieen, die Hände in die Höhe): O schone, schone! weitwerfender Apoll!

GOETHE (kehrt sich lachend um, zu Lenz): Die Narren!

LENZ: Ich möchte fast herunter zu ihnen und sie bedeuten.

GOETHE: Laß sie doch. Wenn keine Narren auf der Welt wären, was wär' die Welt?

(Der ganze Haufe kommt den Berg herangekrochen wie Ameisen, rutschen alle Augenblick zurück und machen die possierlichsten Kapriolen)

UNTEN: Das ist ein Berg!
Der Henker hol' den Berg!
Ist ein Schwerenotsberg.
Ei was ist dran zu steigen, wollen gehen und sagen, wir sind droben gewesen.

ALLE: Das wird das gescheutste sein.

(Kommt ein Haufen Fremde zu ihnen, sie komplimentieren sich. »Kennen Sie den Herrn Goethe? Und seinen Nachahmer, den

Lenz? Wir sind eben bei ihnen gewesen, die Narren wollten nicht mit herunterkommen, sie sagten, es gefiel ihnen so wohl da in der dünnen Luft«)

EIN FREMDER: Wo geht man hinauf, meine Herren! ich möchte sie gern besuchen.

EINER: Ich rat' es Ihnen nicht. Wenn Sie zum Schwindel geneigt sind –

FREMDER: Ich bin nicht schwindlig.

ERSTER: Schad't nichts, Sie werden's schon werden. Unter uns gesagt, die Wege sind auch verflucht verworren durcheinander, wir müßten Sie bis oben hinaufbegleiten. Der Lenz selber soll sich einmal verirrt haben ganzer drei Tage lang.

FREMDER: Wer ist denn der Lenz, den kenn' ich ja gar nicht.

ERSTER: Ein junges aufkeimendes Genie aus Kurland, der bald wieder nach Hause zurückreisen wird. Er ist von meinen vertrautsten Freunden und schreibt kein Blatt, das er nicht vorher mir weist.

FREMDER: Und der ist so hoch heraufkommen?

ERSTER: Der Goethe hat ihn mitgenommen, er hat mir's auch angetragen, aber ich wollte nicht, meine Lunge ist mir zu lieb. Doch hab' ich ihn besucht oben.

FREMDER: Ich möchte doch die beiden Leute gern kennen lernen, es müssen sonderbare Menschen sein.

ERSTER: Ach sie werden gleich herunterkommen, wenn wir ihnen winken werden. (Winken mit Schnupftüchern, jene kehren sich um und gehen fort)

ERSTER: Sehn Sie? Warten Sie nur einen Augenblick, sie werden gleich dasein.

ZWEITER: Wart' du bis morgen früh. Da sind sie schon auf einem andern Hügel.

FREMDER: Das ist impertinent. Wenn man bei uns *Auteur* ruft, und er kommt nicht, wird er ausgepfiffen.

ERSTER: Wollen wir auch pfeifen?

ZWEITER: Was hilft's, sie hören's doch nicht.

ERSTER: Desto besser.

—

Dritte Szene

Die Philister

Lenz sitzt an einem einsamen Ort, ins Tal hinabsehend, seinen »Hofmeister« im Arm. Einige Bürger aus dem Tal reden mit ihm

Einer: Es freut uns, daß wir Sie näher kennen lernen.

Zweiter: Es verdrießt mich aber doch in der Tat, daß Ihre Stücke meist unter einem andern Namen herumlaufen.

Lenz: Und mich freut's. Wenn sie so geschwinder ihr Glück machen, soll ich's meinen Kindern mißgönnen? Würd' ein Vater sich grämen, wenn sein Sohn seinen Namen veränderte, um desto leichter emporzukommen?

Dritter: Wenn man nun aber zu zweifeln anfinge, ob Sie allein imstande gewesen wären –

Lenz: Laß sie zweifeln. Was würd' ich durch ihren Glauben gewinnen? Das Gefühl, an diesem Herzen ist er warm geworden, hier hat er sein Feuer und alle gutartige Mienen bekommen, die andern Leuten an seinem Gesicht Vergnügen machen, ist stärker und göttlicher, als alles Schmettern der Trompete der Fama eins aufschütteln kann. Dies Gefühl ist mein Preis und der angenehme Taumel, in dem mich der Anblick eines solchen Sohnes bisweilen zurücksetzt, und der fast der Entzückung gleicht, mit der er geboren ward.

(Goethe, über ein Tal herabhängend, in welchem eine Menge Bürger emporgucken und die Hände in die Höhe strecken)

Einer: Traut ihm nicht!

Zweiter: Da bewegt er sich. Gewiß, in der andern Hand, die er auf dem Rücken hat, hält er nichts Guts.

Ein Gelehrter unter ihnen: Es scheint, der Mann will gar nicht rezensiert sein.

Ein Philister: Ihr Narren, wenn er euch auch freien Willen ließe, er würde bald unter die Füße kommen. Und er streitet nicht für sich allein, sondern auch für seine Freunde.

—

Vierte Szene

Die Journalisten

Einer: Es fängt da oben an bald zu wölken, bald zu tagen. Hört, Kinder, es ist euch kein andrer Rat, wir müssen hinauf und sehen, wie die Leute das machen.

Zweiter: Ganz gut, wie kommen wir aber hinauf?

Erster: Wollen wir ein Luftschiff machen wie die bösen Geister im »Noah«, das uns in die Höhe hebt?

Zweiter: Ein fürtrefflicher Einfall. Es kommt auch so ein Wind von oben herab, der uns schon heben wird.

Erster: Ich hab' auch eben nichts Bessers zu tun, und es wäre doch kurios, den Leuten auf die Finger zu sehen.

Dritter: Mir wird die Zeit auch so verflucht lang hier unten, ich weiß wahrhaftig nicht mehr, was ich angreifen soll.

Vierter: So können wir uns auch mit leichter Mühe berühmt machen.

Fünfter: Und ich will meine Akten und all ins Feuer werfen, was Henkers nützen einem auch die Brotstudia. Es soll uns so an Geld nicht fehlen.

Sechster (zum Siebenten): Wenn die droben sind, wollen wir einen Geist der Journale schreiben. Das geneigte Publikum wird doch gescheut sein und pränumerieren, wie dem Klopstock da.

Siebenter: Wenn aber ein achter käm' und schrieb' einen Geist des Geists.

Sechster: Es ist der Geist der Zeit. Laß uns keine Zeit verlieren. Wer zuerst kommt, der mahlt erst.

(Heben sich auf ihrem Luftschiff mit Goethens Wind und machen ihm Komplimente)

Goethe: Land't an, land't an! (Zu Lenz) Wollen den Spaß mit den Kerlen haben. (Wirft ihnen ein Seil zu, die Journalisten verwandeln sich alle in Schmeißfliegen und besetzen ihn von oben bis unten) Nun, zum Sackerment! (Schüttelt sie ab)

(Sie bekommen die Gestalt kleiner Jungen und laufen auf dem Berg herum, Hügelein auf, Hügelein ab. Goethe steigt eine neue Erhöhung hinan, eine Menge von ihnen umklammert ihm die Füße): Nimm mich mit, nimm mich mit.

Goethe: Liebe Jungens, laßt mich los, ich kann ja sonst nicht weiter kommen.

EINER: Womit soll ich dich vergleichen? Alexander, Cäsar, Friedrich, o das waren alles kleine Leute gegen dich.

ZWEITER: Wo sind die großen Genieen der Nachbarn, die Shakespeare, die Voltaire, die Rousseau?

DRITTER: Was sind die so sehr gerühmten Alten selber? Der Schwätzer Ovid, der elende Virgil und dein so sehr erhabner Homer selbst? Du, du bist der Dichter der Deutschen, und soviel Vorzüge unsere Nation vor den alten Griechen –

LENZ (sein Haupt verhüllend): O weh, sie verderben mir meinen Goethe.

GOETHE: Daß euch die schwere Not! (Schüttelt sie von den Beinen und wirft sie alle kopflängs den Berg hinunter) Ihr Schurken, daß ihr euch immer mit fremder Größe beschäftigt und nie eure eigene ausstudiert. Wie seid ihr imstande zu fühlen, was Alexander war, oder was Cäsar war, wie seid ihr imstande zu fühlen, was ich bin? Wie unendlich anders die Größe eines Helden, eines Staatsmannes, eines Gelehrten und eines Künstlers! Ich bin Künstler, dumme Bestien, und verlangte nie mehr zu sein. Sagt mir, ob's mir in meiner Kunst geglückt ist, ob ich wo einen Strich wider die Natur gemacht habe, und denn sollt ihr mir willkommen sein. Übrigens aber halt't's Maul mit euren wahnwitzigen Ausrufungen von groß göttlich und merkt euch die Antwort, die der König von Preußen einem gab, der ihn zum Halbgott machen wollte. Und der König von Preußen ist doch ein ganz andrer Mann als ich.

DIE JOURNALISTEN: Wir wollen alle Künstler werden.

GOETHE: In Gottes Namen, ich will euch dazu behilflich sein.

EINER: Wir brauchen eurer Hülfe nicht. Ich bin schon ein zehnmal größrer Mann, als du bist.

LENZ (sieht wieder hervor): Also auch als alle die, die er unter dich gestellt hat.

GOETHE (lacht): So aber gefällt mir der Kerl.

LENZ: Lieber Goethe, ich möchte mein Dasein verwünschen, wenn's lauter Leute so da unten gäbe.

GOETHE: Haben sie's andern Nationen besser gemacht? Woher denn der Verfall der Künste, wenn sie zu einer gewissen Höhe gestiegen waren?

LENZ: Ich wünschte denn lieber mit Rousseau, wir hätten gar keine und kröchen auf allen vieren herum.

GOETHE: Wer kann davor?

LENZ: Ach ich nahm mir vor, hinabzugehn und ein Maler der menschlichen Gesellschaft zu werden: aber wer mag da malen, wenn lauter solche Fratzengesichter unten anzutreffen? Glücklicher Aristophanes, glücklicher Plautus, der noch Leser und Zuschauer fand. Wir finden, weh uns, nichts als Rezensenten und könnten ebensogut in die Tollhäuser gehen, um menschliche Natur zu malen.

ZWEITER AKT

DER TEMPEL DES RUHMS

Erste Szene

Hagedorn spaziert einsam herum und pfeift zum Zeitvertreib Liederchen

HAGEDORN: Wie wird mir die Zeit so lang, Gesellschaft zu finden. (Setzt sich an eine schwarze Tafel und malt einige Tiere hin)

LAFONTAINE (der mit einigen andern Franzosen hinter einem Gitter auf dem Chor sitzt, bückt sich über dasselbe hervor und ruft, indem er in die Hände patscht):
Bon! bon! cela passe!
(Tritt herein ein schmächtiger Philosoph, ducknackicht, mit hagerem Gesicht, großer Nase, eingefallenen hellblauen Augen, die Hände auf die Brust gefaltet. Bleibt verwundernd Hagedorn gegenüber stehen, ohn' aus seiner Stellung zu kommen. Auf einmal erblickt er Lafontainen, kehrt sich weg und tritt in den Winkel, um nicht gesehen zu werden. Nach einer Weile kommt er mit einigen Papieren voll Zeichnungen hervor, die er sich vor die Stirne hält. Hagedorn läßt die Kreide fallen, eine Menge Menschen umringen und bewundern ihn, der Haufe wird immer größer, er verzieht seine sauertöpfische Miene und sagt mit hohler Stimme und hypochondrischem Lachen):
Was seht ihr da? – Wenn ihr mir gute Worte gebt, mal' ich euch Menschen.
(Gleich drängen sich verschiedene, die sein frommes Aussehen dreist macht, zu ihm, unter denen ein großer Haufe alter Weiber und zutätiger Mütterchen. Er wend't sich um – und flugs steht eine von ihnen auf dem Papier da, die er darnach vorzeigt. Da geht ein überlautes Gelächter von einer und ein Geschimpf von der andern Seite an)

ALTES WEIB: Der Gotteslästerer! Er hat keinen Glauben, er hat keine Religion, sonst würd' er das ehrwürdige Alter nicht spotten. Es ist ein Atheist.

(Bei diesen Worten fällt Gellert auf die Kniee und bittet um Gottes willen, man soll ihm das Bild zurückgeben, das man ihm schon aus den Händen gewunden hat, er wolle es verbrennen)

EINIGE FRANZOSEN (hinterm Gitter): *Oh l'original!*

MOLIÈRE (sich den Stutzbart streichend): *Je ne puis pas concevoir ces Allemands-là. Il se fait un crime d'avoir si bien réussi. Il n'auroit qu'à venir à Paris, il se corrigeroit bien de cette maudite timidité.*

(Herr Weiße, einer aus dem Haufen, sehr weiß gepudert, mit Steinschnallen in den Schuhen, läuft schnell heraus und nimmt sich ein Billett auf die Landkutsche nach Paris)

(Gellert unterdessen dringt durch den Haufen zu seinem Winkel, wo er sich auf die Knie wirft und die bittersten Tränen weint. Auf einmal fängt er an, geistliche Lieder zu singen, worauf er am Ende in ein gänzlich trübsinniges Stillschweigen verfällt, als ob er ein schwer Verbrechen auf dem Gewissen hätte. Ein Engel fliegt vorbei und küßt ihm die Augen zu)

EINE STIMME: Redliche Seele! selbst in deinen Ausschweifungen ein Beweis, daß eine deutsche Seele keiner unedlen Narrheit fähig sei.

DIE FRANZOSEN (als er stirbt): *Il est fou.*

ROUSSEAU (am äußersten Ende des Gitters, auf beide Ellbogen gestützt): *C'est un ange.*

—

Zweite Szene

RABENER (tritt herein, den Haufen um Gellert zerstreuend): Platz, Platz für meinen Bauch (mit der Hand) und nun noch mehr für meinen Satyr, daß er gemütlich auslachen kann. Was in aller Welt sind das Gesichter hier? (Zieht einen zylindrischen Spiegel hervor. Sie halten sich alle die Köpfe und entlaufen mit großem Geschrei wie eine Herde gescheuchter Schafe. Einige ermannen sich und treten sehr gravitätisch näher. Als sie nah kommen, können sie sich doch nicht enthalten, mit den Köpfen zurückzufahren. Als vernünftige Leute lachen sie aber selbst über die Grimassen, die sie machen)

RABENER: Seid ihr's bald müde? (Gibt einem nach dem andern den Spiegel in die Hand, sie erschröcken sich mit ihren eigenen Gesichtern)

ALLE: So gefällt's uns doch besser als nach dem Leben.

RABELAIS und SCARRON (von oben): *Au lieu du miroir, s'il s'étoit ôté la culotte, il auroit mieux fait.*

(Liscow horcht herauf, und da eben ein paar Waisenhäuserstudenten neben ihm stehen, zieht er sich die Hosen ab, die schlagen ein Kreuz, er jägt sie so rücklings zum Tempel hinaus. Ein ganzer Wisch junger Rezensenten bereden sich, bei erster Gelegenheit ein Gleiches zu tun. Klotz bittet sie, nur so lang zu warten, bis er sich zu jenen drei Stufen hervorgedrängt, auf die er steigen und sodann zu allgemeiner Niederlassung der Hosen das Signal geben will)

KLOTZ: Das wird ein Teufelsjokus geben. Es bleibt keine einige Dame in der Kirche.

EINER: Die Komödiantinnen bleiben doch.

ZWEITER: Und die Huren. Wir wollen Oden auf sie machen.

(Anakreons Leier wird hervorgesucht und gestimmt. Die honetten Damen, die was merken, entfernen sich in eine Ecke der Kirche. Die andern treten näher. Rost spielt auf. Zu gleicher Zeit zieht Klotz die Hosen ab. Eine Menge folgen ihm. Das Gelächter, Gekreisch und Geschimpf wird allgemein. Die honetten Damen und die Herrn von gutem Ton machen einen Zirkel um Rabener und lassen sich mit ihm in tiefsinnige Diskurse ein)

EINE STIMME: Flor der deutschen Literatur.

EINE ANDERE: *Saeculum Augusti.*

DIE FRANZOSEN (von oben): *Voilà ce qui me plaît. Ils commencent à avoir de l'esprit, ces gueux d'Allemands-là.*

CHAULIEU und CHAPELLE: *En voilà un qui ne dit pas le mot, mais il semble bon enfant, voyez, comme il se plaît à tout cela, comme il sourit secouant la tête.* (Stoßen ihn mit dem Stock an, winken ihm heraufzukommen, er geht hinauf)

(Gleim tritt herein, mit Lorbeern ums Haupt, ganz erhitzt, in Waffen. Als er den neckischen tollen Haufen sieht, wirft er Rüstung und Lorbeer weg, setzt sich zu der Leier und spielt, jedermann klatscht. Der ernsthafte Zirkel wird auch aufmerksam, Uz tritt daraus hervor, wie Gleim aufgehört hat, setzt er sich gleichfalls an die Leier)

(Ein junger Mensch tritt aus dem ernsthaften Haufen hervor, mit verdrehten Augen, die Hände über dem Haupt zusammengeschlagen, sagt): (Wieland)

Ω πω ποι! was für ein Unterfangen, was für eine zahmlose und schamlose Frechheit ist das? Habt ihr so wenig Achtung, so wenig Entsehen für diese würdige Personen, ihre Ohren und Augen mit solchen Unflätereien zu verwunden? Schämt euch, verkriecht euch, ihr sollt diese Stelle nicht länger schänden, die ihr usurpiert habt, heraus mit euch Bänkelsängern, Wollustsängern, Bordellsängern, heraus aus dem Tempel des Ruhms! (Ein paar Priester folgen dicht hinter ihm drein, trommeln mit den Fäusten auf die Bänke, zerschlagen die Leier und jagen sie alle zum Tempel hinaus)

(Wieland bleibt stehen, die Herren und Damen umringen ihn und erweisen ihm viel Höflichkeiten für die Achtung, so er ihnen bewiesen)

WIELAND: Womit kann ich den Damen itzt aufwarten, ich weiß in der Geschwindigkeit wahrhaftig nicht – sind Ihnen Sympathien gefällig – Briefe der Verstorbnen an die Lebendigen, oder befehlen Sie ein Heldengedicht, eine Tragödie?

DIE GESELLSCHAFT: Was von Ihnen kommt, muß alles vortrefflich sein.

(Er kramt seine Taschen aus. Die Herrn und Dames besehen die Bücher und loben sie höchlich. Endlich weht sich die eine mit dem Fächer, die andere gähnend):

Haben Sie nicht noch mehr Sympathieen?

WIELAND: Nein wahrhaftig, gnädige Frau – o lassen Sie sich doch die Zeit nur nicht lang werden – Warten Sie nur noch einen Augenblick, wir wollen sehen, ob wir nicht etwas finden können. (Geht herum und sucht, findet die zerbrochne Leier, die er zu reparieren anfängt) Sogleich, sogleich – nur einen Augenblick – ich will sehen, ob ich noch was herausbringe.

(Spielt: alle Damen halten die Fächer vor den Gesichtern, man hört hin und wieder ein Gekreisch):

Um Gottes willen, hören Sie doch auf!

(Er läßt sich nicht stören, sondern spielt nur immer rasender)

DIE FRANZOSEN: *Ah le gaillard! Les autres s'amusoient avec des grisettes, cela débauche les honnêtes femmes. Il a pourtant bien pris son parti.*

EINER: *Je ne crois pas que ce soit un Allemand, c'est un Italien.*

CHAPELLE und CHAULIEU: *Ah ça – pour rire – descendons notre petit* (lassen Jacobi auf einer Wolke von Nesseltuch nieder, wie einen Amor gekleidet) *cela changera bien la machine.*

JEDERMANN: Ach sehen Sie doch um Himmels willen.

(Jacobi spielt in der Wolke auf einer kleinen Sackvioline. Einige aus der Gesellschaft fangen an zu tanzen. Er läßt eine erschreckliche Menge Schmetterlinge fliegen, die Dames haschen nach ihnen und rufen):

Liebesgötterchen! Liebesgötterchen!

JACOBI (springt aus der Wolke und schlägt die Arme kreuzweis über einander, schmachtend zusehend): O mit welcher Grazie!

WIELAND: Von Grazie hab' ich auch noch ein Wort zu sagen.

(Spielt. Die Damen minaudieren erschröcklich, die Herren setzen sich einer nach dem andern in des Jacobi Wolke und schaukeln damit herum. Andere lassen gleichfalls Schmetterlinge fliegen. Die Alten tun sie unter das Vergrößerungsglas, und einige Philosophen legen den Finger an die Nase, um die Unsterblichkeit der Seele aus ihnen zu beweisen. Eine Menge Officiers machen sich Kokarden von Schmetterlingsflügeln, andere kratzen mit dem Degen an der Leier, sobald Wieland zu spielen aufhört. Endlich gähnen sie alle)

(Eine Dame, die, um nicht gesehen zu werden, hinter Wielands Rücken, unaufmerksam auf alles, was vorging, gezeichnet hatte, gibt ihm das Bild zum Sehen, er zuckt die Schultern, lächelt, macht ihr ein halbes Kompliment und reicht es großmütig herum. Jedermann macht ihm Komplimente darüber, er bedankt sich schönstens, steckt es wie halbzerstreut in die Tasche und fängt wieder zu spielen an. Die Dame errötet. Die Palatinen der andern Damen, die Wieland zuhören, kommen in Unordnung, weil die Herrchen zu ungezogen werden. Wieland winkt ihnen lächelnd zu, und Jacobi hüpft wie unsinnig von einer zur andern herum. Indessen klatscht die ganze Gesellschaft und ruft gähnend):

Bravo! bravo! bravo! le moyen d'ouïr quelque chose de plus ravissant.

—

Dritte Szene

GOETHE (stürzt herein in Tempel, glühend, einen Knochen in der Hand): Ihr Deutsche? – – Hier ist eine Reliquie eurer Vorfahren. Zu Boden mit euch und angebetet, was ihr nicht werden könnt.

(Wieland macht ein höhnisch Gesicht und spielt fort. Jacobi bleibt mit offenem Mund und niederhangenden Händen stehen)

GOETHE (auf Wieland zu): Ha, daß du Hektor wärst und ich dich so um die Mauern von Troja schleppen könnte! (Zieht ihn an den Haaren herum)

DIE DAMEN: Um Gottes willen, Herr Goethe, was machen Sie?

Goethe: Ich will euch spielen, obschon's ein verstimmtes Instrument ist. (Setzt sich hin, stimmt ein wenig und spielt. Jedermann weint)

Wieland (auf den Knieen): Das ist göttlich.

Jacobi (hinter Wieland, gleichfalls auf den Knieen): Das ist eine Grazie, eine Wonneglut!

Eine ganze Menge Damen (stehn auf und umarmen Goethe): O Herr Goethe! (Die Chapeaux werden alle ernsthaft. Eine Menge laufen heraus, andere setzen sich Pistolen an die Köpfe, setzen aber gleich wieder ab)

(Der Küster, der das sieht, läuft und stolpert aus der Kirche)

—

Vierte Szene

Küster. Pfarrer

Küster: O Herr Pfarrer, um Gottes willen, es geschieht Mord und Todschlag in der Kirche, wenn Sie nicht zu Hülfe kommen. Da ist der Antichrist plötzlich hereingetreten, der ihnen allen die Köpfe umgedreht hat, daß sie sich das Leben nehmen wollen. Sie haben alle Schießgewehr bei sich, meine arme Frau, meine arme Kinder sind auch drunter, wer weiß, wie leicht ein Fehlschuß sie treffen kann.

Pfarrer (zitternd und bebend): Meine Frau ist auch da, Gott steh' mir bei. Kann Er sie nicht herausrufen?

Küster: Nein, Herr Pfarrer, Sie müssen selber kommen, das ganze Ministerium muß kommen, es ist, als ob der Teufel in sie alle gefahren wäre, ich glaube, Gott verzeih' mir, der Jüngste Tag ist nahe.

Pfarrer (einmal über das andere sich trostlos umsehend): Wenn meine Frau nur kommen wollte! Konnt' Er ihr nicht zurufen? (Die Hände ringend) Hab' ich das in meinem Leben gehört, sie wollen sich erschießen – und warum denn?

Küster: Um unsrer Weiber willen, allerliebster Herr Pfarrer! Das ist Gott zu klagen, ich glaube, es ist ein Hexenmeister, der unter sie gekommen ist. Vorhin saßen sie da in aller Eintracht und hatten ihren Spaß mit den Papillons, da führt ihn der böse Feind hinein und sagt, wenn's doch gespielt sein soll, so spielt mit Pistolen.

Pfarrer: Ob sie aber auch geladen sind?

KÜSTER: Das weiß ich nun freilich nicht. Aber auch mit ungeladenen ist's doch sündlich. Man weiß, wie leicht der Böse sein Spiel haben kann.

PFARRER (sehr wichtig und nachdenklich): Wie wollen ein Mandat vom Consistorio auswirken.

KÜSTER: Das wär' meine Meinung auch, Herr Pfarrer, so. Und daß sie den Prometheus verbrennen sollen oder den höllischen Proteus, wie er da heißt. Andern zur Warnung, mein' ich.

PFARRER: Wenn meine Frau nur kommen wollte.

KÜSTER: Sie wird sich noch in ihn verlieben und meine Frau auf den Kauf mit ein, die Weiber sind all wie bestürzt auf das Ding, sie sagen, sie haben so was in ihrem Leben noch nicht gehört. Denn sehen Sie, es ist kein einzig Weib, das nicht glaubt, heimlich in der Stille haben sich schon ein zehn, zwölf arme Buben um sie zu Tode gegrämt, und dieser erschießt sich gar, das ist ihnen nun ein gar zu gefundenes Fressen, das. In Böhmen ist neuerdings wieder ein Bauernkrieg angebrochen, gebt acht, Herr Pfarrer, dieser Mensch gibt uns einen Weiberkrieg, wo am Ende keine Mannsseele mehr am Leben bleibt als ich und der Herr Pfarrer. Wir wollten endlich das menschliche Geschlecht auch nicht ausgehen lassen.

PFARRER: Seid unbesorgt. Wenn ich mich nur durch die *Hintertür* in die Kirche schleichen und dem Unwesen zusehen könnte. Ich wollte sodann ganz in der Stille die Kanzel heraufkriechen und auf einmal zu donnern anfangen. Das tut seine gewisse Wirkung, glaubt es mir.

KÜSTER: Sicher, Herr Pfarrer, ich mein' es auch so, und ich will den Glauben zu gleicher Zeit anstimmen, daß der Teufel aus der Kirche fährt.

PFARRER: Ihr könnt das *Te Deum laudamus* hernach singen, wenn ich fertig bin. (Gehn ab)

—

Fünfte Szene

Goethe zieht Wieland das Blatt Zeichnung aus der Tasche, das er vorhin von der Dame eingesteckt

GOETHE (hält's hoch): Seht dieses Blatt, und hier ist die Hand, die es gezeichnet hat. (Die Verfasserin der »Sternheim« ehrerbietig an die Hand fassend)

EINE PRÜDE (weht sich mit dem Fächer): O das wäre sie nimmer imstande gewesen, allein zu machen.

EINE KOKETTE: Wenn man ein so groß Genie zum Beistand hat, wird es nicht schwer, einen Roman zu schreiben.

GOETHE: Errötest du nicht, Wieland? verstummst du nicht? Kannst du ein Lob ruhig anhören, das soviel Schande über dich zusammenhäuft? Wie, daß du nicht deine Leier in den Winkel warfst, als die Dame dir das Bild gab, demütig vor ihr hinknietest und gestandst, du seist ein Pfuscher! Das allein hätte dir Gnade beim Publikum erworben, das deinem Wert nur zu viel zugestand. Seht dieses Bild an. (Stellt es auf eine Höhe)

ALLE MÄNNER (fallen auf ihr Angesicht; rufen): Sternheim! wenn du einen Werther hättest, tausend Leben müßten ihm nicht zu kostbar sein.

PFARRER (von der Kanzel herunter mit Händen und Füßen schlagend): Bösewichter! Unholde! Ungeheuer! Von wem habt ihr das Leben? Ist es euer? Habt ihr das Recht, drüber zu schalten?

EINER AUS DER GESELLSCHAFT: Herr Pfarrer, halten Sie das Maul!

KÜSTER (mischt sich unter sie): Ja, erlauben Sie, meine großgünstige Herren, es ist aber auch ein Unterscheid zwischen einer *schönen* Liebe und einer solchen gottsvergessenen, und denn so mit Ihrer großgünstigen Erlaubnis, der Herr Pfarrer hat auch so unrecht nicht, denn sehn Sie einmal, meine arme Frau steht auch in Gefahr, eines Menschen Leben auf ihr Gewissen zu laden, und da ich mit den Gespenstern nichts gern zu teilen habe –

EIN BUCHBINDER: Ei freilich, ich bin auch von des Herrn Küsters Partei, meine Nachtruhe ist mir lieb auch.

KÜSTER: Also mit Ihrer gnädigen Erlaubnis, meine Herren, wäre mein Rat wohl, wir gingen fein alle nach Hause und schlössen die Kirchtür zu. Wer Lust hat, den Werther zu machen, kann immer drin bleiben, he, he, he, ich denk', er wird doch in der Einsamkeit schon zu Verstand kommen, wir andere ehrliche Bürgersleut' aber gehen heim nach dem Sprüchlein Lutheri:

Ein jedes lern' sein' Lektion,
So wird es wohl im Hause stohn.

GOETHE: Geht in Gottes Namen. Ich bleib' allein hier.

(Es bleiben einige bei ihm im Tempel. Die meisten gehn heraus, und der Küster schließt die Kirchtür zu)

KÜSTER: So. Du sollst mir nicht mehr herauskommen.

PFARR: Nur die Schlüssel der Frau nicht gegeben.

FRAU PFARR: Mannchen! der arme Werther.

PFARR und KÜSTER: Da haben wir's, da wirkt das höllische Gift. Ich wollt', er läg' auf unserm Kirchhof oder der verachtungswürdige Proteus an seiner Stelle. Wir wollten die Knochen ausgraben lassen, verbrennen und die Asche aufs Meer streuen.

KÜSTER: Ich wollt' einen Mühlstein an die Asche hängen und sie ersäufen lassen. Er hat mich in die Seele hinein geärgert. Mein armes Weibchen, was machst du denn? Du wirst doch nicht toll sein und dir auch deinen Werther schon angelegt haben, ich wollte dich – Es ist wohl gut, daß in Teutschland keine Inquisition ist, aber es ist doch nicht gar zu gut. Ich wollte mein Leben dran setzen, einen solchen Rebellen, einen solchen –

KÜSTERS FRAU: Er ein Rebell?

KÜSTER: Red' mir nicht. Was für schnöde Worte er im Munde führt. Wenn man das alles auseinandersetzte, was der Werther sagt –

KÜSTERS FRAU: Er sagt es ja aber in der Raserei, da er nicht recht bei sich war.

KÜSTER: Er soll aber bei sich bleiben, der Hund. Wart' nur, ich will ein Buch schreiben, da will ich dich lehren und alle, die den Werther mir so gelobt haben – kurz und gut, Weib, lieber doch einen Schwager als einen Werther, kurz von der Sache zu reden. Und damit so weißt du meine Meinung und laß mich mit Frieden.

Sechste Szene

DIE DRAMENSCHREIBER

Weiße und Küsters Frau vor der Kirchentür

WEISSE: Liebe Frau, ich bin eben aus Welschland zurückgekommen, mach' Sie mir nur auf, Ihr Mann wird nichts dawider haben. Ich hab' die Taschen voll, ich muß hinein. Ich werd' dort gewiß keinen Unfug anrichten, das sei Sie versichert.

(Sie macht auf. Er tritt herein in einem französischen Sammetkleide mit einer kurzen englischen Perücke, macht im Zirkel herum viel Scharrfüße und fängt folgendergestalten an):

Meine werte Gesellschaft, ist es Ihnen gefälliger, zu lachen oder zu weinen. Beides sollen Sie in kurzer Zeit auf eine wunderbare Art an sich erfahren. (Kehrt sich weg, zieht einige Papiere heraus und murmelt die Expressionen, als ob er sie repetierte): *hell! destruction! damnation!* (Darauf tritt er hervor und deklamiert in einem unleidlich hohlen Ton mit erstaunenden Kontorsionen)

HERR SCHMIDT (ein Kunstrichter, steht vor ihm, beide Finger auf den Mund gelegt): Es ist mir, als ob ich die Engländer selber hörte.

MICHAELIS: Es ist unser deutsche Shakespeare.

SCHMIDT: Sehen Sie nur, was für wunderbare Vereinigung aller Vollkommenheiten, die das englische sowohl als das französische Theater auszeichnen. Das griechische mit eingeschlossen. Ich wünschte Garricken hier.

WEISSE (mit vielen Kratzfüßen sehr freundlich): So sehr es meiner Bescheidenheit kostet, mich mit in diesen Streit zu mengen, so muß ich doch gestehn, daß ich glaube, Herr Schmidt habe mich am richtigsten beurteilt.

MICHAELIS: Herr Schmidt ist unser deutsche Aristarch, er hört nicht auf das, was andere sagen, sondern fällt sein Urteil mit einer Festigkeit und Gründlichkeit, die eines Skaliger würdig ist.

SCHMIDT: O ich bitte um Vergebung, ich richte mich mit meinem Urteil immer nach der allgemeinen Stimme von Deutschland. Zu dem Ende korrespondiere ich mit den Pedellen von fast allen deutschen Akademien, und bleibt mir nicht viel Zeit übrig, im Skaliger zu lesen und seine Manier anzunehmen. Ich bin ein Original.

WEISSE: Belieben Sie nun noch ein Pröbchen von einer andern Art zu sehen. (Nimmt den Hut untern Arm und trippt auf den Zehen herum) *Mais mon Dieu! hi, hi, hi!* (Im Soubrettenton) *Vous êtes un sot animal.* (Trillert und singt) *Monseigneur, voyez mes larmes.*

EINE STIMME AUS DEM WINKEL: Das sollen Deutsche sein?

SCHMIDT: Sehen Sie doch, es ist mir, als ob ich in Paris wäre. Es ist wahr, alle die Züge sind nachgeahmt, aber mit solcher Delikatesse, als man die *blaue Haut einer Pflaume anfaßt, ohne sie abzustreifen.*

MICHAELIS: O wunderbarer Ausspruch eines wahren kritischen Genies. – – Ich habe solche Kopfschmerzen. Herr Schmidt, wollen Sie mich denn nicht auch kritisieren vor meinem Tode?

SCHMIDT: Mir sind die letzten Briefe ausgeblieben.

MICHAELIS: Ei, Sie sind ja wohl Manns genug, selber ein Urteil zu fällen. Sehen Sie, hier hab' ich auch eine Operette.

SCHMIDT: Nein, nein, erlauben Sie mir, das wag' ich nicht. Seit der selige Klotz vor mir die Hosen abgezogen hat, bin ich ein wenig geschröckt worden. Herr Lessing hat mir auch einmal einen Faustschlag unter die Rippen gegeben, von dem ich zehn Tag lang engen Atem behielt. Ich habe hernach alles anwenden müssen, die beiden Herren zu besänftigen: besonders Herrn Lessing zu gefallen, hab' ich wohl zehn Nächte nacheinander aufgesessen, um nach seiner Idee zehn englische Stücke in eines zu bringen, und der fürchterliche Plan hat mir eine solche Migräne verursacht, daß ich fürchte, Herr Lessing hat sich auf die Art schlimmer an mir gerochen als auf die erstere.

MICHAELIS: So muß ich denn wohl unbeurteilt sterben. Deinen Segen, deutscher Shakespeare!

WEISSE (mit feiner Stimme, wie unter der Maske): *Bon voyage, mon cher Monsieur! je vous suis bien obligé de toutes vos politesses.*

SCHMIDT (aus den deutschen Literaturbriefen): Der Mann hat eine wunderbare Gabe, sich in alle Formen zu passen.

—

Siebente Szene

Lessing, Klopstock, Herder treten herein, umarmt, Klopstock in der Mitte, in sehr tiefsinnigen Gesprächen, ohne Weißen gewahr zu werden

LESSING: Was ist das, was haben die Leute? (Weiße macht seine Kunststücke fort) Soll das Nachahmung der Franzosen sein oder der Griechen?

WEISSE (scharrfüßelnd): Beides.

LESSING: Wißt ihr, was die Franzosen für Leute sind? Laßt uns einmal ihre Bilderchen besehen. (Tritt vor eine Galerie und examiniert) Da zu hoch, da zu breit, da zu schmal, nirgends Zusammenhang, nirgends Ordnung, nirgends Wahrheit. Und das sind eure Muster?

HERDER: Ich hörte da was von Shakespeare raunen. Kennt ihr den Mann? – – Tritt unter uns, Shakespeare, seliger Geist! steig herab von deinen Himmelshöhen.

SHAKESPEARE (einen Arm um Herder geschlungen): Da bin ich.

(Weiße schleicht zum Tempel heraus. Sein ganzer Anhang folgt ihm. Jedermann drängt zu, Shakespearen zu sehen, einige fallen vor ihm nieder. Aus einer Reihe französischer Dramendichter, die auf einer langen Bank sitzen und alle kritzeln oder zeichnen, hebt sich einer nach dem andern wechselsweise hervor und guckt nach Shakespeare, setzt sich aber gleich wieder mit einer verachtungsvollen Miene und zeichnet fort nach griechischen Mustern)

KLOPSTOCK (vor Shakespearen, sieht ihm lange ins Gesicht): Ich kenne dies Gesicht.

SHAKESPEARE (schlägt den andern Arm um Klopstock): Wir wollen Freunde sein.

KLOPSTOCK (umarmt ihn brünstig, zuckt auf einmal und sieht sich umher): Wo sind meine Griechen? Verlaßt mich nicht.

(Shakespeare verschwindet wieder. Herder wischt sich die Augen)

HERDER (in sanfter Melancholie vorwärts gehend): Was der Junge dort haben mag, der so im Winkel sitzt und Gesichter über Gesichter schneid't. Ich glaub', es gilt den Franzosen. Bübchen, was machst du da, (Lenz steht auf und antwortet nicht) was ist dir?

LENZ: Es macht mich zu lachen und zu ärgern, beides zusammen.

HERDER: Was denn?

LENZ: Die Primaner dort, die uns weismachen wollen, sie wären was, und der große hagere Primus in ihrer Mitte, und sind Schulknaben wie ich und andere. Zeichnen da ängstlich und emsig nach Bildern, die vor ihnen liegen, und sagen, das soll unsern Leuten ähnlich sehen. Und die Leut' sind solche Narren und glauben's ihnen.

HERDER: Was verlangst du denn?

LENZ: Ich will nicht hinterherzeichnen – oder gar nichts. Wenn Ihr wollt, Herr, stell' ich Euch gleich ein paar Menschen hin, wie Ihr sie da so vor Euch seht. Was den Alten galt mit ihren Leuten, soll uns doch auch gelten mit unseren.

HERDER (gütig): Probiert's einmal.

LENZ (kratzt sich in den Kopf): Ja da müßt' ich einen Augenblick allein sein.

HERDER: So geh' in deinen Winkel, und wenn du fertig bist, bring' mir's.

(Lenz kommt und bringt einen Menschen nach dem anderen keichend und stellt sie vor sie hin)

HERDER: Mensch, die sind viel zu groß für unsre Zeit.

LENZ: So sind sie für die kommende. Sie sehn doch wenigstens ähnlich. Und Herr! die Welt sollte doch auch itzt anfangen, größere Leute zu haben als ehemals. Ist doch so lang gelebt worden.

LESSING: Eure Leute sind für ein Trauerspiel.

LENZ: Herr, was ehmals auf dem Kothurn ging, sollte doch heutzutag' mit unsern im Sokkus reichen. So viel Trauerspiele sind doch nicht umsonst gespielt worden, was ehmals grausen machte, das soll uns lächeln machen.

LESSING: Und unser heutiges Trauerspiel?

LENZ: O da darf ich nicht mal nach heraufsehn. Das hohe Tragische von heut, ahndet ihr's nicht? Geht in die Geschichte, seht einen emporsteigenden Halbgott auf der letzten Staffel seiner Größe gleiten oder einen wohltätigen Gott schimpflich sterben. Die Leiden griechischer Helden sind für uns bürgerlich, die Leiden unserer sollten sich einer verkannten und duldenden Gottheit nähern. Oder führtet ihr Leiden der Alten auf, so wären es biblische, wie dieser tat (Klopstock ansehend): Leiden wie der Götter, wenn eine höhere Macht ihnen entgegenwirkt. Gebt ihnen alle tiefe, voraussehende, Raum und Zeit durchdringende Weisheit der Bibel, gebt ihnen alle Wirksamkeit, Feuer und Leidenschaften von Homers Halbgöttern, und mit Geist und Leib stehn eure Helden da. Möcht' ich die Zeiten erleben!

KLOPSTOCK: Gott segne dich!

GOETHE (springt von hinten zu und umarmt ihn): Mein Bruder.

LENZ: Wär' ich alles dessen würdig! Laßt mich in meinen Winkel! (Auf dem halben Wege steht er still und betet) Zeit! du große Vollenderin aller geheimen Ratschlüsse des Himmels, Zeit, ewig wie Gott, allmächtig wie er, immer fortwirkend, immer verzehrend, immer umschaffend, erhöhend, vollendend – laß mich – laß mich's erleben. (Ab)

KLOPSTOCK, HERDER und LESSING: Der brave Junge. Leistet er nichts, so hat er doch groß geahndet.

GOETHE: Ich will's leisten. –

(Eine Menge junger Leute stürmen herein mit verstörten Haaren):

Wir wollen's auch leisten.

(Bringen mit Ungestüm Papier her, Farben her, schmieren Figuren zusammen, heben die Papiere hoch empor):

Sind sie das nicht?

GOETHE: Hört, lieben Kinder! ich will euch eine Fabel erzählen. Als Gott, der Herr, Adam erschuf, macht' er ihn aus Erde und Wasser sehr sorgfältig, bildete alle seine Gliedmaßen, seine Eingeweide, seine Adern, seine Nerven, blies ihm einen lebendigen Odem in die Nase, da ging der Mensch herum und wandelte und freute sich, und alle Tiere hatten Respekt vor ihm. Kam der Teufel, sagte: »Ei was eine große Kunst ist denn das, solche Figuren zu machen, darf ich nur ein bissel Mörtel zusammenkneten und darauf blosen, wird's gleich herumgehn und leben und die Tiere in Respekt erhalten.« Tät er dem auch also, pappte eine Menge Leim zusammen, rollt's in seinen Händen, behaucht' und begeiferte es, blies sich fast den Otem aus, fu fi fi fu – aber geskizzen wor nit gemohlen.

—

LETZTER AKT

GERICHT

Nacht. Geister. Stimmen

ERSTE STIMME: Ist Tugend der Müh' wert?

ZWEITE STIMME: Machen Künst' und Wissenschaften besser?

EINE MENGE GEISTER (rufen): Tugend ist der Müh' nicht wert. Künst' und Wissenschaften machen schlechter.

WELTGEIST: Eßt, liebt und streitet! euer Lohn ist sicher.

EWIGER GEIST: Euer Lohn ist klein. – Schaut an Klopstock, der auf jene steinichten Pfade Rosen warf. Der muß tugendhaft gewesen sein, der von gegenwärtigem Genuß auf seine Brust hinverweisen kann, auf sein Auge gen Himmel gewandt. Schaut an Herdern, der jene Labyrinthe mit einem ebnen Wege durchschnitt, die nur immer um Künste herum, nie zur Kunst selber führten. Tausend Unglücklichen, Verirrten ein Retter, die sonst nicht wußten, wo sie hinauswollten, und in dieser tödlichen Ungewißheit an Felsenwänden kratzten. –

Wer von euch schweigt, bekennt, er sei nicht fähig, euch zu loben. Schweig, Säkulum!

*

LENZ (aus dem Traum erwachend, ganz erhitzt): Soll ich dem kommenden rufen?

—

JAKOB MICHAEL REINHOLD LENZ

LUSTSPIELE NACH DEM PLAUTUS

FÜRS DEUTSCHE THEATER

★

FRANKFURT UND LEIPZIG

1774

DIE AUSSTEUER

PERSONEN

Ein Gnome
Herr Keller
Rebenscheit, Mütterchen
Splitterling, reich
Frau Heup, dessen Schwester
Leander, ihr Sohn
Crispin, sein Bedienter
Fiekchen, Tochter des Herrn Kellers, wird nicht gesehen
Ein Koch
Einige Bediente

ERSTER AKT

Erste Szene

Ein Gnome tritt auf

Immer schweb ich um's Haus herum –
Schätze zu hüten ist mein Beruf,
Darbenden Tugenden zum Behuf.
Immer schweb ich um's Haus herum:
Keller entdeckte den Schatz im Kamin,
Aber der Tochter verhehlt' er ihn
Und für das Mädchen hütet' ich ihn
Denn in's Kloster verlangt sie zu gehn,
Weil sie nichts dem künftigen Mann
Als ihr Herz, zubringen kann.
Und sie ist schön, zärtlich und schön,
Und Leander betet sie an,
Weil er sie einst im Bade gesehn
Und sich vergessen – und sie erlaubt,
Daß er die Unschuld ihr geraubt.
Seit der Zeit verschloß sie sich immer,
Tag und Nacht, in ihr Zimmer,
Sagte: Leander! Zur stummen Wand,
Räuber! Hätt' ich dich nie gekannt.
Denn mein letzter Juwel ist verpraßt,
Nun bin ich Gott und Menschen verhaßt

Immer schweb' ich um's Haus herum;
Fiekchen zu helfen, ist edler Ruhm.
Will dem Keller das Blut erschröcken,
Soll seinen Schatz in Dornen und Hecken
Vor seiner eignen Furcht verstecken.
Daß er in beß're Hände gerät
Bis er zu Fiekchen, früh oder spät.
Will diesen Demant in Gold einfassen
Und ihn Leandern zuwenden lassen

Durch seinen Onkel Splitterling,
Der von dem Himmel viel Geld empfing.

Immer schweb' ich um's Haus herum
Turetu, turetu, trum, trum, trum,
Eilet ihr Dämpfe der Kluft, beeist
Kellers Blut mit eurem Geist,
Ha, ihr seid da, schon steht sein Blut.
Es ist gut. (verschwindt)

—

Zweite Szene

Keller. Rebenscheit

KELLER (stößt sie): Geh heraus, geh! Geh, geh, geh, willst du gehn: du Hexe, du Spion?

REBENSCHEIT: Was schlagen Sie mich, alte Frau?

KELLER: Willst du noch nicht gehn?

REBENSCHEIT: Was stoßt Ihr mich zum Hause naus?

KELLER: Soll ich dir Rechenschaft geben? Fort, sag ich dir, fort, von der Tür fort, dahin, da bei der großen Pfütze kannst du stehn bleiben, bis ich dich wiederrufe. Seht, wie sie kriecht, wart, wenn ich einen Stock in die Hand nehme, ich will dir Beine machen, du Schnecke du.

REBENSCHEIT: Lieber möcht ich doch beim Schinder dienen als bei Ihm.

KELLER: Was brummt Sie da in Bart, hört einmal! (schreit) Ich werde dir doch wahrhaftig die Augen noch ausstechen, wenn du nicht aufhörst herzuschielen. Steh jetzt still, sag ich dir, und so mit dem Rücken gegen meine Haustür, wo du nur einen Nagelbreit zurückweichst, oder wo du den Kopf nur auf die Seite wend'st, so laß dich aufhängen, so wie du da gehst und stehst.

REBENSCHEIT: Es geht mir, Gott verzeih, wie Lots Weib.

KELLER: Was sagst du? Ich habe doch in meinem Leben noch kein gottloseres Weibsbild gesehen, sie wird mir Gott weiß noch ablauern, wo ich ihn habe, ich kenne ihre Hinterlist, ich glaube, sie hat Augen im Nacken, seht wie sie den Kopf schüttelt, o Rabenaas, Rabenaas! (geht hinein)

REBENSCHEIT: Es muß ihm jemand was angetan haben, oder er ist von Sinnen gekommen, wohl zehnmal in einem Tage stößt er mich zum Hause hinaus. Ich weiß nicht, was für eine unsinnige Wirtschaft er jetzt mit einemmal anfängt, die ganze Nacht wacht er, und des Tags rührt er sich nicht von seinem Sessel wie ein lahmer Schuster. Das kommt mir eben zu unrechter Zeit, ich weiß nicht, wie ich ihm die Schande unsrer armen Jungfer verbergen soll, deren Geburtsstunde täglich herannaht. Ach Gott Fiekchen, Fiekchen! Was wird aus uns werden, der Strick wäre die beste Hebamme für dich.

—

Dritte Szene

Keller. Rebenscheit

KELLER (kommt wieder heraus vor sich): Jetzt ist mir das Herz doch wieder etwas leichter, es war doch alles noch so in der Ordnung – Nun du, Rebenscheit! Geh nur wieder hinein und gieb auf's Haus Acht.

REBENSCHEIT: Worauf denn Herr? Daß Euch niemand das Haus fortträgt? Ihr habt ja nichts drin als Spinneweb.

KELLER: Meinst du, der liebe Gott soll mich dir zu Gefallen zum Großmogel machen? Auf die Spinneweb sollst du mir Acht geben. Ich bin arm, das ist wahr, ich gesteh's, ich ertrag's mit Geduld. Wie Gott es fügt, bin ich vergnügt. Geh, geh hinein und schließ wohl zu und mir niemand ins Haus gelassen, verstehst du mich? (ihr näher, ins Ohr) Und wenn des Nachbars Hans kommt, hörst du, seine Pfeife in der Küche anzuzünden, so lösch das Feuer aus, verstehst du, lösch es aus, damit er keine Ursach hat zu kommen. Und wenn die Nachbars Magd kommt, verstehst du, und will Wasser aus unserm Brunnen holen, so sag ihr, er ist ausgetrocknet. Und wenn sie ein Beil bei dir suchen, oder ein Messer, oder einen Topf und so dergleichen, so sag nur, die Diebe habens weggetragen. Verstehst du mich, ich werde gleich wieder da sein, es soll mir niemand ins Haus, so lang ich davon bin, keine lebendige Seele und wenn – und wenn's der Gelddrache selber wäre.

REBENSCHEIT: Ja der wird sich schön in Acht nehmen zu Euch zu kommen. (geht)

KELLER: Verstehst du mich – geh nur hinein! Und mir beide Riegel vorgeschoben, hörst du es? – Es ist doch ein

Unglück, daß ein ehrlicher Mann nicht zu Hause bleiben kann, wenn er will. Da will der Zunftmeister heute Geld austeilen, und wenn ich nicht dabei wäre, husch würden die Nachbarn sagen, der muß Geld genug zu Hause haben. Was das für ein elendes Ding doch mit der Welt ist, ja, ja, es ist wohl ein rechtes Jammertal. Ich weiß nicht, je mehr ich es zu verhehlen suche, je naseweiser werden die gottsvergessenen Leute mir, weiß sie der böse Feind! sie grüßen mich alle seitdem freundlicher als vormals, da bleiben sie stehen mit mir, da fragen sie mich nach meiner Gesundheit, recht als ob sie das was anginge, und da, mir die Hand gedrückt und wie ich mich befinde, und wie ich mich befinde, daß euch die schwere Not mit eurer Höflichkeit –

—

ZWEITER AKT

—

Erste Szene

Frau Heup. Splitterling

Frau Heup (vor sich): Der Doktor Luft hat mir's auf seinen ehrlichen Namen zugeschworen, daß das Mädchen es nicht länger als zwei Jahr höchstens machen kann. Wenn das gewiß wäre, o das wär Gold wert, mein Bruder Splitterling sollt' und müßte sie heiraten, oder ich müßte keinen Fetzen Lunge mehr haben – Da kommt er eben, gewiß wieder von seiner Konkubine, so geht denn das Geld aus dem Hause, und wenn er heut oder morgen stirbt – Proste Mahlzeit Bruder! Wo hast du dann zu Mittag gespeist: du siehst ja so freundlich aus, es ist gut, ich habe dir was zu sagen, ich möcht aber gern, daß du's erkenntest, wie all mein Dichten und Trachten immer nur auf dein Bestes geht. Du mußt nicht meinen, weil ich so viel rede, ich denke noch vielmehr, Bruder! Ich kann schon nicht anders, es muß über die Zunge, und du magst auch durch die ganze Welt reisen, so wirst du kein Weibsbild finden, das nicht viel redt, wenn sie stumm ist ausgenommen! Ich denk aber immer so, wir sind uns die

Nächsten, Bruder und Schwester, sieh einmal, und wenn die sich nicht alles sagen, was sie denken, und wenn die sich nicht raten und helfen, wer soll es sonst tun, sieh einmal –

SPLITTERLING: Ja, du bist ein allerliebstes Weib. Was hast du denn?

FRAU HEUP: Geh doch geh, alter Schalk! Nun höre mich nur aus, eh du spöttelst, ich habe so bei mir nachgedacht über deine Umstände, da du anfängst so kränklich zu werden, und niemand ist, der dich so recht pflegen und hegen kann, und da kann ich nun nicht anders, es muß heraus, ich muß dir alles erzählen, das ist meine Natur so, meine Zunge steckt mir im Herzen wie der Klöppel in der Glocke – was meinst du also wohl Bruder, was ich dir da nun für einen Rat geben will.

SPLITTERLING: Den besten, der nur gegeben werden kann.

FRAU HEUP: Keine Komplimenten! Mein Rat ist, daß ich denke, daß du noch nicht zu alt zum Heiraten bist und Kinder zu zeugen und eine vergnügte Ehe zu führen.

SPLITTERLING (bei Seite): In der Tat die Großmut rührt mich. Da sie meine einzige Erbin ist –

FRAU HEUP: Sage! Was hältst du davon? Was antwortest du mir darauf?

SPLITTERLING: Wenn du wüßtest Schwester – o Himmel!

FRAU HEUP: Nicht wahr du hast lange dran gedacht, aber du hast mich damit nicht kränken wollen. O du guter Tropf, was für eine Meinung hast du von deiner Schwester, meinst du, daß ich dir nicht gönnen wollte, was dir Vergnügen macht, und wenn's mir Hab und Gut kosten sollte? Nein, nein, aber hör, du bist nicht mehr in den Flitterjahren, es möcht mit dir etwas schwer halten, darum so laß mich nur dafür sorgen, ich will dir schon was aussuchen, das sich zu deinem Alter und Humor paßt, ich will alles in Richtigkeit bringen, geh du deiner Wege, iß und trink und spiel Tockodilje und bekümmere dich um nichts, dafür hast du mich, und du sollst mit meiner Wahl zufrieden sein, ich versichere dich's. Ich weiß hier ein Mädchen, das ihre zwanzigtausend Gulden ungezählt mitbekommt, und das still und häuslich ist, und schön und leutselig dabei wie ein leibhaftiger Engel, ein wenig kränklich ist sie, das ist wahr, aber mit dem ledigen Stande verliert sich das, ich habe viel Jungfern gekannt, die kaum jappen mehr konnten, und als Weiber sind sie dick und fett worden, ich sage dir, es ist ein leibhaftiger Engel, und bei der soll's mir wenig Mühe kosten.

SPLITTERLING: Ich will dir auch die ersparen. Meine Wahl ist getroffen. Ich bin reich genug und hasse die elenden Kleinigkeiten, womit die Schwiegerväter uns zu Sklaven ihrer Töchter machen wollen.

FRAU HEUP: Was? Du wirst doch nicht toll sein, und ein Mädchen heiraten wollen, das kein Geld hat. Was gilts, deine Konkubine liegt dir im Sinn? Aber ich will meinen Kopf nicht auf dem Rumpf behalten, wo ich es leide, daß das Mensch in unsere Familie aufgenommen wird. Nimm es mir nicht übel, Bruder, ich sag es dir einmal für allemal, daß du dich darnach zu richten weißt.

SPLITTERLING: Kennst du den alten Keller?

FRAU HEUP: Keller – was denn? Warum denn? Wo soll das hinaus?

SPLITTERLING: Seine Tochter heirat ich – und kein Wort mehr über die Sache. Ich weiß alles was du mir sagen kannst.

FRAU HEUP: Aber – ich hoffe doch, daß das dein Ernst nicht sein wird.

SPLITTERLING: Und ich hoffe, es wird.

FRAU HEUP: Sage mir doch, bist du wo wieder über eine Flasche Unger'schen Wein gekommen.

SPLITTERLING: Ich bitte dich, verlaß mich und mach mich nicht krippelköpfisch. Ich habe nun einmal meinen Entschluß so gefaßt, und ich bin Mann's genug, einen Entschluß für mich allein zu fassen und auch allein auszuführen. Ich heirate nicht für dich, meine Schwester, das ist genug, arm oder reich, wenn mir's so beliebt, so kann's Dir gleich viel gelten.

FRAU HEUP: Ganz gewiß hat Er heut getrunken, ich laß es mir nicht ausreden. Ich muß nur gehen, daß er nicht noch ärger wird. Adieu, Herr Splitterling, viel Glück, Herr Splitterling. (geht hinein)

SPLITTERLING: Das hoffe ich. Mein Neffe hat gewiß einen guten Geschmack, und er hat mir soviel Fürtreffliches von dem Mädchen gesagt, daß ich der Grille nun nicht widerstehen kann, sie noch heut Abend zu meiner Frau zu machen. Ich bin reich, sie wird mich gewiß nicht ausschlagen, da ihre Dürftigkeit, wie mein Neffe sagt, sie fast zur Verzweiflung bringt, und ihr Vater ihr so unfreundlich begegnet. Doch da seh ich ihn ja eben nach seinem Hause zutrotten. Ich muß mich ihm doch nähern und ihn einmal anreden, wir haben doch schon so unzähligemal einander gesehen, sind die nächsten Nachbarn und noch kein Wort zusammen gesprochen? Das ist in der Tat nicht nachbarschaftlich –

—

Zweite Szene

Keller. Splitterling

KELLER (vor sich): Das dacht ich, daß ich umsonst gehen würde, das schwante mir, darum ging ich so ungern: kein Geldausteiler zu sehn oder zu hören, das tun die Leute nur, um ehrliche Leute aus ihren Häusern zu locken, weil sie nichts bessers zu tun haben, als den ganzen Tag die Schuhe zu verschließen, und das Pflaster zu verderben. Nun bist du endlich wieder da mein allerliebstes Haus, Gott grüß dich, mein gold'nes Haus. (schließt seine Tür auf) Meine ganze Seele ist in dem Hause.

SPLITTERLING (tritt an ihn und zupft ihn): Ich bin erfreut, Sie wohl auf zu sehn, Herr Nachbar.

KELLER (fährt zusammen): Dank euch Gott, Herr – was wollen Sie?

SPLITTERLING: Wie befinden Sie sich?

KELLER: Was? (bei Seite) Das ist auch einer von den Naseweisen – was haben Sie darnach zu fragen?

SPLITTERLING: Sind Sie noch wohl auf, munter, gesund –

KELLER: So, so – (bei Seite) er hat Wind davon – so so, sag ich, nicht zum Besten, es sind schlimme Zeiten.

SPLITTERLING: Wenn man nur ein zufriedenes Herz hat, Herr Keller! Sie haben immer soviel, daß sie leben können.

KELLER: Wer hat Ihnen das gesagt? (bei Seite) Die Rebenscheit hat geplaudert, ich will nicht ehrlich sein, sie muß ihm was gesagt haben.

SPLITTERLING: Was haben Sie, was reden Sie so für sich?

KELLER: Nichts, nichts, ich – seufze über meine Armut. Da hab ich da ein Mädchen im Hause, das alle Tage größer wird und alle Tage essen will: kein Henker erlöst mich von ihr, weil sie wissen, daß ich ihr nichts mitgeben kann.

SPLITTERLING: Sein Sie unbekümmert, Herr Keller, sie wird schon versorgt werden. Ich bin Ihr Freund, sagen Sie mir's, wenn Sie etwas für sie brauchen, ich stehe mit meinem Beutel zu Diensten.

KELLER (kehrt sich weg): O ho! Das ist die rechte Höhe, wenn sie Versprechungen tun, Luft hauchen sie aus und ziehen Gold ein – Nein gottlob, Herr, meine Tochter braucht Sie nicht und ich brauche Sie auch nicht, also – (winkt mit der Hand)

SPLITTERLING: Aber sehn Sie mich doch einen Augenblick an, Herr Keller, warum kehren Sie sich immerfort weg von mir? Ich hab Ihnen einen Antrag zu tun, der für uns beide von äußerster Wichtigkeit ist.

KELLER (kehrt sich weg): Ich Unglücklicher! Er wird doch nicht Geld von mir leihen wollen –

SPLITTERLING: Wo gehn Sie hin?

KELLER: Nur auf einen Augenblick – ich muß nur noch drinnen nachsehn – sogleich – (geht hinein)

SPLITTERLING: Ich fürchte nur, wenn ich anspreche, wird er glauben, ich wolle mich über seine Tochter lustig machen. Er scheint mir überhaupt mißtrauisch.

KELLER (kommt wieder: vor sich): Gottlob, daß nur noch alles da ist. – Wollen Sie noch nicht fortgehen?

SPLITTERLING: Ich habe Sie nur über etwas – sondieren wollen.

KELLER: Nein nein nein, es ist umsonst, Herr! ich lasse mich nicht ausholen. (will gehen)

SPLITTERLING: Sagen Sie mir doch –

KELLER: Nichts da – lassen Sie mich – es ist doch umsonst, Herr –

SPLITTERLING: Was denn? – Wie gefällt Ihnen meine Familie –

KELLER: Ganz gut –

SPLITTERLING: Und meine Denkungsart?

KELLER: Ganz gut, ganz gut – aber auf Kredit laß ich mich nicht ein.

SPLITTERLING: Und meine Aufführung?

KELLER: Nicht übel, nicht übel – lassen Sie mich –.

SPLITTERLING: Sie kennen mein Alter.

KELLER: Ja Herr, ja Herr – nichts von der Sache.

SPLITTERLING: Ich habe Sie jederzeit für einen wohldenkenden rechtschaffenen Biedermann gehalten.

KELLER (abgewandt): Er wittert, wo ich's habe – o Rebenscheit, Rebenscheit!

SPLITTERLING: Ich kenne Sie, Sie kennen mich, kurz und gut –

KELLER: Ich will von keinem kurz und gut hören.

SPLITTERLING: Ich bitte mir Ihre Tochter zur Frau aus.

KELLER: Zur Frau – ei pfui doch Herr Splitterling! Das ist doch nicht artig von Ihnen, einen armen Mann zum Besten zu haben, der Ihnen nichts zu Leid getan hat.

SPLITTERLING: Ich habe Sie nicht zum Besten, ich schwör's Ihnen mit dem heiligsten Eide.

KELLER: Sie meine Tochter zu Ihrer Frau –

SPLITTERLING: Ja, weil sie mich glücklich machen kann, und ich sie und ihr ganzes Haus.

KELLER: Nehmen Sie mir's nicht übel, Herr Splitterling, das kommt mir recht so vor, sehen Sie, Sie sind nun ein reicher, reicher, steinreicher Mann, und ich bin ein hundarmer Tropf, nun wenn ich Ihnen meine Tochter gäbe, so stell ich mir vor, Sie wären ein Ochse par Exempel, und ich *sans comparaison* bin der Esel, nun wenn Ochs und Esel zusammen in ein Joch gespannt würden, so hab ich ja nicht die Geschwindigkeit wie Sie, hören Sie einmal, und da würde der arme Esel denn im Kot stecken bleiben.

SPLITTERLING: Lassen Sie doch – warum wollen Sie Ihren Kopf anstrengen Schwürigkeiten zu finden. Je näher Sie mit wohlhabenden Leuten verbunden werden können, desto besser für Sie, das ist sonnenklar –

KELLER: Nicht so ganz Herr, (bei Seite) a ha, ich merke schon, wonach er mit der Wurst zielt. Aber er soll sich – Ich muß es Ihnen nur kurz und gut sagen, Herr Splitterling, daß Sie etwa nicht meinen – – meine Tochter kriegt keinen Heller mit.

SPLITTERLING: Schadt nichts. Tugend ist die beste Mitgabe.

KELLER: Für ihre Tugend, da bin ich Bürge – aber ich sag Ihnen, ich kann ihr keinen Heller mitgeben, da machen Sie sich keinen Staat drauf, Herr Splitterling, weder vor noch nach meinem Tode, denn das weiß die ganze Stadt und das ganze Land, daß ich ein armer Mann bin. Ja wer heutiges Tages Schätze fände, wie vorzeiten.

SPLITTERLING: Das brauchen Sie alles nicht, versprechen Sie mir Fiekchen nur.

KELLER (stutzt plötzlich): Ich bin des Todes.

SPLITTERLING: Was ist?

KELLER: Ich hört ein Eisen klingen. (rennt hinein)

SPLITTERLING (ruft ihm nach): Es ist nichts, ich lasse in meinem Garten aufgraben – der Mann ist nicht gescheit. Ohne mir eine Antwort zu geben – er will mich nicht zum Eidam, das war ein Korb in aller Form – So gehts, wenn man mit den Armen zu tun hat, ihr Mißtrauen verderbt uns den ganzen Handel, hernach kommen sie mit der Reu hintendrein, wenn's schon zu spät ist –

KELLER (im Hause): Wenn ich dir nicht die Zunge abhacken lasse – verlaß dich drauf – wenn ich's nicht tue, so – so erlaub ich dir, mich kastrieren zu lassen, siehst –

SPLITTERLING: Was mag er so lärmen? (Keller kommt) Nun Herr Keller, ich glaube Sie wollen mich an der Nase herumführen. Sagen Sie mir, welch einen Bescheid geben Sie mir dann? Kurz und gut – krieg ich Ihre Tochter, oder nicht?

KELLER: Keinen Heller Mitgabe.

SPLITTERLING: Davon red ich ja nicht.

KELLER: Ich kann ihr aber keinen roten Pfennig mitgeben, sag ich Ihnen.

SPLITTERLING: Hol das Wetter die Mitgabe, Ihre Tochter verlang ich zur Frau, nicht die Mitgabe.

KELLER: Nun, wenn das ist – wenn das ist –

SPLITTERLING: So – ja?

KELLER: Nun ja, warum nicht, aber Herr vergessen Sie nicht, daß wir übereingekommen sind, daß sie keinen Heller mitbekömmt.

SPLITTERLING: Wir werden darüber keine Weitläuftigkeiten haben, Herr Keller, sein Sie unbesorgt.

KELLER: Ei ja doch, ich weiß, daß bei euch reichen Leuten ein Kontrakt kein Kontrakt ist, ihr könnt aus *x u* machen, man kennt euch.

SPLITTERLING: Hören Sie aber, Herr Keller, ich bin ein eigener Mann. Wenn ich mir was in den Kopf gesetzt habe, eins! zwei! drei! muß es da sein. Ich denke, wie wärs, wenn wir die Hochzeit noch heut Abends ansetzten, ich denke, Fiekchen wird dagegen nichts einzuwenden haben, und wenn ich mich noch heut Abend allein meinen Grillisationen überließe, und meine Schwester oder mein Neffe mir da in die Quer käme, so könnte mir wohl morgen gar die Lust zum Heiraten schon wieder vergangen sein. Also kurz und gut, heut Abend ist die Hochzeit.

KELLER: Je eher, je lieber – aber unter der Bedingung –

SPLITTERLING: Ich bitte Sie, schweigen Sie mit Ihrer Bedingung, ich müßte ja im Kopf verrückt sein, wenn ich mir auf eine Mitgabe von Ihnen Staat machte. Und Sie zu überzeugen, wie weit entfernt ich davon bin, Ihnen Kosten zu verursachen, so soll die ganze Hochzeit aus meinen Mitteln angerichtet werden. Ich will nur gleich gehn und Anstalten machen. (geht)

KELLER: So schnell? Das ist doch unmöglich so recht richtig, so heißhungrig kann er auf ein armes Mädchen nicht – ich glaube, er hat mir was von Schatz gesagt, mich deucht – ja wahrhaftig, er hat's gesagt, darum sucht er meine Verwandtschaft – Rebenscheit! – Oder nein, ich selber glaub, ich war es, der von Schatz redte – Rebenscheit! Komm heraus, du – (sie kommt) Hör! Sag mir doch auf dein Gewissen, hast du den Nachbarn nicht von einem gewissen – Heiratsgut gesagt, das ich meiner Tochter mitgeben wollte. Sie hat einen Freier bekommen, weiß der böse Feind, wie es zugeht, kurz, sie heiratet heute Abend unsern reichen Nachbar Splitterling.

REBENSCHEIT: Heute Abend – heilige Mutter Gottes! Das ist unmöglich.

KELLER: Was denn? Was quakst du da, alter runzlicher Frosch! Unmöglich! Unmöglich! Ich sage dir aber, es ist möglich. Geh hinein, räum auf inwendig und schließ mir die Tür wohl zu – ich geh auf den Markt einzukaufen, ich bin in einem Augenblick wieder da – (geht)

REBENSCHEIT (schlägt in die Hände): Was fangen wir an? Wir sind verloren. Was fangen wir an? Ihre Geburtsstunde ist da, ich soll die Hebamme machen, ich soll zur Hochzeit aufräumen. Bis dahin haben wir alles verhehlt, jetzt, da es nicht mehr angeht zu verhehlen, um ihre Schande vollkommen zu machen, muß ein Freier kommen und Zeuge davon sein. O armes, unglückliches Fiekchen! Armes Fiekchen! Unglückliches Fiekchen! (geht hinein)

—

Dritte Szene

Crispin. Ein Koch

KOCH: Hier in dem Hause von Fachwerk! In dem kleinen, armseligen Nest Hochzeit, Er ist nicht gescheit.

CRISPIN: Ich sag es Ihm ja, die Hochzeit ist auf des Bräutigams Kosten.

KOCH: Hat denn die Braut keinen Vater?

CRISPIN: Kennt Er den alten Keller denn nicht, sag Er mir einmal? Hat Er nichts von ihm gehört? und seitwenn bei uns im Frankenlande? Nein, Er muß aus dem Dardanellenlande kommen oder gar von Amerika, weil Er noch in seinem Leben nichts vom alten Keller gehört hat.

KOCH: Was sagt Er mir da für kauderwelsch Zeug vor, was ist's denn mit dem alten Zöllner, was gibts? Ist er so arm oder so filzicht?

CRISPIN: Weiß Er nicht, daß er einen Fasttag anstellt, sobald von seinem Holz nur der Rauch aus dem Schornstein geht? Weiß Er nicht, daß er sich alle Abend vor Schlafengehn eine große Ochsenblase vor den Mund bindet? Weiß Er nicht –

KOCH: Warum denn die Ochsenblase vor den Mund, lieber Mann! Ists ein Hexenmeister?

CRISPIN: Ei ja wohl – damit ihm nichts von seinem Atem verloren gehe, wenn er schläft.

KOCH: Ha, ha, ha, das ist schnackisch: und ist denn der Mann bei seinen fünf Sinnen?

CRISPIN: Weiß Er nicht, daß er helle Tränen weinen kann, wenn er sich die Hände wäscht, weil ihm das Wasser so verschüttet wird.

KOCH: Geh Er doch, das ist unglaublich.

CRISPIN: Auf Ehre, es ist wahr. Ich kann ihm meine Parole d'Honneur drauf geben, daß er sich niemals den Bart scheren läßt, wo er nicht die Stoppeln davon sorgfältig aufhebt.

KOCH: Nun, der versteht die Wirtschaft, Gott sei Dank, daß wir nicht von dem bezahlt werden: es ist doch Herr Splitterling, der anrichten läßt.

CRISPIN: Ja wohl, aber a propos, hat Er auch sein Küchengerät selbst mitgebracht? Dort findt er keins.

KOCH: Wie denn? Ich bitt ihn – nein –

CRISPIN: Desto besser, sonst macht' er Ihm gewiß hernach eine Nachrechnung von gestohlnen Sachen; wart, ich werd ihm schon welches aus unserm Hause herüber schicken: erst wollen wir hier nur anpochen, seht, mit welcher Sorgfalt er seine Türen verschlossen hat, als ob er Tonnen Goldes in seinem Loch hütete. (pocht an) Was meint er wohl, letzt – ja, noch ein artiges Anekdötchen! Letzt hat ihm ein Habicht eins von seinen Küken weggetragen, und er – ist heulend und grinsend zum Stadtvogt laufen, er möchte doch dem Habicht nachsetzen lassen. (pocht wieder)

KOCH: Ha ha ha.

REBENSCHEIT (von innen): Wer pocht?

CRISPIN: Gut Freund –

REBENSCHEIT: Der Herr ist nicht zu Hause.

CRISPIN: Nun aufgemacht, hier ist ein Koch, den Herr Splitterling Euch zuschickt – und die Hintertür auch nur, und den Hof auch, denn es kommt noch ein Koch und ein ganzer Wisch Bediente mit Viktualien: der Abend ist vor der Tür, seid doch ein wenig beholfen und zaudert nicht, die Hochzeit wird auf die Art vor Mitternacht nicht werden.

REBENSCHEIT (öffnet die Tür und ringt die Hände): Aber – was wird das werden um Gotteswillen? Es kann nicht sein, es kann heute nicht sein.

CRISPIN: Was denn? Ihr werdet doch keine Contraordre geben, da Herr Keller und Herr Splitterling alles schon angeordnet haben.

REBENSCHEIT: Aber wir haben keinen Splitter Holz im ganzen Hause.

KOCH: Holla, so brennen wir die Dielen. Kommt nur herein, laßt uns Anstalten machen, und Er, Monsieur Crispin, schick Er mir doch das Kochgerät bald, wenns ihm beliebt – (geht hinein, und Crispin von der andern Seite ab)

—

Vierte Szene

Keller

KELLER (einen Blumenstrauß in der Hand): Ich habe mich entschlossen gehabt, heut mein Gemüt ein wenig hart zu machen, weil ich doch die Last jetzt auch vom Halse bekomme, und ein wenig großmütig zu sein, damit die Leute doch sagen können, wenn sie von meiner Tochter Hochzeit reden: ja ihr Papa, der alte Keller, das ist ein Mann! Und da bin ich denn auf den Markt gegangen einzukaufen, ich muß mich doch bei so einer Gelegenheit auch nicht lumpen lassen, und da hab ich denn nach Fischen gefragt, die waren so teuer! Lammfleisch, auch teuer, Kalbfleisch, Rindfleisch, Schweinefleisch, alles teufelmäßig teuer. Ich ward auch so zornig, weil nichts da war, das ich ohne Geld kaufen konnte, und da fing ich bei mir selber an, so etwas zu spekularisieren und Schlüsse zu machen, und da war's mir, als ob's mir jemand so sagte: Je nun Keller, vertust du am Hochzeitstage, siehst du, so hast du ja den Tag nach der Hochzeit nichts mehr übrig, Keller, Keller! Sagt' es mir o! Und nachdem ich das so recht in meinem Gemüt erwogen hatte, so beschloß ich, lieber keinen so greulichen Aufwand zu machen, und da hab ich denn diesen Strauß gekauft, ihn meiner Tochter an die Brust zu stecken, wenn sie zu Bette geht. Denn das bleibt doch immer einmal wahr und ist eine ausgemachte Sach, und bleibt eine ausgemachte Sach, daß, wer seinen Kindern gibt Brot und leidt selber Not, den soll man – aber – o Himmel – meine Tür offen – (wirft den Strauß hinein) Diebe! – Mörder! – Gerechtigkeit! – (rennt hinein)

—

DRITTER AKT

—

Erste Szene

Der Koch. Keller. Eine Menge Leute, die das Geschrei herbeigezogen

KOCH (stürzt heraus): Freunde, Nachbarn! Rettet! Er will mich umbringen, alle Feuerbrände hat er mir an den Kopf geworfen, macht Platz, da ist er, da kommt er, der Kobold.

KELLER (in gräßlicher Karrikatur, ein Beil in der Hand): Haltet auf! Haltet auf! (man fällt Kellern in die Arme: ein andrer Haufe hält den Koch)

KOCH: Was macht Er denn für einen unnützen Aufstand,

Herr – führt ihn doch in's Tollhaus, ihr seht ja, daß er verruckt ist –

KELLER: Mörder! Mörder!

KOCH: Hört ihr?

KELLER: Er hat ein Messer bei sich, damit hat er mich wollen in meinem eignen Hause um's Leben bringen.

KOCH: Herr, ich bin ein Koch, ist Er denn gar rasend, ich hab seinen Hahn damit abschlachten wollen, was kommt ihm an? Sein eigner Schwiegersohn hat mich ja gedungen.

KELLER: Wenn ich dir doch nur recht viel Böses tun könnte! Laßt mich los –

KOCH: Er hat mir Böses genug getan, es wird sich schon ausweisen, der Kopf ist mir mitten von einander, es wird sich schon ausweisen, wart Er nur.

KELLER: Was hast du in meinem Hause zu suchen, Straßenräuber?

KOCH: Hab ich Ihm nicht zu seiner Hochzeit kochen müssen, ist Er denn besessen?

KELLER: Hab ich's dir geheißen? Was gehts dir an, ob wir roh oder gekocht auf unsrer Hochzeit fressen.

KOCH: Sein eigener Schwiegersohn –

KELLER: Soll ich in meinem eignen Hause nicht Meister sein?

KOCH: Herr Splitterling – warum will Er uns nicht in Ruhe kochen lassen, ich bitt Ihn.

KELLER: Daß du mir alle Winkel meines Hauses durchwittern kannst, Spürhund! Was hast du vor am Kamin zu schaffen gehabt? Rede! Ja wo du mir noch einmal meinem Hause zu nahe kommst, auf jenen Bratspieß will ich dich spießen lassen. (geht hinein)

KOCH: Herr, so geb Er mir wenigstens mein Küchenzeug heraus, das ich dort abgelegt habe – da geht er hinein, und der Teufel darf ihm nach! Was soll ich anfangen? Wer wird mir meinen Schmerzlohn bezahlen, die Laus da hat ja nichts, wenn ich ihn auch verklagen wollte. Ich bin wahrhaftig über und über nur eine einzige Wunde, ich werde dem Doktor noch mehr bezahlen müssen, als ich den ganzen Tag heut würde habe verdienen können. Hat niemand unter euch ein Schnupftuch bei sich, den Kopf mir zusammen zu binden, ich werd ihn müssen löten lassen, er ist mitten von einander. (Man reicht ihm eins und verbindet ihn, mittlerweil kommt Keller wieder heraus)

—

Zweite Szene

Keller im Mantel, einen Topf mit Geld unterm Mantel.
Die Vorigen in der beschriebenen Aufstellung

KELLER: Nun wahrhaftig, jetzt will ich dich auch allenthalben mit mir herumtragen, wo ich gehe und stehe, ich seh doch, daß das der beste Rat ist. (zum Koch gelassen) Nun, ihr! Geht hinein! Kocht nur! Schafft, so viel ihr wollt.

KOCH: Ja nun da Ihr uns den Kopf eingeschlagen habt.

KELLER: Kocht doch nur! der Herr Splitterling wird Euch doch nicht für Eure Reden bezahlen.

KOCH: So? Aber für meine Schmerzen sollt Ihr mir bezahlen. Ich bin dazu gedungen, Euch Essen zu schaffen, nicht Motion.

KELLER: Geht, kocht Eure Mahlzeit und halt's Maul, Ihr –

KOCH: Wir wollen schon sehen, wir wollen schon sehen – (bei Seite) Ich bin doch froh, wenn er mich nur in Ruhe kochen läßt. Der Herr Splitterling muß mir für zwei Mahlzeiten bezahlen. (geht hinein)

KELLER: Mit den Reichen, mit den verwünschten Reichen! Gnade Gott dem Armen, der sich mit ihnen einläßt. Der Splitterling auch, schickt mir eine ganze Armee von Bedienten und Köchen in's Haus, mir zu Ehren! Ei ja doch! Dir zu Ehren, mein armer Geldtopf! Aber er soll sich häßlich betrügen. Sogar meinen alten Hahn hat er bestochen, den Favorit von der Rebenscheit, kaum hatt' ich den Topf herausgegraben, so kam er auch zum Kamin ganz ordentlich, und fing mit seinen Klauen auf demselben Platz an herum zu scharren, als ob er suchen wollte, ob mir nicht von ungefähr was zurückgeblieben wäre. Das tat mir in der Seele weh, aber ich habe nicht lange gefackelt, ich hab ihm seinen Lohn gegeben – Ach – aber weh mir, da ist der verwünschte Splitterling schon wieder – ich bin verloren, wenn er merkt, was ich unter'm Mantel habe. (stellt sich in einen Winkel, indem er zu wiederholten Malen versucht, den Topf wieder untern Mantel zu bringen)

—

Dritte Szene

Splitterling. Keller

SPLITTERLING (vor sich in tiefen Gedanken): Alle meine Freunde billigen diese Heirat, in der Tat, was kehr ich mich an meine Schwester? Ich tue desfalls doch, was ich will, was mich Großmut und brüderliche Zärtlichkeit dereinst heißen werden, nur will ich mir eben nicht wie ein gutherziger Elephant von ihr auf dem Nacken sitzen lassen. – Und wenn doch – wenn doch mehrere Reiche meinem Exempel folgten, wie würde die allgemeine Glückseligkeit in der Stadt zunehmen und der Neid mit dem übermäßigen Aufwand verschwinden! Oder wenn ein Begüterter Neigung zu einer Reichen spürte, welches ihm freilich niemand wehren kann, so sollte ihr doch billig vorher ihr Heiratsgut genommen und einer Armen gegeben werden. Die reichen Mädchen würden alsdenn eben sowohl als die armen dafür sorgen müssen, ihren Verstand und ihr Herz zu bilden, um Männer zu bekommen.

KELLER (in der obenbeschriebenen Aufstellung): Das ist schön! Wie vernünftig er wider die Aussteuer red't.

SPLITTERLING: Weit glücklicher würden alsdann auch die Ehen ausfallen, die Frau würde dem Mann nie vorwerfen können, wie viel sie ihm zugebracht, und ihm dafür Tag und Nacht mit ihrem Putz und mit ihrer Equipage in den Ohren liegen.

KELLER (wie oben): Gar gut! Der kennt sie, die Weiber! Wenn ich was zu sagen hätte, er sollte mit Ratsherr werden.

SPLITTERLING: Daher denn der überflüssige unbrauchbare Hausrat in unsern meisten Häusern, daher alle die Müßiggänger, die von der Eitelkeit unserer Weiber leben, die Schminkhändler, die gebrannt Wasser- und Seifeverkäufer, die Näterweiber, alles das Geschmeiß –

KELLER: Soll ich ihn anreden? Nein, nein, ich will ihm noch zuhören, er red't gar zu schön.

SPLITTERLING: So mancher rechtschaffene Mann gerät drüber in Schulden und versinkt zuletzt in dem Moraste. O ein reiches Weib ist die Strafe des Mannes, eine Frau ohne Aussteuer aber, die alles in sich hat, ist das köstlichste Kleinod, das ein Reicher erhandeln kann. (Keller läuft auf ihn zu, ihn zu umarmen: Splitterling stutzt) Was seh ich? Sind Sie da, Herr Schwiegervater.

KELLER (stutzt gleichfalls plötzlich zurück und zieht seinen Mantel zusammen: verwirrt): Ja – Herr Schwiegervater! (indem er den Topf immer zurecht rückt) Ich habe Sie von Anfang zu Ende behorcht, ich hab Ihre Worte recht verschlungen, so schön schmeckten sie mir.

SPLITTERLING: So? – Aber wie denn, Herr Keller. Ist das Ihr ganzer Staat? Wollen Sie sich denn nicht ein wenig besser zu Ihrer Tochter Hochzeit anputzen?

KELLER (in der Stellung wie oben): Ich bin geputzt genug, Herr. Was hilft der Schein, wenn das Wahre fehlt? Ein armer Mann muß den Leuten nicht weiß machen wollen, daß er viel habe.

SPLITTERLING: Sie haben genug.

KELLER (kehrt sich hastig um): Was? Was will er nun damit sagen? Das Wort ging mir wie ein Pfeil durch den Leib.

SPLITTERLING (faßt ihn an und kehrt ihn um, wozu er seltsame Karrikatur macht): Was ist Ihnen?

KELLER: Nichts, nichts, ich wollte nur – ich dachte nur bei mir, wie ich Ihnen so recht eine Strafpredigt halten wollte.

SPLITTERLING: Und warum denn?

KELLER: Darum, daß Sie mir das Haus da mit Dieben anfüllen, mir da funfzighundert Köche in's Haus schicken, wenn einer über und über Auge wäre, er könnte die nicht aushüten. Und den ganzen Markt da von Viktualien in meiner Küche, was werden die Leute sagen, der alte Keller muß eine Million im Vermögen haben, daß er einen so herrlichen Schmaus gibt, wo alle Staaten in Europa sich satt essen könnten. Nein, still und ehrlich, das ist meine Religion, Herr, still und ehrlich, ich mag das Trararum nicht.

SPLITTERLING: Aber Sie werden heut doch lustig mit mir sein, Herr Keller, Sie werden doch heut auf die Nacht mit mir eins trinken.

KELLER: Was? Warum? Nein ich trinke nicht, Herr.

SPLITTERLING: Gehen Sie! Ich habe einen Anker Malaga angesteckt, das ist ein leichter angenehmer Wein –

KELLER: Nein wahrhaftig, ich trinke nicht, ich trinke Wasser.

SPLITTERLING: Gehn Sie doch, schämen Sie sich doch, am Hochzeitstage Wasser? Nein nein, Sie sollen sich heut mit mir ein Räuschchen zulegen, oder ich will nicht Splitterling heißen.

KELLER (abgewandt): Merkst du nicht? Er will mich von Sinnen trinken und hernach – über meinen Schatz her – Nein, ich bin dir zu klug, halt, ich will den Topf erst in Sicherheit bringen, und hernach will ich saufen, daß es dir gereuen soll, du sollst deinen Wein umsonst verloren haben, he he he, *oleum & operam perdidi*, sagt der Teufel und –

SPLITTERLING (vor sich): Ich sehe, daß ihn sein Mißtrauen und seine Furchtsamkeit nicht eher verlassen wird, als bis ich mit seiner Tochter auf dem Teppich stehe. Alleweil kehrt er sich von mir und murmelt da vor sich wie ein Zauberer – Adieu Herr Keller, Sie bleiben doch itzt zu Hause, ich will nur noch in mein Haus und mich frisieren lassen – (geht ab)

KELLER: Ja, ja, Herr Splitterling, ja, ja (zieht den Topf hervor) Armer Geldtopf! Wie viel Freier hast du? Ich weiß da nichts bessers bei anzufangen als – grade in unsre Kirche. Da im Kreuzgange – warte, da stehn ja die Ratsgestühle und eine große Frau Gerechtigkeit davor in Stein gehauen, potz tausend – da will ich ein paar Dielen aufheben, und – aber hör, gute Gerechtigkeit, halt mir Wache dabei, in der Tat, das könnte doch jeden verwegnen Buben zurück schröcken, wenn die blinde Frau da mit dem gewaltigen Schwert – ja das will ich auch wirklich tun, – aber – ich verlaß mich auf deine Gerechtigkeit, Gerechtigkeit! Ich vertrau es dir auf dein Gewissen –

—

VIERTER AKT

—

Erste Szene

Crispin

CRISPIN: Armer junger Herr! Wenn du mich auch nicht hättest! Es ist doch in der Tat wahr, daß ein rechtschaffener Bediente allemal ein Kleinod ist, das in Rubinen und Diamanten sollte eingefaßt werden. Es geht den jungen Herrn recht wie den jungen Hunden, die man ins

Wasser wirft schwimmen zu lernen, wenn der Strick nicht an ihrem Hals wäre, an dem man sie herauszieht, sie müßten jämmerlich ertrinken. Ohne Ruhm zu melden bin ich wohl so etwas von Strick an Herrn Leanders Halse, er schickt mich per Exempel her, zu sehen und auszuspionieren, was Jungfer Fiekchen macht, ob ihre Entbindung noch weit bevorsteht und dergleichen, und was der Herr Splitterling dazu sagen wird, wenn er die Entdeckung macht, und wie sie sich dabei nehmen wird, und was der ehrsame Herr Keller dazu für ein Gesicht machen wird, und wenn ich schlimme Nachrichten ihm bringe – stracks soll ihm die Kugel durch den Kopf. Wenn ich nun nicht ein so unvergleichliches Gemüt hätte, so dürft ich ja nur in der Geschwindigkeit ein kleines schlimmes Nachrichtchen ersinnen, so wär ich ja meinen jungen Herrn los im Augenblick und könnte meinen Schnitt vortrefflich dabei machen, denn ich hab mir sagen lassen, in England wenn die Lords so was vorhaben, so fühlen sie in den letzten Augenblicken eine so große Zärtlichkeit und Mitleiden für ihre Bedienten, daß sie die Uhr und die Börse heraus ziehn, und sie ihnen zum Andenken verehren. Aber zu alledem denk ich viel zu honett dazu, und damit meinem armen Leander die Gedanken vom Totschießen vergehn, so will ich ihm lieber gar keine Nachricht bringen, so ist mein Gewissen rein von seinem Blut. Ich will hier derweile auf die Treppe niedersitzen und ein paar Augenblicke schlafen, bis sich alle die Sachen von selbst gefügt haben, das ist's allerbeste, was ich tun kann, mein Beichtvater selbst würde mir keinen bessern Rat geben können. (setzt sich auf Kellers Treppe)

—

Zweite Szene

Keller

KELLER (sich immerfort umsehend): Du – nimm dich in acht, Blinde! Daß du mir niemand sagst, wo ich ihn habe – ich bin nicht bange, daß ihn jemand finden wird, ich hab ihn gar zu wohl verwahrt – Hei! der würd' einen schönen Fund machen, der dich fände, schwerer, schwerer Geldtopf – aber ich bitte dich, Gerechtigkeit! Sorge du dafür! Nun, ich will doch gehn und mich auch schmuck machen, weil mein Schwiegersohn es so haben will – Aber ich bitte dich, Gerechtigkeit – noch einmal, liebe Gerechtigkeit! Mach, daß ich mein Geld gesund und wohlbehalten wieder antreffe. Ich will's auch der ganzen Welt sagen, welch eine ehrliche Gerechtigkeit du bist –

CRISPIN (hat sich ihm langsam vorbeigeschlichen): Was hab ich gehört – er hat sein Geld in die Kirch gebracht – warte, sobald er in's Haus hineingeht – das war der Himmel, der mich so eben zu rechter Zeit hieher schickte – o wenn ich's finde, ich bitte dich, Gerechtigkeit, noch einmal, liebe Gerechtigkeit, mach, daß ich's finde, ich will auch gleich im ersten besten Bierhaus deine Gesundheit dafür trinken – (geht auf die Kirche zu)

KELLER (kommt zurück): Seht, was da für Dohlen über der Kirche fliegen, ich glaub, es ist nicht so ganz richtig, das Herz schlägt mir – lauf Keller, lauf Keller. (im Grunde des Theaters erhascht er Crispin, der eben in die Kirche gehen will)

—

Dritte Szene

Keller. Crispin

KELLER: Halt, du Kobold, du Rübezahl, wo bist du hergekommen, wo willst du hin, wer bist du, was ist dein Begehr –

CRISPIN: Herr, ich bitte Sie, was haben Sie im Kopf! Was würgen Sie mich, was kratzen Sie mich?

KELLER: Fragst du noch, du höllischer Proteus, fragst du noch – Diebe! Diebe! Dreidoppelte Diebe –

CRISPIN: Was hab ich gestohlen?

KELLER: Was du mir gestohlen hast? Her damit, heraus damit –

CRISPIN: Womit?

KELLER: Fragst du noch?

CRISPIN: Was wollen Sie?

KELLER: Hör, gibs nur her, du kommst mir nicht von der Stelle, gibs nur her.

CRISPIN: Haben Sie mir etwas gegeben?

KELLER: Ich scherze nicht, her damit.

CRISPIN: So nennen Sie mir's doch, ich weiß ja nicht, wovon Sie reden.

KELLER: Weise mir deine Hände.

CRISPIN: Warum denn?

KELLER: Deine rechte Hand.

CRISPIN: Da ist sie.

KELLER: Weise her.

CRISPIN: Da ist sie ja.

KELLER: Nein nein, die andre.

CRISPIN: Da ist sie.

KELLER: Nein nein, die dritte.

CRISPIN: Sie sind nicht gescheit. Herr, Sie sollen mir Satisfaktion geben.

KELLER: Ja ja, ich will. Ich will dich hängen lassen, wo du nicht bekennst.

CRISPIN: Was bekennst? sind Sie von –

KELLER: Was du hier aus der Kirche herausgetragen hast.

CRISPIN: Auf meine Parole d'Honneur, Herr Keller, ich weiß von nichts.

KELLER: Geschwind, zieh dich aus.

CRISPIN: So? Was Sie nicht wollen? Weil Sie es befehlen, nicht?

KELLER: Du hast's in den Beinkleidern.

CRISPIN: Suchen Sie nach.

KELLER: Du hast's – hm! – nein, nein, ich kenn euch Taschenspieler, weis' mir deine rechte Hand.

CRISPIN (hält sie ihm hart unter die Nase): Da –

KELLER (räuspert sich): Nein nein, die linke –

CRISPIN: Da –

KELLER: Nein nein die – Nein, ich will nicht mehr nachsuchen, gesteht mir's mit gutem, lieber Freund.

CRISPIN: Wahrhaftig Sie rasen.

KELLER: Spaßt nur nicht, ich weiß doch, daß Ihr's habt.

CRISPIN (stößt ihn): Was soll ich denn haben, zum tausend Teufel.

KELLER (von weitem, etwas schüchtern, legt beide Hände in die Seite): Meinst? Ich soll dir's wohl auf die Nase binden? Gib das zurück, was du von mir hast, du weißt wohl.

CRISPIN (geht auf ihn zu): Hat Er mich nicht visitiert, hat Er mich nicht.

KELLER: So geh nur – geh denn nur – nein nein nein nein, bleib, sag mir doch, sag mir doch, wer war mit dir in der Kirche dort?

CRISPIN: Wer war dort?

KELLER: Wer war dort?

CRISPIN: Ha ha ha – ich frage Sie, denn hol mich alle Welt Teufel, ich weiß von nichts.

KELLER: Ich Unglücklicher, ich Elender, nun wird der drinnen aufscharren, derweilen ich diesen hier draußen festhalte. So geh doch nur – geh doch nur.

CRISPIN: Nein, Herr, es geht sich nicht so gleich: ich will Reparation d'Honneur.

KELLER: Geh doch, ich tue dir ja nichts, ich sage gar nichts, laß mich doch –

CRISPIN: So werd ich mich bei Ihnen um's Trinkgeld melden –

KELLER: Komm mir nicht unter die Augen (reißt sich von ihm los und geht ab)

CRISPIN: Den beschnell ich heut so gewiß als ich Crispin heiße, gewiß wird er's dort nicht mehr trauen und es anderwärts in Verwahrung bringen wollen – das ist eben, was ich wünsche, ich will hier auflauren – o ho, die Tür geht auf, da hör ich ihn schon keichen – ich will mich derweil in Winkel stellen –

KELLER (mit dem Topf, ganz eräschert): Ich dachte doch, der Gerechtigkeit könnte man trauen – aber sie ist mir auch die rechte (setzt sich nieder und ruht aus). Wenn die Dohlen nicht gewesen wären! – Gar zu gern wollt' ich, daß eine von ihnen zu mir käme, ich wollt' ihr auch recht was Gutes – wünschen. Nun muß ich mich doch mit mir selber beratschlagen, wo ich nun mit dir hin soll, mein allerliebster Topf! Ich wollt', ich hätt einen Schlund darnach, gleich schluckt' ich dich herunter wie eine Pille, denn auf der bösen verderbten Welt, in dem Jammertal ist ja kein ehrlicher Mann in der Kirche selber nicht sicher, daß er nicht bestohlen und ermordet wird. Wart – stille – Dort auf der Nordseite der Kirche, da steht das Beinhaus und dicht dabei ein fürchterlicher alter Eichenbaum, die Haut schauert mir allemal, wenn ich allein vorbeigehe, da drunter, da drunter – (rafft sich auf und hinkt ab)

CRISPIN: Und ich dadrauf – ich will ihm von dieser Seite voranlaufen – (ab)

—

Vierte Szene

Frau Heup. Leander

LEANDER: Jetzt wissen Sie alles, Mama! Wenn Sie meinen Tod nicht wollen, so reden Sie mit meinem Onkel.

FRAU HEUP: Das ist mir ja zu lieb, mein Kind, ich wollte, daß sie zehn Kinder von dir gehabt hätte, daß Splitterling sie nur nicht heiraten darf. Denn er soll sie nicht heiraten, und er soll nun seinen Willen nicht haben, und wenn's mir den Kopf kosten sollte. Und er soll die Jungfer Inselinnen heiraten, und er muß sie heiraten, zwanzigtausend Gulden zum Kuckuck hebt man nicht von der Straße auf, oder ich will keine ehrliche Frau mehr heißen. Aber sag mir doch, das ist gar zu gut, daß es der Himmel so verhängt hat, daß du so nahe Bekanntschaft mit der Jungfer Keller gemacht, sag mir doch, ist sie wirklich schon in andern Umständen, das wäre mir ja gar zu lieb, es ist im neunten Monat, sagst du, wart, wir wollen doch herüber gehn, und ich will ihr Rat geben, wie eine Mutter. Was ist das? Hörst du, das ist ihre Stimme? Hier oben aus ihrer Schlafkammer –

LEANDER: O gerechter Himmel! Ich errate dies – (zieht den Degen) Lassen Sie mich sterben –

FRAU HEUP: Laß doch nur sein, Narre, laß doch nur stehen, steck doch wieder ein – du bist nicht klug, wenn sie dir angetraut wird, ist alles wieder gut gemacht – Aber sag mir doch, was denkst du denn mit ihr anzufangen, wenn sie dein ist, wovon willst du sie ernähren.

LEANDER: Lassen Sie mich sterben.

FRAU HEUP: Sterben, Hans Narre! Als wenn's damit gut gemacht wäre, das wäre mir, du könn'st mir das ganze Spiel verderben noch obenein. Hör nur, laß mich nur machen, du weißt, ich bin eine arme Wittfrau, ich kann dir keinen Heller geben, aber ich will mit Splitterling sprechen, ich will sehn, was mit deinem Onkel zu machen ist, wenn er hört, daß sie eben jetzt mit einem Kinde von dir entbunden ist, so wird er andere Saiten aufziehen, das bin ich gewiß, und vielleicht wird der Hochzeitsschmaus, den er drüben anrichten läßt, noch dein Hochzeitsschmaus, laß mich nur machen, gewiß und wahrhaftig, es konnte sich artiger nicht zusammen schicken.

LEANDER (küßt ihr die Hand): Englische Mutter.

FRAU HEUP: Komm nur mit herein und tu deinem Onkel einen Fußfall, er wird sich sagen lassen –

LEANDER: Ich darf nicht –

FRAU HEUP: Ei was, wird er dich denn fressen?

LEANDER: Gehn Sie nur voran, Mama, ich komme den Augenblick, ich will nur noch meinen Bedienten erwarten, ich habe ihn hineingeschickt, sich nach Mamsell Fiekchens Befinden zu erkundigen. (Frau Heup geht hinein) Ich will den ersten Sturm nur vorübergehen lassen, wenn er hört, daß seine Braut von mir entehrt worden – o Himmel! Welche Bangigkeit! Wo bleibt der verzweifelte Crispin denn? Es ist schon über eine halbe Stunde, daß ich ihn – vielleicht sitzt er im Hirsch und läßt mich den ganzen Abend warten, ich will ihn doch aufsuchen, den Hundejungen. (ab)

—

Fünfte Szene

Crispin

CRISPIN (von der andern Seite, den Geldtopf auf dem Kopf): He, Leute, die ihr von güldnen Bergen träumt, seht hieher, wie ich träumen kann. Glückseliger Tag! Glückselige Mutter, die mich gebar! Glückseliger Biersieder, der von mir lösen wird. Was sind Könige und Prinzen gegen mich! Aber das konnt auch nur solch ein Kopf wie mein Kopf, auf dem Baum zu sitzen und zu sehn, wo der andre seinen Schatz unter'm Baum hin verscharrt – Aber – da hör ich ihn selbst, deucht mir – ich muß nur in's Haus hinein und meine Prise flugs in den Hafen bringen, sonst ist der Henker los. (läuft zur Frau Heup hinein)

—

Sechste Szene

Keller

KELLER (in erbärmlichem Zustand: rauft sich das Haar): Ich bin tot, ich sterbe, ich bin erschlagen. Wohin lauf ich? Wohin lauf ich nicht? Haltet auf! Wen? Wer? Ich sehe nichts, ich weiß nichts, ich bin blind, ich weiß nicht mehr, wo ich bin, ich bitte euch, helft mir, ich bitt und beschwöre euch, helft mir und zeigt mir den Menschen, der's weggetragen hat, sagt mir, wie ging er, was für Haar hatt' er, sagt mir, sagt mir, sagt mir – was sagst du? Weißt du's? Du hast ein ehrlich Gesicht, ich will dir glauben, sage mir nur – was lacht ihr? Ich weiß, daß ihr alle Spitzbuben seid, ihr seid alle Diebe, hat's niemand unter euch? Ich schlag euch tot, wer hat's? Wißt ihr's nicht? O ich Elender, Elender! Wie geht man mit mir um? Ich schlag euch alle tot, wenn ihr mirs nicht sagt – Was für Jammer muß ich heut erleben, o weh mir, was ist das für ein Tag! Was ist das für ein Tag? Verhungern muß ich, verschmachten muß ich, ich bin der unglücklichste Mensch auf dem Erdboden. Habt ihr kein Mitleiden, ihr Gott'svergessenen, was für Freud hab ich, noch länger zu leben, da mein Geld verloren ist? Was hab' ich dir getan, Geld, hab ich dich nicht bewacht, du gott'svergessenes Geld! Warum bist du mir denn untreu geworden? Ich habe selber Schuld, ich hätt dich nicht sollen ausgraben, ich habe mich selber bestohlen: nun sollen sich andere Leute mit meinem Geld lustig machen, nun sollen andere Leute es durchbringen, es durch die Gurgel jagen – ich kann es nicht länger aushalten. (wirft sich an die Erde)

Siebente Szene

Leander. Keller

LEANDER: Ich find ihn nirgends – aber – gütiger Himmel, welch ein Schluchzen und Heulen hör ich hier vor der Tür? – Wer wälzt sich dort am Boden? – Er selber, Keller – es ist klar, seine Tochter wird entbunden sein, eben da er sich schmeichelte, sie auf zeitlebens versorgt zu sehen – Ich Scheusal! Was soll ich tun? Mich ihm zu Füßen werfen? Fliehn – nein, ich will mich der ganzen Wut seiner Verzweiflung aussetzen, ich will zu seinen Füßen sterben, ich weiß selbst nicht, was ich will – (wirft sich bei ihm nieder)

KELLER (weint und schluchst): Wer ist da?

LEANDER: Ein Unglücklicher –

KELLER: Ja, hier ist einer – hier ist einer – alles verloren – alles.

LEANDER: Beruhigen Sie sich.

KELLER: Wie kann ich.

LEANDER: Das Verbrechen, das Ihnen so viel Kummer macht, – ich bin der Täter.

KELLER (richtet sich hastig auf): Du!

LEANDER: Ich!

KELLER: Du! (faßt ihn an) Abscheulicher Mensch!

LEANDER: Der Himmel hat es so verhängt – ich bin zum Unglück geboren.

KELLER: Gotteslästerer!

LEANDER: Ich bin ein Verbrecher, aber ich kann alles wieder gut machen, beruhigen Sie sich. Können Sie mir verzeihen?

KELLER: Sag mir, du Böswicht, wie hast du dich unterstehen können, etwas anzurühren, das nicht dein gehörte? Mich und mein ganzes Haus ins Unglück zu stürzen?

LEANDER: Ich bitte Sie, vergessen Sie das. Geschehene Dinge sind nicht zu ändern. Es ist der Wille des Himmels so gewesen.

KELLER: Daß ich krepieren sollte?

LEANDER: Aber Herr Keller –

KELLER: Daß ich mich aufhängen sollte –

LEANDER: Ich gesteh's, das Verbrechen war groß, aber Ihre Einbildung, vergeben Sie mir, macht es Ihnen noch größer und gigantischer.

KELLER: Wer hieß dich das Meinige anrühren, Böswicht.

LEANDER: Die Liebe, der Wein.

KELLER: Ist das eine Entschuldigung, die Liebe der Wein, also geh hin und brich den Leuten am hellen Tage die Kramläden auf, die Liebe der Wein, das weiß ich wohl, Verräter, daß du Liebe zu meinem Gelde gehabt hast, ist das eine Entschuldigung, die Liebe, der Wein?

LEANDER: Können Sie mir nicht verzeihen!

KELLER: Verzeih dir's der böse Feind! Da brennt er sich noch weiß, der Bube! Da du wußtest, daß es mein gehörte, hättest du's nicht ansehen sollen, geschweige denn –

LEANDER: Da ich's aber einmal berührt habe, ich beschwör Sie, so lassen Sie michs ewig besitzen.

KELLER: Bist du toll? Wider meinen Willen!

LEANDER: Mit Ihrem Willen lassen Sie mich's besitzen. Ich habe das meiste Recht drauf.

KELLER: Er will mich rasend machen. Ich kratz dir die

Augen aus dem Kopf heraus, Kanaille, wo du mir's nicht den Augenblick zurückbringst.

LEANDER: Zurückbringst – wovon reden Sie?

KELLER: Wovon ich rede? Wovon ich rede? Was du mir gestohlen hast – oder den Augenblick in den Turm.

LEANDER: Ich Ihnen gestohlen – wo denn? Was denn?

KELLER: Meinen Geldtopf, du hast mir's ja eben gestanden.

LEANDER: Ich will des Todes sein, wo ich von einem Geldtopf –

KELLER: Leugnest du –

LEANDER: Ich weiß von keinem Geldtopf.

KELLER: Der Teufel soll dich holen. Dort unter'm Eichenbaum, bei'm Beinhaus – geh nur, hör einmal, bring ihn nur her, es soll dir kein Leids geschehen, bring ihn nur her, ich will mich anstellen, als ob du ihn nicht gestohlen hättest, bring nur, ich will ihn mit dir auf die Hälfte teilen.

LEANDER: Sie sagen mir lauter Rätsel, ich schwör's mit dem heiligsten Eide, daß ich von alledem nicht eine Silbe begreife. Eine andere Sache von Wichtigkeit trieb mich hieher: Ihre Tochter – doch Sie hören mich nicht.

KELLER (weint von neuem): O ich verlorner Kerl!

LEANDER: Etwas, das uns beide angeht – Ihre Tochter –

KELLER: Auf dein Gewissen, hast du mir's nicht gestohlen.

LEANDER: Was gestohlen?

KELLER: Weißt auch nicht, wer mir meinen Geldtopf gestohlen hat –

LEANDER: Beim Himmel, ich weiß es nicht.

KELLER: O ich elender Kerl!

LEANDER: Werden Sie mich nicht hören.

KELLER: Geh mir vom Leibe – was willst du?

LEANDER: Wenn ich nicht die Ehre haben sollte, von Ihnen gekannt zu werden – Herr Splitterling ist mein Mutterbruder.

KELLER: Was willst du?

LEANDER: Sie haben eine Tochter?

KELLER: Was?

LEANDER: Sie haben sie meinem Mutterbruder versprochen.

KELLER: Nun.

LEANDER: Ich muß Ihnen von seinetwegen sagen, daß aus der Heirat nichts werden kann.

KELLER: Nichts werden? Das will ich doch sehen: da alles gerüstet dazu ist? Da ich mein Geld drüber verloren habe? Es ist klar, er hat's mir stehlen lassen, er hat nur eine Gelegenheit gesucht, mit mir bekannt zu werden, damit er hinter meine Geheimnisse kommen möchte, und nun hat er seine Absichten erreicht, und nun läßt er mir den Kauf aufsagen, oho, wer das nicht merkt, aber es soll ihm nicht gelingen, es soll ihm nicht gelingen, er soll mir an den Pranger, er soll mir in den Turm, er soll mir auf's Rad, der spitzbübische alte Hagestolz der, wen, meint er, daß er vor sich hat, ein Kind, einen Narren?

Leander: Ich bitte Sie um's Himmelswillen, Herr Keller, lassen Sie sich doch von Ihrem Affekt nicht so dahinreißen, hören Sie mich aus, mein Onkel hat die besten Absichten von der Welt, er will nichts, als die verlorne Ehre Ihrer Tochter wieder herstellen. Ich bin der Unglückliche, der sie ihr in einem fatalen Augenblick raubte, als Wein und Liebe und Gelegenheit vereinigt, mich wider meinen Willen zum Verbrecher machten. Ich besuchte voriges Jahr eine meiner Tanten in der Weinlese, Ihre Tochter war auch dort, ich belauschte sie an einem Abend, als sie sich im dunkeln Garten allein glaubte, im Bade.

Keller: Was für ein Bubenstück erzählst du mir da?

Leander: Zürnen Sie nicht, es ist nur ein Tausch, ich trete jetzt in die Rechte meines Onkels, der Ihnen aus eben dieser Ursache –

Keller (stößt ihn): Ich will aber den Tausch nicht, ich will nicht. Wovon wollt Ihr Kerl eine Frau ernähren? Herr Splitterling mir den Kauf aufsagen – wir wollen doch sehen, es soll ihm Hab und Gut kosten, er soll mir alle meine Unkosten ersetzen, meinen Verdruß auch, den ich all heut gehabt habe, meinen Schatz auch, den ich ihm zu Gefallen verloren habe, meine Tochter auch und ihre Ehre – wir wollen doch sehen – ich will nur gleich nachhören, ob's wahr ist, was Ihr mir da gesagt habt, und dann soll's vor dem Richter, oder ich – (geht hinein)

Leander: Folg ich ihm? – Was wird Fiekchen von ihm auszustehen haben? – Ja – aber vorher will ich doch auf einen Augenblick zu meiner Mutter und sehn, was sie ausgerichtet hat. Eine große Frage, ob Splitterling noch so willig ist, mir sein Recht abzustehen.

—

FÜNFTER AKT

—

Erste Szene

Splitterling. Leander

SPLITTERLING: Verlaß dich nur auf mich, es gilt mir gleich, ob ich als Ehmann oder als Vater für Fiekchen sorge, ich habe sie nie gesehen, ich hab sie ja nur aus deinem Munde geliebt, denn in der Tat, alle die kleinen Historien, die du mir von ihr erzählt hast, sind mir bis ins Innerste der Seele gedrungen, und solch ein Mädchen glücklich zu machen, könntest du mich durch's Feuer jagen. Ich hab in der Tat keine solche Passion für's Heiraten, als deine Mutter mir zutraut, ich bin aus den Tändeljahren heraus, wo Witz und tausend feine Gefühle uns zu Gebote stehn, den Herzen der Mädchen durch Lust und Schmeichelei Netze auszustellen. Also – das will ich dir und deinesgleichen überlassen und mich an eurem Glück ergötzen, an eurem Feuer wärmen. Besser könnt ich mein Vermögen nicht anlegen, schweig nur still und sag deiner Mutter nichts, sie hat ausschweifende Projekte im Kopf, ich kann ihr ja die Freude gönnen, sich mit Hoffnungen und Phantasien zu schmeicheln, die ich nie wahr machen werde. Sie würde sonst Langeweile haben.

LEANDER: O mein Onkel! Mein Onkel! Was sind Sie für ein Mann –

SPLITTERLING: Hör einmal, aber daß wir's nicht vergessen, einen Geldtopf, sagte der alte Keller, einen Topf mit Geld, hast du das eigentlich gehört –

LEANDER: Ja, Onkel, das sagt er, und es war eine der lustigsten Szenen, die ich in meinem Leben gesehn habe, wenn ich nur imstande gewesen wäre, lustig dabei zu sein.

SPLITTERLING: Mein Heinrich erzählte mir, als er mich frisierte, da hätte dein Crispin eben einen Topf voll Geld gefunden.

LEANDER: Mein Crispin – o das wäre – ich will gleich nachsehen –

SPLITTERLING: Laß nur sein – geh zu Kellern und such' ihn zu besänftigen, sag ihm, ich wolle für dich und seine Tochter als ein Vater sorgen, sag ihm aber nichts von dem

Geldtopf, ich werde die Sache untersuchen, und hernach meine Maßregeln nehmen – geh nur – (beide von verschiednen Seiten ab)

—

Zweite Szene

Crispin. Splitterling

CRISPIN (taumelnd, hernach Splitterling): Bm! – der Kerl hat ein gut Bier – gut Bier in der Tat – aber – ich will doch alle Abend zu ihm gehn – aber – aber in was für unendlichen Gunsten muß ich doch bei dir stehen, du gerechter Himmel. – Ich sagte zum Laurenz, ich wollte wohl wetten, hundert gegen eins, zum Laurenz sagte ich, was parieren wir, Laurenz, daß der Himmel in der ganzen Stadt keinen Menschen so lieb hat als mich. Soviel Geld, und das wie im Schlaf, ohne daß ich selbst fast weiß, wie. – Halt, halt – da kommt ja Herr Splitterling – o ho, wie brastig! Das macht, weil er reich ist, ich bin wohl eben so reich als er, ich will ihm das sagen, ich will ihm erzählen, daß ich seinem Neffen nicht länger dienen kann, weil ich von meinen Renten leben will – (zuckt nachlässig den Hut) Herr Splitterling – ich habe gefunden –

SPLITTERLING: Nun?

CRISPIN: Gefunden.

SPLITTERLING (hebt den Stock): Nun Monsieur.

CRISPIN: Keine Kleinigkeit, Monsieur! Wissen Sie, mit wem Sie sprechen?

SPLITTERLING: Bist du wahnwitzig geworden?

CRISPIN: Herr Splitterling, *pro primo*, muß ich Ihnen sagen, daß ich mich Ihnen und Ihrem Herrn Schwestersohn schönstens empfehle, weil ich mich zur Ruh begeben will, weil ich auf meine Güter gehen will, und weil ich in der Welt entsagen will, und *pro sexto*, weil ich heute gefunden habe – werden Sie nur nicht ohnmächtig für Mißgunst.

SPLITTERLING: Was hast du gefunden?

CRISPIN: Die Schlüssel des Himmelreichs, Herr Splitterling, die Schlüssel des Himmelreichs – und jetzt, unter uns gesagt, wollen wir als gute Freunde leben.

SPLITTERLING: Unter uns gesagt – werd ich dich aufhängen lassen.

CRISPIN: Was denn? – – daß Sie doch nicht Scherz verstehen. Ich habe ja nur vexieren wollen, ich weiß nicht, wie Sie auch heute sind, ich habe nur sehen wollen, wie Sie sich dabei anstellen würden.

SPLITTERLING: Wenn ich aber eben jetzt in vollem Ernst auf deiner Kammer gewesen wäre und einen Geldtopf unter deinem Bett gefunden hätte, wenn ich erfahren hätte, daß er unserm Nachbar Keller gehört, der darüber fast rasend worden ist –

CRISPIN: Ja so – (bei Seite) Alles ist verraten.

SPLITTERLING: Mir aus den Augen, Nichtswürdiger! Dank es meinem Neffen und der Güte, die er allezeit für dich geäußert hat, daß ich dich nicht im flächsenen Halsschmuck zur Ruh schicke und der Welt entsagen lasse. Und dich nimmermehr wieder in dieser Stadt sehen lassen! Oder ich werde der Gerechtigkeit meinen Arm leihen, dich anzuhalten und zu strafen.

CRISPIN (seufzt tief): Adieu Biersieder! (läuft fort)

Dritte Szene

Splitterling. Leander kommt mit Kellern heraus

KELLER: Nichts davon, er hat um sie angesprochen, und er soll und muß sie heiraten, und wenn sie drei und dreißig Kinder gehabt hätte.

SPLITTERLING (tritt zu ihm): Wer, Herr Keller, wer?

KELLER: Sie, Herr, Sie – ist das eine Aufführung? Ist das erlaubt? Warten Sie nur! Es soll alles vor den Richter – mich in allen Formalien um mein Mädchen anzusprechen, mir einen förmlichen Ehkontrakt aufzurichten, mir – warten Sie nur.

SPLITTERLING: Was ich vorhin für mich tat, das tu ich itzt für meinen Neffen.

KELLER: Gott und Herr, was geht Ihr Laffe mich an? Hat er um meine Tochter angesprochen? Hat er einen Ehkontrakt mit mir gemacht?

SPLITTERLING: Sie werden doch nicht verlangen, daß ich die Frau meines Neffen heiraten soll.

KELLER: Wer sagt Ihnen, daß sie seine Frau ist? Hat er einen Ehkontrakt mit mir gemacht? Wenn er Ihrer

Braut was angehängt hat, mag er zusehen, wie er zurecht mit Ihnen kommt. Es bleibt doch in der Freundschaft.

SPLITTERLING: Ich sehe, wo Sie hinaus wollen, Herr Keller – ich weigere mich auch nicht, Ihnen Abtrag zu geben.

KELLER: Alles muß mir ersetzt werden, alles – meine Unkosten, die ich zur Hochzeit gemacht habe, und mein Schatz, den ich drüber verloren habe, und meine Tugend und meine Ehre, oder wollt ich sagen, meiner Tochter Tugend, kurz alles miteinander, summa summarum, ich lasse mir keinen Heller abdisputieren.

SPLITTERLING: Sie müssen mich wohl für ein rechtes Kind halten, daß Sie mir glauben machen wollen, die Obrigkeit werde so ungehirnte Forderungen begünstigen – Kurz und gut, Herr Keller, Sie haben zu wählen; wollen Sie prozessen, ich kann's mit Ihnen ausführen, aber Sie prozessen sich um Haus und Hof, um Ihren letzten Rock, den Sie auf dem Leibe haben. Oder wollen Sie meine Vorschläge annehmen, die Sie auf einmal vernünftig, billig und glücklich machen werden. Antworten Sie mir grad zu, ja oder nein.

KELLER: Sie haben mir meinen Geldtopf stehlen lassen – alles soll vor den Richter.

SPLITTERLING: Sie sind nicht klug – wissen Sie, daß eine solche Beschuldigung, wenn Sie mir sie nicht wahr machen, Sie auf die Galeeren bringen kann.

KELLER (weint): Ich weiß, daß ich ein geplagter armer Mann bin, und daß Gott die Frommen nicht verläßt, und daß er meine Feinde zu Schanden machen wird, und daß – und daß – es sind dem Höchsten leichte Sachen und gilt dem Höchsten alles gleich –

SPLITTERLING: Ich sehe, daß mit Ihnen nicht auszukommen ist – Heinrich! bringt mir den Geldtopf heraus, der in's Crispins Kammer steht. In diesem Augenblick hab ich Ihrem Diebe seine Beute abgejagt, und ich gebe sie Ihnen jetzt wieder, nachdem ich eine Hälfte für Ihre Tochter abgenommen, die ich unter der Bedingung, daß sie meinem Neffen die Hand gibt, zur einzigen Erbin meines ganzen Vermögens einsetze, denn was meine Schwester betrifft, so laß ich ihr das Haus, das sie jetzt bewohnt, nebst tausend Talern, die ich als ein Präsent ihr bei Seite gelegt.

(Heinrich stellt einen Topf auf das Theater. Keller fällt drüber her)

KELLER: O mein Geld, mein Geld, mein Geld – aber die Hälfte für meine Tochter abgenommen, das erlaub ich nimmermehr, nimmermehr.

LEANDER: Sie haben es schon erlaubt – erinnern Sie sich noch, als Sie vorhin vor Ihrem Hause sich am Boden wälzten und mich hießen, Ihnen den Schatz nur zurückzubringen, Sie wollten ihn mit mir auf die Hälfte teilen.

SPLITTERLING: Sie werden sich doch schämen, Ihrer Tochter die Aussteuer zu versagen.

KELLER: Keinen Deut. Tugend ist die beste Mitgabe, das haben Sie mir vorhin selber gesagt.

SPLITTERLING: Gut, daß ich Sie beim Wort fasse, vorhin haben Sie mir für die Tugend Ihrer Tochter Bürgschaft geleistet –

KELLER (steht heftig auf): Haben Sie nicht selber vorhin dort gestanden, an der Pfütze dort, da auf dem Flecken, wo ich itzt hinspeie, und haben wider die Aussteuer und wider die ausgesteuerten Frauen gepredigt. Pfui, Sie sollen sich doch schämen, so doppelzüngigt zu sein.

SPLITTERLING: Es ist nur der Umstand, Herr Keller, daß mein Neffe arm ist und Geld dazu gehört, eine Haushaltung einzufädeln. Und daß es gleichgültig ist, ob Sie bei zwanzigtausend oder zehntausend Gulden Schildwache stehn, ja, es geschieht Ihnen eine Wohltat, wenn man Ihnen Ihre Sorge und Angst um einen halben Teil leichter macht, denn Ihr Schatz dient Ihnen doch zu keinem bessern Gebrauch, als dem Tantalus seine Leckerbissen, mit denen ihn die Götter zu seiner Strafe beschenkten.

—

DIE ENTFÜHRUNGEN

PERSONEN

Herr von Kalekut, Offizier
Rosemunde, von ihm entführt
Meyer, ihr Liebhaber
Bernhard, vormaliger Bedienter von Meyer, jetzt Kammerdiener des Herrn von Kalekut
Lamy, Klient des Offiziers
Herr Kraft, Nachbar des Offiziers
Henriette, Tochter des Lamy, bei Herrn Kraft im Hause
Gertrud, Mädchen
Ehrenhold, Bedienter bei Herrn von Kalekut, Rosemunden zur Aufwartung
Einige Bediente
Ein Koch

ERSTER AKT

Erste Szene

Herr von Kalekut. Lamy

KALEKUT (ins Haus zurück): Laßt mir meine Waffen polieren – ich höre, der Feldzug wider die Dänen soll bald eröffnet werden – meine Küraß laßt mir putzen, heller als die Sonne, damit er die ganze feindliche Armee blind mache. (schlägt sich auf den Degen) O mein Schwert, mein Schwert! Sei nur geduldig, du sollst nicht lange mehr in der Scheide schmachten, du sollst dir an Dänenblut einen Rausch trinken, daß es eine Lust ist – Wo bist du, Lamy?

LAMY: Dero getreuester Diener ist hier, steht bei dem tapfern, majestätischen Helden, dessen Taten und Tugenden Martem et Bellonam selber zum Stillschweigen bringen.

KALEKUT: Martem – ist das nicht – der Bärenhäuter, dem ich im Sukzessionskriege in der Bataille bei – Ryswick das Leben schenkte – damals als ich noch in österreichischen Diensten war.

LAMY (hustet): Ganz richtig – dessen Bataillon dieselben, daß ich so sagen mag, mit Ihrem bloßen Anblick über'n Haufen warfen.

KALEKUT: Kleinigkeit!

LAMY: Freilich, wenn ich der andern preiswürdigen Taten Meldung tun wollte (bei Seite), die nimmer geschehen sind (laut), aber Dero Bescheidenheit –

KALEKUT: Erzähle nur, es hat nichts zu sagen, ich denk' gern an die vergangenen Zeiten.

LAMY: O es ließe sich ein Buch davon schreiben, als zum Exempel – (hustet) als Sie noch in holländischen Diensten waren – (bei Seite) wenn ich nur nicht so hung'rig wäre, ich wollte dir was anders erzählen –

KALEKUT (sieht sich um): Nun – wo bist du?

LAMY: Hier gnädiger Herr – vom Elephanten sagte ich, dem dieselben in Indien den Arm bra –

KALEKUT: Den Arm?

LAMY: Das Bein, wollt' ich sagen, mit einem kleinen Schlag, den Sie mit Ihrer flachen Hand drauf taten.

KALEKUT: Ich war noch dazu damals nicht recht aufgeräumt.

LAMY: Ei freilich, wenn Sie Ihre Leibeskräfte hätten brauchen wollen, Sie wären ihm durch den ganzen Leib gefahren wie durch einen Eierkuchen, he he he.

KALEKUT: Denk nur nicht mehr dran.

LAMY: Freilich, der Sonnen Wärme rühmen oder ihre Qualitäten herausstreichen, ist Ein Tun, da beide der ganzen Welt bekannt sind. Aber das muß ich Ihnen gestehen, daß Ihre Taten, wenn Sie sie selber erzählen, in Ihrem Munde gleichsam einen neuen Glanz bekommen, ich könnt' Ihnen ein Jahr lang so zuhören, ha ha ha, (bei Seite) mein Magen ist in meinen Ohren, wenn ich ihm zuhöre.

KALEKUT: Wovon soll ich zuerst –

LAMY: Ganz recht! Ich erinnere mich's noch ganz eigentlich –

KALEKUT: Was?

LAMY (stotternd): Ei nun – sei es, was es wolle, so erinnere ich mich doch ganz wohl, daß ich auch dabei. (bei Seite, zieht die Uhr heraus) Will's denn noch nicht zwölf schlagen?

KALEKUT: Hast du eine Schreibtafel?

LAMY: Ja freilich, gnädiger Herr, und auch Kohlstein.

KALEKUT: Du weißt schon, was ich meine.

LAMY (in Positur zu schreiben): Ei freilich, Sie dürfen nur befehlen.

KALEKUT: Nun! Fällt dir nichts bei?

LAMY: Nichts – ich glaubte, Sie würden mir diktieren.

KALEKUT: Ich weiß nicht, was dir heut fehlt, du bist ja, Gott verzeih mir, als ob du den Verstand verloren hättest –

LAMY: Sogleich – hundert Pfälzer – (schreibt) funfzig Irländer – drei und dreißig – Malteserritter – sechshundert Franzosen – sind Leute, die in – einer Schlacht umgebracht.

KALEKUT: Wieviel machen das zusammen?

LAMY: Zusammen? – Eins, zehn, hundert, tausend – tausend einhundert und sechs und funfzig –

KALEKUT: Sieben und funfzig – zweitausend siebenhundert sieben und funfzig, soviel waren es auf ein Haar – siehst du, hab ich nicht ein gut Gedächtnis – du hast anch ein

Gedächtnis, du hast es so ziemlich behalten, aber bei einem hast du schlecht behalten, es waren keine Malteserritter, Narre, wie kommen die Malteserritter in den Sukzessionskrieg, es waren Kreuzritter –

LAMY: Es kann sein, es kann sein – ich habe zwei Seelenkräfte, die gut sind, mein Gedächtnis und mein Magen.

KALEKUT: Wenn du so fortfährst, sollst du künftig alle Woche sechsmal bei mir zu Mittag essen.

LAMY: Ergebenster Die – und was soll ich von den tausend Schweizern sagen, die Sie in Westfriesland niedermachten, und die es selber bekräftigen würden, wenn sie noch lebten – doch warum wiederhole ich, was weltkündig ist, daß Herr von Kalekut der einzige Herr ist, welcher an gastfreien Tugenden, herrlichen Taten und auserlesener Gestalt in ganz Europa nicht seinesgleichen findt. Alle schönen Kinder in der Stadt sind ja verliebt in Sie – so wie neulich, des dicken Krauthändlers Tochter sagte – ach was, da wäre viel davon zu erzählen.

KALEKUT: Wer? Was? Bist du ein Narr? – so erzähle doch –

LAMY: Sie fragte, ob Sie nicht ein Prinz oder so etwas wären, he, he, ein bloßer Edelmann könnte unmöglich so schön sein. O, was für Augen, sagte sie, was für ein schönes schwarzes Haar er hat, wie glücklich ist das Mädchen, das bei ihm schlafen kann.

KALEKUT: Hat sie das gesagt?

LAMY: Ich sagte ihr, mein liebes Kind, weiß es der Henker, was noch hinter'm Herrn von Kalekut steckt. Es schwant mir immer, es ist so ein Prinz oder so etwas dergleichen, aber inkognito, inkognito, er mag sich nicht dafür ausgeben. Wenigstens denkt er prinzlich, fürstlich denkt er, er sieht kein Geld an, und eine Tafel führt er –

KALEKUT (seufzt): Es ist doch ein Unglück, wenn man gar zu schön ist. Hör', erinnere mich daran, wir müssen doch einmal zu dem Krauthändler hingehn – Jetzt habe ich nicht Zeit, ich muß auf die Parade, ich muß den Rekruten, die ich in Upland für den König von Preußen habe heben lassen, Reisegeld auszahlen – Adieu. (geht)

LAMY (ängstlich): Um Verzeihung, werden Sie heute mittag nicht zu Hause – da ist er fort, und ich glaube gar, er läßt mich heut ungegessen. Ich muß doch hinein und sehn, ob der Koch Anstalten macht –

—

Zweite Szene

Bernhard. Lamy

BERNHARD: Ha ha ha – raten Sie, Herr Lamy, zu welcher Tür ich hier herein kommen bin.

LAMY: Sag mir doch, ich bitte dich, guter Bernhard! Speist der Herr heut zu Hause?

BERNHARD: Ja freilich speist er zu Hause, sein Sie ohne Sorge –

LAMY: Aber er hat mir kein Wort gesagt.

BERNHARD: Es ist ja Donnerstag, er speist ja alle Donnerstag zu Hause, das wissen Sie – Aber raten Sie einmal, zu welcher Tür, Herr Lamy, bin ich in unser Haus gekommen, raten Sie einmal.

LAMY: Zu der du jetzt herauskommst.

BERNHARD: Nicht wahr – zu unsers Nachbars Tür, wenn Sie's wissen wollen.

LAMY: Wie ist das möglich?

BERNHARD: Ich will Ihnen alles erzählen, Herr Lamy, aber (legt den Finger auf den Mund) Sie geben mir doch recht, daß unser Offizier der unerträglichste Narr auf Gottes Erdboden ist.

LAMY: O still, wenn er das hörte –

BERNHARD: Eh – was, sein Sie doch nicht so furchtsam, das macht ihn so hochmütig. Er meint, die ganze Welt zittert vor ihm und alle Weiber möchten sich seinetwegen aufhängen.

LAMY: Das weiß ich, das weiß ich –

BERNHARD: Sie wissen, daß er ein Erzlügner und ein rechter Erz – von dem andern Geschlecht –

LAMY: Leider! Leider! Ich fürchte nur immer, er erfährt noch einmal, daß ich eine Tochter habe, er würde mich gewiß durch Hunger zwingen.

BERNHARD: Hören Sie nur – ich diente vorhin in Hamburg bei einem jungen reichen Kaufmann Meyer, der besten Seele von der Welt, der hatte sich in eines Ratschreibers Tochter verliebt, dieselbe Mamsell Rosemunde, die Sie hier am Tisch bei meinem Herrn gesehn haben. Das Mädchen liebte ihn wieder, das war ja recht scharmant – einsmals mußte der arme Henker in seinen Handlungsaffären nach Amsterdam, mittlerweil kommt Herr von Kalekut nach Hamburg, macht sich bei der Frau Ratschreiberin, die eine Witwe war, bekannt, mietet ein Zimmer bei ihr, fährt fleißig mit Mamsell Rosemunden spazieren, er sieht seine Gelegenheit, und entführt sie richtig nach Lübeck. Ich erfuhr's nicht so bald, als ich mich ins erste beste Schiff warf, meinem armen Herrn die Nachricht zu bringen – das war ein dänisches – zu meinem Unglück muß uns ein schwedisches aufstoßen, das uns alle zu Kriegsgefangenen macht. Und was das schlimmste war, ich wollte zu meinem Herrn und komme zu seinem allerärgsten Feinde. Der Schiffshauptmann, der Galgendieb, führt uns alle nach Stockholm, und weil ich ihn unterwegs frisiert hatte, so schenkt er mich seinem Herrn Onkel zum Leibeignen, und wer meinen Sie, daß das war? Herr von Kalekut, der eben mit Mamsell Rosemund gleichfalls vor einigen Tagen in Stockholm angekommen war. Ist das nicht zum Tollwerden?

LAMY: Ja freilich, das ist eine der seltsamsten Begebenheiten, die ich noch gehört habe.

BERNHARD: Hören Sie nur weiter, wir sind noch nicht am Ende. Es währte nicht lang, so bekam ich Jungfer Rosemunde zu sehen, ich stellte mich aber an, als ob sie mir so fremd wäre, wie der Kuh das neue Tor, hernach funden wir Gelegenheit einander zu sprechen, und da hat mir das arme Mädchen ihre Not geklagt, daß sie vom Offizier so streng bewacht werde, er hat ihr einen Bedienten gegeben, der Tag und Nacht nicht von ihrer Tür wegkommt, daß sie ihm noch nichts bewilligt habe, daß er ihr aber immer drohe, er werde sie einmal zwingen, wenn sie nicht mit Gutem sich dazu verstehen wollte, die Ehre, die er ihr erwiese, anzunehmen, seine Beischläferin zu heißen, daß sie nichts sehnlicher wünschte als Herrn Meyer noch einmal in ihrem Leben zu sehen, alsdann wollte sie sich den Tod antun, weil ihr ihr guter Name und vermutlich auch sein Herz jetzt auf ewig wäre geraubt worden, und was dergleichen Sachen mehr waren, womit sie mir das Herz weich machte, daß ich anfing zu weinen wie ein Kind. Ich also den Augenblick setz' mich hin und schreib' – aber Herr Lamy, wo Sie uns verraten –

LAMY: Seid doch kein Kind, ich bin dem Kalekut so hold als dem Teufel.

BERNHARD: Sonst sag ich ihm auch gleich, daß Sie noch eine Tochter haben – Ich schreib also an meinen jungen

Herrn in Amsterdam, er möchte machen, daß er spornstreichs zu Schiff herüberkäme, seine Liebste sei hier, und sie sei unglücklich gewesen, und so und so. – Das hat er denn nun auch getan, sehen Sie, und hat sich hier in der Nachbarschaft eingemietet bei'm alten Kraft, das ist nun der lustigste, scharmanteste Mann von der Welt, der einem mit seinem Blut dienen könnte.

LAMY: Ich weiß, meine Tochter weiß mir nicht genug Gutes von ihm zu sagen.

BERNHARD: Ha, à-propos, er hat versprochen, Ihnen nächstens einen Tisch bei ihm für alle Tage zu geben, damit Sie nicht mehr nötig hätten, Ihr Brot auf eine so saure Art bei'm Kalekut zu verdienen – hören Sie nur, was er noch getan hat. Sie wissen, Kalekut hat Jungfer Rosemunden eine eigne Kammer eingegeben, vor der unser Ehrenhold immer Schildwache steht. Diese Kammer stößt Wand an Wand an des alten Krafts Haus; Kinder, sagt' er gestern zum Herrn Meyer und mir, was hilft's, wir müssen die Wand durchbrechen, und euch verliebte Seelen Mund vor Mund bringen, und dann können wir schon weitere Spekulationen machen, wie wir dem Wolf das Schaf wieder zwischen seinen Zähnen herauspraktizieren – das wurde denn gleich gebilligt und Maurer geholt, und eben in diesem Augenblick ist die geheime Tür hinter der Tapete unsrer Jungfer zustande gekommen, da darf sie denn nur die Tapete aufheben, so ist sie drüben, das merkt denn der Teufel selbst nicht, geschweige denn der Ehrenhold, ihre Tür ist immer draußen zu, er darf nicht anders in ihre Kammer gehen oder hineingucken, als bis sie klingelt, und überdem Sie wissen ja, ist er ein Büffelskopf, den man aus und in den Sack stecken kann, ohne daß er's gewahr wird.

LAMY: Der Offizier braucht solche Geschöpfe zu seinen Heimlichkeiten, denn fürwahr, nur ein dummer Kerl kann's über sein Herz bringen, ihn nicht zu betrügen.

BERNHARD: Nun sehen Sie, zu der Tür bin ich hereingekommen, Herr Lamy, wenn Sie wollen, so kommen Sie herüber zum Herrn Kraft, Jungfer Rosemunde ist eben bei ihm, so will ich Sie auch da durchführen. O ich versichere Ihnen, wenn ich einen Kanal zwischen zwei Meeren gegraben hätte, das Werk würde mir nicht soviel

Freude machen. Denn ich muß Ihnen nur sagen, daß der erste Einfall sich eigentlich von mir herschreibt, ich habe immer mit Herrn Kraft davon gesprochen.

—

ZWEITER AKT

—

Erste Szene

Herr Kraft. Bernhard hernach

HERR KRAFT (schreit ins Haus zurück): Wo ihr mir nicht jeden Fremden, der sich künftighin auf meinem Altan sehen läßt, verkehrt auf die Straße stellt, so laß ich euch die Haut zu Leder gerben, hört ihr! Ich glaub, meine Nachbarn spielen Polizeimeister in meinem Hause, mir auf's Dach zu steigen, um aufzulauern, was bei mir vorgeht, ich sag es euch noch einmal, sobald einer von's Offiziers Leuten auf meinem Dach erscheint, den Bernhard ausgenommen, mag er Tauben oder Affen oder den Teufel suchen, den werft auf die Straß' hinab, daß er mit dem Kopf auf dem Pflaster stehen bleibt.

BERNHARD: Unsere Hausleute müssen ihn doch recht sehr beleidigt haben – was gibts, Herr Kraft?

KRAFT: Ich suchte dich – was gibts? Wir sind verraten. Dort hat einer von meinem Altan herabgeguckt, eben als Meyer und Rosemunde im Garten sich karessierten.

BERNHARD: Von unsern Leuten?

KRAFT: Weiß es der Teufel, er ist wie der Blitz vom Dach gewesen, als ich herauskam, ich schrie, Esel! Was habt Ihr auf meinem Altan zu suchen, er antwortete mir, ohne daß ich ihn sah, ich suche unsern Affen, ich glaube gar, der Racker hat mich damit gemeint.

BERNHARD: Ist denn Rosemund nicht geschwind wieder herübergelaufen.

KRAFT: Freilich ist sie gelaufen, aber was hilft das, wenn er sie einmal gesehen hat.

BERNHARD: O nein, es hilft viel, laß sie sich den Leuten im Hause nur zeigen, daß sie irre werden, nun ich kenne sie, sie hat Dreistigkeit und Verstand, sie wird das schon machen – und wenn's Ehrenhold gewesen ist, dem macht man leicht einen blauen Dunst vor.

KRAFT: Aber wie ist das möglich, er müßte ja dummer als ein Vieh sein – ich sage dir, er hat auf dem Altan gestanden und mit aller Ruh und Bequemlichkeit in den Garten hinabgeguckt, ein Glück, daß meine Leute endlich ihn gewahr wurden.

BERNHARD: Warten Sie – wie wär das zu machen –

KRAFT: Ja, wie wär's zu machen – du wirst wohl unmögliche Dinge machen – Narre! Was ist zu machen, wir sitzen drin bis über den Ohren –

BERNHARD: Lassen Sie mich doch – ich bitte Sie, lassen Sie mich nur einen Augenblick mit Frieden, daß ich den geheimen Rat in meinem Kopf zusammen berufen kann – (geht einige Schritte vorwärts, vor sich) daß er das nicht gesehn hat, was er sah.

KRAFT: Ja das ist eben der Knoten, das ist's eben – (vor sich) wie er da steht, der Narre! Wie ihm die Adern an Kopf auflaufen! Da klopft er mit zwei Fingern am Gehirnkasten, ja ja, du wirst mir – so – nun kehrt er sich weg, mit der linken Hand hält er die Hüfte, mit der rechten den Kopf, ich glaub', er hat eine ganze Komödie im Kopf, bald lacht er, bald runzelt er, so! Jetzt muß er schon einen Pfeiler unter's Kinn setzen, die linke Hand auch, der Kopf wird ihm zu schwer – die Stellung muß ihm gefallen, er bewegt sich nicht daraus, jetzt muß er's weg haben – ich will doch versuchen, ob ich ihn aus dem Konzept bringen kann. (schüttelt ihn) He, Bernhard! Dein Herr kommt –

BERNHARD: Geduld!

KRAFT: Der Feind ist da – he! Da vorn – nein, dort hinten – mach Anstalt! – Was zögerst du? Nun! Was hast du herausgebracht? Daß er das nicht gesehn hat, was er sah – ja das ist eben die große Kunst, daß er das nicht gesehn hat, was er sah.

BERNHARD: Und das bring ich zuwege.

KRAFT: Nun, so geschwind, sag an, wie willst du's machen?

BERNHARD: Nur fein geduldig, so will ich Sie ins Land meiner Ränke führen.

KRAFT: Aber auch wieder heraus?

BERNHARD: Sie wissen, daß der Offizier mit aller seiner Einbildung ein dummer Teufel ist, in dessen Kopf grad so viel Hirn steckt als in diesem Stein.

KRAFT: Das weiß ich –

BERNHARD: Nun – damit ich Ihnen nur eine so entfernte Aussicht in mein Land gebe – wie wär's, wenn eine leibliche Schwester der Jungfer Rosemunde mit ihrem Mann aus Riga hier angekommen wäre, die sich bei Ihnen einlogiert hätte, und die unserer so ähnlich sähe, wie ein Tropfen Milch dem andern.

KRAFT: Das gefällt mir nicht übel – das ist vortrefflich.

BERNHARD: Ich werde also dem Offizier leicht einbilden, daß die Person, die Ehrenhold bei Ihnen im Garten gesehen, die verheiratete Schwester von Jungfer Rosemunden gewesen.

KRAFT: Und das will ich ihm auch sagen, wenn ich ihn sehe. Ich will ihm sagen, hören Sie doch, ist nicht in Ihrem Hause eine gewisse Jungfer Rosemunde, Teutsch, Ratschreiberstochter aus Hamburg, es ist eine Schwester von ihr bei mir eingekehrt –

BERNHARD: Richtig! Und damit wir alle bei einer Rede bleiben, so gehen Sie gleich zu Ihrer verborgnen Tür und geben Jungfer Rosamunden Nachricht davon.

KRAFT: Aber – der Hagel! – Wie, wenn's ihm einfiele, beide Schwestern auf einem Fleck zu sehn – was fangen wir denn an?

BERNHARD: Was denn? – Kleinigkeit! Da sind hundert Ausflüchte, entweder sie ist spazierengegangen, oder hat Kommissionen zu machen, oder schläft, oder, oder – das findt sich schon, wenn wir nur vor der Hand der Sache so erst eine Wendung geben können – Hören Sie, aber instruieren Sie Mamsell Rosemunde nur ja recht wohl, ihre Schwester und sie sind Zwillinge, die sich so ähnlich sehn, daß ihre Mutter selbst oft irre geworden ist, als sie noch saugten, wem sie die Brust gegeben hätte oder nicht – ich will unterdessen das Meinige beim Ehrenhold tun, wenn er anders es gewesen ist, der vom Altan herab gesehen hat. Gewiß wird er's allen Hausleuten schon erzählt haben – gehen Sie nur, dort seh ich ihn eben herauskommen. (Kraft geht ab)

—

Zweite Szene

Ehrenhold. Bernhard

EHRENHOLD: Es ist mir lieb, Bernhard, daß ich dich hier antreffe, ich bin wie vor den Kopf geschlagen, du kannst dir nicht vorstellen, wie mir zu Mute ist.

BERNHARD: Wieso denn? Warum denn?

EHRENHOLD: Darum – daß wir noch ein Unglück im Haus' erleben werden.

BERNHARD: Nun? Worin soll das bestehn?

EHRENHOLD: Hast du nichts von der gottlosen Tat gehört, die heut geschehen ist.

BERNHARD: Nein – was ist's?

EHRENHOLD: Ich kletterte vorhin unserm Affen nach auf des Nachbarn Altan –

BERNHARD: Ha ha ha, eine gottlose Tat, ha ha ha –

EHRENHOLD: Warte doch, mit dem unverschämten Lachen, es ist ja noch nicht alles, ein rechter Narr mit seinem Lachen – Da sah ich vom Altan herunter – höre doch nur, und da sah ich in des Nachbarn Garten hinab, und was meinst du wohl, daß ich da sah, ich meint', ich sollte vom Dach fallen für Schrecken: unsere Jungfer Rosemunde mit einem fremden, wildfremden Herrn schmatzten sich herum, als ob sie Mann und Frau wären.

BERNHARD: Unsere Jungfer Rosemunde?

EHRENHOLD: Mit diesen meinen Augen, sie muß noch drüben sein – ist das nicht ganz zum Erstaunen, sag mir einmal, kaum hab ich so viel Zeit, aufs Dach zu steigen, weil unser verfluchte Aff' sich verlaufen hat, so ist der andere Aff' schon zum Haus heraus und küßt sich in einem andern Garten mit fremden Mannspersonen.

BERNHARD: Das kann dir mächtige Prügel kosten, wenn du's dem Herrn sagst.

EHRENHOLD: Besser doch, als wenn er's von andern erfährt. Was fang ich an dabei, rate mir.

BERNHARD: Es kann nicht möglich sein: du hast dich versehen.

EHRENHOLD: Bin ich denn blind? Du wirst mir doch glauben, daß ich Augen habe. Ich weiß schon, du meinst, ich bin ein dummer Teufel, du meinst, du hast allen Verstand allein gefressen. Aber ich sag dir's, ich hab es gesehen, ich hab's vom Altan zu gesehen, und wenn du's nicht glauben willst, so geh hinein und sieh nach, ob sie in ihrer Kammer ist –

BERNHARD: Aber ich hab sie doch nicht zur Tür herausgehn sehn und bin doch die ganze Weil' über hier gestanden. (geht hinein)

EHRENHOLD: Ich will doch hier an der Tür passen, ob die Stutte nicht wird in Stall zurückkehren. Ich merk's schon, Bernhard ist auch auf ihrer Seite, er wollte mich gern von der Tür haben, damit sie derweil hereinschleichen kann und hernach sagen: was fehlt ihm, Ehrenhold? ich bin ja nicht aus meiner Kammer kommen! Oho, wer das nicht merkt, dann muß der arme Ehrenhold blind heißen – Wahrhaftig, hätt' ich das gewußt – was wird der gnädige Herr sagen? Gewiß und wahrhaftig, er kehrt das ganze Haus um, und das grad damit an den Galgen –

BERNHARD (hinter der Bühne): Ehrenhold! Ehrenhold!

EHRENHOLD: Nun, was gibts?

BERNHARD: Komm doch her einen Augenblick.

EHRENHOLD: Ja ich werd' dir – – ha ha, wer Ehrenhold betrügen will.

BERNHARD: Komm her, sag ich dir.

EHRENHOLD: Ich werd' dir was – was gibt's? Was soll ich da?

BERNHARD: Jungfer Rosamunde sitzt hier in ihrer Kammer und näht.

EHRENHOLD: Ja was du nicht wollt'st. – Du bist nicht gescheit.

BERNHARD: Und du verruckt – sie ist zu Hause, sag' ich dir.

EHRENHOLD: Wie kann sie denn zu Hause sein, Narre! Ich rühre mich von der Tür nicht, daß du's weiß'st, und sollt ich hier stehn bis an den jüngsten Tag, sie muß mir zu dieser Tür hinein, wenn sie zu Hause sein will, durch den Schornstein ist sie doch wahrhaftig nicht hereingefallen.

BERNHARD (kommt heraus): Hör' einmal, soll ich machen, daß du dich anspeist.

EHRENHOLD: Nun?

BERNHARD: Daß du bekennst, du seist ein Büffelskopf, und nicht einmal, sondern nur ein gemalter Büffelskopf, der weder hören noch sehen kann.

EHRENHOLD: Nun, so handtiere nicht – du bringst mich doch von der Tür nicht weg.

BERNHARD: Bleib an der Tür hier und gib wohl acht, daß ja niemand hereinschleicht. (geht abermals hinein)

EHRENHOLD: Nun! Was wird das werden? (Bleibt tiefsinnig stehen, das Gesicht unverwandt auf Krafts Haus gerichtet)

—

Dritte Szene

Bernhard führt Rosemunden heraus. Ehrenhold

BERNHARD (leise zu Rosamunden): Halten Sie sich gut.

ROSEMUNDE: Lehre doch den Krebs schwimmen.

BERNHARD: Ehrenhold!

EHRENHOLD (immer abgewandt): Was gibt's?

BERNHARD: Sieh dich doch einmal um.

EHRENHOLD: Ich kann hören, ohne zu sehen.

BERNHARD: Schiele doch wenigstens her, wenn Du den Kopf nicht umdrehen willst.

EHRENHOLD (sieht herum und fährt zusammen): O potz tausend.

BERNHARD: Was ist nun, Verleumder?

ROSEMUNDE: Seid Ihrs, der so schöne Historien von mir zu erzählen weiß?

BERNHARD: Jetzt geb' ich keine taube Nuß für dein Leben.

ROSEMUNDE: Der das ganze Haus wider mich in Alarm setzt, der in der Stadt aussprengt, ich sei eine Ehrlose, die fremden Mannspersonen nachliefe, antwortet, Verräter!

EHRENHOLD (kniend): Mamsell – Gott weiß es – mit diesen meinen Augen.

ROSEMUNDE: Es soll dir den Kopf kosten. (als ob sie gehen wollte)

EHRENHOLD: Mamsell – ich merke schon – das Schafott ist mein Erbbegräbnis – mein Vater, mein Großvater, meine ganze Familie ist des Todes gestorben. (weint) Was kann ich davor, Mamsell, daß ich das gesehen habe. Ich glaube, der böse Feind hat sein Spiel mit mir gehabt.

ROSEMUNDE: Er ist wahnwitzig – itzt merk ich, was mein heutiger Traum bedeutet hat. Mich deucht', ich sah meine Schwester mit ihrem Mann aus Riga hier, und war so vergnügt drüber, so vergnügt – auf einmal kamen alle unsre Hausleute und beschuldigten mich ins Gesicht, sie hätten mich bei meiner Schwester Mann im Bette gefunden. Da fing ich auch so an zu weinen drüber, daß ich aufwachte.

BERNHARD: Aber seht doch ein Mensch einmal, da sieht man, daß Träume nicht zu verachten sind! Wie richtig das alles eingetroffen ist. Nein, das ist gar zu artig, ich muß es dem gnädigen Herrn heut erzählen –

ROSEMUNDE: Tu das, Bernhard – und die Erfüllung dazu – ich will dich lehren verleumden, Bösewicht. (geht hinein)

EHRENHOLD (kniend zu Bernhard): Nicht die Erfüllung dazu, ich bitte dich – O jetzt fängt mir über und über das Fell an zu jucken.

BERNHARD: Ich möchte nicht in deiner Haut stecken.

EHRENHOLD: Sag ihr, daß ich alles widerrufe. Ja nun merk ich wirklich, daß ich damals nur so wie einen blauen Dunst vor Augen hatte.

BERNHARD: Du hätt'st mit deinem Dunst uns allen können einen saubern Spaß anrichten.

EHRENHOLD: Nein – ich weiß selbst nicht, was ich aus mir machen soll – nein, ich hab's nicht gesehen – oder ich hab's doch gesehen.

BERNHARD: Stille, wer kommt dort vom Nachbar heraus.

—

Vierte Szene

Rosemunde umgekleidet zu den Vorigen

ROSEMUNDE: Mit Eurer Erlaubnis, mein Freund! seid Ihr aus diesem Hause?

BERNHARD (zupft Ehrenhold): Ehrenhold.

EHRENHOLD (stiert mit den Augen): Sag mir doch, Bernhard – ich darf meinen Augen nicht mehr trauen – siehst Du was, Bernhard?

BERNHARD: Rosemunde oder ihr Geist –

EHRENHOLD (wischt sich die Augen): Aber – sie ist ja eben hineingegangen –

ROSEMUNDE (etwas zurückweichend): Ich glaub', die Leute verstehn kein Deutsch.

BERNHARD: Ich denke, wir fassen uns Herz und fragen sie.

EHRENHOLD: Geh du voran – geh du voran.

BERNHARD: Geh du voran, altes Weib –

EHRENHOLD (nähert sich ihr zu verschiedenen Malen; mit bebender Stimme): Sind – he – sind Sie's – wo, Teufel, kommen Sie denn nun hieher? – (zu Bernhard) Aber warum schweigt sie denn nun stille? (zu ihr, schreit) Ich rede mit Ihnen, Jungfer, hören Sie's! Warum antworten Sie mir denn nicht –

ROSEMUNDE: Wer seid Ihr?

EHRENHOLD (zitternd zu Bernhard): Hörst Du, sie fragt, wer wir sind – Ich bin ich –

ROSEMUNDE: Wer seid Ihr?

BERNHARD: Kennen Sie mich denn auch nicht, Mamsell –?

EHRENHOLD: Kennen Sie uns denn alle beide nicht?

ROSEMUNDE: Nein.

EHRENHOLD: Mir wird angst – hör' einmal, Bernhard –

BERNHARD: Vielleicht sind wir nicht wir – ich denke, wir wollen gehn und die Nachbarn fragen.

EHRENHOLD: Ich bin ich, oder ich will nicht gesund auf dieser Stelle stehen.

BERNHARD: Ich auch, Sapperment. Herz gefaßt – Hören Sie, Jungfer Rosemunde.

ROSEMUNDE: O Himmel! Welchen Namen nanntet ihr da?

BERNHARD: Heißen Sie denn nicht so?

ROSEMUNDE: Ich heiße Eleonora.

BERNHARD: Eleonora.

EHRENHOLD: Nein, das ist zu arg, sich einen falschen Namen zu geben, das ist wider alles Recht und Billigkeit, ich will's dem gnädigen Herrn sagen, er mag sonst jemand zum Wächter über sie bestellen.

ROSEMUNDE: Zum Wächter über mich?

EHRENHOLD: Über Sie.

ROSEMUNDE: Über mich, die ich heut früh erst von Riga angekommen bin.

EHRENHOLD: Von Riga ange –

BERNHARD: Von Riga angekommen!

ROSEMUNDE: Ich beschwör euch, sagt mir doch, kennt ihr Rosemunden? Ich hab eine Zwillingsschwester, die Rosemunde heißt, und ich bin nach Stockholm gekommen, sie aufzusuchen – doch ich sehe schon, ihr kennt sie nicht, ihr steht und gafft mir ins Gesicht, anstatt mir zu antworten. (will gehen)

BERNHARD (hält sie): Nein, wir lassen Sie nicht fort –

EHRENHOLD (faßt sie mit beiden Händen): Nein, bei Gott, wir lassen Sie nicht fort –

BERNHARD (zupft ihn): Denk an den Traum. (Ehrenhold läßt sie plötzlich fahren)

ROSEMUNDE: Gewalt! – Ich werde mir Recht wider euch zu schaffen wissen, Bösewichter. – (geht hinein)

BERNHARD: Kamerad! ich laß mich hängen, wo das nicht uns're war.

EHRENHOLD: Ich auch – aber der Traum, sieh einmal.

BERNHARD: Traum hin, Traum her, geschwind geh hinein und hole mir des Herrn alten Degen, der in der Jungfer Kammer hängt.

EHRENHOLD: Was willst du tun damit?

BERNHARD: Ihr nach zum alten Kraft! Und betreff' ich sie mit jemand – der soll am längsten gelebt haben –

EHRENHOLD: Aber der Traum, der Traum. – (geht hinein)

BERNHARD: Das geht gut: sie hat ihre Rolle meisterhaft gespielt, die könnt' einen Argus betrügen, geschweige den blinden Büffelskopf –

EHRENHOLD (hält sich den Bauch): Ha ha ha, Bernhard, hi hi hi.

BERNHARD: Was gibt's? – Der Degen –?

EHRENHOLD: Hi hi, ich ersticke – – wir brauchen keinen Degen.

BERNHARD: Was fehlt dir?

EHRENHOLD: Rosemunde ist zu Hause. Sie liegt im Bette.

BERNHARD: Bist du rasend? Was haben wir denn angestellt, hör einmal! Eine fremde Jungfer auf der Straße zu insultieren? Vielleicht gar die Schwester von unserer? Was wird der alte Kraft dazu sagen? – Geh, du fängst lauter solche Streiche an, magst du es verantworten, ich mag nichts mehr mit dir zu tun haben. (Geht ab und zu Kraft hinein)

EHRENHOLD: Seht doch – nun macht er mich schon wieder angst – und geht fort, als ob er nicht mehr zu uns in's Haus gehörte. Ich glaub' gar, er geht dem alten Kraft abbitten und sich weiß brennen, daß hernach alle Schuld auf mich fällt. Und ich darf mich hier nicht von der Tür rühren, weil ich da bei der verwetterten Rosemunde Schildwacht stehen muß – wahrhaftig, ich bin doch recht unglücklich – wenn es gar ihre Schwester wäre, die ich insultiert habe, ja wahrhaftig, wenn sie es selber nicht war, so muß es die Schwester gewesen sein – nun wird's mir schön gehen – o weh mir, da kommt ja der alte Kraft schon heraus, rot wie ein Krebs – o weh mir!

—

Fünfte Szene

Herr Kraft. Ehrenhold

HERR KRAFT: Für einen Narren müssen sie mich halten, für ein altes Weib halten sie mich – meinen Gast auf der Straße anzufallen, meinen Gast –

EHRENHOLD: Grad auf mich los –

HERR KRAFT (hebt den Stock): Ha, bist du hier, sapperment'scher Hund –

EHRENHOLD: Hören Sie mich an, Herr Kraft –

HERR KRAFT: Nichts davon, du sollst mir in's Zuchthaus, (faßt ihn an die Hand) fort den Augenblick.

EHRENHOLD: Sie werden mir noch Recht geben.

HERR KRAFT: Ich dir Recht geben? Straßenräuber! Meint ihr, ihr könnt tun, was euch einfällt? Meint ihr, die Polizei geh' euch nichts an?

EHRENHOLD: Ich habe nichts Übels getan, ich.

HERR KRAFT: Ich will dich peitschen lassen von morgen bis in die sinkende Nacht, du Nichtsübelstuer! Mir mein Dach zu zerbrechen, um deinem Affen nachzulaufen, mir auszuspionieren, was meine Gäste machen, und dann hinzugehn und mich für einen Gelegenheitsmacher auszuschreien, der seines Herrn Mätresse verführt, wart, du Lumpenkerl, und denn mir meinen Gast vor meinem eignen Hause anzufallen, wart, du Hundejunge, wo ich dir nicht fünfhundert Prügel zuzählen lasse, wo mir dein Herr nicht Satisfaktion gibt –

EHRENHOLD: Um Gottes willen, Herr – was kann ich nun dafür, daß ich sie mit meinen eig'nen Augen vom Altan herunter gesehn habe.

HERR KRAFT: Bleibst du dabei – gleich geh hinein zu mir und sieh nach, ob das deine Jungfer Rosemunde ist – ich will dich lehren, eine honette Frau für solch ein Kreatürchen anzusehn, das sich von Offizieren entführen läßt. (Ehrenhold geht zu Kraft hinein) Geschwind, Jungfer Rosemunde! Herüber! – – Ich möcht ihn gern so in die Enge treiben, daß er vor Angst aus dem Hause läuft, so können wir hernach unsern Plan desto ungehinderter ausführen – da kommt er ja schon wieder.

EHRENHOLD: Das ist – das ist – nun hab ich doch – nein, ähnlicher kann sich nichts auf der Welt sehen – Adam und Eva haben sich nicht so ähnlich gesehen.

HERR KRAFT (drohend): Nun! Ist sie das?

EHRENHOLD: Ach Gott – sie ist es nicht, sie soll es nicht sein – und doch ist sie's.

HERR KRAFT: Itzt geh gleich hinein und sieh, ob eure Jungfer Rosemunde zu Hause ist? (Ehrenhold geht ab) Jungfer! (an seinem Hause) Herüber – Der Kerl ist so recht, wie wir ihn brauchen, er läßt alles aus sich machen, was man will. Ich muß nur noch besser bei ihm einheizen, damit die Schildwacht für Angst zu allen Teufeln lauft.

EHRENHOLD: Herr Kraft! Ich bitte Sie auf Knien – ich habe Prügel verdient, es ist wahr, ich habe Prügel verdient, aber welcher Christemensch sollte sich da nicht irren, sehn Sie, wenn Sie aus dem allertiefsten Brunnen zwei Wassertropfen nehmen, so sehn sie sich nicht so ähnlich. Aber nun will ich auch – nun will ich auch nichts mehr glauben, und wenn ich es mit vierzig Augen gesehn hätte, wenigstens will ich keinem Menschen sagen, was ich glaube gesehn zu haben, und wenn ich auch etwas so gewiß wüßte, als daß ein Hammel kein Schaf ist, so will ich mich doch eher aufhängen lassen, als sagen, daß es ein Hammel ist.

HERR KRAFT (halb lachend): Ich werde mich bei seinem Herrn melden, ich muß Reparation meiner Ehre haben, ihr habt mich zu einem Kuppler gemacht, ihr habt mir meine Gäste angefallen, ich muß Satisfaktion haben, oder es geht nimmermehr gut – (ab)

EHRENHOLD (sieht ihm ängstlich nach): Holla! Ist's so gemeint? Ich weiß, alles das hab' ich dem Bernhard zu danken, der hat eine gar zu große Freude daran, wenn mir der Puckel brav vollgeschlagen wird – aber, ich will das Blatt umkehren, hat er gesäet, so mag er auch ernten, ich will mich in Keller oder sonst an einen Ort verstecken, wo mich kein Mensch finden kann, und wenn denn Herr Kraft kommt und Satisfaktion von meinem Herrn an seinen Bedienten verlangt, so mag denn Monsieur Bernhard die Brühe austunken – he ja, wer den Ehrenhold betrügen will –

—

DRITTER AKT

—

Erste Szene

Bernhard. Herr Kraft. Herr Meyer

Herr Kraft: Je nun, wenn ein Lübecker Schiff da ist, so setzen Sie sich darin, was ist's denn nun mehr, Hamburger oder Lübecker.

Herr Meyer: Aber ist es nicht sonderbar, daß im ganzen Hafen kein einzig Hamburger Gefäß ist? Mir gilts freilich gleich, nur da ich bald nach Amsterdam zurück muß, so wünschte ich, daß unsere Reise so geschwind ginge als möglich.

Bernhard: Ei was, Sie sorgen für'n Sattel und haben's Pferd noch nicht. Hamburger oder Lübecker, es ist gut, daß wir uns nach dem Schiff umgesehn haben, aber jetzt müssen wir uns auch nach der Ladung umsehn – lassen Sie uns hier einmal Kriegsrat halten – wir sind ungestört, es ist Mittag und die Straße so blank von Leuten wie's Meerufer von Bäumen.

Herr Meyer: Ich bedaure nur von ganzem Herzen, Herr Kraft, daß ich Ihnen so lang auf dem Halse liegen und mit meinen Kindereien so viel Beschwerden machen muß.

Herr Kraft: Wer? Was? Kindereien? Was in aller Welt, Herr! sind Sie für ein Liebhaber, wenn Sie sich Ihrer Liebe schämen.

Herr Meyer: In Ihrem Alter aber sieht man diese Dinge mit ganz andern Augen an.

Herr Kraft: Was, Herr, in meinem Alter? Was meinen Sie mit meinem Alter? Glauben Sie denn, ich steh mit beiden Füßen schon im Grabe? Ich bin noch nicht so alt als mein Haar, ich lese noch ohne Brille, Gott sei Dank! Und kann Hände und Füße so gut rühren (macht eine Kapriole) als ihr junge Galopins.

Bernhard: Ja, und bei Ihrem Humor kann man im neunzigsten Jahr noch mit gutem Gewissen an eine Frau denken.

Herr Meyer: In der Tat, Sie kommen mir immer noch wie ein junger Mensch vor.

Kraft (schlägt ihm auf die Schulter): Nur frisch, Junge! Du sollst mich noch besser kennen lernen. Ich wünschte nur, daß du ein Jahr bei mir bliebst, damit ich dir zeigen könnte, was ich bin.

HERR MEYER: Ich kenn Sie schon von der besten Seite.

HERR KRAFT (winkt mit der Hand): Nichts davon, ohne mich selbst zu rühmen, sehn Sie einmal, Herr Meyer! (leise) wer selbst nicht mehr kann, der sieht scheel dazu, wenn andere Leute vergnügt sind – (laut) aber ich, Gott sei Dank, habe noch alle Lebensgeister bei mir, ich bin nicht wie dieser und jener, der in der Jugend sich die Finger verbrannt hat, und auf's Alter kein Licht mehr sehn will, ich habe meine Herzensfreud' an euren verliebten Narrenpossen – und dann seht einmal! bin ich selbst keine Null bei vergnügten Gesellschaften, am Tisch und überall, ich weiß euch noch Schwänke zu machen wie vor vierzig Jahren, ich kann euch meinen Diskurs noch eben so perfekt unterhalten wie damals, aber ich weiß auch zu schweigen, wenn sich's gehört, ich weiß euch zu reden und zu schweigen, alles zu seiner Zeit, sagt der weise Salomo –

BERNHARD: Auf unsern Kriegsrat zu kommen.

HERR KRAFT (abermals mit der Hand): Nichts davon, ich mag lieber sein als scheinen, aber was wahr ist, bleibt wahr, niemand wird doch von mir hören wie von andern alten Schnurrbärten, daß ich am Tisch über die Obrigkeit schreie, oder über die neuen Verordnungen predige, wie es zu meiner Zeit war, und wie es itzt sein könnte, wenn die Welt sich nicht verschlimmert hätte – nichts von dem hört man von mir – auch nicht, daß ich allzeit mir das beste Stück aus der Schüssel aussuche, wenn ich an der Table d'hote esse, oder meinem Nachbar den Wein austrinke, und was dergleichen mehr sind, oder Händel anfange und denke, weil ich ein alter Mann bin, muß man mir nachgeben, nein, das wird man von mir nicht hören, wird jemand unnütz am Tisch, so pack ich meine Sachen fein still zusammen und zieh ab, so mach' ich es, kurz, semper lustig, das ist mein Symbolum, und so möcht' ich alle Leute um mich herum auch gern sehen.

HERR MEYER: Drei Leute wie Sie könnten mit allem Gold der Welt nicht bezahlt werden.

BERNHARD: In jedem Teil der Welt findet man nur einen. Aber auf unsern Kriegsrat zu kommen –

HERR KRAFT: Mein einziger Ehrgeiz auf der Welt, der ist, daß die jungen Burschen mich gern in ihrer Gesellschaft mögen, darum, worin ich euch Narren nur dienen kann, da tu ich's mit Herzenslust. Braucht jemand einen, der vor ihn redt und das mit Nachdruck, daß es donnert und wettert, da bin ich, oder muß das mit Gelindigkeit sein, da bin ich wieder, ich will euch Reden halten, die so lieblich hinfließen wie ein Silberbach. Wollt ihr einen Spaßmacher in der Gesellschaft (scharrt mit dem Fuß) zu dero Diensten, mein Herr! Oder muß das gehn wie bei den Studenten, brav gefressen und gesoffen und die Gläser zum Fenster hinaus, der alte Herr Kraft macht auch mit, und sollt' er ohne Perücke nach Haus gehn. Und denn wieder mit den Mädchen, wenn auf dem Ball einmal zu wenig Tänzer sind – da neulich an drei Königstage, hab ich euch nicht unsere Frau Burgermeistern heruntergetanzt, wahrhaftig, daß sie nicht mehr jappen konnte.

HERR MEYER: Was verlangen Sie mehr –

HERR KRAFT: Darnach kannst du dich also richten, Herr Meyer! Wenn dir was fehlt, sag mir's nur.

HERR MEYER: O Ihre Gleichgültigkeit macht mich täglich unruhiger, womit werde ich Ihnen die Beschwerd und die Kosten jemals erwidern können, die ich Ihnen schon gemacht.

HERR KRAFT: Kosten! Bist du klug? Was ich auf ein bös' Weib oder auf meinen ärgsten Feind verwenden müßte, das könnt' ich Kosten nennen, aber was für meinen Freund aufgeht, das ist Profit, Herr, das ist Profit. Hört einmal, was sagt die Religion? Sollen wir nicht freundlich und gastfrei sein gegen jedermann, daß wir einen Schatz im Himmel erwerben? Der lieb' Gott hat mir so viel gegeben, daß ich einen Freund bei mir aufnehmen kann, wenn ich's nicht täte, so würd' mir ja mein Gewissen Tag und Nacht keinen Frieden lassen, sondern immer sagen, du hast's nicht verdient, Herr Kraft, du hast's nicht verdient. Immer würd ich denken, du bist ja nicht Gott, nicht Menschen was nutz, Herr Kraft! Was soll aus dir werden? Darum so iß' du, Herr Meyer! und trink' du und tu du, was dir gefällt, und sei du so lustig, als du immer sein kannst, mein Haus ist dazu da, und gesegnet ist mein Haus, solange man noch lustig darin sein kann. Ich hätt' längst können heiraten, der lieb' Gott hat mir so viel gegeben, eine Frau zu versorgen, und das eine aus den besten Häusern, ich versichere dich; aber ich will nicht, ich liebe die Freiheit und die Fröhlichkeit mehr als eine Frau noch, ich will mir keine Sparbüchse ins Haus nehmen, die mich verhindert, meine guten Freund' lustig zu machen.

BERNHARD: Aber Kinder zu zeugen, ist mit alledem doch eine schöne Sache.

HERR KRAFT: Lustig und frei zu sein, das dünkt mich noch weit schöner.

BERNHARD: Nun freilich, Sie wissen am besten, was jedem gehört, Ihnen die Freiheit und Herrn Meyern der Vogelbauer, alles Ding ist gut, je nachdem man's ansieht. Also auf unsern Kriegsrat zu kommen –

HERR KRAFT: Vor's erste, ein gutes Weib, wenn's in der Welt noch eine gibt, wo in aller Welt wollt' ich's herbekommen? Sind denn nicht jüngere und schönere Kerls als ich da? Und denn vor's zweite, ein gutes Weib für mich – das ist noch ganz ein andrer Krebs, die mich pflegte, mir meine kleinen Platten besonders zurichtete, die ein Aug' auf mich hätte, wenn ich den Kopf voll von meinen Kanzleisachen habe, die mir den Überrock umlegte, wenn's kalt ist, oder die Sommerweste reichte, wenn's warm ist, denn ich geh meiner Seel' oft in der größten Hitze immerweg in meiner schwarzplüschenen Weste, und wenn's Stein und Bein friert, hab ich meinen Pelz zu Hause vergessen – nein da – ehe der Hahn krähte, würde mich meine Dulcinea schon wecken, und das von mir verlangen, was ihre Mutter selig von ihrem Vater verlangte, und wenn ich denn nicht recht aufgeräumt wäre – da würd' es los gehn! Auf den Punkt sind die besten Weiber Xanthippen – Nun und wenn denn noch die Kinder kämen und die Hausstandssorgen und die Ammensorgen – nein nein, der Himmel behüt' mich vor einer Frau.

BERNHARD: In der Tat, ich glaube, Sie würden derselbe Mann nicht mehr sein, wenn Sie eine Frau hätten.

HERR MEYER: Indessen bei einem vornehmen Geschlecht und ansehnlichen Reichtümern ist es doch wirklich schade, wenn man keine Kinder hinterläßt, die unsern Namen verewigen.

HERR KRAFT: Was geht mich der Name an, wenn ich nur nach meiner Phantasei leben kann. Nach meinem Tode teil ich mein Geld unter meine Verwandten, dafür ehren sie mich jetzt, als ob ich sie gemacht hätte. Da sorgen sie für mich, da besuchen sie mich, noch ehe der Tag anbricht, und erkundigen sich nach meinem Befinden, noch eh ich selber weiß, wie ich mich befinde. Und denn gastieren sie mich bald zu Mittag, bald zu Nacht, und schicken mir Präsente, Herr, um die Wette, Herr, es ist zum Totlachen, wer mir am wenigsten schickt, ist trostlos darüber, ich weiß wohl, daß das nur mit der Wurst heißt nach der Speckseite werfen, aber was geht mich das an; ich lache darüber und tue doch hernach, was ich will.

BERNHARD: Auf die Art können Sie noch mehr Kinder bekommen –

HERR KRAFT: Ich weiß wohl, daß ich noch Kinder bekäme, wenn ich heiratete –

BERNHARD: Nein doch, Sie verstehen mich nicht –

HERR KRAFT: Aber was für Sorgen würd ich nicht auch mit ihnen ins Haus bekommen. Ich hab ein weiches Gemüt, jede Flieg' an der Wand würde mich erschrecken, wenn mein Bub' einmal über die Straße liefe, gleich würd' ich die Kutsche sehn, die ihm über'n Nacken führe, oder wenn er von der Treppe ginge, gleich dächt ich, der bricht dir nun Hals und Bein ohne Rettung, ich kenne mich, da würd' ich keinen geruhigen Augenblick haben.

BERNHARD: Wahrhaftig, Herr, Sie verdienen lang' zu leben, Sie verstehn die Kunst aus dem Grunde, glücklich zu sein, denn es ist wahr, ich sehe es ein, bei Ihrem Humor taugt' es Ihnen zu gar nichts, Frau und Kinder und Haushaltung.

HERR MEYER: O es wäre zu wünschen, daß es ein wenig gerechter in der Welt herginge, und daß alle Leute von Ihrem Humor lang' lebten, die andern aber je eher je lieber abführen, so würde man nicht so viel von bösen Leuten und schlechten Handlungen hören.

HERR KRAFT: Meyer! Junge! Misch' dich doch nicht in die Ratschläge des Himmels, wer die tadeln will, muß eine große Meinung von seinem Verstande haben – doch ich habe mich ganz hungrig geredt, wir wollen essen gehn, denke ich –

HERR MEYER: Ich mach' Ihnen keine Entschuldigungen mehr.

HERR KRAFT: Komm doch, Hasenfuß! Die Suppe wird kalt –

HERR MEYER: Wenn's denn so sein soll, so muß ich Sie nur ja bitten, mit mir keine Umstände zu machen.

HERR KRAFT: Ei was sind das nun wieder für abgebrauchte verrauchte Komplimente? Bist du denn ein altes Weib geworden? Die, wenn die Mahlzeit aufgetragen ist, lassen alles zu Talg werden, eh man sie an den Tisch bringt: aber, mein Gott, Herr Vetter, was sind das für Umstände, sind Sie wunderlich, daß Sie so aufschüsseln, ich will doch nicht hoffen, daß Sie das meinetwegen getan haben, da könnten ja sechsmal soviel satt davon werden – So brauchen sie ihr Maul über jedes Gericht und essen doch davon, toll, daß sie sagten, lassen sie's wegnehmen, es wird für den Abend auch gut sein; nein, das lassen sie fein bleiben, sie fressen für alle sechs.

BERNHARD: Wohl gesagt, Herr Kraft –

HERR KRAFT: O, wenn ich nicht hungrig wäre, ich wollt euch noch viel mehr davon sagen. Es kennt kein Mensch die Stadtweiber so gut als ich.

BERNHARD: Ehe Sie gehen, nur ein Wort, ihr Herrn! um's Himmels willen, was wird denn aus unserm Kriegsrat?

HERR KRAFT: Potzhundert, das ist auch wahr, das hatt' ich ganz vergessen.

BERNHARD: Hören Sie nur, was ich derweil' ausgesonnen habe – aber Sie müssen mir dazu behilflich sein, Herr Kraft, es ist der artigste Streich, der unter der Sonne ist gespielt worden – geben Sie mir nur gleich den Ring her, den Sie dort am Finger tragen.

HERR KRAFT (gibt ihm den Ring): Wozu das? Bist du toll?

BERNHARD: Sie sollen schon hören, mein Herr ist der größte Jäger, der seit Nimrods Zeiten kann existiert haben; er meint, er ist der Kaiser Alexander, von dem ich letzthin gelesen habe, und alle Weiber sind von den Amazonenweibern da, die ihr Geschlecht durch ihn allein fortpflanzen wollen. Wissen Sie mir also nicht wo ein hübsches Bauermädchen, oder Bürgermädchen wäre noch besser, vorzuschlagen, das Verschlagenheit genug besitzt und zugleich den Appetit reizen kann –

HERR KRAFT: Wart – des Lamy seine Tochter, die ist für Körper und Geist, ich versichere dich.

BERNHARD: Schön, schön, ich verlasse mich auf Ihren Geschmack – die müßten Sie also schön ausputzen und für

Ihre Frau ausgeben, der Offizier ist nicht lang' in Stockholm, er weiß viel, ob Sie verheiratet sind oder nicht.

HERR KRAFT: Er ist nur einmal mit mir auf dem Kaffeehause in Gesellschaft gewesen.

BERNHARD: Also die müßte sich verliebt in ihn stellen – und durch ihr Kammermädchen –

HERR KRAFT: Unsere Gertrud –

BERNHARD: Gut – mir diesen Ring haben zustellen lassen, den ich meinem Herrn einhändigen soll – Mehr brauchen Sie nicht zu wissen, für's übrige lassen Sie mich nur sorgen, nehmen Sie vor der Hand Ihren Posten nur wohl in acht.

HERR MEYER: Und ich –

BERNHARD: Ihnen will ich schon sagen, was Sie hernach tun sollen – wenn's Zeit ist. Jetzt sind wir noch nicht so weit –

HERR KRAFT: Erst sich satt essen, vor allen Dingen. (Geht mit Meyer hinein)

—

Zweite Szene

Bernhard. Hernach ein Bedienter

BERNHARD: Sie muß sagen, sie wolle sich von ihm scheiden lassen, das ist notwendig, und ihn so weit zu bringen suchen, daß er sie als Konkubine in sein Haus nimmt. Es scheint mir ohnehin, daß er seit einigen Tagen kälter gegen Rosemunde ist als gewöhnlich – (ein Bedienter kommt) He, hat der Herr abgespeist?

BEDIENTER: Er hat nicht zu Hause gegessen. Herr Lamy sitzt noch drinnen am Tisch.

BERNHARD: Der hat sich gewiß was zugute getan – wo gehst du hin?

BEDIENTER: Heut nicht wiederzukommen – der verwünschte Ehrenhold wird mir noch eine derbe Tracht Schläge zuziehn.

BERNHARD: Wie so, wie so? Wo ist er? – Ehrenhold! Ehrenhold!

BEDIENTER: Still nur, du wirst ihn doch nicht aufwecken.

BERNHARD: Schläft er –

BEDIENTER: Ja, aber nicht mit der Nase, die schreit ihm ordentlich.

BERNHARD: Ist er wo wieder über Wein gekommen?

BEDIENTER: Nein, aber der Wein über ihn. Ich hatte vorhin im hintersten Keller zu tun, wie ich herausgehen will, find ich, daß er sich mittlerweile hereingeschlichen hat, und wie halb tot da neben dem neuen Faß Muskatenwein bis über die Ohren im Schlamm liegt, er hatt' es bis auf den letzten Tropfen auslaufen lassen.

BERNHARD: Das ist eine saub're Historie! Was wird der Herr sagen?

BEDIENTER: Ja, was wird er sagen, er hat mir bei'm Hängen verboten, die Kellertür nicht offen zu lassen – liebster Bernhard, verrate mich nicht, ich mache mich aus dem Rauch, ich will sagen, meine Mutter ist angekommen, die hat mich rufen lassen, so wird denn der Herr den Ehrenhold selbst aus dem Keller holen müssen und wird denken, er habe den Schlüssel aus seinem Schlafzimmer gestohlen – mag er's entgelten, der Saufaus. (eilt ab)

BERNHARD: Gut, recht gut, auf diese Art sind wir zween Auflaurer auf einmal los geworden, desto behender kann unsre Jungfer davongehn, wenn wir den Offizier erst so weit haben. Hol der Henker, ich muß aber mit von der Partie sein, sonst lohnt's der Mühe nicht. Recht gut, daß kein Bedienter mehr im ganzen Hause ist als ich, wir wollen das schon einfädeln – aber da kommt ja unser graue Jüngling schon wieder mit seiner neugebackenen Frau. Hätt' ich doch nimmermehr geglaubt, daß Herr Lamy eine so hübsche Tochter hätte. Und eine Miene hat sie – o, die Miene führt alles aus, was der feinste Kopf nur ersinnen kann.

—

Dritte Szene

Herr Kraft mit der Serviette. Henriette. Gertrud

HERR KRAFT: Hast du mich verstanden – wo nicht, so will ich's dir noch einmal sagen.

HENRIETTE: Aber wofür halten Sie mich, Herr Kraft –

HERR KRAFT: Aber es ist doch besser, man läßt sich sagen. Vier Augen sehen mehr als zwei, mein liebes Kind –

HENRIETTE: Sagen, sagen, mit Ihrem ewigen Sagen. Ein Mädchen muß vom halben Wort genug haben.

HERR KRAFT: Da, Bernhard! Hier ist meine Frau. Ist sie so recht angezogen, was meinst du?

BERNHARD (zu Henrietten): Sie wissen, was Sie zu tun haben?

HERR KRAFT: Da verlaß du dich auf mich; ich hab's ihr besser gesagt, als du selbst es würd'st haben tun können.

HENRIETTE: Nur zu viel gesagt –

BERNHARD: Sie kennen meinen Herrn doch?

HENRIETTE: Ich habe ihn oft vorbeigehen sehn. Laßt mich nur machen, ich will ihn kützeln, daß er zeitlebens dran denken soll.

HERR KRAFT: Mädchen! Wenn's gut geht – (küßt sie) deine Mühe soll dir belohnt werden.

HENRIETTE: Wenn's gut geht, dann ist sie schon belohnt – ich weiß auch nicht, was für Gedanken Sie von mir machen, Herr Kraft? Kennen Sie mich so wenig?

HERR KRAFT: So komm nur herein, du artiges Närrchen, und laß uns die Gesundheit deines neuen Liebhabers trinken –

BERNHARD: Und ich will in die Auberge gehn und ihn herholen –

—

VIERTER AKT

—

Erste Szene

Herr von Kalekut. Bernhard

KALEKUT: Ei was, ich habe andre Dinge im Kopf, ich weiß nicht, wie ich die Rekruten nach Preußen transportieren soll, die ich dem ehrlichen König in meinem Gebiet angeworben habe, um ihm die Grenzen seines Reichs zu decken.

BERNHARD: Mag er selbst für seine Grenzen sorgen, gnädiger Herr! Er kann doch nicht prätendieren, daß Sie ihm zu Gefallen all Ihr Vergnügen aufopfern sollen.

KALEKUT: So will ich denn die Staatsgeschäfte auf morgen lassen – nun, was ist's mit der Frau?

BERNHARD: Ich muß mich erst umsehen, ob wir ohne Zeugen sind, denn die Sache muß verflucht geheim gehalten werden, ich hab einen Eid getan.

KALEKUT: Laß nur – es ist niemand da –

BERNHARD: Nun, so empfangen Sie denn von mir das Unterpfand einer Liebe – einer Liebe – (gibt ihm den Ring)

KALEKUT: Was ist das? Von wem ist das?

BERNHARD: Von einer Frau, (speit langsam aus) von einer Frau – in ganz Stockholm ist sie die einzige. Sie ist verliebt in Sie, Herr, in Ihre scharmante Person, so sagte mir's Kammermädchen, und hat ihr den Ring gegeben, ihn Ihnen durch mich in die Hände zu spielen.

KALEKUT: Ist ihr Vater nicht Krauthändler.

BERNHARD: Krauthänd – pfui doch! meinen Sie, ich würde mich von so einer zum Postillon d'Amour brauchen lassen?

KALEKUT: Ist sie verheiratet oder ledig?

BERNHARD: Beides! Verheiratet und doch so gut als ledig. An einen alten Krüppel, der nicht mehr aufrecht stehen kann.

KALEKUT: Und schön?

BERNHARD: Schön wie ein Engel, ich sag Ihnen, es ist das einzige Frauenzimmer in der ganzen Stadt, das sich für Ihre Figur schickt.

KALEKUT: Teufel! Denn muß sie schön sein. Wie heißt sie, geschwind!

BERNHARD: Sie kennen glaub' ich den alten Kraft, hier auf der Nachbarschaft, dessen Frau, stellen Sie sich vor – sie ist rasend verliebt in Sie, sie will von ihm gehen, sie will sich von ihm scheiden lassen, und wissen Sie, was ihr Projekt ist?

KALEKUT: Nun? – Mich zu heiraten? –

BERNHARD: Nein – Ihre Konkubine – stellen Sie sich vor – wie stark doch die Liebe bei ihr sein muß? Und das bloß von den einigen Malen, die sie Sie hat vorbeigehn sehen.

KALEKUT: So? – Hör', ich will wohl – es muß ein rechter Engel von Weib sein – aber, sie ist doch wohl nicht alt?

BERNHARD: Alt – o du mein – in ihren besten Jahren, sag ich Ihnen, ein unschuldiges junges Dingchen von achtzehn, neunzehn Jahren, das noch gar keine Erfahrung hat – Sie können sich vorstellen, eine andere würde nicht so grad heraus sein, und das gegen einen Offizier.

KALEKUT: Hör einmal – o das ist göttlich – aber hör, was fangen wir mit Rosemunden an?

BERNHARD: Ei mag sie gehn, woher sie gekommen ist, sie tat auch gar zu spröde, ich glaube wirklich, sie hat einen kleinen Fehler am Verstande. Zudem so ist ihre Schwester mit ihrem Mann und seiner Mutter von Riga angekommen, die könnten sie am allerbesten nach Hause transportieren.

KALEKUT: Das wäre – wer hat dir das gesagt?

BERNHARD: Ich hab eben den Schiffer gesprochen, der sie hergeführt hat: er war hier, Jungfer Rosemunden aufs Schiff hinzuinvitieren, denn Schwester und Schwager und Mutter, alle drei sind seekrank, und können sie nicht besuchen.

KALEKUT: Das wär' eine fürtreffliche Gelegenheit, sie mir vom Halse zu schaffen.

BERNHARD: Wissen Sie was? Wollen Sie's recht klug machen? Es kommt Ihnen doch darauf nicht an: wie wär's, wenn Sie ihr einige Präsente obenein machten, etwa die goldne Uhr und Bernstein-Etui, so könnt' es doch nicht heißen, er hat sie entführt, sondern sie ist ihm nachgezogen, er hat sie unterhalten und jetzt wieder laufen lassen.

KALEKUT: Das ist auch wahr, das ist auch wahr, kein Mensch kann mir das verdenken.

BERNHARD: Stille, die Tür geht auf – o ho, das Boot, das die Schiffsleut auswerfen –

KALEKUT: Was?

BERNHARD: Sie schickt ihr Mädchen heraus, das ist dieselbe, die mir den Ring vorhin eingehändigt hat.

KALEKUT: Dieselbe? Es ist ein sauberes Kreatürchen.

BERNHARD: Ein Monstrum gegen ihre Frau – sehn Sie nur, wie sie spürt, recht wie ein Jagdhund, der Witterung hat –

Zweite Szene

Gertrud zu den Vorigen

GERTRUD: Ich will mich stellen, als ob ich sie nicht sähe.

BERNHARD: Ich denke, wir gehn näher und behorchen sie: ohne Ursache steht sie nicht da –

GERTRUD (immer vor sich): Wenn er doch bald käme, der schöne Herr! meine arme Frau wird noch anfangen die Geduld zu verlieren. Sie hat schon über eine Stunde im Fenster gelegen, ob er nicht vorbeigehen würde.

KALEKUT (leise zu Bernhard): Hörst du? Das bin ich, von dem sie red't. Sie spricht sehr vernünftig – ich möchte sie vor der Hand schon haben.

BERNHARD: O pfui doch – wollen Sie mir in's Gehege? Sie haben ja die Frau noch nicht gesehen.

KALEKUT: Aber wenn wird's denn – zum Henker, das dauert mir zu lange.

BERNHARD: Warten Sie doch nur einen Augenblick, ich will gleich zu ihr treten, halten Sie sich hier seitwärts im Schatten, daß sie Sie nicht gewahr wird – (tritt hastig zu Gertrud) Wie geht's?

GERTRUD (erschrickt): Ach – ist Er es?

BERNHARD (lehnt sich ihr auf die Schulter): Ja, ich – was macht die Frau?

GERTRUD: Sag Er mir aber – kann man sich Ihm anvertrauen?

BERNHARD (küßt sie): Mit Leib und Seele. –

KALEKUT (räuspert sich): Hem!

GERTRUD: Nun, laß' Er das nur unterwegens. Kann ich seinen Herrn nicht zu sprechen kriegen?

BERNHARD: Nicht eher, als bis sie sich noch einmal mir anvertraut hat. (will sie abermals küssen)

KALEKUT (zupft ihn): Schock hundert! Wie lang' wirst du mich hier stehen lassen?

BERNHARD: Einen Augenblick, mein Engel – (tritt zu Kalekut) Ich werd' ihr sagen, daß Sie hier sind.

KALEKUT: Du bist toll. Ich muß mit aller meiner Schönheit hier müßig stehn und zusehn, wie der Kerl karessiert.

BERNHARD: Ich tu ja alles nur um Ihrentwillen.

KALEKUT: Ich will es aber selber tun.

BERNHARD: Gemach, Herr, ich bitte Sie, das Instrument muß doch erst gestimmt sein, eh Sie drauf spielen wollen.

KALEKUT: So mach denn fort, daß dich –

BERNHARD (zu Gertrud): Mit meinem Herrn will Sie sprechen?

GERTRUD: Ja wohl, das hab ich ihm ja lange schon gesagt.

BERNHARD: Das wird schwer halten, er läßt sich nicht gerne sprechen; (ihr ins Ohr) Sie muß ihm nur brav schmeicheln, geb Sie nur auf mich acht, ich werd ihr schon helfen.

KALEKUT (zupft ihn abermals): Wirst du heut an mich denken?

BERNHARD: Einen Augenblick, mein Schätzchen – (tritt zum Offizier) was wollen Sie?

KALEKUT: Laß sie doch nur gleich ihre Frau herausrufen.

BERNHARD: Ich bitte Sie, Herr – Sie werden sich doch so geschwind nicht ergeben. Bedenken Sie, daß Sie dadurch Ihre Ehre und den Ruf Ihrer Schönheit mit einem Mal aufs Spiel setzen. Pfui doch, lassen Sie sich erst eine Weile bitten, schelten Sie mich zum Schein derb' aus, daß ich Sie in solche Händel verwickele.

KALEKUT: Das ist auch wahr, du hast recht, ich will deinem Rat folgen.

BERNHARD (laut): Soll ich sie vorlassen, gnädiger Herr?

KALEKUT (laut): Laß sie, laß sie –

BERNHARD (zu Gertrud): Wenn Sie etwas anzubringen hat, so komme Sie näher.

KALEKUT: Komme Sie näher! Komme Sie näher.

GERTRUD (verneigt sich sehr ehrerbietig): Allerschönster Herr –

KALEKUT (räuspert sich): Was verlangt Sie – sei Sie nur nicht blöde; Sie kann mir alles sagen, was Sie will.

GERTRUD: O, wenn ich meine Wünsche gestehen dürfte.

KALEKUT: Nun, gesteh Sie nur, gesteh Sie nur.

GERTRUD: Nur auf eine Nacht – Sie zu meinem Schlafgesellen.

KALEKUT: Ihr wünscht zu viel.

GERTRUD: Nun, so wünsch' ich es denn meiner Frau. Sie stirbt für Liebe.

KALEKUT: Des Todes sind schon mehrere gestorben.

GERTRUD: Das glaub ich Ihnen ganz gern, gnädiger Herr, es ist auch kein Wunder, wenn man so schön und artig ist und so entsetzliche Taten getan hat, so kann man mit seiner Person schon etwas rar tun. Sie sind eine Zierde der menschlichen Natur.

BERNHARD: Es ist in der Tat was Übermenschliches.

KALEKUT (seufzt): Du hast nicht ganz unrecht, Bernhard.

BERNHARD: Das ist die Frau, gnädiger Herr! Von der ich Ihnen vorhin gesagt habe.

KALEKUT: Was denn für eine Frau? Es überlaufen mich ihrer so viele, der Henker kann sich aller erinnern.

GERTRUD: Die sich den Ring vom Finger zieht, allerschönster Herr, und Ihnen zuschickt.

KALEKUT: Was verlangt sie denn von mir?

GERTRUD: Daß sie – sie verlangt – – Herr! Sie sind ihr einziges Vergnügen.

KALEKUT: Was verlangt sie?

GERTRUD: Was sie – he he, das läßt sich nicht so sagen, genug, wenn Sie nicht zu ihr kommen, so muß sie den Geist aufgeben. Lassen Sie sich erbitten, gnädiger Herr Graf!

KALEKUT: Du weißt es lange, Bernhard! Wie verdrüßlich mir dergleichen Anträge sind. Hab ich's dir nicht schon hundertmal gesagt, du solltest alle abweisen, die so etwas bei mir zu suchen hätten?

BERNHARD: Hört Sie's itzt? Und hab ich's ihr nicht auch schon hundertmal gesagt, mein Herr ist kein Liebhaber von dergleichen Liebesverwickelungen, er hat sich einmal vor allemal vorgenommen, kein Weibsbild anzusehen; er ist der Welt gram geworden; er möcht' euch keinen Ferkel auf die Welt setzen, geschweig' denn einen Menschen; ich glaub', man könnte ihm wer weiß wieviel Geld anbieten, er tät's nicht.

GERTRUD: Fordern Sie, soviel Sie wollen.

KALEKUT: Ich glaube, Ihr seid wahnwitzig beide. Ich habe zu Hause Haufen Geld liegen, die noch von meinem Eltervater her nicht gezählt sind.

BERNHARD: Was sagen Sie von Haufen, es sind Berge, so hoch wie's Sewagebürg.

GERTRUD: Werden Sie mir keine Antwort geben?

BERNHARD: Ich denke, Sie geben ihr immer eine, ob Sie's tun wollen oder nicht. – Warum wollten Sie die arme Frau aber auch sterben lassen? Sie hat Ihnen doch nichts zu Leide getan.

KALEKUT: So mag sie denn herkommen: ich will mich einmal herablassen.

GERTRUD (halb lachend): Da tun Sie ein Werk der Barmherzigkeit.

BERNHARD: Ei freilich, das Mitleiden ziert auch Helden.

GERTRUD (immer heimlich kichernd, küßt dem Offizier den Rock, wozu er sich seltsam gebärdet): – Ich danke Ihnen tausendmal – daß Sie mich – einfältiges Mädchen – nicht umsonst haben bitten lassen –

BERNHARD (die Hand vor den Mund, heimlich zu ihr): Geh doch nur.

KALEKUT (sehr langsam): In der Tat, deine Frau hat von Glück zu sagen.

GERTRUD: Das glaub' ich.

BERNHARD: Herzoginnen gaben ihm schon Herzogtümer für eine Nacht.

GERTRUD: Das glaub' ich.

BERNHARD: Und es werden lauter Generals, was er macht. Und leben alle über die hundert Jahr hinaus.

KALEKUT: Bernhard! Hast du ungarisch Wasser bei dir?

BERNHARD: Nein, Herr! Wozu das?

KALEKUT (etwas leiser): Für die Frau – wenn sie etwa kommt und es befällt sie was –

BERNHARD: Das ist wahr, wenn sie Sie sieht – (leise zu ihm) Gehen Sie doch mittlerweile nur hinein und suchen Sie Rosemunden aus dem Hause zu schaffen. Sie können ihr allenfalls sagen, Ihre Frau sei Ihnen nachgekommen, Sie hätten es bisher vor ihr verhehlen wollen, aber itzt müsse sie schon der rechtmäßigern Gewalt weichen, und sich eine so bequeme Gelegenheit fände, nach Riga zu reisen – Sie verstehen mich –

KALEKUT: Gut, gut – – Ihr, laßt Eure Frau nur nicht lang' zögern: ich werde gleich wieder da sein. (geht hinein)

BERNHARD: Ha ha ha, du hast deine Sachen vortrefflich gemacht, Gertrud, vortrefflich! wo sind die andern?

GERTRUD: Hier im Vorhaus', sie haben uns zugehorcht.

Dritte Szene

Henriette. Meyer. Kraft zu den Vorigen, alle lachend

BERNHARD: Geschwind, es ist gut, daß Sie da sind, damit wir Abrede nehmen. Gertrud hat ihn schon ganz betrunken von Hochmut gemacht.

HENRIETTE: Ich will ihn toll machen. Warum ging er hinein?

BERNHARD: Rosemunden um Gott'swillen zu bitten, sie möchte nur zum Teufel gehn.

MEYER: Schön, schön!

BERNHARD: Und macht ihr noch Präsente obenein; so weit hab ich ihn gebracht, damit sie nur mit gutem geht.

MEYER: Herrlich, herrlich!

BERNHARD: Aber wissen Sie auch, daß, wenn man aus einem tiefen Brunnen zieht, der Eimer niemals leichter zurücksinkt, als wenn er schon am Rande ist. Wir müssen ihm jetzt noch den letzten Stoß geben; gehen Sie geschwind itzt, Herr Meyer, und ziehn Schifferkleider an, Herr Kraft wird Ihnen schon welche verschaffen, und dann kommen Sie und bringen Rosemunden einen Gruß von ihrer Schwester und Schwager, wenn sie gleich mit ihnen nach Riga wolle, soll sie nur mit Ihnen an den Hafen eilen, der Wind warte, und Sie wollen stracks unter Segel gehen.

MEYER: Bravo!

BERNHARD: Da wird sie der Offizier selber noch treiben, damit's Schiff nicht fortgeht, und weil eben kein Bedienter im ganzen Haus' vorhanden ist, so erbiet' ich mich, gleich das Gepäck zu tragen, und dann setz' ich mich mit Ihnen in's Schiff und bin Ihr gehorsamer Diener wie vormals.

MEYER: Ehrlicher Junge! Nicht mein Bedienter, du sollst mein Freund sein. (mit Herrn Kraft ab)

BERNHARD: Und Ihnen, Mamsell, sage ich nichts. Ihre Miene sagt mir schon, daß Sie alles besser machen werden, als ich es angeben könnte.

HENRIETTE: Verlaß dich drauf! Ich will ihn in unser Haus locken, da steht mein Vater schon mit einem großen Knüttel bereit, ihn zu empfangen.

BERNHARD: Wie, Ihr Vater?

HENRIETTE: Damit er ihm ein für allemal den Appetit nach mir vergällt – komm, Gertrud! Seine Tür geht auf.

(Henriette und Gertrud gehn ab)

—

Vierte Szene

Bernhard. Herr von Kalekut

BERNHARD: Wie vergnügt er aussieht! Armer kalekutscher Hahn, fast tut es mir doch leid um dich, du merkst es nicht, daß zehn Hände in Bereitschaft stehn, dich zu haschen und hernach mürbe zu peitschen.

KALEKUT: Endlich hab ich es doch so weit gebracht, aber was es mich auch für Mühe gekostet hat, Bernhard! Das kann ich dir nicht genug erzählen. Nimmermehr hätt' ich's geglaubt, daß das Mädchen mich so liebte. Es war gar nicht an's Weggehen zu denken, so fing sie an zu schluchzen und zu heulen, daß ich dachte, sie würde den Geist aufgeben. Ich hab ihr alles gegeben, was ich um und an mir hatte – dich auch, Bernhard.

BERNHARD: Was sagen Sie! Sie haben mich weggeschenkt! Und ich soll ohne Sie leben?

KALEKUT: Ja was ist dabei zu machen – ich mußt' alles anwenden, sie zum Fortgehn einwilligen zu machen, sie hat mich ordentlich dazu gezwungen, Bernhard.

BERNHARD: Der Himmel wird mich nicht verlassen (schluchsend) mich fortzuschenken! – Obschon es mir weh tut – obschon –, so macht es mir doch Freude, daß ich Ihnen ein Vergnügen verschaffen kann – der Himmel wird mir beistehn.

KALEKUT: Nun, was ist da viel zu krähen, es tut mir selber leid – wenn ich meine Finanzen erst in Ordnung gebracht habe, so kauf ich dich vielleicht noch wohl gar einmal wieder los. Aber stille, da kommt wer.

BERNHARD (heulend): Das ist sie ja, die Hexe, die mich um meinen Herrn bringt.

—

Fünfte Szene

Henriette. Gertrud zu den Vorigen

HENRIETTE (als ob sie sie nicht sähe): Hast du mit ihm gesprochen, glückliches Mädchen?

GERTRUD: Ja freilich hab ich, die Länge und die Breite.

HENRIETTE: Und er hat dir geantwortet – Geh mir aus den Augen, stolze Kreatur! Du fängst an, mir unerträglich zu werden.

GERTRUD: Was schlagen Sie mich, Mamsell – ja, und er hat mich noch mit zwei Fingern bei'm Kinn gefaßt, dazu.

HENRIETTE: Komm her, liebe Gertrud! Hat er dich bei'm Kinn gefaßt? Warum tat er das? Hattest du ihm schon von mir geredet?

GERTRUD: Nein, ich hatte noch kein Wort mit ihm gesprochen, so faßt' er mich schon an.

HENRIETTE: Faßt' er dich an – ich werd' dich ins Arbeitshaus stecken. Fort, mir aus den Augen, leichtfertige Seele! – Was hat er gesagt, was hat er zu meinem Antrag gesagt?

GERTRUD: Es hat mir Müh gekostet, ihn soweit zu bringen. Herzoginnen haben schon vergebens bei ihm gebeten.

HENRIETTE: O, die Liebe wird es mir gelingen lassen! Sie haben ihn nicht so geliebt –

GERTRUD: Wie gesagt, Sie haben von Glück zu sagen, soviel hat er abgewiesen, und Sie sind die einzige, die er noch vorläßt.

KALEKUT (zu Bernhard): Hör', das Mädchen gefällt mir fast besser als die Frau.

BERNHARD: Warten Sie doch nur! Urteilen Sie doch nicht so schnell.

HENRIETTE: Wie sehr fürcht ich seinen verwöhnten Geschmack! O, werden nicht seine Augen strenger sein als sein Herz? Und bei seinem Reiz, welcher andere Reiz sollte sich nicht verdunkeln.

KALEKUT: Es ist mir doch immer prophezeit worden, daß sich alle Weiber noch einmal in mich verlieben würden.

HENRIETTE: Wenn er mich verschmäht – o, wenn er mich verschmäht – ich will zu seinen Füßen sterben, wenn ich ihn nicht rühren kann.

KALEKUT (wischt sich die Augen): Sie ist capabel – Bernhard, ich will zu ihr gehen.

BERNHARD: Um's Himmelswillen nicht, warum wollen Sie sich wegwerfen? Ich weiß nur zwei Mannspersonen, die so jämmerlich sind geliebt worden, Sie und der König Adonis.

HENRIETTE: Geh hinein zu ihm, meine Gertrud! Bitt' ihn zu mir heraus.

GERTRUD: Ich denke, wir warten lieber, bis er von selber kommt.

HENRIETTE: Ich kann's nicht länger ausstehn: so will ich selbst gehn.

GERTRUD: Die Tür ist zugeschlossen.

HENRIETTE: Ich will sie aufbrechen.

BERNHARD: Sie wird schon wahnwitzig für Liebe.

KALEKUT (seufzt): Ich auch.

GERTRUD: Was stehn Sie denn da vor der Tür, als ob Sie umfallen wollten. So klingeln Sie, wenn Sie hinein wollen.

HENRIETTE: Er ist nicht drinne.

GERTRUD: Woher wissen Sie das?

HENRIETTE: Ich weiß es, ich weiß es –

KALEKUT: Ich glaube, sie kann hexen.

BERNHARD: Nein, Herr! das macht die Witterung, die sie hat.

HENRIETTE: Er muß hier in der Nähe sein – Ach! – Ach! er ist ganz nahe.

KALEKUT: Ich glaube, sie sieht mehr mit der Nase als mit den Augen.

HENRIETTE: Halte mich.

GERTRUD: Was ist?

HENRIETTE: Ich falle um.

GERTRUD: Was kommt Sie an?

HENRIETTE: Die Seele tritt mir aus den Augen.

GERTRUD: Haben Sie ihn gesehen?

HENRIETTE: Ich sterbe.

KALEKUT: Ich weiß nicht, ob ich's dir schon erzählt habe, Bernhard! Ein Zigeuner hat mir einmal aus der Hand geweissagt, es würden zwölf Frauen um meinetwillen sterben und drei Jungfern sich den Hals abschneiden.

HENRIETTE: Gertrud! Ich beschwöre dich, geh zu ihm.

BERNHARD (hält Kalekut): Halten Sie, um Himmelswillen, bedenken Sie, was Sie tun! Nicht entgegengegangen, oder Ihre Ehre ist verloren.

GERTRUD (tritt zu Kalekut): Ich suchte Sie.

KALEKUT (verlegen): Und ich –

BERNHARD (zupft ihn): Nicht doch –

GERTRUD: Ich hab' meine Frau hergeführt, gnädiger Herr –

KALEKUT: Ich habe mich endlich entschlossen – laß sie vor mir kommen.

GERTRUD: Ich fürchte nur, wenn sie Ihnen zu nahe kommt, wird sie Gesicht und Sprache völlig verlieren.

KALEKUT: Bernhard – Hast du kein ungarisch Wasser zu dir gesteckt, was ich dir gesagt habe?

BERNHARD: Ach, Sapperment, das hab ich vergessen.

GERTRUD: Sehn Sie nur, wie sie dort steht und zittert, seitdem sie Sie gesehn hat.

KALEKUT: Es ist ganzen Armeen wohl so gegangen.

GERTRUD: Ich denk', ich führe sie lieber ins Haus zurück.

KALEKUT: Was soll denn aus mir werden? (Bernhard zupft ihn) Was hat sie denn bei mir gewollt?

GERTRUD: Kommen Sie zu ihr in ihr Haus, sie will mit Ihnen leben und sterben.

KALEKUT: In ihr Haus?

GERTRUD: Warum nicht?

KALEKUT: Was würde der Mann sagen?

GERTRUD: Sie hat keinen mehr, sie hat ihn um Ihrentwillen zu allen Teufeln gejagt.

KALEKUT: Wie ist das möglich?

GERTRUD: Weil er ein Pinsel war, dem sie Haus und Vermögen zugebracht hatte, und der ihr dafür nicht einmal das leisten konnte, was ein Mann seiner Frau schuldig ist.

KALEKUT: Ist das gewiß, daß sie den Mann fortgejagt hat?

GERTRUD: Ganz gewiß, sie hat ihn auf eins ihrer Landgüter geschickt, wo er nicht mucksen darf, er muß Gott danken, daß sie sich nicht gerichtlich von ihm scheiden läßt.

KALEKUT: So führ' sie nur hinein, ich werd' euch auf dem Fuß folgen, ich will nur noch eine Kleinigkeit in meinem Hause bestellen, ich möchte gern, daß deine Frau diese Nacht in meinem Hause schlafen könnte.

GERTRUD: Ich will es ihr vorschlagen – aber lassen Sie uns nicht so lange warten, Sie sehen ja, daß sie ihrer selbst nicht mehr mächtig ist. (führt Henrietten ab)

KALEKUT: Was mag der Schiffer wollen, der so mit starken Schritten auf uns zueilt?

BERNHARD: Es ist derselbe, von dem ich Ihnen vorhin erzählte, der Jungfer Rosemundens Schwester hergeführt hat.

—

Sechste Szene

Meyer im Schifferhabit zu den Vorigen, ein Pflaster über dem Auge

MEYER: Heida, ist niemand da?

BERNHARD: Guten Tag, Schiffer! Sucht Er Jungfer Rosemunden?

MEYER: Daß Euch das Wetter, Mar! freilich such ich sie; will sie mit nach Riga oder nicht? ihre Schwester hat mich heißen hergehn, sie zu fragen; wenn sie nicht kommt, will's Gott, so segeln wir.

KALEKUT: Das ist ja vortrefflich, sie hat eben daran gedacht; wartet nur einen Augenblick, guter Mann! Sie wird gleich reisefertig sein. Geh hinein, Bernhard! Sag ihr das, hilf' ihr packen. (Bernhard geht hinein)

MEYER: Ja, Mar, der Wind wird auf sie nicht warten, wenn sie nicht bald macht.

KALEKUT: Nur einen Augenblick – nur bis Ihr Eure Pfeife angezündt habt. Und wo habt Ihr Euer Auge denn gelassen, Schiffer?

MEYER (schlägt Feuer an): Mar – hat Ihm mein Auge was zu Leid' getan?

KALEKUT: Das linke Auge, wo habt Ihr's gelassen?

MEYER (raucht): Wo ich's gelassen habe? In der See hab ich's gelassen. Wenn ich auf'm Lande geblieben wäre, versteh Er mich wohl! so würd ich links sehen, so wie Er. – Aber Schock Element, wo bleibt denn die Jungfer, daß sie das –

KALEKUT: Halt, da kommen sie ja schon.

—

Siebente Szene

Rosemunde, Bernhard zu den Vorigen, beide heulen.
Bernhard hat einen Mantelsack unter'm Arm

BERNHARD: Hören Sie auf – hören Sie auf.

ROSEMUNDE: O, ich kann nicht aufhören! O, ihr glücklichen Stunden, die ich hier zugebracht.

KALEKUT: Macht, daß ihr fortkommt, Bernhard!

BERNHARD (schluchsend): Hier ist der Schiffer, Mamsell – wollen Sie mit ihm reden.

ROSEMUNDE: Ach, leider.

MEYER (rauchend): Guten Abend, Jungfer! Will Sie mit? Die Schwester läßt Sie grüßen.

ROSEMUNDE (unwillig): Grüßt sie wieder.

MEYER (nimmt die Pfeif aus dem Munde und schüttelt den Kopf): Hm – will Sie denn nicht mit uns, Jüngferchen? Element, was zaudert Sie! nur getrost, nehm' Sie Abschied, mach' Sie fort, der Wind ist gut, wir müssen segeln.

ROSEMUNDE: Ach, daß ich dies Haus verlassen muß, hier wohnte der edelste, der großmütigste Mann, hier wohnte Freud' und Glückseligkeit.

BERNHARD (mit erbärmlichem Geschrei): Nun, so lebt denn wohl, alle meine guten Freunde! Haus, Speicher und Pferdestall! Und du edler Keller! der du noch naß von meinen Tränen bist; wenn ich fort bin, so denkt meiner im besten.

ROSEMUNDE: Nur noch eine Umarmung, mein Kalekut, ein Lebewohl. (umarmt ihn)

BERNHARD (nimmt sie ihm aus den Armen): Haltet – haltet, sie wird ohnmächtig.

KALEKUT: Hab ich dir nicht gesagt, Schlingel! Du solltest ungarisch Wasser zu dir stecken.

MEYER (nimmt sie Bernhard aus den Armen): Ei was, warum nicht lieber Seewasser? Ich will ihr Tabaksrauch in den Hals lassen, das macht lebendig, wenn man zehn Stund' unter Wasser gelegen hat. (küßt sie langsam)

KALEKUT: Was nehmt Ihr Euch für Freiheiten heraus?

MEYER: Mar, ich horchte nur, ob sie noch Luft im Magen hätte.

KALEKUT: Horcht Ihr mit den Lippen?

BERNHARD (umarmt seine Knie): Nun, so leben Sie denn wohl, mein englischer Herr – Ich kann Ihren Verlust nicht überleben.

KALEKUT: Gib dich zufrieden, Bernhard!

BERNHARD: Das kann der Teufel, wenn man von Ihnen geht.

KALEKUT: Geh nur, macht nur, daß Ihr fortkommt, ich habe nicht Zeit.

ROSEMUNDE (erwacht): Wo bin ich? – Willkommen Tageslicht!

MEYER: Hab ich's nicht gesagt?

ROSEMUNDE: In wessen Armen bin ich? Fort von mir, Ungeheuer!

BERNHARD: Führt sie doch nur fort, was zögert ihr, ich werd euch sogleich nachkommen. (Meyer führt Rosemunden ab) Gnädiger Herr! Nur noch ein Wort! Obschon Sie mich bisher nicht nach Würden geschätzt haben, so dank ich Ihnen doch für alle Gnade und Freundschaft, die Sie mir bisher erwiesen haben.

KALEKUT: Geh nur, ich bin pressiert.

BERNHARD: Ich wollte um vieles Geld nicht, daß ich nicht bei Ihnen gedient hätte. Ach Gott, wenn ich daran gedenke, was ich jetzo für eine ganz andere Lebensart werde anfangen müssen, nichts mehr von Krieg und Kriegsgeschrei.

KALEKUT: Geh nur, die andern sind schon weit weg.

BERNHARD: So leben Sie denn recht wohl.

KALEKUT: Laß mich doch –

BERNHARD: Ich bitte Sie, vergessen Sie mich nicht: bedenken Sie doch, wie treu und redlich ich Ihnen allezeit gedient habe, o, Sie kennen mich noch nicht recht, Sie werden es noch einsehen, was Sie an mir verloren haben, Sie werden noch lang an mich denken, ich versichere Sie.

KALEKUT: Bald hätt ich Lust, dich hier zu behalten.

BERNHARD: Nein – nein, bei meiner Ehr' – so gern als ich bliebe, Ihr Wort zurückzuziehn, Ihre Parole, bedenken Sie – nein aufrichtig, ich würd' Ihnen selber dazu raten, wenn es anginge, aber jetzt geht es nicht mehr an.

(läuft davon)

KALEKUT: Der Narr hat mich gar zu lang' aufgehalten – holla, da ist ja schon ein Bote nach mir. Die gute Frau ist doch hitziger noch als ich.

EIN BOTE: Gnädiger Herr! Man wartet auf Sie.

KALEKUT: Ich komme, ich komme. (geht zu Kraft hinein)

BOTE: Da rennt die Maus in die Falle. Der alte Herr und der neue Kostgänger passen mit großen Knütteln auf ihn. Ich hör ein Geschrei: da muß ich dabei sein.

—

FÜNFTER AKT

—

Erste Szene

Kalekut stürzt heraus. Kraft und Lamy folgen ihm mit Knütteln, ein Koch mit einem Messer

KRAFT: Schlagt zu, schlagt tot! Schneidt ihn auf!

KALEKUT (sinkt in die Knie): Pardon!

LAMY: Kein Pardon!

KALEKUT: Ich wußte nicht, daß es Herrn Krafts Frau war.

KRAFT: Und wenn's des Scharfrichters gewesen wäre, Frau ist Frau –

KALEKUT: Lamy! Schlag' nicht! Deine Schläge machen mich wahnwitzig.

KOCH: Soll ich schneiden?

KRAFT: Den Bauch auf, den Bauch auf!

KALEKUT: Hört nur ein Wort!

KRAFT: Schneid zu!

KALEKUT: Ein Wort!

KRAFT: Kastriert ihn!

KALEKUT: O weh!

KRAFT: Willst du einen Eid tun, daß du dich wegen der Prügel nicht rächen willst, die du empfangen hast.

KALEKUT: Ich will. (hebt die Finger in die Höhe)

KRAFT: So wahr dir Gott helfe?

KALEKUT: So wahr mir Gott helfe!

KRAFT: Ha ha ha! so wiß' denn, daß ich nie verheiratet gewesen bin. Die Person, die dich in mein Haus lockte, war Lamys Tochter.

KALEKUT (sieht Lamy eine Weile stumm und grimmig an): Lamy –

LAMY: Ja, Herr, und nun lassen Sie sich den Appetit nach ihr vergehen.

KALEKUT: Niederträchtiger Schmeichler! Ist das der Dank, daß du mein Brot gegessen.

LAMY: Ja, Herr! Und ein besserer Dank als vorhin alle meine Schmeicheleien. Ich hole das nach, was ich damals an Ihrer Erziehung versäumte. Sie wollten nicht durch Worte gebessert sein, Sie mochten die Wahrheit nicht hören, also mußten Sie sie fühlen.

KALEKUT: In'skünftige will ich in meinem ganzen Leben die Schmeichler und die Weiber ärger scheuen als die Schlangen.

LAMY: Sehen Sie, da haben Sie nun in einer Stunde mehr gelernt als in Ihrem ganzen Leben. Und damit gehaben Sie sich wohl. (mit Kraft ab)

KOCH (tritt an ihn): Herr, ein Trinkgeld, wenn's Ihm beliebt.

KALEKUT: Wofür? Bist du rasend?

KOCH: Dafür – daß ich Ihn nicht als einen Wallach nach Hause geschickt habe.

—

Letzte Szene

Kalekut. Hernach Ehrenhold

KALEKUT: Mir ist ganz übel von dem Schrecken. (Ruft in sein Haus) He! Wer ist da?

EHRENHOLD (kommt heraus, taumelnd): Was ist? Was befehlen Sie?

KALEKUT: Lauf ihr nach, lauf der Rosemunde in den Hafen nach –

EHRENHOLD (kratzt sich den Kopf mit beiden Händen): Ja, da ist was nach zu laufen.

KALEKUT: Bist du toll? Soll ich dich jagen?

EHRENHOLD: Herr! Sie ist in guten Händen, es ist doch alles umsonst.

KALEKUT: In wessen Händen?

EHRENHOLD: Ich sah' da von unserm Boden hinab, weil ich willens war, mich vom Dach zu stürzen, weil ich Ihr Faß Muskatenwein heut morgen habe auslaufen lassen.

KALEKUT: Was sag'st du, Elender?

EHRENHOLD: Hören Sie nur, so geht Jungfer Rosemunde mit einem Schiffsmann, auf einmal wirft der seinen Schiffshabit ab, so ist's derselbe, ihr Galan, den ich dort vorhin vom Altan habe mit ihr karessieren sehen.

KALEKUT: Wie, Verräter! Also hat sie einen Liebhaber gehabt, und du hast's mir nicht gesagt.

EHRENHOLD: Nun ja, Herr, aber Sie haben mir ja selber gesagt, das sei nicht sie gewesen, sondern ihre verheiratete Schwester aus Riga, die ich vom Altan gesehen habe.

KALEKUT: Ich dir gesagt – der Wein redet aus dir.

EHRENHOLD: Nun, so hat mir's Bernhard gesagt, ja, ja, Bernhard hat mir's gesagt; fragen Sie ihn nur.

KALEKUT: Was höre ich, alles Betrug, Verräterei – Bernhard – darum sagt' er, ich kenne ihn noch nicht, ich werde ihn allererst kennen lernen, wenn er nicht mehr dasein wird. Darum hielt mich der Hund so lange bei'm Abschiede auf, damit sie Zeit gewönnen, alles segelfertig zu machen – o, ich dummer, dummer – daß ich das nicht merkte. Sie haben mir alle geschmeichelt, um mich um meinen Verstand zu bringen. Von nun an will ich glauben, ich sei häßlicher als der Teufel, das ist das beste Mittel, mich vor den verfluchten Schmeichlern in acht zu nehmen, von nun an will ich vor jedem Weibe laufen wie vor einer Schlange, denn beide sind gleich giftig und listig, von nun an will ich kein Weib mehr ansehen, ich will mich einschließen, mich kastrieren, mich – – (zum Parterre) Klatscht ihr noch?

—

DIE BUHLSCHWESTER

PERSONEN

JULCHEN
RAHEL, ihr Mädchen
FISCHER, ein junger Kaufmann
HANS, Hausknecht
VON SCHLACHTWITZ, Offizier
VON BAUCHENDORF, Landjunker
ADAM, sein Bedienter
REIBENSTEIN, ein alter Bürger
ANNE, seine Magd
LENE, Julchens Küchenmagd
Einige Bediente

ERSTER AKT

—

Erste Szene

FISCHER: Methusalas Alter reichte nicht zu, einen Liebhaber klug zu machen. Mag er noch so oft anlaufen, noch so oft sich vornehmen, jetzt vernünftiger zu handeln – es ist alles umsonst, ein Blick, ein Atem seiner Schöne wirft den ganzen babylonischen Turm seiner guten Vorsätze über'n Haufen. Julchen hat mich um mein ganzes Vermögen gebracht, ich reise nach Danzig, ich gewinne im Spiel, ich stecke das Geld in meinen Handel, ich komme mit dem Vorsatz zurück, sie jetzt nicht eher wiederzusehen, als bis ich wieder mich zu meinem vorigen Wohlstand emporgeschwungen habe – – ja, und was kann ich dafür, daß mich jetzt eine unbekannte Macht bis unter ihr Fenster hinzieht, was kann ich dafür, daß ich jetzt die Hand ausstrecken muß, ich mag wollen oder nicht, um an ihrer Schelle zu ziehn (klingelt), niemand kommt – sie wird doch noch hier wohnen – oder ist's wahr, was mir mein Barbier erzählte, daß sie in Wochen liegt? – es kann nicht möglich sein, es sind ja noch nicht zwei Monat, daß ich von Königsberg reiste, und ich habe doch nichts gemerkt – o Julchen! Wer könnt' auch eine solche Nachricht von dir glauben, ohne drüber den Verstand zu verlieren – es kommt niemand – als ob die Pest im Hause gewesen wäre – (klingelt abermals)

—

Zweite Szene

Rahel kommt heraus und macht ein Geschrei

RAHEL: Gott und Herr! Sind Sie's? Wir haben Sie längst für tot gehalten. Man hat uns zuverlässig erzählt, Sie wären auf dem frischen Haff ertrunken.

FISCHER: Wie befindt sich Julchen?

RAHEL: Sie können sie heut nicht sprechen, nehmen Sie's nicht übel. Und ich muß auch gleich fortgehen.

FISCHER: Wohin, Rahel?

RAHEL: Jemand zu holen.

FISCHER: Wen? Ich bitte dich! Einen neuen Liebhaber?

RAHEL: Gehen Sie, Sie sind unerträglich. Das ist wieder das alte Geleier; haben Sie in Danzig nichts bessers gelernt?

FISCHER: Ich habe gelernt, daß – o, ich möchte rasend werden.

RAHEL: So werden Sie's, wenn Sie Vergnügen daran finden. Ich muß gehn, lieber Herr Fischer, ich muß gehn –

FISCHER (hält sie): Ha! nun ihr mich ausgesogen habt, bin ich euch unerträglich, vormals hattet ihr keine Geheimnisse für mich: aber damals hatt' ich noch –

RAHEL: Damals hatten Sie noch – Verstand. Lassen Sie mich gehen.

FISCHER: Kenn' ich euch itzt, abscheuliche Geschöpfe! Vormals war ich in diesem Hause König – jetzt werd' ich nicht mehr vorgelassen.

RAHEL: Immer mit Ihrem vormals – vormals verdienten Sie's auch; aber nachmals, da Sie immer mit leeren Händen und vollem Munde kamen – Sie können uns das nicht verdenken, Herr Fischer, der Henker mag da bei Ihnen sitzen und Ihre immerwährenden Klagen anhören; unser Haus fing ja zuletzt an eine Kirche zu werden und Sie die Orgelpfeife drin.

FISCHER: Grausame! Was habt ihr mir denn sonst übrig gelassen als Klagen.

RAHEL: Herr! Ein Mädchen ist wie ein Dornbusch, das wissen Sie lange, wer ihm zu nah kommt, muß was da lassen.

FISCHER: Aber meine Umstände – ihr hättet doch Mitleiden haben sollen.

RAHEL: Was gehen uns Ihre Umstände an; wir hätten uns um viel zu bekümmern, wenn wir uns immer nach den Umständen der jungen Herren erkundigen sollten, die uns den Hof machen. So lang' er noch was hat, der verliebte Ritter, so lieb' er, hat er nichts mehr, so such' er sich andern Zeitvertreib und mache denen Platz, die geben und lieben können.

FISCHER: O, hätt' ich doch die reinern Vergnügungen der Freundschaft lieber gesucht, als eure verdammten Lockspeisen, womit ihr uns in unser unwiederbringliches Verderben verstrickt. Aber noch ist's nicht zu spät, mir Freunde zu erwerben, wenn mein Schiff nur bald käme – jetzt will ich eine andere Haushaltung annehmen.

Rahel: Aber, mein Himmel! Was stehn Sie denn so an der Tür, Herr! Wie sind Sie denn so fremd mit uns geworden? Gehn Sie doch hinein, ich bitte Sie; ich versichere Sie, daß Julchen keine Mannsperson auf der Welt so hoch schätzt als Sie.

Fischer: Ha, kann ich sie nun sprechen, ihr honigsüße doppelzüngige Schlangen!

Rahel: Wenn ich Ihnen erzählen sollte, wie oft wir an Sie gedacht, wie oft wir Ihren Tod beweint haben – o Herr Fischer! Keine Mannsperson auf der Welt könnte sich dessen rühmen.

Fischer: Sie ist also zu Hause?

Rahel: Ja, aber auch nur für Sie.

Fischer: Und befindet sich wohl.

Rahel: Ich weiß nicht – wenn sie Sie sehn wird, wird sie sich freilich wohl befinden.

Fischer: Es ist keine Kunst, den zu betrügen, Rahel! der betrogen sein will.

Rahel: Schon wieder mit Ihrem Mißtrauen. Meinen Sie, ich könnt' es über mein Herz bringen, Ihnen eine Lüge zu sagen? Ich habe Ihnen nur zuviel von der Wahrheit schon gesagt.

Fischer: Wenn du mir gut bist, meine englische Rahel! so sag' mir nur eine einzige Wahrheit, eh' ich hineingehe, eine einzige, ich versichere dich, sie soll dir belohnt werden. Sag mir – ist Julchen niedergekommen?

Rahel: Ach, ich bitte Sie, ich bitte Sie, schweigen Sie still, dringen Sie nicht in mich, ich habe keine Zeit, ich muß gehn – Spazieren Sie herein und sprechen Sie selbst mit ihr, ich bitte Sie. Sie wird gleich bei Ihnen sein, wenn Sie nur einige Minuten im Saal verziehen wollen, sie badet jetzt wirklich – lassen Sie mich, ich muß gehn, ich muß gehn. (stößt ihn hinein)

—

Dritte Szene

Rahel allein

RAHEL: Gottlob, daß ich ihn los bin. Also hat er doch noch ein Schiff – nun, nun, es war immer ein guter Junge, es tat mir ordentlich leid um ihn, daß er zuletzt so herunterkam. Es ging ihm und uns wie mit einem Rade, so wie er herunterkam, so kamen wir empor – je nun, jeder sucht zu leben so gut er kann. Es ist ja auch höchst unvernünftig, wenn die Mannspersonen fodern, wir sollen ihnen treu bleiben, wenn sie nichts mehr haben. Wenn der alte Brunnen ausgeschöpft ist, je nun, so gräbt man einen neuen. So ist der junge Herr vom Lande, hier gegenüber – wenn er nur nicht solch einen Hund von Bedienten hätte; sobald wir seinem Hause nur zu nahe kommen, so macht er einen Lärmen, ein Geschrei, als ob er Gänse aus dem Korn zu scheuchen hätte. Ich will's doch versuchen und anklopfen, vielleicht ist diesmal das junge Herrchen allein zu Hause.

—

Vierte Szene

Adam. Rahel

ADAM: Wer lärmt uns da die Ohren voll? Was wollt Ihr? Was sucht Ihr?

RAHEL: Ich bin es, Monsieur Adam! Sehen Sie mich nur an.

ADAM: Was? Meint Ihr, daß ich blind bin? Was habt Ihr in unserm Hause verloren?

RAHEL: Ich wollt ihm nur – einen guten Abend sagen.

ADAM: Ich frage den Henker nach Eurem guten Abend! Was verlangt Ihr?

RAHEL (etwas leise): Mein Schatz!

ADAM (stößt sie): Geht, seid Ihr solch eine.

RAHEL: Er ist auch gar zu tölpelhaft.

ADAM: Sucht Euren Tölpel anderwärts, oder wahrhaftig –

RAHEL: Man hört's ihm wohl an, daß Er aus dem Dorf kommt.

ADAM: Was? Und Sie? Mit Ihren ausstaffierten Knochen! Meint Sie, daß man großen Respekt vor Ihr haben soll, weil Sie das Mäntelchen da um Ihren braunen Hals gehenkt hat, da –

RAHEL: Was rührt Er mich denn an? So laß Er mich gehen.

ADAM: Will Sie mir verbieten, Sie anzurühren? Ja wahrhaftig, wo ich nicht eine von unsern alten Kühen anzufassen glaubte, als ich Ihr an den Hals griff – Wirft Sie mir das Dorf vor? Weil Sie einen aufrichtigen Menschen an mir findt, der Sie nicht in ihrer Liederlichkeit unterstützen will. Aber zum tausend Henker, was habt Ihr denn immerfort in unserm Hause zu suchen; seid Ihr denn toll, daß Ihr uns allzeit nachlauft, so oft wir in die Stadt kommen.

RAHEL: Ich wollte sehn, ob Eure Frauenzimmer zu Hause sind.

ADAM: Was denn? Ihr wißt ja, daß keine weibliche Fliege in unserm ganzen Hause ist.

RAHEL: Gott behüt', kein einziges Frauenzimmer im ganzen Hause.

ADAM: Kein einziges, kein einziges, ich sag es Euch, kein einziges.

RAHEL: Was schreit Ihr denn, wahnwitziger Mensch.

ADAM: Wo du nicht gleich von hier gehst, so werd ich dir deine bemehlten Haare mit den Wurzeln herausziehn.

RAHEL: Warum?

ADAM: Darum – und deine Pausbacken, die du da mit Ziegelstein bestrichen hast, ich will sie dir zwicken.

RAHEL: Wahrhaftig, ich bin ganz rot worden über sein Geschrei.

ADAM: Rot, du Kupplerin, als ob in deinem ganzen Leibe noch ein roter Blutstropfen wäre.

RAHEL: Was sagt' Er da für ein Wort? Was meint Er damit?

ADAM: He he! Nicht wahr, ich weiß mehr als ich wissen soll. Nicht wahr, Ihr sucht unsern jungen Herrn, daß er Euch sein Geld anhängen soll, damit Ihr ihn noch obenein zum Narren macht, nicht wahr?

RAHEL: Das verdient keine Antwort, man sieht wohl, daß er den Verstand verloren hat. Ich kenne seinen jungen Herrn nicht einmal von Ansehn.

ADAM: In der Tat?

RAHEL: In der Tat.

ADAM: Und was sagt denn die Hofmauer, die alle Nacht niedriger wird.

RAHEL: Sie wird alt sein die Mauer, es ist kein Wunder, wenn sie zusammenfällt.

ADAM: Alt – wart Ihr Drachen! Wißt Ihr, daß der alte Herr mich zum Aufseher von seinem Sohn bestellt hat? Wißt Ihr, daß ich auf alle seine Tritte und Schritte Achtung haben soll? Wart, du lüderlicher Balg! Stracks will ich gehn und meinem alten Herrn die ganze Historie erzählen: wie Ihr ihm über die Mauer geholfen habt, und wie er sich das Bein bald gebrochen hätte, meint Ihr, ich hab's nicht gesehen, vorgestern –

RAHEL (streichelt ihm die Backen): Allerliebstes Schätzchen!

ADAM: Gleich den Augenblick – meint Ihr, ich weiß von nichts? Sechsklauigte Raben! Was der Vater mit saurer schwerer Mühe und Arbeit zusammengewirtschaftet hat, das schleppt Ihr in Euer Haus herüber. Wart, Euch soll das Handwerk gelegt werden, oder ich will nicht Adam heißen, laß den jungen Herrn nur nach Hause kommen.

RAHEL (streichelt ihm die Backen): Er wird doch nicht so böse sein.

ADAM (stößt sie fort): Geh mir vom Leibe, Rabenaas. (Geht hinein und schmeißt die Tür zu)

RAHEL (niest): Itzi! Itzi! – Der ist von lauter Senf aufgefüttert, dem darf man nicht zu nah kommen, wenn man seine Nase lieb hat. Doch wollt' ich wetten, er tut's nicht, o guter Adam! Du bist noch in keinen Weiberhänden gwesen; kann man doch Löwen und Bären zahm machen. Nur Geduld – aber da kommt ja Herr Fischer schon heraus.

—

Fünfte Szene

Fischer. Rahel

FISCHER: Ich glaube, die Fische, die ihre ganze Lebenszeit baden, baden sich nicht so lang als Julchen. Ich wollt ihrem Liebhaber raten, Bader zu werden, sonst kriegt er sie den ganzen Tag nicht mit Augen zu sehen.

RAHEL: Sie sind auch sehr ungeduldig, Herr Fischer.

FISCHER: Ich habe mich schon halb tot geduldt.

RAHEL: Mit Ihrer Erlaubnis, ich muß auch in's Bad.

FISCHER: Du auch – ich glaube, ganz Königsberg hat die Badesucht – so sag deiner Jungfer wenigstens, ich warte auf sie, nun habe sie doch wohl einmal genug gebadet – hör – nein, nein, geh nur – zum Henker! geh nur, sonst werd ich noch bis Mitternacht hier stehen müssen. (Rahel geht ab) Doch möcht' ich – schade, daß ich sie nicht zurückrief – ich möchte doch gern wissen, warum sie die ganze Weil' über hier auf der Nachbarschaft an der Tür gestanden. Ganz gewiß ist da ein neuer Liebhaber – oder vielleicht gar der Vater zu dem Kinde – ich will lieber fortgehn, sie verdient nicht, daß ich ein Wort mehr mit ihr wechsle. Wenn doch mein Schiff nur käme, wie wollte ich jetzt so ganz anders wirtschaften, wie wollte ich –

Sechste Szene

Julchen. Fischer

JULCHEN (eilt mit offenen Armen auf ihn zu): Willkommen, Herr Fischer! – Sagen Sie mir doch, ist meine Tür so beißig, daß sie sich fürchten hereinzukommen?

FISCHER (halb abgewandt): O meine Standhaftigkeit! verlaß mich nicht! Meine Vorsätze –

JULCHEN: Hat Danzig Sie so steif gemacht? Nicht ein Bückling, nicht ein einziger kalter Handkuß, nach einer vierteljährigen Abwesenheit.

FISCHER: Ha, ich stehe hier wie ein Schulknabe vor der Rute.

JULCHEN: Warum kehren Sie sich weg? Bin ich so häßlich geworden? Sieht man in Danzig die Leute nicht an?

FISCHER: Julchen.

JULCHEN: Was ist? Werden Sie nicht hereinkommen? Wollen Sie nicht zu Nacht mit mir speisen?

FISCHER: Ich kann länger nicht als eine kleine Stunde bei Ihnen bleiben, also auf das Nachtessen werden Sie mich entschuldigen, ich bin schon versagt.

JULCHEN: Wo, Herr Fischer? wenn ich bitten darf –

FISCHER (sieht sie eine Weile stumm an): Hier –

JULCHEN: Das wird mir viel Vergnügen machen.

FISCHER: Mir noch mehr.

JULCHEN: Aber Fischerchen! Du mußt mir's nicht übel nehmen, ich habe vorher nur noch einen kleinen, kleinen Gang – wenn du wiederkommen wolltest –

FISCHER: Kann ich Sie nicht begleiten?

JULCHEN: Nein, das ist unmöglich – es wär auch überflüssig, es ist hier auf der Nachbarschaft – wenn du auf den Abend um neune kommen wolltest.

FISCHER: Geben Sie sich keine Mühe, mich zu erwarten, ich will Sie in Ihrem Vergnügen nicht stören.

JULCHEN: Ich sehe, du bist noch immer der alte – hör einmal! Was ist da zu verhehlen, ich weiß, daß du ein wahrer Freund von mir bist, ich will dir lieber alles gestehen. Es kommt jemand zu mir, der dich nicht bei mir sehn darf, und der wird mich vermutlich nicht eher verlassen als gegen neune.

FISCHER: Und darf man sich nicht erkundigen, was das für jemand ist?

JULCHEN: Geduld! Ich werd' es dir schon zu seiner Zeit sagen. Ihr Herren bekümmert euch auch um alles – haben Sie eine vergnügte Reise gehabt, Herr Fischer!

FISCHER: Eine Reise aus Königsberg – o Grausame! Wie konnte die vergnügt sein?

JULCHEN: Ich habe Sie ja noch nicht einmal umarmt. (umarmt ihn) Willkommen bei uns!

FISCHER: O Himmel! Hast du noch höhere Freuden?

JULCHEN: Wie denn? Und Sie geben mir kein Küßchen zum Willkommen?

FISCHER: Hundert –

JULCHEN: Gemach – Sie geben mir mehr als ich verlange.

FISCHER: O, daß ich so haushälterisch mit meinem Geld gewesen wäre, wie Sie mit Ihren Küssen.

JULCHEN: Sie sehn, daß ich Ihnen zu ersparen suche, wo ich nur kann.

FISCHER (hastig): Ha – wenigstens die Zeit nicht. Ich hab' eine ganze Stunde in Ihrem Vorzimmer verloren. Und hätt ich Rahel nicht hineingeschickt, Sie badten wohl noch.

JULCHEN: Glauben Sie ja, daß ich's noch nötig haben würde?

FISCHER: Sie nicht, aber ich vielleicht, alsdann würden Sie sich weniger scheuen zu küssen.

JULCHEN: Ha ha ha, Sie irren sich, Herr Fischer – Sie glauben also, Herr Fischer! Wenn Sie sich erst schmuck machen, dann wären Sie unwiderstehlich.

FISCHER: Sie sind sehr gütig, Mamsell.

JULCHEN: Und Sie ungemein artig, Monsieur! Man sieht doch gleich, was die Reisen machen. Aufrichtig, Sie haben sich in den zwei Monaten sehr zu Ihrem Vorteil verändert.

FISCHER: Sie gleichfalls, ich versichere Sie – bis auf die Taille. (sieht sie steif an) Man hat's mich schon unterwegens versichern wollen, ich hab es aber nicht geglaubt.

JULCHEN: Was geglaubt – heraus damit – ich sehe doch, daß es Ihnen die ganze Zeit über schon in der Brust gekocht hat, heraus damit –

FISCHER: Ehrlose –

JULCHEN: Ha ha ha.

FISCHER: Schändliche! –

JULCHEN: Ha ha ha – lassen Sie mich zu Atem kommen – ha ha ha ha –

FISCHER: Laß mich dich nie wieder zu Gesicht bekommen. (will gehen; sie hält ihn)

JULCHEN: Nun – Sie werden mich doch auch hören, Herr Vormund! der Sie so vielen Anteil an meiner Aufführung nehmen – es ist wahr, ich muß es Ihnen gestehen, die Nachricht, die man von mir ausgesprengt hat, ist nicht ohne Grund, ich hab in Ihrer Abwesenheit einen jungen Sohn bekommen.

FISCHER: Gütiger Himmel –

JULCHEN: Ha ha ha, ich muß Ihnen den Knoten nur auflösen. Sie erinnern sich doch noch an den Rittmeister Schlachtwitz, der vor einem Jahr fast täglich in unser Haus kam.

FISCHER: Nun –

JULCHEN: Das Original – er versicherte mich mit hundert Schock Millionen Flüchen, er wollte mich einmal zu seiner Erbin machen: Sie wissen, daß er, seitdem seine alte Schwester Platz gemacht hat, ganz ohne Erben ist. Ich lachte damals nur darüber, aber als ich es reiflicher überlegte, so schien mir sowohl als meiner Mutter das Ding so lächerlich nicht. Ich entschloß mich kurz, einen Sommerabend lud ich ihn auf Austern zu uns, nachher trunken wir englisch Öl zusammen; er ward voll, eh ich mir's versah, und schlief fest auf unserm Kanapee ein: das war's, was wir verlangten. Ich blieb bei ihm sitzen, meine Mutter machte gegen den Morgen einen erschröcklichen Lärmen: sie hätte uns beide in einer Stellung betroffen, die sich nur für Eheleute schickte; sie wollte, Herr von Schlachtwitz sollte augenblicklich, um den

Schimpf wieder gut zu machen, den er unserm Hause angetan, in Gegenwart unsers Beichtvaters und des Notärs sich mit mir verloben: er zitterte und bebte, als meine Mutter selbst fortging, den Prediger zu holen, und uns're Lene zum Notär schickte, o Fischerchen! Wenn ich Ihnen seine Figur abzeichnen könnte – Sie lachten sich tot – wie er alle Augenblicke bald mir in die Augen, bald in die Luft zum Fenster hinaus sah, den Kopf noch ganz verzettelt vom gestrigen Rausch, und mit einer Miene, die beständig zu fragen schien: träum' ich noch oder ist das wirklich so? Um den Spaß vollkommen zu machen, fing ich an ihm tausend kleine Karessen zu machen, das war eine Sprache, die er sonst nicht von mir zu hören gewohnt: nun hätten Sie die Verlegenheit sehen sollen, in der er war, ob er mir antworten sollte oder nicht. Kaum aber sah er meine Mutter mit dem Prediger die Straße herabkommen, so nahm sein ad'liges Blut reißaus, er wurde blaß wie ein Tuch, stieg, eh ich's mir versah, zum Fenster hinaus auf unsern Balkon, und das die Treppe hinunter wie Joseph; seinen Hut behielt ich in der Hand – Herr Rittmeister, Herr Rittmeister, schrie ich und lachte, daß ich Kopfschmerzen bekam; aber er verschwand mir wie der Blitz aus dem Gesicht und tags darauf auch aus Königsberg – Warum lachen Sie denn nicht, Herr Fischer, ist das nicht lächerlich –

Fischer: Ist denn das alles? Fahren Sie doch fort.

Julchen: Nun? So hitzig? – Hören Sie nur! Vor einigen Tagen schreibt er aus Marienburg an mich, denn er ist bei dem Kordon, welchen der König gezogen hat, ins Polnischpreußische einzurücken – er habe gehört, ich sei mit einem Kinde von ihm schwanger; wenn's glücklich zur Welt käme, sollt' ich mich nur auf dem Grünstädtschen Kontor melden, er hätte Ordre gelassen, mir jährlich zur Erziehung des Kindes tausend Taler auszuzahlen; er werde, so wie heute, nach Königsberg kommen, ich könne versichert sein, daß, obschon sein Stand und seine Geburt ihm verböten, mich zu heiraten, so werd' er mich doch in allen Stücken, sowohl bei seinem Leben als nach seinem Tode, nicht anders ansehn, als ob ich seine rechtmäßige Gemahlin wäre.

Fischer: Und von wem kann der nichtswürdige Kerl eine solche Nachricht gehört haben?

JULCHEN: Simpler Herr Fischer – ich selbst war's, die ihm das steckte, ich selbst habe die Nachricht in ganz Königsberg ausgesprengt; denn meinen Sie, daß ich mich was darum bekümmere, ob mich die Leute für dies oder das halten? Ich bin nicht in Preußen geboren, ich will auch in Preußen mein Glück nicht machen, wahrhaftig, dazu steht die Nase mir noch zu hoch. Kann ich aber hier etwas mit guter Manier mitnehmen, warum nicht? der Weg nach Petersburg ist lang.

FISCHER: Muß es denn immer Petersburg sein –

JULCHEN: Hören Sie nur! Heut morgen schicken wir die Lene in der ganzen Stadt herum, irgend ein armes Kind zu entdecken, das die Mutter uns für Bezahlung auf einige Jahr überlassen wollte; alles umsonst. War das nicht den Schlag zu kriegen? Endlich ganz von ungefähr' erfahr' ich, daß hier in unserer Straße eine Jungfer vor fünf, sechs Tagen niedergekommen sei, die ihrem Vater das Kind sorgfältig zu verhehlen suche, es aber nirgends unterbringen könnte. Stellen Sie sich vor, wie groß meine Freude war –

FISCHER (bei Seite): Hier in der Straße – o Himmel, es wird doch nicht Jungfer Reibenstein – Darum schrieb sie mir, ich möcht' mich zurücksputen –

JULCHEN: Ich steckte dem alten Weibe, das mir die Neuigkeit erzählte, für Freude gleich einen Dukaten in die Hand und schickte die Lene sogleich zum alten Reibenstein – Sapperment, ich sollt' Ihnen den Namen nicht nennen, nun, ich weiß, Sie werden's niemand wieder sagen – sie kennt die Magd aus dem Hause – kurz, das Kind ward glücklich mir untergeschoben und jetzt passe ich nur hier; der Postbediente hat mir versprochen, sobald der Rittmeister ankommt, mir gleich die Nachricht zu bringen, und dann leg' ich mich zu Bette – sehen Sie, heißt das nicht seine Sachen gut machen?

FISCHER: Jungfer Reibenstein niedergekommen –

JULCHEN: Nur keinen Lärmen davon gemacht, ich bitte Sie, ich möchte auch gern wissen, wer der Vater zu dem Kinde wäre; wissen Sie, daß es Ihnen ähnlich sieht?

FISCHER: Sie wollen also heut die Wöchnerin spielen?

JULCHEN: Ja, und kann ich's nicht? Sehn Sie, wie lilienbleich ich bin und die Augen wie eingefallen – o ho! So etwas muß man nur mir überlassen, ich bin zur Komödiantin geboren und will auch eine werden, es mag bauen oder brechen.

FISCHER: Julchen, aufrichtig, die ganze Maskerade gefällt mir nicht.

JULCHEN: Mag sie Ihnen gefallen oder nicht, sie bringt mir tausend Taler jährliches Einkommen und noch vielleicht einmal eine Erbschaft, die sich gewaschen hat.

FISCHER: Und was soll denn aus mir werden? Grausame!

JULCHEN: Denk doch – ein geschickter Herr Fischer soll aus Ihnen werden, der nicht über jede Flieg' an der Wand gleich das fallende Weh bekommt. Lassen Sie mich erst das vom Rittmeister haben, was ich suche, so soll's mir leicht werden, ihn wieder über Hals und Kopf aus Königsberg zu jagen wie vor einem Jahr. Kennen Sie mich noch nicht, Fischerchen, Fischerchen – A propos, das fällt mir ein – hören Sie nur, ich muß etwas machen, das Kind ist so jung nicht mehr, ich will einige gute Freundinnen zu mir bitten und ihnen eine kleine Kollation vorsetzen, als ob es heute die Nottaufe erhalten hätte, es ist schon vier Tage alt –

FISCHER: Aber Sie werden doch Ihren neuen Gemahl nicht in Ihrem Hause logieren?

JULCHEN: Ja, das wäre mir! In unserm Hause logieren – sehn Sie denn nicht, Herr, daß ich eine arme Kindbetterin bin, die noch lange nicht aus aller Gefahr ist und Ruhe und Stille braucht – da sollten wir einen Dragonerrittmeister mit Pferd und Bedienten in unserm Hause logieren, das wäre mir – aber was meinen Sie zu der Kollation, Fischerchen, ich dächte, wenn ich einige eingemachte Sachen und wo eine kalte Pastete – der Wein, der Wein muß das beste tun, ich habe gehört, Döbschütz soll ganz unvergleichlichen Champagner bekommen haben.

FISCHER: Lassen Sie mich dafür sorgen.

JULCHEN: Ich wollte Sie gern bitten, Fischerchen! mit teil daran zu nehmen, aber Sie sehen selbst ein, daß das bei meinem Rittmeister übles Geblüt setzen könnte; aber morgen früh sein Sie so gütig und trinken die Schokolate mit mir, da will ich Ihnen erzählen, wie alles gegangen ist; o, da werden wir uns recht satt lachen, ich bin's versichert – aber hören Sie doch, Pahlmann soll noch bessere feine Weine haben, der Rat Schulz hat neulich bei uns gespeist, er versicherte, daß er in seinem Leben noch nirgends so guten Tokayer getrunken.

FISCHER: Lassen Sie mich nur dafür sorgen, es soll alles so sein, als ob Sie's selber angeordnet hätten: ich gehe und werd' Ihnen in einer halben Stunde meinen Bedienten zuschicken –

JULCHEN: Ich kenn' Ihren guten Geschmack: also auf morgen früh, *mon petit* Fischer. (trippt hinein)

FISCHER: Welche Naivetät! Welche Aufrichtigkeit! Reizendes Mädchen! Keine leibliche Schwester vertraute das der andern an, was sie mir – o, sie liebt mich, jetzt hab ich bis auf den Grund ihres Herzens gesehen, das ist ein Mädchen, wie ich's haben muß, betrügt die ganze Welt und liebt mich allein. Wie konnt ich doch, göttliches Mädchen! so niederträchtig von dir denken, dir Eigennutz zuschreiben – bist du schuld daran, daß ich mein Geld wegwerfe, daß ich mich ruiniere? Und was habt ihr denn auch groß gegeben? Bagatellen, Nichtswürdigkeiten, die ich mir selber nicht nennen darf – o Julchen, wenn du meinen letzten Blutstropfen von mir fordertest, du verdientest ihn.

—

ZWEITER AKT

—

Erste Szene

DAS INNERE DES HAUSES UND EIN TEIL VON DER STRASSE

Julchen nachlässig gekleidet, wie eine Wöchnerin. Rahel

JULCHEN: Also ist er angekommen – in der Tat, mir ist ein wenig bange – desto besser – desto leichter kann ich mich krank stellen. – Aber höre nur, Rahel, das Ding kreuzt sich heut so, die Kollation, zu der ich den Junker vorgestern invitierte, und meine Wochenstube und des Rittmeisters Ankunft – wart', ich muß schon sehn, wie ich alles vereinige, so wird das einer der fettesten Tage, die ich noch in Königsberg gehabt habe. Das lustigste ist, daß der ehrliche Fischer selber die Sorge für die Kollation übernimmt – aber stille, da seh ich den Rittmeister schon am Ende der Straße stehn und mit einem andern Offizier sprechen: ha, nun muß es losgehn, (stöhnt) Ach – ach, Rahel! – komm! Lege mich zu Bette! Hilf mir armen Wöchnerin! – Wie matt ich bin! Zieh mir die Schuh aus – leg' mir das Mäntelchen um – so – hilf mir, hilf mir, hilf mir – wo seid ihr, Lene! – Laß mir Tee machen – rück' mir die Toilette näher an's Bett – hast du nicht ein Tropfenglas – jetzt, jetzt laß mich! Zieh die Gardine vor – ich will schlafen –

—

Zweite Szene

Herr von Schlachtwitz zu den Vorigen. Ein Postbedienter folgt ihm mit einem großen Pack unter'm Arm

HERR VON SCHLACHTWITZ (zum Postbedienten): Wenn ich geneigt zum Prahlen wäre, so könnte ich euch drei Tage lang erzählen – aber ich lasse lieber meine Hände triumphieren als meine Zunge. Mögen andre sich zum Helden lügen, denk' ich, oder solch einen Bänkelsänger von Homer mieten, der ihnen Siege an den Hals wirft, die sie nicht erfochten haben: ich verlasse mich auf die Augenzeugen meiner Taten und bekümmere mich um die Hörensager und um's Lob der Narren nicht. Als wenn ich euch jetzt versichern wollte, daß ich mit eigner Hand zweitausend Polen zerstreut, erlegt und zu Kriegsgefangenen gemacht, nicht wahr, Ihr würdet's mir nicht glauben? Aber laßt es die Leute sagen, die es zugesehen haben.

JULCHEN (hinter der Gardine): Wer spricht da?

RAHEL (wendet sich um und tut einen Schrei): O Himmel! Es ist der gnädige Herr.

HERR VON SCHLACHTWITZ (legt die Hand auf den Mund und nähert sich dem Bette auf den Zehen: leise): Ist's schon vorbei? – – Wie befindet sich die Wöchnerin?

RAHEL: Ja, Gottlob! Und ein gar zu lieber Junge, Herr Rittmeister –

HERR VON SCHLACHTWITZ: Sieht er mir ähnlich?

RAHEL: Als aus den Augen geschnitten – Stellen Sie sich vor, kaum war er zur Welt geboren, so griff er dem Akkoucheur nach dem Degen.

HERR VON SCHLACHTWITZ: Da erkenn ich meine Arbeit. Nun, das heißt mir doch einen Mann, (schlägt sich auf die Brust) und ich weiß, hol mich der T– noch diese Stunde, nicht, wie es zugegangen. Hör' zeig' mir doch den Burschen her, (sie holt ihm ein Windelkind) Pfzwz! Junge – das ist wahr, es ist zu bewundern, wie ähnlich er mir sieht. – Aber wie ist denn der Kerl so groß denn? Er könnte ja bald Uniform anziehen.

RAHEL: Es ist heute schon der fünfte Tag, gnädiger Herr – – aber ich glaube, Julchen ist aufgewacht.

JULCHEN: Wo bist du denn, Rahel! Warum lässest du mich allein?

RAHEL: Hier bin ich und bringe Ihnen, was Sie so sehnlich gewünscht haben. (zieht die Gardine weg)

JULCHEN (tut einen Schrei). O Himmel! Wen sehe ich?

HERR VON SCHLACHTWITZ: Heil dir, meine Venus! Heil wünscht dir Mars, dein Gemahl. Ich komme, mit dir auf meinen Lorbeern auszuruhen.

JULCHEN: Unheil über dir Grausamer! dessen Liebe mir bald auf ewig den Anblick des Tagslichts entzogen hätte. Barbar! Du hast keinem von deinen Feinden so viel Schmerzen verursacht als mir –

HERR VON SCHLACHTWITZ (wischt sich die Augen): Mein teuerstes Julchen! Du sollst sie nicht umsonst gelitten haben. Freu dich, dafür hast du jetzt einen Sohn, der noch einmal Schlachtwitz der Zweite heißen wird.

JULCHEN: Eh seine Mutter das erlebt, wird sie längst Hungers gestorben sein.

HERR VON SCHLACHTWITZ (hastig): Daß das Donnerwetter die Posten – hast du denn meinen Brief aus Marienburg nicht erhalten? Ich habe dir jährlich tausend Taler ausgemacht, mein Engelchen, du kannst sie bei'm Kommerzienrat Grünstädt heben lassen, wenn du willst.

JULCHEN: Sie sind schon gehoben. Wenn du mich küssen willst, so bücke dich her zu mir, ich kann den Kopf nicht – aufheben, (versucht sich aufzurichten, fällt aber gleich wieder hin) Aye! Wie weh er mir tut.

HERR VON SCHLACHTWITZ: Und müßt ich mitten aus dem Meer einen holen, so sollte mich der Weg nicht gereuen (küßt sie): Du weißt noch nicht, meine Prinzessin, was ich dir mitgebracht – kommt näher, Kerl – vor's erste, dies Schoßhündchen, es ist ein echter Bologneser, ich versichere dich.

JULCHEN (nimmt ihm den Hund ab): O weh, noch mehr Brotfresser in's Haus.

Herr von Schlachtwitz (schüttelt mit dem Kopf): Nur stille, mein Schatz! – langt mir doch die Schachtel her! Siehst du, das sind die Blonden von den allerfeinsten, zu drei Besätzen – siehst du, wie fein, ich habe sie grade aus Paris kommen lassen – und hier ist Stoff zum Kleide, was mein'st du, wenn es reicher wäre? Sieh nur her, Silberstoff zum ganzen Kleide – was sagst du dazu, Engelchen?

Julchen: Solche Lappalien für so viel Schmerzen.

Herr von Schlachtwitz (geht ein paar Mal in der Stube auf und nieder, dann nähert er sich dem Bette wieder): Hör' einmal, Julchen – ich habe noch was – aber du bist mir ja heut so mürrisch, was fehlt dir denn? Siehst du hier, (zum Postbedienten, der ihm ein Pack langt) gebt her – – das ist ein Zobelpelz, den ich durch einen ganz besondern Kanal in Petersburg bekommen habe – weiß – was mein'st du dazu – das ist eine kaiserliche Tracht – liebst du mich nun, mein Täubchen?

Julchen: Sie verdienen es nicht.

Herr von Schlachtwitz (wie oben): Die ist nicht zu erfüllen; wenn der Sohn von Gold wäre, könnt' man ihn mir nicht teurer verkaufen; ich glaube, sie liegt noch in den Wehen, das macht sie so arg; ich denke, ich lass' es vorübergehen und speise zu Nacht in der Auberge. – Adieu, mein Truthühnchen! Wirst du mir's wohl vergeben, wenn ich heut nicht mit dir zu Nacht esse: ich bin invitiert worden. Ruh unterdessen ein wenig, du hast es nötig – (geht. Vor sich, auf der Straße) kein Wort zurück! Keine Silbe von großem Dank! – Ganz gewiß, es sind die Nachwehen – aber was in aller Welt ist das für eine Karawane von Körben, die hier zu ihr geht. Ich will mich doch in jenes Fenster legen, das offen ist, und zuhören, was der Kerl bei ihr anzubringen hat. Es wird doch zum tausend Wetter kein neuer Liebhaber –

—

Dritte Szene

Hans mit einem Korbe, ein kleiner Junge mit noch einem Korbe folgt ihm. Im Hause bleibt Julchen wie oben im Bette liegen, eifrig beschäftigt mit Rahel ihren Putz durchzusehen. Herr von Schlachtwitz hat sich von der Straße in eins ihrer Fenster gelegt, ohne daß sie ihn gewahr wird

HANS: Frisch, Junge! So muß es gehn mit den jungen Herren, ihr Haus von allem Mammon ledigen, alle den Sauerteig ausfegen – und wir helfen ihnen getreulich. Ich hab' mir von den fünf Dukaten, die mir Herr Fischer für den Pastetenbäcker gab, nur einen einzigen zu mir in den Sack gesteckt, das andere hat er alles selber gekauft. Lieber Gott, von einem Fluß, der in's Meer lauft, steht es doch wohl frei, sein Eimervoll abzuschöpfen – es ist doch verloren Geld, denn die Jungfern sind noch zehnmal ärger als das Meer, das speit doch noch von Zeit zu Zeit wieder was heraus – (tritt herein) Einen schönen guten Abend, Mamsell (hustet) Madam – wenn Sie es nicht übel nehmen wollen. –

JULCHEN (richtet sich hastig auf): Von wem seid Ihr?

HANS: Ganz und gar zu Ihren Diensten, der junge Herr Fischer! gnädiges Fräulein, hat mich hergeschickt –

JULCHEN: Er ist sehr gütig – nimm' doch entgegen, Rahel.

HANS: Ja, er ließ auch bitten, vor diesmal mit seinem guten Willen vorlieb zu nehmen, bis er besser mit der Tat kann, es ist ihm so ganz auf den Stutz gekommen, sagt er, sonst hätt er's schon besser machen wollen, und daß die Pastete so klein ist, der Bäcker hat sie eben schon in den Ofen geschoben gehabt, als ich kam, sie zu bestellen. Und was den Wein anbetrifft, Sie werden verzeihen, eine Bouteille ist mir unterwegens entzweigegangen – indessen denk ich doch, es wird Wein genug da sein.

JULCHEN: Ich bin Herrn Fischern unendlich verbunden für die Sorgfalt, die er angewandt hat – Sagt ihm nur, der Offizier sei auf eine halbe Stunde fortgegangen, wenn er sich die Mühe geben wollte, mich zu besuchen; aber freilich könnte ich's auf keine längere Zeit annehmen, als höchstens eine halbe Stunde, so wollt ich ihn recht sehr lustig machen, sagt ihm nur –

HANS (mit lächerlichen Verdrehungen): So! Fräulein! – Madam! – Sehen Sie doch – sehn Sie doch, was da für ein schnackischer Kerl zum Fenster hereinguckt – sieht aus, als ob er uns alle fressen wollte, er muß verruckt sein –

JULCHEN (biegt sich vorwärts und fällt plötzlich zurück): Um's Himmelswillen! Es ist mein Mann.

HANS: Der? Ihr Mann? He he, he, der? He he he! Hören Sie, wie er seufzt, wie er schreit, wie er mit den Zähnen klappert, (geht vorwärts) Ah – – ho ho ho, er schlägt sich mit den Fäusten vor'n Kopf, als ob er ein Ochs wäre – ho ho ho, sagen Sie mir, ist's ein Hexenmeister, daß er sich selbst so peinigt.

SCHLACHTWITZ (springt zum Fenster hinein): So will ich denn meinem Zorn Luft machen – – Verwegner! Elender! Wer bist du? Wem gehörst du an?

HANS: Ich bin Hans, Herr –

SCHLACHTWITZ: Wie unterstehst du dich, über diese Schwelle zu treten?

HANS: Weil ich nicht mag zum Fenster hereinkommen, wie Er tut, he he he.

SCHLACHTWITZ: Antworte mit Respekt, Hund oder – (zu Julchen) und du – und du – – ich kann nicht reden.

HANS: So schweig Er still, Herr, wenn Er nicht reden kann.

SCHLACHTWITZ: In meiner Gegenwart Geschenke anzunehmen? Und ihm so viel Danksagungen zurückzuschicken? Und ihn – und ihn – den Hundejungen, wenn ich ihn nur kriegen könnte! Ihn zu dir zu invitieren!

HANS: Herr, schelt' Er meinen Herrn Fischer nicht – oder das Ding wird nimmermehr gut gehn.

SCHLACHTWITZ: Wo du noch ein Wort sagst, will ich dich in Stücken zerhauen.

HANS: Ja rühr' Er mich an – rühr' Er mich an!

JULCHEN: Sie sollten sich doch schämen, Herr Rittmeister! Auf Leute zu schimpfen, die mir Höflichkeiten erweisen.

SCHLACHTWITZ: Wie heißt er? Nenne mir ihn! es soll kein Gebein von ihm übrig bleiben.

JULCHEN: Sie sind sehr artig – Leute, ohne deren Hülfe ich in dem ganzen Jahr, da Sie mich verlassen hatten, mich vielleicht kein einzigsmal mit Vergnügen würde satt gegessen haben.

SCHLACHTWITZ: Ich will ihn gleich aufsuchen – er soll sterben –

HANS: Ja probier' Er – komm Er, komm Er mit mir, ich will ihm das Haus zeigen.

SCHLACHTWITZ: Willst du das Maul nicht halten? (hebt den Stock zu wiederholten Malen, springt aber allezeit zitternd zurück, so oft Hans eine Bewegung macht) Willst du nicht schweigen? Ich will dich zerspießen, zerhacken, zertrümmern, zer – (läuft in die Kammer)

HANS: Das war sein Glück. – Der Kerl tut breit, weil er den Bratenwender da an der Seite hängen hat, wart, ich will meinen aus der Küche holen, wir wollen sehen, wer besser fechten kann. (ab)

SCHLACHTWITZ (kommt wieder hervor und geht hastig auf und nieder): Hah – hah –

JULCHEN: Gib mir meine Schuh – hilf mir in die Kammer, Rahel! Der Lärm wird mich noch um's Leben bringen. (geht mit Rahel ab)

SCHLACHTWITZ (ohne es gewahr zu werden): Gib mir meine Blonden wieder, meinen Zobelpelz wieder – meinen Stoff zum Kleide – – fort! Die Tür hinter sich zugeschlossen – höre doch – das ist schön – Julchen! Höre doch – das ist schön! – Was hält mich ab, dieses ganze Haus in Grund zu bohren – das macht sie keck, daß sie einen Sohn von mir hat – höre doch! Mach' auf! Mach' auf! Wahrhaftig, es wird dich gereuen, ich gehe fort, ich komme nicht mehr wieder, ich komme nicht mehr wieder (schreit) ich komme nicht mehr – o!! (läuft fort)

—

DRITTER AKT

—

Erste Szene

Herr von Bauchendorf. Hernach Rahel

BAUCHENDORF: Ist das nicht ein ordentliches Mirakel, daß mir da eben der Metzger entgegenkommen muß, als ich nach der Stadt reite, und mich gleich fragen muß, ob ich der Herr von Bauchendorf bin, und sich da gleich die Katze vom Leib schnallt mit funfzig Dukaten, die er ihm für Mastochsen schuldig ist. Ha, die bring ich nun gradeswegs zu meinem Julchen, mag der Metzger sehn, wie er's mit meinem Vater ausmacht, daß er so viel Zutrauen zu einem jungen verliebten Kerl gehabt hat. Aber was wird mein Vater sagen? Was wird meine Mutter sagen, wenn sie in die Stadt kommt! Ei was, ich will nun anklopfen, dafür speis' ich heut zu Nacht mit Julchen, ich liebe Julchen noch mehr als meine Mutter –

RAHEL: Wer ist da?

BAUCHENDORF: Ich bin da.

RAHEL: Wer? (macht auf) Ach sind Sie es? Kommen Sie doch herein! Warum tun Sie denn so fremd –

BAUCHENDORF (putzt sich): Sie ist doch zu Hause, mein Julchen ist doch zu Hause? Hat sie schon lang auf mich gewartet?

RAHEL: Ei ja doch, es steht alles fertig – aber weiß es Ihr Herr Vater auch, daß Sie hier sind.

BAUCHENDORF: Den Deutscher auch! Meint Sie, ich werd ihm das sagen? Ich kann heut bleiben bis Mitternacht, mein Vater glaubt, ich bin auf dem Lande; ich komm' auch wirklich vom Lande, Sie sieht es mir wohl an; ich bin geritten, daß ich nicht mehr sitzen kann, alles wund – alles wund.

RAHEL: Nun, nun gehn Sie nur herein, es wird schon besser werden.

BAUCHENDORF: Hör' Rahelchen, ich mein', ich bleib lieber die ganze Nacht hier; mein Vater vermißt mich jetzt nicht, und Julchen wird mir das wohl erlauben: nicht? (knöpft sich die Weste auf)

RAHEL: Wir wollen sehen –

BAUCHENDORF: Rat einmal, Rahelchen! wie viel Geld in dieser Katze ist.

RAHEL: Wir wollen sehen – gehn Sie nur herein – (hastig) o Himmel! Gehn Sie nur, ich seh dort eben Ihren Adam herkommen – wenn er nur nichts gemerkt hat: ich will ihn abfertigen. – (Bauchendorf läuft hinein)

—

Zweite Szene

Adam. Rahel tut, als ob sie nach der andern Seite der Straße hinabsähe

ADAM (in einiger Entfernung): Ganz gewiß wischte da jemand hinein, ich sah's gar zu deutlich. Es wird bald Nacht, und er kommt noch nicht. Das Ding ist nimmermehr richtig, so lange wird er nicht auf dem Lande bleiben – ich muß sehn, ob ich hinter die Sache kommen kann – ich muß ihr nur gute Worte geben –

RAHEL: Wenn ich ihn nur verliebt machen könnte, so ging alles gut – (Adam faßt sie an, sie tut, als ob sie erschrecke) Ach – was will Er hier?

ADAM: Einen schönen guten Abend, Jungfer.

RAHEL: Ich frage den Henker nach seinem guten Abend. – Kommt Er wieder her zu zanken?

ADAM: Ach Jungfer – ich weiß nicht – ich bin nicht mehr, der ich war – warum läuft Sie denn fort?

RAHEL: Soll ich mich wieder von Ihm herumstoßen lassen?

ADAM: Sag' Sie, befehl' Sie nur, Sie kann mit mir machen, was Sie will, ich bin derselbe Mensch nicht mehr, der ich war, mein Herz ist auch so weich – (will sie umarmen)

RAHEL (stößt ihn fort): Was hat Er in unserm Hause zu suchen? Wo Er nicht gleich von hier geht, ich werd ihm seine grobe Knochen geschmeidig machen.

ADAM (umfaßt ihr Knie): Seht doch nur – das ist die Stadt – seht doch nur, ich kriege ganz andere Manieren und Façonen in der Stadt – ich muß Ihr zu Füßen niederfallen. (kniet vor ihr und reißt sie mit auf die Knie hinab) Ich bitte Sie um Vergebung. (zieht einen Beutel mit Geld heraus, den er ihr mit Gewalt in die Tasche steckt) Verzeih' Sie mir alle meine Sünden.

RAHEL: Nun, es freut mich doch, daß Er Verstand bekommt – Aber steh Er auf, wenn jemand vorbei ginge – ich bitt' Ihn, steh Er auf, oder laß Er mich wenigstens aufstehn, Er mag immer liegen bleiben.

ADAM: Nein, ich laß Sie nicht, bis Sie mir vergeben hat.

RAHEL: Ich vergeb' ihm, ich vergeb' ihm – was werden die Leute sagen?

ADAM (richtet sich auf, indem er sie immerfort fest am Boden hält): Laß Sie sagen, was sie wollen.

RAHEL: Ist Er denn rasend –

ADAM: Bis Sie mir erlaubt hat hineinzugehen –

RAHEL: Laß Er mich doch aufstehn – ich werde Gewalt schrein.

ADAM: Will Sie mir erlauben hineinzugehen?

RAHEL: Ja, ja, zum Henker. (er läßt sie los, sie steht auf und will zuerst hinein, er hält sie zurück)

ADAM: Sie muß mich mitnehmen, oder – gleich noch einmal auf die Knie –

RAHEL: Liebster Adam! Es ist jetzt unmöglich, meine Jungfer hat mir verboten, keinen Menschen auf der Welt einzulassen –

ADAM: Aber ich muß hinein –

RAHEL: In einer halben Stunde, wenn Er will.

ADAM (stößt sie hinein und folgt ihr mit Gewalt): Ja, ich werd sie behalbstunden –

VIERTER AKT

Erste Szene

FISCHER: Nein! Nein! Auf der ganzen Welt ist kein Mensch so glücklich als ich; ich werde noch närrisch für Freude – sie hat mein Präsent sogleich in die Kammer tragen lassen und ist drüber mit ihrem Offizier in Händel geraten – O! O, wie freue ich mich. (macht einen Sprung) Jetzt ist sie mein! Wenn der Offizier sie verläßt, wirft sie sich mir in die Arme und – geht mit mir zu Grunde. Ei was? Ich bin glücklich, wenn ich so zu Grunde gehe. – – Halt, ich muß doch aufpassen, ob hier niemand herauskommt, sie hat mich auf eine halbe Stunde zu sich bitten lassen, und die ist schon meist verflossen, vielleicht ist der Offizier schon zurückgekommen – der verdammte Mäkler, daß er mich auch so lang aufhielt – oder vielleicht kommt er auch gar nicht wieder – o, ich möcht' um wer weiß wie viel, daß jemand herauskäme.

Zweite Szene

Rahel. Fischer

RAHEL (ins Haus hineinsprechend): Sorgen Sie nicht, es soll Sie niemand überfallen, machen Sie nur, daß er keinen Groschen behält, jetzt ist's Zeit zum Schmieden, da's Eisen warm ist, ich will unterdessen Schildwacht stehn.

FISCHER: Rahel – bißt! – Rahel! Wer ist drinne? Ist der Offizier drinne?

RAHEL (erschrickt): O weh – müssen Sie denn auch immerfort einen erschröcken.

FISCHER: Geschwind, wer ist drinne, wer ist's?

RAHEL: Der Offizier ist drinne – nein, der Junker ist drinne – ich weiß nicht, wer da ist.

FISCHER: Der Junker – welcher Junker? Laß mich hinein.

RAHEL: Sind Sie wunderlich? – Ich kann Sie nicht hineinlassen – warum kommen Sie denn auch immer zur Unzeit?

FISCHER: Bin ich euch schon wieder zur Unzeit? welcher Junker, ich will es wissen, ich will hinein.

RAHEL: Sie können nicht hinein – stille nur, ich will Ihnen alles erzählen, aber Sie müssen mir auch versprechen, daß Sie hübsch artig sein wollen. Wir haben einen Schatz gefunden, Herr Fischer! Und darum darf ich niemand hineinlassen.

FISCHER: Geschwätz!

RAHEL: Hören Sie doch nur, Sie kennen den Herrn von Bauchendorf doch hier auf der Nachbarschaft. Dessen Herr Sohn sitzt drinnen und blecht.

FISCHER: Verräterin.

RAHEL: Schon wieder? Ich glaub, es tut Ihnen weh, wenn meine Jungfer Geld bekömmt? Ein Kopf ohne Hirn, das freigebigste Herz von der Welt und eine Katze mit funfzig Dukaten – ist das kein Schatz? Und geht Ihnen dadurch was ab? Hören Sie, wie sie gesundheiten! Jetzt versäuft er noch den letzten Gran Verstand, den er übrig hat, und dann ist sein Geld unser.

FISCHER: Mein Nebenbuhler auf meine Kosten mit ihr schmausen? In meinem Wein ihre Gesundheit trinken – laß mich hinein.

RAHEL: Daß Sie mit trinken können? Pfui, schämen Sie sich, was Sie gegeben haben, wieder aufzuessen.

FISCHER: Hätt' ich mir das vorgestellt? Ist das die Kindtaufe –

RAHEL: Wunderlicher Herr Fischer.

FISCHER: Ist das die Aufrichtigkeit, mit der ich mir von ihr schmeichelte? O ich Elender! Elender!

RAHEL: Der Neid macht Sie elend – glauben Sie mir, es ist kein größerer Einfaltspinsel auf dem ganzen Erdboden, als wer einen anderen beneid't.

FISCHER: Auf meine Kosten sich lustig mit ihr machen – laß mich hinein, ich werde keinen Mundvoll essen.

RAHEL: Es kann nicht sein.

FISCHER: Du glaubst nicht, welchen schwachen Magen ich habe.

RAHEL: Es ist nicht um's Essenswillen, Sie würden uns alles verderben, das können Sie ja selbst wohl einsehn – hören Sie, man ruft mich, ich werde meiner Jungfer sagen, daß Sie hier sind – lassen Sie mich, ich werde gleich wieder herauskommen.

FISCHER: Du kommst aber gewiß. (Rahel reißt sich von ihm los und geht hinein, nachdem sie die Tür vorher zugeworfen) Was ist das? – – sie wird nicht wiederkommen – nein, sie kommt nicht – – und ich sollte das leiden? O ich will dir eine Musik unter dem Fenster machen, daß dir die Ohren gellen sollen, Buhlschwester! Leutebetrügerin! die ihnen das Geld aus dem Beutel holt, ohn' einmal einen großen Dank dafür zu sagen: ich will dich bei allen Gerichten verklagen, ich will dich an Pranger bringen, Giftmischerin! Menschendiebin! Die den Müttern ihre Kinder stiehlt und sich unterschiebt – alle deine Streiche sollen ans Tageslicht kommen, warte nur. Du hast mich ausgesogen, ich habe falliert um deinetwillen, jetzt bin ich nackend, kein gesundes Paar Schuh mehr auf dem Leibe, warte nur, du – aber ich bin wohl nicht klug, daß ich so schreie und mit der Faust auf einen Nagel zuschlage, der mich in den Finger geritzt hat. Wenn sie mich hört, so verachtet sie mich nur noch mehr, auf ewig will ich diese verwünschte Tür meiden – – aber wen seh ich? Reibenstein führt zwei Mägde gebunden hieher – wenn ich doch nur vorbeischlupfen könnte – wo war ich, daß ich an die Gefahr nicht dachte – Lene ist eine – was gilts, Julchen ist Ursach gewesen, daß mein Verbrechen an den Tag kam – er scheint sehr aufgebracht – o Verräterin, mußtest du mich denn auf alle Art unglücklich machen.

—

Dritte Szene

Reibenstein eine große Karbatsche in der Hand. Lene und Anne gebunden. Fischer hält sich hart an der Tür von Julchen

REIBENSTEIN (der von Zeit zu Zeit bald einer, bald der andern einen Hieb gibt): Ich hab euch noch nichts getan – ihr seht, ich bin der sanftmütigste Mann von der Welt – – ich frag euch nur – gesteht mir nur – ihr seht, ich tu euch nichts. (reißt sie am Strick immer vorwärts)

LENE: O weh!

ANNE: Die Stricke schneiden mir die Hand entzwei, o weh –

REIBENSTEIN: Gesteht mir nur – auseinander ihr Schlangen! Was soll das Zuwinken? Wart, ich werde die Scheidewand sein (stellt sich zwischen sie) Nun Anne (gibt ihr einen Hieb) Rede du zuerst – es soll dir nichts geschehen. (noch einen) Rede nur, Anne, mein Kind! Was hast du mit dem Jungen gemacht, den meine Tochter vor sechs Tagen gebar? Aber red't eine allein, (abermals einen) Ich bitte euch, eine allein –

ANNE: Herr, ich will Ihnen alles gestehen, binden Sie mir nur die Hände etwas loser.

REIBENSTEIN: Du sollst gleich losgebunden sein, sobald du gestanden hast.

ANNE: So hören Sie denn, Herr Reibenstein: ich halte viel auf Jungfer Lieschen, und wenn Sie mir den Kopf abhackten, und sie hätt es Ihnen selbst nicht gestanden, so halt ich viel zu viel auf sie, als daß ich's Ihnen verraten würde, daß sie, Gott verzeih mir's, das Unglück gehabt hat. Und weil ich wußte, daß sie es gern vor Ihnen verbergen wollte, so hab ich getrachtet, wie ich das arme Würmgen mit guter Manier aus dem Hause bringen wollte; ich wußte nicht, daß eben, in demselbigen Augenblick, da ich es vergab, die Angst sie eben so übernommen hatte, daß sie auf ihre Kammer ging und sich Ihnen zu Füßen warf' und Ihnen alles heraus beichtete; und ich sag Ihnen aufrichtig, Herr Reibenstein, wenn ich in Ihrer Stelle gewesen wäre, ich hätte es nicht getan. Aber das gute Kind war nun einmal eingeschröckt, weil sie das Kind nirgends unterzubringen wußte, und just in dem Augenblick hatt' ich's doch untergebracht; wenn sie sich doch nur auf mich verlassen hätte! Es tut mir leid genug.

REIBENSTEIN: So? Es tut dir leid, Höllenhund! Nicht wahr, du hast sie verkuppelt – wart, wart, wir wollen hernach davon sprechen (kehrt sich um) Nun, Ihr! (gibt der Lene einen Hieb) Redt Ihr, jetzt ist's an Euch! Aber nur nicht wieder so in's Gelag hinein, als vorhin – kein Wort mehr oder weniger als Ihr gefragt werdet, oder ich werd' Euch

Wort für Wort mit der Peitsche beantworten – was habt Ihr mit dem Kinde gemacht, das Euch die Anne gab?

LENE: Ich hab' es genommen.

REIBENSTEIN: So? (hebt die Peitsche, läßt sie aber wieder sinken) Nun! Das ist genug. (kehrt sich um) Du, Anne! Wer befahl dir, ihr das Kind zu geben?

ANNE: Werden Sie mir denn die Stricke noch nicht loser binden?

REIBENSTEIN (hebt die Peitsche): Gleich – wer befahl dir –

ANNE: Ich selber, Herr! Was sollte das Kind auch in Ihrem Hause machen, da Sie –

REIBENSTEIN: Nun nun nun, wenn Euer Maul einmal anfängt zu gären, so läuft's bis in Ewigkeit, ich will nichts mehr wissen – (kehrt sich um) Du! Wem brachtest du das Kind?

LENE: Meiner Frau.

REIBENSTEIN: Was machte deine Frau damit?

LENE: Sie nahm es.

REIBENSTEIN (hebt die Peitsche): Du – ich will dich lehren, eines alten Mannes spotten – wem gab deine Frau das Kind?

LENE: Meiner Jungfer.

REIBENSTEIN: Und was machte deine Jungfer damit – nein nein, (gibt ihr einen Hieb) Ich weiß schon, was du mir darauf antworten wirst.

LENE: Sie haben mir ja selber gesagt, ich soll Ihnen kein Wort mehr antworten als Sie fragen.

ANNE: Werden Sie mir denn die Stricke nicht loser binden?

REIBENSTEIN (kehrt sich um): Gemach – ihr Blitzkröten! Die beiden Menscher machen mir heut den Kopf noch toll. (zu Lene) Nun keine Narrenspossen – oder ich mache auch welche (die Peitsche hebend) siehst du – sage mir mit Gutem, was hat deine Jungfer mit dem Jungen getan?

LENE: Sie hat ihn behalten.

REIBENSTEIN: Und wozu, Blitzwetter?

LENE: Zu ihrem Sohn.

REIBENSTEIN: Nun, das heißt mit leichter Mühe gebären, wenn man fremde Kinder gebiert. Der Junge ist glücklich, er hat zwei Mütter und vier Großmütter, wer weiß, wie viele Väter er hat. (bindet Lene los) Hier, geh mir gleich hinein und sag' deiner Jungfer, daß ich ihr für die Freundschaft sehr verbunden bin, die sie für meine Tochter gehabt hat, daß ich aber dächte, wenn sie einen Sohn haben wollte, so könnte sie sich schon einen machen lassen; sie möcht über ihre eigenen Eier brüten und sich nicht fremde unterschieben lassen. Also – ich werd' mir meinen Enkel zurückbitten, verstehst du! Sag ihr das – – und nun noch ein Wörtchen mit dir, meine liebe Anne! Sag mir doch, du vertraute Freundin von meiner Tochter! Kurz und gut, mit einem Wort – (hebt die Peitsche) Wer ist der Vater zu dem Kinde – verhehle mir nichts, du mußt um alle ihre Geheimnisse wissen.

(Fischer will entwischen: Lene, die im Hereingehn eben auf ihn gestoßen, hält ihn fest und will ihn mit Gewalt zur Anne führen, mit welcher sie sich unablässig Winke gibt, ohne daß Reibenstein etwas davon gewahr wird)

ANNE: Hat es Ihnen denn Ihre Tochter nicht selber gestanden?

REIBENSTEIN (gibt ihr einen Hieb): Ich sage dir, ich will es von dir wissen.

ANNE: Aber da sie Ihnen alles gebeichtet hat – ich sag Ihnen ein- vor allemal, Herr Reibenstein! Von mir bekommen Sie nichts heraus. Ja, wenn's Ihnen Ihre Tochter schon gesagt hat, dann will ich's Ihnen auch sagen, aber was sie verschwiegen hält – und hauen Sie mir den Kopf ab, ich verrat' es nicht.

REIBENSTEIN (peitscht sie): Willst du verraten? Willst du gestehen?

ANNE: Aie! Aie! Es ist ein junger Kaufmann, Herr, es ist ein junger Kaufmann – (Fischer sucht mit aller Gewalt sich loszureißen)

REIBENSTEIN (ganz müde): Siehst du – daß ich Mittel weiß – und nun will ich dir's sagen, du Kupplerin! Meine Tochter hat mir's nicht gestanden, und ich habe sie doch weit tüchtiger herumkarbatscht. Sie zog sich ein Messer aus ihrem Etui und reichte mir's, ich sollte ihr's lieber durch's Herz stoßen, aber ich sollte nicht in sie dringen, ihren unglücklichen Liebhaber noch unglücklicher zu machen. Er kann mich nicht heiraten, sagte sie, weil ich unter seinem Stande bin und er seine ganze Familie dadurch sich zu Feinden machen würde, die er doch so sehr braucht, da seine Umstände nicht die besten sind. Also ist das der vornehme Stand? Ein Kaufmann, denk' doch, ein lumpigter Kaufmann und ein ehrlicher Handwerker – ich halte mich noch zu gut, als daß ich solchem Kerl meine Tochter gebe. Aber geschwind, nenne mir seinen Namen, ich muß Justiz haben, er hat meine Tochter zeitlebens unglücklich gemacht – willst du mir ihn nennen – oder das heilige Donnerwetter –

ANNE: Er heißt – ich darf nicht – ich hab meiner Jungfer einen Eid geschworen, ihn nicht zu nennen. (Fischer reißt sich von Lene los, Anne wird ihn, indem er vorbei wischt, gewahr und hascht ihn) Hier ist er –

REIBENSTEIN (kehrt sich um): Wo?

FISCHER (kniend): Zu Ihren Füßen – – ein unglücklicher Augenblick, Herr Reibenstein! In dem sich der Wein meiner Vernunft bemeistert –

REIBENSTEIN (hebt die Peitsche): Ich sollte Euch – – Immer auf den Wein die Schuld geschoben, der sich nicht verantworten kann. Der Wein trinkt euch nicht, sondern ihr ihn; auf euch kommt's an, ob ihr ihn so gebraucht, daß er kein Unheil anrichtet. Das ist gar keine Entschuldigung nicht, Herr Narre! Wer klug ist, den wird der Wein nicht zum Narren machen, es steht ja bei ihm, wie viel er trinken will oder nicht.

FISCHER: Ich gestehe mich schuldig, ich allein bin der Verbrecher gewesen, aber, Herr Reibenstein – ist denn kein Mittel –

ANNE: Machen Sie doch bald, ich bitte Sie, das Blut springt mir ja schon zu'n Armen heraus.

REIBENSTEIN (bindet sie los): Halt's Maul, ihr! jetzt habt ihr nichts mehr drin zu sprechen – geh, geh nach Hause, sag' Lieschen: Der Has' ist gefangen, die Peitsche hat ihn aus dem Kohl hervorgeholt – – – und Sie, Herr, flugs vor den Richter.

FISCHER: Sein Sie mein Richter! Ich beschwöre Sie, geben Sie mir Ihre Tochter zur Frau.

REIBENSTEIN: Ihr seid Euer eigner Richter gewesen, Naseweis! Ihr habt sie zur Frau genommen, eh ich sie Euch geben konnte: und nun verlangt Ihr zu Eurer ganzen Strafe, daß ich zu Euren Jungenstreichen Amen sagen soll. Nein nein, so geschwinde geht das nicht, wenigstens muß eine Geldbuß erlegt werden: ich zieh Euch also von den fünftausend Talern, die ich meiner Tochter zur Mitgabe ausgemacht, fünfhundert Taler für die Armen ab.

FISCHER: O gütiger Richter! O, wie gütig strafen Sie mich!

REIBENSTEIN: Aber Euren Sohn schafft mir wieder, das rat ich Euch, ich bin von dergleichen Umsatz kein Liebhaber.

Kommt unterdessen zu Eurer Frau, das arme Ding hat sich ja fast die Augen aus dem Kopf herausgeweint, als ich ihr sagte, ich würde eher nicht ruhen, bis ich ihren Galan herausgebracht und ihn hätte aufhängen lassen. Ihr könnt sie immer heute schon heimführen, ich will Euch den Hochzeitsschmaus geben, wenig und was guts; Ihr wißt, daß an meinem Tisch alle Tage könnte Hochzeit gehalten werden. Ich muß Euch nur auch sagen, daß das Mädchen schon einen andern hübschen artigen Mann zum Freier hat, den sie aber schlag tot, häng auf, nicht nehmen will, doch hätt ich ihr den Willen schon eingepeitscht, wenn dies nicht zwischen gekommen wäre. *A ça*, den wollen wir auch zum Hochzeitsschmaus laden, und ich werd ihm den Spaß machen und ihn sich einbilden lassen, er sei der Bräutigam! Es ist ohnedem ein Kerl, der eine schwere Nots Einbildung von sich in seinem Kopf hat, und wenn er wird die Braut in die Kammer führen wollen, werd ich sie ihm aus der Hand nehmen und Euch zuführen, wer erst kommt, der mahlt erst, werd' ich zu ihm sagen, he he he he, ho ho ho.

FISCHER: Gehn Sie nur voran, mein teurester Vater! Ich werd Ihnen in einigen Augenblicken folgen, ich habe nur noch eine Kleinigkeit auszurichten –

REIBENSTEIN: Nun so verricht' Er, was Er zu verrichten hat, und spud' Er sich. (geht ab)

FISCHER: Fort mit euch Torheiten der Jugend, nicht Liebe, Unsinn war es, was ich für diese Buhlerin fühlte. O welch ein stillerer und echterer Reiz ist der, mit welchem Lieschens unvergleichliches Herz mich itzt anzieht. Mir alles aufzuopfern, Ehre, Leben – – ha Julchen! Wie will ich mich an dir rächen, wie will ich dir meinen Verlust fühlbar machen: gleich soll sie mir meinen Sohn wiedergeben, Vater und Sohn sind von nun an auf ewig für sie verloren – – Aber da kommt sie selber heraus: zurück noch – (weicht einige Schritte zurück) O als ob ich einen elektrischen Schlag in's Herz bekam, sobald ich sie gewahr ward.

—

Vierte Szene

Julchen. Rahel. Fischer in einiger Entfernung

JULCHEN: Ich merk, ich habe zu viel Wein getrunken mit dem Narren da; jedoch mein Kopf wird das leicht verwittern.

RAHEL: Fast fingen Sie auch an verliebt zu werden.

JULCHEN: O pfui doch, glaube mir, meine gute Rahel! Ich mag trinken, so viel ich will, mein Herz berauscht sich niemals. – Also das Kind gehört Fischern, sagst du?

RAHEL: Lene sagt, er hab's hier vor der Tür dem Alten gestanden, der hab' ihm alles verziehen und verlangt, er soll es wieder zurück von Ihnen fodern.

JULCHEN: Vermutlich wird er denn auch die Tochter heiraten, und denn, so bekommt er was rechts mit – desto besser, desto besser. – Jetzt ist's doch wieder der Mühe wert, einen Angriff auf ihn zu wagen.

FISCHER (nähert sich): Mademoiselle! Ich komme nicht, Ihnen Vorwürfe zu machen, Sie müssen es nur gar zu wohl fühlen, daß Sie auch unter denen sind. Ich will Sie nur gebeten haben – nicht diese leichtsinnige vertrauliche Miene, ich rede sehr ernsthaft, Mademoiselle.

JULCHEN: Sie suchen Ihren Sohn – was ist da viel Umstände zu machen. Ich hab' es Ihnen ja gleich an den Augen abgelesen, was Sie von mir wollten, ernsthafter, wichtiger Herr Fischer.

FISCHER: Freilich such ich ihn. (bei Seite: seufzt) Schade um ihren Witz!

JULCHEN: Und wollen Jungfer Reibenstein heiraten? Und wollen mich im Stich lassen? Fischerchen, Fischerchen! Wenn Ihr Wein mir nicht so gut geschmeckt hätte, ich würde mit Ihnen zanken. Aber wissen Sie was, ich bin großmütig, ich will Ihnen alles vergeben, vergessen und vergeben, und noch dazu Ihnen einen guten, guten Rat bei dem ganzen Handel geben, denn ich bin Ihre Freundin, das wissen Sie. Sehen Sie, ich hab in meiner Schlafkammer viele Mäuse, und wissen Sie, wie die's machen? Sie laufen bald in das Schlupfloch, bald in jenes, welches ihnen das bequemste ist. Die Applikation, mein Herr, machen Sie selber.

FISCHER: Mademoiselle, Ihre Laune wäre bei jedem andern besser angebracht. Kurz, ich fod're meinen Sohn zurück.

JULCHEN: Ihren Sohn? Denk' doch! Und Sie wollen mir das Vergnügen mißgönnen, Mutter zu einem solchen Kinde zu heißen?

FISCHER (heftig): Ich bitte Sie – meinen Sohn –

JULCHEN: Nun ja doch, meinen Sohn auch, wenn Sie wollen: ich hab ihn einmal an Kindesstatt aufgenommen. Und kurz und gut, Herr Fischer, Sie müssen ihn mir noch auf einige Monate lassen, solange wenigstens, als mein Offizier noch in Königsberg bleibt, sonst zieht er mir sein Jahrgehalt wieder an sich.

FISCHER: Ich wünschte, ich könnte Ihnen hierin dienen, obschon ich weiß, daß ich doch damit keinen Dank bei Ihnen verdienen würde, denn Sie sind gegen niemand ungerechter als gegen die, welche Ihnen Dienste erwiesen haben.

JULCHEN (weint): Grausamer – ist's erlaubt, wie du mit mir umgehst –

FISCHER: Noch zwei Stunden lass' ich Ihnen das Kind, können Sie in der Zeit etwas mit ihm ausrichten – aber nach zwei Stunden, sag ich Ihnen, wenn Sie ihn mir nicht zuschicken, so werd ich Ihnen jemand herschicken, den Sie nicht gern sehen. (geht)

JULCHEN (noch immer weinend, ruft ihm nach): Wenn's Ihnen zu Hause übel geht, so denken Sie an's Mäuschen, Mäuschen – – (ganz gelassen zu Rahel) Laß mich nur machen! Es müßte schlecht sein, wenn seine Dulcinea ihn so getreu erhalten sollte. Aber vor der Hand hab' ich andere Sorgen, wenn Schlachtwitz und Bauchendorf erst mit Sturm übergegangen sind, so wollen wir alsdenn auch schon gegen ihn anrücken. Wir kennen seine schwachen Seiten –

FÜNFTER AKT

Erste Szene

Julchen. Rahel

JULCHEN: Ich denke, Rahel, du schickst dem guten Narren sein Kind nun zurück, ich hab ein ganz ander Projekt im Kopf. Siehst du, es ist Zeit, daß wir aus Königsberg reisen, warum wollen wir uns mit unmöglichen Hoffnungen schmeicheln? Die Historie vom untergeschobenen Kinde könnte über kurz oder über lang dem Rittmeister zu Ohren kommen und ich gezwungen werden, ihm alles, was ich habe, wieder herauszugeben. Überdem hab ich dem Bauchendorf seine Katze mit den Dukaten abgeschnallt, wenn er nüchtern würde, könnte sein Vater eine Untersuchung anstellen, und da käm's heraus, daß er sie bei mir verloren; da käm' denn so eins zum andern, und der Ausgang aller Komödien, die ich bisher gespielt, könnte verzweifelt tragisch werden. Also will ich lieber die Komödie vollständig machen und darnach davon, meiner Mutter nach Tilsit nachreisen und sie persuadieren, mit mir nach Liefland heraufzugehn, damit wir doch meinem geliebten Petersburg näher kommen. Höre nur, wenn ich nur unterdessen den Bauchendorf, so voll wie er ist, mit guter Manier an einen andern Ort aus unserm Hause transportieren könnte, damit es nicht heißt, er habe sein Geld bei uns verloren – und weißt du, was ich dazu für ein Projekt habe. Schicken wir nach dem Rittmeister zu Döbschütz, da speist er immer zu Nacht, und lassen den mit dem Landjunker in die Haare geraten, der soll ihn hier auf die Straße herausschleppen, unterdessen läufst du geschwind, geschwind hinüber und holst seinen Bedienten Adam, dem Junker zu Hilfe; vorher müssen wir aber den Coffre, wo ich alle meine Beute vorhin einpackte, schon auf's Posthaus haben bringen lassen, während dem Tumult und dem Aufstande reisen wir ganz in der Stille in aller Sicherheit fort, denn der Rittmeister wird uns wahrhaftig in keinem Argwohn haben, wenn wir so viel Zutrauen zu ihm äußern und nach ihm schicken, uns einen unnützen Menschen vom Halse zu schaffen; und eh der Landjunker sich vernehmlich explizieren kann, müssen vierundzwanzig Stunden hingehen.

Rahel: Adam, sagten Sie, den sollt' ich seinem Herrn zu Hilfe – – o, Sie wissen noch das lustigste vom heutigen Abend nicht: der Herr schläft auf Ihrem Kanapee und der Bediente schläft unter meinem Bette. Nicht wahr, ich versteh die Kunst noch besser als Sie, denn Adam war des Junkers Hofmeister, daß Sie's wissen; er ist uns alleweil' im Wege gewesen und ein rechter Weiberfeind, doch hab ich ihn kirr gemacht –

JULCHEN: Hör, mag es gehen wie es will, heute Abend müssen wir reisen; morgen ist der glückliche Tag nicht mehr, es kann uns gehn wie den Pharaospielern, die des Morgens alles wieder verlieren, was sie in der Nacht gewonnen.

RAHEL: Stille – da kommt er ja ungerufen –

JULCHEN: Wer?

RAHEL: Der hochwohlgeborne Vater zu Ihrem Schmerzenskinde.

JULCHEN: Stellen wir uns, als ob wir ihn nicht sähen. Ich glaubt', er wäre böse, darum wollt' ich ihn besänftigen – aber nun seh ich wohl, er hält uns dafür – Ist so mein Gesicht recht finster?

RAHEL: Vollkommen.

—

Zweite Szene

Herr von Schlachtwitz zu den Vorigen einen großen Geldbeutel unter'm Arm

SCHLACHTWITZ: O Liebe! Liebe! Welch eine Exekution bist du! Jetzt komm' ich wie einer, der seinen Prozeß verloren hat, und bring meine Geldstrafe für die Beleidigungen, die ich – von ihr empfangen habe. Und weil sie gegen meine vorigen Präsente ist undankbar gewesen – bring ich ihr ein neues Präsent. O Liebe! Liebe! Welch' eine Exekution bist du! So arg hab ich's doch den armen Danzigern nicht gemacht, als wir dort auf Exekution lagen. Ich sehe wohl, wenn's auf's Gelderpressen ankommt, ist ein Julchen ärger als zehntausend Preußen. – Herz gefaßt! (tritt zu Julchen) Wie befinden Sie sich itzt, Madame?

JULCHEN: Was haben Sie sich darum zu bekümmern?

SCHLACHTWITZ: Es ist genug! Ich bin genug gedemütigt.

JULCHEN: Können Sie denn nicht aufhören, einem beschwerlich zu sein.

SCHLACHTWITZ: Liebes Rahelchen! Sag' mir doch, was hab' ich verbrochen?

RAHEL: Sie sollen uns mit Frieden lassen.

SCHLACHTWITZ: Mein Julchen, meine Venus! Sieh hier deinen Mars zu deinen Füßen. Ich gestehe mein Verbrechen, vergib mir nur. Sieh, hier hab ich dein Jahrgehalt verdoppelt; wenn ich was verbrochen habe, hier ist Gold dafür.

JULCHEN: Gold! Denk doch! Und das mit einem so erschröcklich wichtigen Ton, Gold! Und es ist noch eine Frage, ob sich's nicht in Kupfer verwandeln wird, wenn ich's anrühre. Das Kind muß eine Amme haben, die Amme muß einen Koch haben, der Koch muß einen Bedienten haben, ich muß eine Haushaltung von dreizehn Personen anfangen – oder meinen Sie, daß ich das Kind eines Rittmeisters wie ein Findelkind erziehen soll?

SCHLACHTWITZ: Sieh also, ich will dir zu deinem Jahrgehalt von diesem Gelde, das mir Herr Grünstädt eben über Tisch abgegeben, noch hundert Dukaten zuzahlen.

JULCHEN: Was ist das? Sind Sie unsinnig?

SCHLACHTWITZ: Ich will noch hundert dazulegen,

JULCHEN: Was will das sagen? – – Rahel, bring ihm das Kind nur heraus, laß ihn es selber erziehen.

SCHLACHTWITZ: So fodern Sie, schwere Not – so nehmen Sie alles.

JULCHEN: Rahel! Tragt den Beutel hinein. (Rahel geht hinein)

SCHLACHTWITZ: Nun bist du doch wieder freundlich, mein Engelchen? (küßt sie)

JULCHEN (weigert sich): Lassen Sie mich gehen.

SCHLACHTWITZ: Wie denn? Soll's immer so währen? Dieser Tag kostet mich gegen tausend Dukaten, und noch nichts dafür erhalten.

—

Dritte Szene

Herr von Bauchendorf taumelnd zu den Vorigen. Rahel folgt ihm

BAUCHENDORF: Wo bleibst du denn, herzallerliebstes Julchen! Ich kann ja zu nichts mit dir kommen. Da sitz' ich auf dem Kanapee und durste und – wälze mich und bin vor allzulangem Warten gar eingeschlafen. Das ist doch nicht artig, mein herzallerliebster Schatz! daß du mich so lange warten läßt; es ist Zeit zu Bett' zu gehen, Julchen.

SCHLACHTWITZ: Wer ist der Kerl?

JULCHEN: Ein Herr, den ich mehr estimiere als Sie.

SCHLACHTWITZ: Als mich – bist du rasend? Hundert Quadrillonen Teufel –

JULCHEN: Werden Sie nur nicht wieder unnütz.

SCHLACHTWITZ: Jetzt, da du mein Geld eingesteckt hast –

JULCHEN: Ich komme, Junker Bauchendorf! Was fehlt Ihnen?

BAUCHENDORF: Du fehlst mir, mein einziger Schatz.

JULCHEN: Ist das Ihr Ernst? Bin ich das?

BAUCHENDORF: Ja freilich bist du – ich weiß wohl, daß du nur deinen Spaß mit mir treibst, weil ich dumm bin, aber – das tut der Liebe nichts, und meine Lieb' und Zärtlichkeit ist so groß gegen dich, daß es mir rechte Freude macht, wenn du mich zum Besten hältst.

JULCHEN: Dafür muß ich Sie küssen. (küßt ihn lange)

BAUCHENDORF (an ihrem Halse): Küß nur – küß nur, he he, so lang du willst –

SCHLACHTWITZ: Vor meinen Augen – – Weib, den Arm ihm vom Halse, oder dich und deinen Galan – (zieht den Degen)

JULCHEN (wendet sich gelassen um und sieht ihn eine Weile an): Herr Rittmeister – mit Eisen gewinnt man mich nicht.

SCHLACHTWITZ: Einen solchen Nebenbuhler.

JULCHEN: Der aber die Kriegskunst wohl versteht.

SCHLACHTWITZ: Einen so rauchen, ungestalten, ungeheuren Nebenbuhler.

JULCHEN: Der aber die festesten Türme mit Gold aufzusprengen weiß. Sie lesen ja den Banier so fleißig, sind Sie nie auf die Geschichte der Danae gestoßen?

BAUCHENDORF: Ja, ja, ich hab ihr viel Geld gegeben.

SCHLACHTWITZ (mit gesunknem Haupt und Schwert): Ich nicht?

JULCHEN: Sie nicht mir, sondern Ihrem Kinde.

BAUCHENDORF: Und ich habe kein Kind von ihr gesehn, und doch hab ich ihr gegeben.

JULCHEN: Das machte, weil du mich um mein selbstwillen liebtest, mein Bauchendorf. (küßt ihn abermals)

SCHLACHTWITZ: Trauen Sie ihr nicht, Herr, sie will Ihnen in die Lippen beißen – lassen Sie sie los, wenn Sie wüßten, wie viel Liebhaber die schon gehabt hat –

BAUCHENDORF: Was? Redst du Übels von meiner Herzallerliebsten? Den Augenblick heraus. (zieht den Degen)

SCHLACHTWITZ: Wohlan denn, wehre dich – – steh, Hund!

BAUCHENDORF (der sich hinter Julchen verbirgt): Es wäre besser, du föchtest mit Albertustalern um sie, als mit deinem langen Degen da –

JULCHEN: Vortrefflich, Junker! Ein solcher Zweikampf würd' mir zehnmal mehr Vergnügen machen.

SCHLACHTWITZ: Wehre dich –

BAUCHENDORF: Wenn du denn durchaus deines Lebens überdrüssig bist. – (dringt auf ihn ein. Schlachtwitz weicht zurück)

SCHLACHTWITZ: Wir wollen mit Albertustalern fechten.

BAUCHENDORF: So fang' du zuerst an, fang' an.

SCHLACHTWITZ (zieht seinen Beutel hervor): Nun, Junker! Wird's –

BAUCHENDORF: Es soll schon werden – fang' du nur an!

SCHLACHTWITZ: Ich hab ihr heut an barem Gelde gegeben zweitausend Taler.

BAUCHENDORF: Und ich hab ihr schon in allem gegeben – gegeben – gegen die hundert Gulden und werd' ihr noch viel geben, wenn sie's braucht.

SCHLACHTWITZ: An Stoff und Seidenzeug –

BAUCHENDORF: Und wollene Strümpfe und drei Scheffel Erbsen und – und noch viel andere Sachen.

SCHLACHTWITZ: Nun denn, wenn kommt Ihr Beutel zum Vorschein, Junker –

BAUCHENDORF: Laß mich doch nur, ich werd' ihn schon zum Vorschein bringen, wenn's Zeit ist. Du trägst deinen in der Hosentasche, und ich hab' meinen um den ganzen Leib geschnallt.

SCHLACHTWITZ: Hier, Julchen, sind zwanzig Dukaten Holländisch.

JULCHEN: Ich dank' Ihnen – – heb auf, Rahel.

SCHLACHTWITZ: Das macht vierzig Taler Albertus – wird's bald, Junker?

JULCHEN: In aller Welt, Junker Bauchendorf! Lassen Sie sich doch nicht auslachen! Fürchten Sie sich vor jemand?

BAUCHENDORF: Nein, in der Tat – ich fürchte mich nicht – aber ich habe vorhin den Adam in der Kammer gesehen, und aufrichtig zu gestehn, ist dies Geld für die Mastochsen, das der Metzger Krell mir abgegeben hat, und ich muß es noch heut Abend meinem Vater abgeben, sonst verrät mich der Adam, und dann setzt es – sehen Sie wohl.

SCHLACHTWITZ: O ho, Herr Strohjunker! Hat es die Bewandtnis mit Ihren Präsenten –

JULCHEN: Pfui pfui, Junker Bauchendorf! Das hätt' ich mir doch nimmer von Ihnen vorgestellt – kommen Sie hinein, Herr Rittmeister. (Schlachtwitz geht hinein)

BAUCHENDORF (hält Julchen zurück): Nein nein, meine Herzallerliebste! Eh der Kerl soll mit dir zu Bette gehn – – hier hast du den ganzen Gürtel, hier hast du – (knöpft sich die Weste auf) O weh mir! – Nichts mehr da! O weh mir (rauft sich das Haar) Nun ist's zu Ende mit mir –

JULCHEN: Stille, Herr von Bauchendorf! Ich will Ihnen die ganze Wahrheit gestehen. Der Rittmeister fand Sie vorhin auf dem Kanapee schlafend und hat Ihnen den Gürtel abgeschnallt. Und von Ihrem Gelde hat er mir die zwanzig Dukaten gegeben.

BAUCHENDORF: Der verfluchte Rittmeister – was soll ich nun mit ihm anfangen? Ich will ihn totschlagen.

JULCHEN: Hören Sie nur, ich will Ihnen einen guten Rat geben. Derweil er hier drin ist und auf mich wartet, gehen Sie in sein Quartier, er logiert beim Herrn Döbschütz und ich habe den Schlüssel zu seiner Stube, denn ich hab ihn vorhin drum gebeten, um mein Kind alle Abend, wenn's dunkel wird, zu ihm zu bringen. Er hat auf seinem Tisch einen Beutel mit dreihundert Dukaten liegen, den er heut einem Major im Piquet abgenommen hat, also den können Sie immer zur Revanche zu sich stecken – geschwind, geschwind, laufen Sie, eh er herauskommt. (Bauchendorf, nachdem er einen Schlüssel von ihr genommen, läuft ab)

—

Letzte Szene

Schlachtwitz. Julchen. Rahel

SCHLACHTWITZ (kommt heraus): Nun, wie lange währt's, Julchen – wo ist der Strohjunker geblieben?

JULCHEN: Ha ha ha, stellen Sie sich das Spektakel vor, er wollte seine Katze abschnallen – und sie war nicht mehr da, ha ha ha. Aber, Herr Rittmeister! wenn Sie nicht wollen, daß er in besoffenem Mut wunderliche Streiche in Ihrem Zimmer anfangen soll, so gehn Sie ihm nach: er lief fort und sagte, er wollte Ihre Tür aufbrechen, es könnte nicht anders sein, Sie müßten ihm sein Geld genommen haben, weil Sie ihn zum Zweikampf herausgefordert – er will sich an Ihren Möbeln schadlos halten.

SCHLACHTWITZ: Sackerlot! Und ich habe zu Hause offen gelassen – ich bin gleich wieder hier. (läuft ab)

JULCHEN: Nun, Rahel, geschwind! – Laß den Coffre auf's Posthaus tragen, komm! Schließ das Haus zu – und dem Fischer schicke sein Kind zurück.

RAHEL: Ist alles geschehen. – Coffre und Kind ist schon fort durch die Hintertür. Ich habe gleich gemerkt, daß das so ein Ende nehmen würde. Aber was fangen wir mit dem Adam an: der ist wie tot, wir bringen ihn nicht fort.

JULCHEN: Laß ihn liegen! Schließ nur das Haus zu! Desto besser! Wenn er erwacht, wird er glauben, geträumt zu haben. Wo hast du die zwanzig Dukaten gelassen – komm nur geschwinde! Heute geht die Post nach Tilsit, und wenn wir zu spät kommen, so nehm' ich eine Mietkutsche bis in's nächste Dorf – – wie werden die gerupften Gänse uns hinterher gacksen! –

—

JOHANN ANTON LEISEWITZ

JULIUS VON TARENT

EIN TRAUERSPIEL

★

LEIPZIG

IN DER WEYGANDSCHEN BUCHHANDLUNG

1776

PERSONEN

CONSTANTIN, Fürst von Tarent

JULIUS, GUIDO – seine Söhne

ERZBISCHOF VON TARENT, sein Bruder

GRÄFIN CÄCILIA NIGRETTI, seiner Schwester Tochter

BLANCA

GRAF ASPERMONTE, Julius Freund

Äbtissin des Justinenklosters

Arzt

Nebenpersonen

Szene: Tarent

Zeit: Ende des fünfzehnten Jahrhunderts

ERSTER AUFZUG

Erster Auftritt

EINE GALERIE IM FÜRSTLICHEN PALAST

Julius, Aspermonte spazieren herein

ASPERMONTE: Unbegreiflich – Sie waren ja schon von Ihrer Liebe bis zur Melancholie genesen, diesen ganzen Monat durch so ruhig.

JULIUS: Ach, mein Freund, die Liebe hat sich für diesen Monat gerächet; alles das Bittre, das auf seine einzelne Tage verteilt sein sollte, goß sie über diese einzige Nacht aus. Eben deswegen bricht die Wolke, weil es nicht zu rechter Zeit regnete.

ASPERMONTE: Ich verstehe noch nichts; – noch gestern abend waren Sie so ruhig, was machte diese plötzliche Veränderung?

JULIUS: Ein wachender Traum, also noch weniger als ein Traum. Wie ich abends auf mein Zimmer trete, schießt der Mond nur eben ein paar Strahlen hinein, und die fallen just auf Blancas Bildnis. Ich seh es an, mich deucht, das Gesicht verzieht sich zum Weinen, und nach einem Augenblick sah ich helle Perlen über seine Wangen rollen. Es war Phantasei; aber Phantasei, die mir alle Wirklichkeit verdächtig machen könnte.
Diese Tränen schwemmten meine ganze Standhaftigkeit weg. Ich hatte eine Nacht – eine Nacht – Glauben Sie es, Freund, unsre Seele ist ein einfaches Wesen – hätte die Last, die diese Nacht auf der meinigen lag, ein zusammengesetztes gedrückt, die Fugen der Teile hätten nachgelassen, und der Staub hätte sich zum Staube versammelt.

ASPERMONTE: Ach, ich kenne diesen Zustand zu gut.

JULIUS: Was wollten Sie kennen – Nennen Sie mir eine Empfindung, ich habe sie gehabt. Immer ward ich von einem Ende der menschlichen Natur zum andern gewirbelt, oft durch einen Sprung von entgegengesetzter Empfindung zu entgegengesetzter, oft durch alle, die zwischen ihnen liegen, geschleift.

Alle Möglichkeiten gingen vor mir vorüber, und notwendig muß ich in einer von ihnen mein Schicksal gesehn haben – Einmal hatte ich schon das Kloster erbrochen und führte sie in meine Kammer – wie ich schon an das Brautbette trat, sah mein Vater mit der Miene der väterlichen Wehmut herein –, sogleich ließ ich ihre Hand fahren.

ASPERMONTE: Nutzten Sie das nicht, kamen Sie da Ihrer Vernunft nicht zu Hülfe?

JULIUS: In der Tat, diese Ideen schien die Vernunft zu erwecken; ich rief: »Julius, Julius, sei ein Mann!« – Ja, ich sprach das »Julius! Julius!« als wenn es die Standhaftigkeit spräche, aber das »sei ein Mann«! zerschmolz wieder in einen Seufzer der Liebe.

ASPERMONTE: Gießen Sie aus, gießen Sie aus, edler Jüngling, mein Herz ist Ihres Schmerzes würdig.

JULIUS: Und ihr göttliches Bild – ich seh' es immer in tausend Auftritten, in tausend Gestalten, wie sie jedem Alter seine Reize abborgte: freimütige Unschuld von der Kindheit, Interesse von der Jugend, und wie ihr die Liebe durch meinen ersten Kuß Schüchternheit gab. Und die heilige Miene ihres jetzigen Standes – sonst kann er ihr nichts geben. Die Flamme der Religion hat schon ihr ganzes Wesen geläutert. Und wir kommen hier nur bis auf einen gewissen Strich – jenseits desselben werden Menschen Schwärmer, aber nicht Engel.

Aspermonte, denken Sie sich einmal die betende Blanca – Was, Sie stehen stille – die Idee haben Sie gewiß zum ersten Male: und Sie springen nicht auf wie ein Rasender?

ASPERMONTE: Sie sind mir überlegen, Prinz – so stark war nie eine Liebe. Sie haben recht, ich kenne nichts.

JULIUS: Sie wissen das Ärgste noch nicht – ich sah noch einmal auf ihr Bildnis und dachte, was sie in dieser Nacht machte. Wie sie vielleicht über meine Untreue weinte, und der Mond durch ihr kleines Fenster auf ihr Kruzifix und Breviarium schien, ein Strahl fiel etwa auf mein Bildnis, und anstatt daß ich auf dem ihrigen Tränen sah, sähe sie auf dem meinigen spöttisches Lachen. Die Hölle käme ihrer Einbildung zu Hülfe, und das Gewölbe des Kreuzganges schallte vom höllischen Hohngelächter wider. –

ASPERMONTE: Die Vorstellung schickte Ihnen die Hölle.

JULIUS: Auch konnte die einfache unsterbliche Seele diese Vorstellung nicht tragen – ich verlor eine Zeitlang alle Empfindung; wie ich wieder dachte, war der erste Sturm der Leidenschaft vor diesmal vorbei. Die Periode der Entwürfe nahm schon ihren Anfang.

Wie ich im Vorsaale herumschwankte, hörte ich, daß meine Wache vor der Tür schnarchte. Ich habe nie einen Menschen so beneidet als diesen Trabanten. Wenn er auch liebt, so kann er doch schnarchen, dacht' ich. Ich habe ein Herz und bin ein Fürst; – das ist mein Unglück! – wie soll ich meinen Hunger nach Empfindung stillen! – mein Mädchen nimmt man mir! – und kein Fürst hatte ja jemals einen Freund. Ach! wer an der Brust eines Freundes liegt, vergesse doch im Glücke der Elenden nicht und weihe guten Fürsten zuweilen eine Zähre.

Diese Betrachtungen führten mich auf einen Entwurf: was hält dich ab, fiel mir bei, entführe sie und verbirg dich mit ihr in einem Winkel der Erde. Wirf deinen Purpur ab und laß ihn den ersten Narren aufnehmen, der ihn findet.

plan

Nur über die Zeit, wenn dieses geschehen sollte, war ich nicht eins; – zuweilen dacht' ich, um meinem Vater Gram zu ersparen, bis auf eine gewisse Periode zu warten. – Sie verstehen mich, – aber meistens deucht' es mich bis morgen schon zu lange.

Die Morgenröte brach eben an, als ich so träumte; ich ging in den Garten und träumte noch so süß, als Sie mich antrafen.

ASPERMONTE: So bedaur' ich in der Tat, daß ich Sie störte.

JULIUS: Freund, so sehr ich von der Liebe taumle, so weiß ich doch noch so viel, daß ich taumle. Sie müssen mich leiten, Aspermonte. Raten Sie mir in Absicht meines Entwurfs! – Aber lieben Sie mich auch wirklich?

ASPERMONTE: Die Frage, und was Sie vorhin sagten, beleidigt mich. Haben Sie denn alles vergessen, daß ich mich Ihnen ganz widmete, weil ich Ihr Herz kannte und wußte, wie selten Fürsten Freunde haben, daß mir selbst der

Zweifel aufstieß, ich schätzte vielleicht in Ihnen den Fürsten und nicht den Menschen – wissen Sie es denn nicht mehr, wie wir da ausmachten: ich sollte ganz unabhängig sein – Ihnen sogar insgeheim meinen Unterhalt an ihrem Hofe bezahlen?

JULIUS (umarmt ihn): Verzeihen Sie dem Affekte; auch im Taumel der Liebe fragte mich Blanca: »Julius, liebst du mich?«

ASPERMONTE: Doch ich geb' Ihnen eine entscheidende Probe. Wenn Sie Ihren Entschluß ausführen und kein Fürst mehr sind, so folg' ich Ihnen.

JULIUS: Also soll ich ihn ausführen?

ASPERMONTE: Prinz, bedenken Sie; Sie sind die Hoffnung eines Landes – die Pflicht für das Ganze! –

JULIUS: Verschonen Sie mich mit Ihrer Philosophie! – Philosophie für die Leidenschaften, Harmonie für den Tauben.

ASPERMONTE: So sei'n Sie doch wenigstens erst versichert, daß Ihr Entschluß ein Entschluß ist. Ein Traum warf Ihr voriges System um, ein neuer Traum kann Ihr jetziges umwerfen; warten Sie wenigstens einen Monat.

JULIUS: Ich will warten, (umarmt ihn) aber unterstützen Sie mich in dem Monat, unterstützen Sie mich!

—

Zweiter Auftritt

Julius, Aspermonte, Guido

GUIDO: Du läßt mich lange nach dir aussehen, und ich habe doch wichtige Dinge mit dir zu reden.

JULIUS: Um Verzeihung.

GUIDO: Bruder, der Ton, der unter uns herrscht, gefällt mir nicht.

Ich kann hassen; hassen wie ein Mann! – Aber es gibt einen gewissen dumpfen Haß, da man nicht gestehen will, daß man sich nicht mehr liebt, den verabscheu' ich; – da machen sie denn ohne den Geist der Vertraulichkeit noch immer ihre Gebräuche und begegnen dem Körper der verstorbenen Freundschaft, als wenn sie noch lebte, führen ihn zu Tisch und zu Bette. Wahrhaftig, diese Freunde sind ein liebliches Bild, oben die Augen voll

Groll und unten den Mund in einer so natürlich freundlichen Miene, als wenn hölzerne Muskeln am Draht gezogen würden.

Julius: Laß uns davon aufhören!

Guido: Da triffst du einen neuen Charakter – Sie fürchten immer, im Gespräche zusammen auf den streitigen Punkt zu kommen, gehen immer hundert Meilen um ihn herum, reden eher von ostindischen Wundertieren als von sich. Aber ich will lieber einen frischen Schnitt durch das Geschwür, als daß es unter sich eitere.

Julius: Wenn nun aber kein Geschwür da wäre.

Guido: Du willst mir antworten, Bruder. Gut, so laß mich erst reden. Du weißt meine Rechte auf Blancan; – das vermindert sie nicht, daß mich mein Vater wegen unsers Streites über sie vor fünf Monaten in den kandischen Krieg und sie ins Kloster schickte. Ich gebe meine Rechte nicht auf, das mußte ich dir nach meiner Rückkunft von neuem sagen.

Julius: Deine Rechte – – –

Guido: Laß mich ausreden! Ich habe ihr eher als du meine Liebe angetragen, vor einer großen Versammlung angetragen, in diesem ganzen Feldzuge selbst bei königlichen Mahlen sie meine Geliebte genannt; – oft hab' ich bei Turnieren die Weiber zischeln hören: – »Guido von Tarent – und sie heißt Blanca«.

Wie ich im Sturm von Kandia die Mauren erstieg, rief ich ihren Namen laut aus, und das ganze Heer rief ihn nach. Siehe, meine Ehre steht zum Pfande, aber ich will sie lösen.

Julius: Aber Blanca selbst? –

Guido: Schweig davon, Bruder! Schönheit ist der natürliche Preis der Tapferkeit; – und dabei haben die Weiber keine Stimme. Fragt man die Rose, ob sie dem, der Geruch hat, duften will? – Und wodurch hast du sie verdient? Glaube mir, wenn man dich wie ein liebekrankes Mädchen im Pomeranzenwalde irren sieht, man sollte dich eher für den Preis als den Kämpfer halten!

Julius: Bruder, du wirst unausstehlich beleidigend.

Guido: Gut, laß mir meine Rechte auf Blanca, – und denn mache, was dir gefällt. Sei die Puppe eines erwachsenen Mädchens, komm wie eine zahme Wachtel, wenn sie pfeift, wehre ihr die Fliegen ab, wenn sie schläft! – Sei empfindsam, pflücke Violen, freue dich, wenn die Sonne aufgeht, und wenn sie untergeht; laß deinen Aspermonte da unterdessen die Tarentiner regieren: – was geht's dich an, ob sie glücklich sind oder nicht; – genug, du weißt dein Mädchen zu lieben, und Trotz sei jedem Sperling geboten!

JULIUS: Bruder, halt ein und laß dir sagen!

GUIDO: Und wenn du in ihrem Schoße stirbst, so laß dir dein Grabmal neben den Trophäen unsers tapfern Ahnherrn Theodorichs aufrichten – Laß es den Bildhauer mit Rosen und Weinreben zieren, ein paar schnäbelnde Tauben daraufsetzen, unten einen weinenden Amor und eine schlafende Geschichte – Aber vor allen Dingen laß ja darauf hauen: »Hier liegt ein Fürst von Tarent«; das kann seinen Nutzen haben, und wenn das Grabmal auch mitten in unserm Erbbegräbnisse stünde, Freilich – –

JULIUS: Bruder, ich höre, du willst, ich soll gehen; – ich gehe schon. (Ab)

Dritter Auftritt

Guido, Aspermonte

GUIDO (höhnisch): Der wird die Operation männlich aushalten! Kann er doch nicht einmal vertragen, daß man den Schaden sondiert. Die Wahrheit nicht hören wollen! – Hat der Weichling deswegen den Plato gelesen? Ich lobe mir meinen schlichten Menschenverstand. Handeln, Aspermonte, macht den Mann, und wenn es auf den Punkt kommt, so ist Ihre Philosophie tot, freilich mit hohen Sentenzen einbalsamiert, aber doch tot. (Aspermonte will gehen) Bleiben Sie; diese Liebe zur Spekulation hat er von Ihnen. Und ob ich gleich nie in Ihren Fechtschulen mit Syllogismen gefochten habe, so will ich es Ihnen erweisen, erweisen will ich es Ihnen: Spekulation tötet den Mut. Hm! Sagten Sie eben etwas?

ASPERMONTE (kalt): Nein.

GUIDO: Weil ich doch eben im Zorn bin, – und darin hat noch niemand wissend gelogen – was hat denn der Schmetterling für ein Recht, mein Nebenbuhler zu sein? woher wissen wir es, daß er Herz hat? hat er je ein Feldlager gesehen? Und wie ich es ihm sagte: Männliche Tapferkeit verdient allein die weibliche Schönheit!

Warum hat sonst das Weib das tiefe Gefühl seiner Schwachheit und der Mann den Mut? Schon in der Natur des Weibes sehen wir so das Verdienst des Mannes bestimmt, und alle andere Verdienste, Resultate menschlicher Einrichtungen, können dies Gesetz der Natur nicht aufheben. Und er ist ein Weichling. – Können Sie etwas zu meiner Widerlegung hervorbringen?

ASPERMONTE (kalt): Nichts, gnädiger Herr.

GUIDO: Nichts? – Ich will Ihnen noch mehr sagen: Julius hat die Weichlichkeit zuerst in unser Haus eingeführt; aber er wird ein Herkules gegen seine Nachkommen sein; Weichlichkeit ist das einzige, worin es natürlicherweise der Schüler weiter bringt als sein Meister, und der letzte sinkt immer am tiefsten, wie der, der auf einen sumpfigen Boden zuletzt tritt, – und auch das kommt mittelbar von Ihnen, – von Ihnen, Aspermonte. – Sind Sie stumm? Diese bloß angenommene Kälte verdrießt mich; verdiene ich nicht, daß Sie mit mir reden?

ASPERMONTE: Ich kann reden, Prinz, ich kann reden, aber Sie können itzt nicht hören.

GUIDO: Ha, Witzling, ich fühle die ganze Schwere dieser Beschimpfung. – Genugtuung! (Er zieht) Ich bin als Fürst über Ihre Beleidigungen; aber ich will hier lieber Beleidigter als Fürst sein; – ziehen Sie!

ASPERMONTE (kalt): Ich werde mich in Ihres Vaters Palast nie mit seinem Sohne schlagen.

GUIDO: Ziehen Sie, oder ich stoße Sie nieder!

ASPERMONTE (zieht, sie fechten, Aspermonte verteidigt sich nur): Sehen Sie, Prinz, ich schone Sie.

GUIDO: Mich schonen, mich schonen, entsetzlich! – das fordert meine ganze Rache. (Er ficht hitziger)

(Der Erzbischof tritt auf und zwischen sie)

ERZBISCHOF: Guido, Guido, willst du deinen Vater zu seinem Geburtsfest mit Degengeklirre wecken? – (Zu Aspermonte) Und Sie ziehen gegen Ihres Herrn Bruder?

GUIDO (zu Aspermonte): Es muß für diesmal genug sein –, aber vergessen Sie nicht, nur für diesmal! (zum Erzbischof) Ich zwang ihn.

ASPERMONTE: Sie haben es gesehen, ich bin kein Weichling; – aber ein Beweis ist genug, ich werde ihm nie einen zweiten geben. (Ab)

—

Vierter Auftritt

Erzbischof, Guido

ERZBISCHOF: Guido, Guido, schon wieder in Flammen?

GUIDO: Wie konnt' ich anders, wie konnt' ich anders. Er brachte mich durch angenommene Kälte aufs Äußerste, sagte mir brennende Beleidigungen mit einem so einfältigen Gesicht, als wenn er auch für die Erbsünde zu dumm wäre.

ERZBISCHOF: Ich kenne dich, du reizest sie immer zuerst.

GUIDO: Wer reizet zuerst, der ein hitzig Wort ausspricht, oder der, der ihn durch tausend Torheiten und stumme Beleidigungen dazu bringt? Wer möchte nicht bersten, wenn er die untätigen Knaben in ihren Sesseln von Weisheit triefen sieht – da schwatzen sie von Unsterblichkeit und Freiheit und von dem höchsten Gute, sehen ernsthafter aus als Marcus Porcius Cato, wenn er Bauchgrimmen hatte. Und doch hat alles das Geschwätz noch nichts gewirkt als eine sanfte Leibesbewegung des Schwätzers.

ERZBISCHOF: Aber ich bitte dich, Guido, wenn das auch so wäre, was geht es dich an?

GUIDO: Und alles das wird mit Beispielen großer Männer erläutert. Aber beim Himmel! wer ein Held sein kann, wird kein Geschichtkundiger. – Allein da steht der müßige Julius im Tempel des Nachruhms, bläst den Staub von der Bildsäule Alexanders, setzt einen neuen Firnis über die Nase des Cäsars und gafft nach der Erbse des Cicero. So viel glänzende Beispiele weiß er! – Lägen große Keime in ihm, er wäre selbst ein Held geworden – oder er hätte sich wenigstens gehenkt. – Wahrhaftig, er kann den ganzen Abend Leben und Taten lesen und doch die Nacht ruhig schlafen.

ERZBISCHOF: So hör doch endlich auf, Guido!

GUIDO: Aber das sind die Früchte der gepriesenen Ruhe, in der jede Tugend rostet – O, ich fühle es selbst! Warum rief mich mein Vater aus dem Kriege wider die Ungläubigen? – Da sitz' ich nun, und muß mir die Zähne stohren, wenn ich die Nachrichten hör', daß meine Freunde berühmt werden, und (stampft mit dem Fuße) das *Te Deum* singen, wenn Schlachten ohne mich gewonnen werden. – Sei'n Sie nicht unwillig, Herr Oheim, lassen

Sie mich wenigstens in die Stangen meines Käfigs beißen.

Erzbischof: Gut, aber warum verlangst du, daß jedermann so chimärisch denken soll als du?

Guido: Wenn das Chimären sind, so geb' ich nicht diesen Degenkopf für den ganzen Wert des Menschengeschlechts. Aber ich fühl' es hier (indem er sich an die Brust schlägt), daß ich Wirklichkeiten denke.

Erzbischof: Laß das gut sein! Aber warum soll denn jedermann so denken als du, wozu die ewigen Parallelen zwischen dir und Julius?

Guido: Macht er nicht diese Parallelen selbst, steht allerorten in meinem Wege, schwatzt, wo ich handle, wimmert, wo ich liebe.

Erzbischof: Über den Punkt könntet ihr längst ruhig sein – Blanca ist eine Nonne.

Guido: Herr Oheim, Guidos Entwürfe können alle zerstört werden, aber er gibt keinen einzigen auf. Ich wette gern mit dem Schicksal. Laß es die Ausführung meines Entschlusses setzen, ich setze mein Leben – mich deucht, das Spiel ist nicht ungleich. Da ist meine Hand; schlagen Sie im Namen des Schicksals ein!

Erzbischof: Bedenke, was du schwatzest; Blanca steht unter der Gewalt und dem Schutz der Kirche.

Guido: Ich weiß, was Sie sagen; ich weiß, eine Schlacht ist gegen einen Streit mit der Kirche nur eine Fechtübung gegen eine Schlacht, aber –

Erzbischof: Halt, Guido, ich habe schon vieles gehört, was der Oheim nicht hören sollte. Du willst jetzt etwas sagen, was der Bischof nicht hören darf. (Ab)

—

Fünfter Auftritt

Guido: Hm – (Pause) ich bin nicht so leicht, als ich nach einem Zweikampfe sein sollte. War es doch nur ein halber, und noch dazu lassen sie mich alle da stehen wie einen Wahnwitzigen, dem man nicht durch den Sinn fahren darf, damit er nicht rasend werde. – Aber was tut's, daß andre meine Grundsätze hassen – Gott sei Dank, daß ich welche habe, und daß ich sie behalten kann, wenn mich auch ein Weib streichelt und ein Teufel mir dräuet.

Was wäre Guido ohne diese Stetigkeit? – Macht, Stärke, Leben, lauter Schalen, die das Schicksal abschält, wenn es will; – aber mein eigentliches Selbst sind meine festen Entschließungen – und da bricht sich seine Kraft. Warum sollte ich meine Entwürfe nicht ausführen? Gehorsam beugt sich die leblose Natur unter die Hand des Helden, und seine Plane können nur an den Planen eines andern Helden zerschellen; und ist das hier der Fall? – Ein Mädchen aus den Armen eines Weichlings reißen, dessen ganze Stärke meine Tugend und das brüderliche Band ist! Sie seie mir heilig, aber beim Himmel, meine verpfändete Ehre will ich einlösen, – zwar bekomm' ich durch diese Unternehmung kein Lorbeerblättchen mehr, als ich versetzte; denn ein Sieger kann aus einem Siege nicht mehr Ehre holen, als der Besiegte hat! – und was hat Julius? –
Doch das Erworbene erhalten ist auch Gewinn! – O, sie sollen es erfahren, was ein Entschluß ist! (Ab)

—

Sechster Auftritt

Fürst, Erzbischof

FÜRST: Das sieht Guidon nur zu ähnlich. – Aufrichtig, Bruder, glaubst du, daß ich noch einmal ein glücklicher Vater werde?

ERZBISCHOF: Ich glaub' es in der Tat.

FÜRST: Itzt bin ich es nicht. O wie beugen mich diese Zwistigkeiten! – Wenn nur nicht wahre Disharmonie ihrer Charaktere der Grund davon ist!

ERZBISCHOF: Ich hoffe nicht.

FÜRST: Ich auch nicht; aber ich habe früh Bemerkungen über den Punkt gemacht. Als Guido noch ein Knabe war, immer im Spiel König sein wollte und für die Bewunderung seiner Gespielen so gefährlich auf Bäume und Felsen kletterte, daß sie ihn für schwindelnder Angst kaum bewundern konnten, so dacht' ich oft: Hilf Himmel, wenn die Leidenschaften des Knaben erst aufwachen! –
Sie sind aufgewacht, und siehe, er ist so geizig nach Ruhm, daß es ihn verdrießt, daß es gleichgiltige Dinge

gibt, die nicht schänden und nicht ehren. Er wünscht entweder, daß essen Ruhm wäre, oder daß er gar nicht äße. Was nicht Ehre bringt, glaubt er, bringt Schande, das ist sein Unglück.

ERZBISCHOF: In der Tat, ein unruhiger, gefährlicher Charakter!

FÜRST: Noch gefährlicher, weil er neben Julius steht – Ehe der als ein Kind wußte, was Liebe ist, – hatte er schon ihren schmachtenden Blick. Von jeher war sein größtes Vergnügen, in der Einsamkeit zu träumen.
In ein so vorbereitetes Herz kam die Liebe früh, aber ebensowenig unerwartet als ein Hausvater in seine Wohnung. – Nun stelle diese Charaktere nebeneinander.

ERZBISCHOF: Bruder, das, was du eben da schilderst und für den besondern Charakter deiner Söhne hältst, ist der allgemeine der Jugend. Es gibt keinen Jüngling von Hoffnung, der nicht einem deiner Söhne gliche. Laß nur erst das wilde Feuer der Jugend verlodern.

FÜRST: Ehe das geschieht, kann vieles verderben. Als wenn dies Feuer so stille verlodern würde, ohn' etwas zu ergreifen! Wie fürcht' ich die romanhaften langsamen Entschlüsse des einen und das Unüberlegte des andern.
Seitdem ich Blancan ins Kloster bringen ließ, gefällt mir Julius noch weniger als sonst. – Und mußte ich nicht diesen Schritt tun? war sie nicht zu tief unter seinem Stande? Erstickte nicht diese Leidenschaft jeden Trieb in ihm zu dem, was groß und wichtig ist?

ERZBISCHOF: Verschlimmert ist doch dadurch auch nichts.

FÜRST: Gefällt dir denn das nächtliche Irren im Garten und das Verschließen bei Tage? Hast du nicht bemerkt, wie er alles anstarrt, zu allem lächelt und antwortet wie einer, dessen Seele weit weg ist?

ERZBISCHOF: Wenn aber die Sache auch nicht so stände, so verlohnt es der Mühe nicht, daß man davon spräche. Das, wodurch sie am gefährlichsten scheint, ist, daß sie beide ebendasselbe Mädchen lieben. Aber glaube mir, Bruder, Guidos Liebe ist keine wahre Liebe, bloß eine Geburt seines Ehrgeizes, und sie hat keinen Zug, der nicht ihren Vater verriete.

FÜRST: Richtig – aber das macht die Sache nicht besser. Ich weiß, er verachtet die Weiber, und seine Liebe an sich mag ein sehr unbedeutendes Ding sein, und wenn bloß sie auf Julius' Liebe träfe, dann, Bruder, könnten wir sicher schlafen; das hieße ein Kind gegen einen Riesen gestellt, und die werden nicht kämpfen.

Aber darin liegt das Schlimme, daß Guidos Ehrgeiz mit Julius' Liebe zusammenstößt, Riese gegen Riese, von denen keiner ein Quentin Kraft mehr oder weniger hat als der andre; und das gibt hartnäckige, gefährliche Gefechte.

ERZBISCHOF: Was meinst du denn, was bei der Sache zu tun sei?

FÜRST: Mein Plan ist dieser – Guido liebt Blancan bloß aus ehrgeiziger Eifersucht, weil sie Julius liebt.

Es käme also nur darauf an, diesen auf einen anderen Gegenstand zu lenken – Guido hörte alsdann von selbst auf.

ERZBISCHOF: Und wer soll dieser andre Gegenstand sein?

FÜRST: Cäcilia! – Ich habe sie deswegen eben zu mir rufen lassen, und wie mich deucht, hab' ich nicht übel gewählt. Ich muß mich wundern, daß der Jüngling nicht schon längst diesen Plan selbst gemacht hat. Eine solche Schönheit täglich zu sehen –

ERZBISCHOF: Wenn er erst das täte! – Weißt du denn nicht, daß es Liebenden Meineid ist, eine fremde Schönheit zu sehen? Wenn ein andres lebhaftes Bild nur in ihrem Gehirn aufsteigt, so glauben sie schon, ihr Herz sei entweiht. Und nimm dich in acht, daß er nicht merke, daß jemand einen solchen Plan hat, viel weniger, daß du ihn hast! Sein Vertrauen in Absicht der Liebe hast du verloren, und verliert man das einmal, gewinnt man's nie wieder.

FÜRST: Ich werde mich hüten, und Cäciliens jungfräuliche Bescheidenheit ist mir für das übrige Bürge. – Glaubst du wirklich, Bruder, daß ich auf diesem Wege die väterlichen Freuden wiederfinden werde?

ERZBISCHOF: So gewiß, als ich etwas glaube.

FÜRST: Und wie sehr würden sie erhöht werden, wenn Cäcilia meine Tochter würde. – Zu den häuslichen Freuden eines Greises gehören durchaus Weiber; ihr sanfter Ton stimmt so gut in seinem gedämpften, und rasche Jünglinge und Männer sind doch in seiner Einsamkeit nie recht zu Hause.

ERZBISCHOF: Sieh, da kömmt Cäcilia – ich werd' euch allein lassen. Sie wird schon ohne mich rot werden. (Geht ab)

—

Siebenter Auftritt

Fürst, Cäcilia

FÜRST: Guten Morgen, Cäcilia – setz' dich zu mir!

CÄCILIA: Erlauben Sie, lieber Vater und Oheim, daß ich Ihnen erst zu Ihrem Fest Glück wünsche. (Küßt ihm die Hand)

FÜRST: Ich danke dir, liebe Tochter – setze dich. – Aber bedenkst du es, daß du mir zu einem neuen Grade meiner Schwachheit Glück wünschest? Ich fühl' es, Cäcilia, ich fühl' es, daß ich alt werde. Der rosenfarbne Glanz, in dem du noch alle Dinge siehst, ist für mich verbleicht. Ich lebe nicht mehr, ich atme nur, und das bloße Dasein ohne die Reize des Lebens ist das einzige Band zwischen mir und der Welt.

CÄCILIA: Sie halten sich auch für schwächer, als Sie sind.

FÜRST: Ich fühle mich. – Unmittelbar empfinde ich nichts mehr. Nur ein Kanal ist noch übrig, durch den sich Süßes und Bittres in mein Herz ergießen kann, – das sind meine Kinder.

CÄCILIA: Und Sie sagten, Sie empfänden nichts mehr? Warum stellen sich doch die Reichen so gern arm? Was haben Sie nicht schon für eine Quelle von Vergnügen, das aus der Betrachtung eines schönen Charakters fließt. Ihre Kinder zusammengenommen sind beinahe ein Ideal der männlichen Vollkommenheit. Das Sanfte Ihres Julius –

FÜRST: Meinst du das im Ernste, Cäcilia? – Aber auf die Art gewährt mir die weibliche Vollkommenheit dasselbe Vergnügen. – Auch du bist meine Tochter.

CÄCILIA: Wenn Sie nicht scherzen, so zeigen Sie, in Absicht meiner, wie die väterliche Liebe auch die väterliche Eitelkeit.

FÜRST: Wenn nun meine Kinder der einzige Kanal sind, durch den mir Freuden zufließen können, ist es denn Wunder, wenn ich alle in denselben zu leiten suche, und ist die Liebe nicht die größte Wonne des Lebens? – Nicht wie Ruhm und Reichtum eine Gabe aus den oft schmutzigen Händen der Menschen, nein, ein Geschenk, das die Natur nicht bei ihnen in Verwahrung gab, das sie jedem mit eigner Hand erteilt. Die Liebe des Paars, das heut' am Altar steht, ist wie die Liebe unsrer ersten Eltern im

Paradiese. – Siehe, Cäcilia, an seinem sechsundsiebzigsten Geburtstage redet ein Greis mit Entzücken von der Liebe.

CÄCILIA: Ein Zeichen, daß er tugendhaft liebte.

FÜRST: Aber ich verliere meinen Faden. – Der Strahl der Liebe selbst ist für mein schwaches Herz zu stark, bloß sein Widerschein von meinen Kindern ist für mich. – Mädchen, Julius hat ein Herz – nicht seine glänzenden Handlungen, seine Verirrungen sollen zeugen.

CÄCILIA: Ich weiß es zu schätzen.

FÜRST: Weißt du, weißt du wirklich? Wäre er durch die Liebe glücklich! Gäb' er mir eine Tochter! Was ist einem Greise lieber als die weibliche Sorgfalt einer Tochter! Hätte Julius eine Gattin! –

CÄCILIA: Sie sollte meine erste Freundin sein.

FÜRST: Was für einen Wert könnte sie diesem Reste des Lebens geben, an dessen Ende ich aus ihren Armen unvermerkt in die Arme eines andern Engeln gleiten würde, – und dieses Weib mußt du sein, Cäcilia!

CÄCILIA: Ich bitte Sie, Herr Oheim!

FÜRST: Jetzt noch keine Erklärung, Mädchen – ich weiß, was mir deine jungfräuliche Bescheidenheit für eine geben müßte, und mit der Zeit – – verstehst du, keine Erklärung!

CÄCILIA: Bin ich nicht schon Ihre Tochter? und ich will es bleiben, Sie nie verlassen, alles, was Ihnen Vergnügen machen kann, schon von ferne ausspähen, immer um Sie sein, wenn mich nicht Ihr Vergnügen nicht selbst abruft, aber –

FÜRST: Jetzt keine Erklärung, – allein, wenn du mir an meinem künftigen Geburtstage Glück wünschest, vielleicht im Namen eines Enkels Glück wünschest, so denk' an diese Unterredung. Hörst du, Cäcilia, an diese Unterredung sollst du denken! – Komm, das Frühstück wartet auf uns – deine Hand. (Er führt sie ab)

—

ZWEITER AUFZUG

—

Erster Auftritt

DAS SPRECHZIMMER IM KLOSTER DER HEILIGEN JUSTINA

Eine Nonne ist gegenwärtig

JULIUS (tritt herein): Ruft die Äbtissin! (Nonne geht ab) – Ich muß sie sehn, und wenn ein Engel mit einem feurigen Schwerte vor ihrer Zelle stünde.

(Äbtissin tritt auf)

Ich will die Schwester Blanca sprechen.

ÄBTISSIN: Gnädiger Herr, Sie wissen das Verbot Ihres Vaters.

JULIUS: Frau Äbtissin, mein Vater ist heute sechsundsiebzig Jahr alt, und ich bin sein Erbprinz.

DIE ÄBTISSIN: Ich verstehe Sie – alsdenn weiß ich meine Pflichten, und ich werde Ihrem Sohne unter ähnlichen Umständen dasselbe antworten.

JULIUS: Sie sollen mir für sie haften. – Nonne oder nicht Nonne! – Was ist älter, die Regel der Natur oder die Regel des Augustinus? – In meine Kammer will ich sie führen, und wenn sie eine Heilige geworden wär' und einen Nimbus statt des Brautkranzes hineinbrächte, und wenn der Priester statt des Segens den Bannfluch über uns bis ins tausendste Glied ausspräche. In diesem Saal will ich ihren Schleier zerreißen, das schwör' ich Ihnen bei meiner fürstlichen Ehre.

DIE ÄBTISSIN: Ich darf nichts als Sie bedauren.

JULIUS: Wie ich sage, Sie sollen mir haften. Und find' ich zu der Zeit, die Sie wissen, daß der Verdruß nur einen ihrer Züge tiefer gemacht hat, – ich werde schon unterscheiden, was die Traurigkeit getan hat, – so zerstör' ich – merken Sie sich das, Frau Äbtissin! – so zerstör' ich Ihr Kloster bis auf den Altar, und Ihre Schutzheilige wird dazu lächeln, wenn sie eine Heilige ist.

DIE ÄBTISSIN: Gnädiger Herr, wir sind nur Schafe, aber wir haben einen Hirten.

JULIUS (geht einige Male auf und ab): Wie lange sind Sie im Kloster?

DIE ÄBTISSIN: Neunzehn Jahr.

JULIUS: Was schied Sie von der Welt? – die Andacht oder diese Mauern? Haben Sie nie geliebt? Waren Sie eher Nonne als Weib?

DIE ÄBTISSIN: Ach Prinz, lassen Sie mich! (sie weint) – Neunzehn Jahre hab' ich geweint, und noch Tränen!

JULIUS: Nicht wahr, an diesem Gitter hat er geweint, und er ist tot? – nicht?

DIE ÄBTISSIN: Ach mein Ricardo! – (Nach einer Pause) Sie sollen Blancan sehen. (Verschließt die äußere Tür und geht ab)

—

Zweiter Auftritt

Julius, nachher Blanca und Äbtissin

JULIUS: Was tut die Liebe nicht? – und so viel vermag über dies Weib ein Andenken, der Schatten der Liebe, was muß nicht Hoffnung, ihre Seele bei mir tun! O, wer kann diesen Monat ausdauren. Ein Fürstentum für dich verlieren, Blanca, das ist kein Opfer – das heißt ja bloß sich in Freiheit setzen – und deinetwegen wollt' ich ja jahrelang mein Leben in dem tiefsten Kerker hinziehen, in den von dem erfreulichen Lichte nur so viel Strahlen fielen, als hinreichten, dein Gesicht zu erleuchten. – Blancan sehen? – in diesem Augenblick sehen? – Freilich kostet mir dieses Sehen meine ganze Ruhe; – hm, das ist nur ein elender Rest, und ein Blick von ihr wäre der tiefsten Ruhe des größten Weisen wert.

(Blanca nebst der Äbtissin tritt auf, Julius fliegt auf sie zu)

JULIUS: O meine Blanca!

BLANCA (tritt einige Schritte zurück): Keinen Kirchenraub, Prinz.

JULIUS: Keinen Meineid, Blanca.

BLANCA: Nein – denn ich hoffe dem Himmel mein Wort zu halten.

JULIUS: Deine Gelübde sind Meineid. Kann der zweite Schwur, wenn er auch dem Himmel geschworen, wieder den ersten entkräften? Was ist denn beschworne Treue? Ein verschloßner Schatz, zu dem jeder Dieb den Schlüssel hat! – Aber du hast dem Himmel nichts gelobet. Deine Gelübde sind nicht bis zu ihm gedrungen. Der Schutzgeist unsrer Verbindung hat sie noch in Verwahrung, und der wird sie dir am Tage unsrer Hochzeit zum Brautgeschenk wiedergeben.

BLANCA: Ich habe vor jenem Altar Ihnen und der Welt auf ewig entsagt, meinen Kranz zu den Füßen des Altars gelegt, mich selbst oder vielmehr meine Liebe dem Himmel geopfert. – Ach, sie durchdrang mich so ganz, war so mein Alles – hätt' ich mich ohne diese dem Himmel geopfert, so hätt' ich ihm nichts, höchstens Spott dargebracht.

Dieser Schleier ward an jenem feierlichen Tage eine Scheidewand zwischen mir und der Welt! – Kein Seufzer, kein Wunsch darf zurück. Will ich fröhliche Vorstellungen, so muß ich an die Ewigkeit denken, will ich mit Leidenschaft reden, so muß ich beten. Ich habe ein enges Herz. Liebe zu Ihnen und dem Himmel kann es nicht zugleich fassen. – Ich bin eine Braut des Himmels, und, Julius, Sie wissen es zu gut, ich kann nicht halb lieben.

JULIUS: Ich weiß es so gewiß, als ich weiß, daß du damals den Himmel belogst – unschuldig belogst.

BLANCA: Nun, ich entsag Ihnen nochmals, – in Ihrer Gegenwart, und bloß deswegen nahm ich Ihren Besuch an.

JULIUS: Du würdest mich töten, wenn du nicht Unwahrheiten redetest. Die Liebe hat uns zu einem einfachen Wesen zusammengeschmolzen. Vernichtet können wir zusammen werden, aber nicht getrennt. Mädchen, Mädchen, dein ganzes Wesen war ja Liebe für mich!

BLANCA: Es war es, aber ich habe dies Wesen in Gebeten und Seufzern ausgehaucht – itzt hab' ich ein andres Wesen. (Zieht Julius' Bildnis hervor) Da nehmen Sie Ihr Bildnis zurück – es ist das einzige, was mir von unsrer Liebe noch übrig ist – Nehmen Sie, ich darf das Bildnis eines Mannes nicht haben.

JULIUS: Nimmermehr! Nimmermehr! und wenn du mir mein Herz und meine Ruhe wiedergeben könntest, so möchte ich sie nicht.

(Blanca gibt das Bild der Äbtissin)

BLANCA: Und wenn Sie mein Bildnis ansehn, so vergessen Sie nicht, daß das Original nicht mehr da ist, daß itzt eine andre Blanca weint. Leben Sie ewig wohl. Ich kenne Ihr Herz, Prinz, machen Sie bald ein andres Mädchen dadurch glücklich – ich will für Sie und Ihre Gattin beten.

JULIUS: So bete für dich selbst! Der Mensch wird nur einmal geboren und liebt nur einmal.

BLANCA: Für mich will ich um Vergessenheit beten. – Leben Sie wohl.

JULIUS (hält sie zurück): Blanca, erinnerst du dich der unschuldigen Tage unsrer Jugend? An alles, was uns damals die Liebe gab, Schmerzen und Freuden, Wirklichkeit und Träume, Leben und Atem; wie sie uns ihre schwersten Pflichten so leicht machte und Gewicht auf ihre leichtesten legte?
Aber du kannst dich dessen nicht erinnern! Einer solchen Empfindung kann keine Erinnerung nachkommen. Mitten in unsrer Glückseligkeit glaubten wir gestern, unsre Freuden könnten nicht steigen, und heute, unsre gestrige Leidenschaft sei Kälte. Allein ein schwaches Bild ist doch noch immer ein Bild. O Blanca, denk' an unsre Zusammenkünfte im Zitronenwalde, – an die Tränen bei der Ankunft, an die Tränen beim Abschiede.

BLANCA (in tiefen Gedanken): Wunderbar! auch Ihnen hat das geträumt? – mir träumte dasselbe.

JULIUS: Und ich schwöre dir, diese Tage sollen wiederkommen – entweder unter unsren Zitronenbäumen oder den Palmen Asiens oder den nordischen Tannen – wo, das weiß ich nicht, und es ist mir eins! – Aber ich will zu dir, und wenn der Weg zu deiner Zelle rauher wäre als der Weg zum Ruhme, und in Gebüschen zur Seite hagre Tiger für Hunger und Durst winselten! – Nur mein Tod kann diese Unternehmung verhindern, – aber ich kann nicht sterben, itzt fühl ich meine ganze Stärke, in meinen Gebeinen ist Mark für Jahrhunderte.

BLANCA: Ich bitte Sie, lassen Sie mich!

JULIUS: Es soll eine Zeit kommen, in der dir von deinen itzigen Leiden nichts mehr übrig sein soll als ein wehmütiges Andenken – nichts mehr, als hinreicht, um ein Abendgespräch über vergangne Zeiten interessant zu machen. Auf diesen meinen Armen will ich dich aus diesem Kerker tragen, und deine Empfindung soll die Freude des Erwachenden sein, daß der fürchterliche Traum nur ein Traum war.

BLANCA: Lassen Sie mich! – Hören Sie, die Glocke zur Hora läutet.

JULIUS: Aber ein Andenken deines jetzigen Standes mußt

du mir geben. (Er nimmt ihr den Rosenkranz von der Seite) Pfand der klösterlichen Liebe, wie will ich dich schätzen! – Mir für nichts feil als für deinen ersten Morgenkuß an unserm Hochzeitstage; dafür kannst du ihn einlösen, und alsdann soll er dein bestes Hochzeitsgeschmeide sein.

Blanca: Mein Hochzeitstag ist schon gewesen. –

Julius: Zerreiß deinen Schleier, Blanca! – Ich will den großen Streit mit dem Himmel wagen! – Ich weiß, du liebst mich, aber ich muß es jetzt aus deinem Munde hören, ich beschwöre dich bei den Tagen der Freude, die vorbei sind, und die kommen sollen, versichre es mir noch einmal. (Er küßt sie)

Blanca: Äbtissin – helfen Sie mir – (Sie wird ohnmächtig)

Julius: Sie liebt mich. Sehen Sie, Äbtissin, das ist eine Versicherung, unsrer Liebe würdig, sie liebt mich wahrhaftig! – und wenn ein Engel seinen Finger auf das Buch des Schicksals legte und schwöre: Blanca liebt Julius, so wär es für mich nicht wahrhaftiger.

Äbtissin: Ich bitte Sie, verlassen Sie uns.

Julius: Erst will ich diese göttlichen Augen wieder offen sehen. – (Blanca schlägt die Augen auf) Es ist genug – Äbtissin, ich danke Ihnen – so winselnd sehen Sie mich nicht wieder. (Ab)

—

Dritter Auftritt

Blanca, Äbtissin. Blanca erholt sich vollends

Äbtissin: Er ist weg.

Blanca: Ach, hätte ich ihn nicht gesehen, er hat meine Andacht getötet und meine Gebete vergiftet.

Äbtissin: Liebste Tochter!

Blanca: Ich bin nicht Ihre Tochter – ich bin eine Buhlschwester im Nonnenkleide. Sehen Sie, das Samenkörnchen der Hoffnung, das er aussäete, ist schon aufgeschossen. Wünsche sind seine Blüten, und wahrscheinlich Verzweiflung seine Frucht. Pflicht und Gelübde, habt ihr denn nicht ein einziges Wort der Stärkung für die arme Blanca? – ach, sie sind stumm!

Äbtissin: Oder du bist taub, Blanca.

Does Schiller's Pflicht come from here?

BLANCA: Nicht doch; hör' ich es doch, wenn die Liebe nur eben »Julius« lispelt! Äbtissin, sagte er nicht, die Tage der Freude sollten wiederkommen, in einem entfernten Winkel der Erde wiederkommen? Er hält, was er verspricht. Ja, ich sehe schon die Fackeln im Kloster und höre die Tritte der Pferde und das Geräusch der Segel. – Ha, – jetzt sind wir da – in dem entferntesten Winkel der Erde! – Diese Hütte ist klein; Raum genug zu einer Umarmung. – Dies Feldchen ist enge – Raum genug für Küchenkräuter und zwei Gräber; – und dann, Julius, die Ewigkeit; – Raum genug für die Liebe!

ÄBTISSIN: Du schwärmst! – Entferne dich von hier, komm mit in den Garten, komm, Blanca.

BLANCA: Wohin! Wohin! Unter die asiatischen Palmen oder die nordischen Tannen? (Gehn ab)

Vierter Auftritt

DIE GALERIE IM PALAST

Cäcilia, den ganzen Auftritt über sehr tiefsinnig.
Porzia, eine Hofdame

CÄCILIA: Der Prinz bleibt lange aus.

PORZIA: Sei'n Sie nicht ungeduldig. Ihre seltsame Grille, der Liebe und dem Ehestande auf ewig zu entsagen, erfährt er noch früh genug. (Pause, in der sie Cäciliens Antwort erwartet) Armes Mädchen, glauben Sie, daß das Ihnen die verschmähten Freuden der Liebe ersetzen kann, wenn die Welt Ihre glänzenden Talente und diese Überwindung bewundert? Glauben Sie es, Bewunderung ist eine kitzelnde Speise, aber ich versichre Sie, nichts in der Welt sättigt auch so leicht. – Und sich immer räuchern zu lassen, dazu gehört die göttliche Nase eines Gottes oder vielmehr die hölzerne seiner Bildsäule.

CÄCILIA: Ich habe überlegt – jetzt bin ich entschlossen. – Wie oft hab ich es dir gesagt! Zuviel und zuwenig überlegen, beides macht gleich viel Unzufriedene.

PORZIA: Seltsam! O Cäcilia, Sie sehen die Zukunft der Liebe nicht mit dem Auge eines Mädchens! Diese rosenfarbne Zukunft, wo jede Stunde ihr Füllhorn von Freuden ausgießt und verdrängt wird, ehe es leer ist! Da ist kein andrer Wechsel als sanftre Freuden für lebhaftre, der das Leben zu einem Blumenbeet macht, das hier durch die prächtige Rose, dort durch das bescheidne Veilchen reizt! Aber Sie – ich habe Sie neulich am Traualtare ihres Bruders ausgespäht! – War doch in ihrem Auge so gar nichts von dem, was ich in jedem andern sah. – Andenken oder Ahndung der Liebe!

CÄCILIA: Wer dich so predigen hörte, gute Porzia, sollte schwören, du wärst nie verheiratet gewesen.

PORZIA: Und glauben Sie dann auf immer für der Liebe sicher zu sein? Man kann sie wie das Gewissen mit Mühe auf eine Zeitlang einschläfern, aber beide erwachen zuletzt, – und was das schlimmste ist, gemeiniglich zu spät.

CÄCILIA: Der Prinz verweilt mir zu lange. – Komm mit mir auf mein Zimmer.

PORZIA: O daß die Starrköpfe durch Gegengründe nur noch starrer werden.

(Gehn ab)

—

Fünfter Auftritt

Julius, Aspermonte treten von verschiednen Seiten auf

JULIUS: Ah, Aspermonte, – ich habe sie gesehen, – sie gesprochen, sie geküßt.

ASPERMONTE: Blancan? – was für ein Schritt!

JULIUS: Der Riesenschritt der Liebe – über tausend Bedenklichkeiten und Gefahren. Soll denn ein Verliebter, wie ihr andern vernünftigen Leute, vom Gedanken zum Entschluß und vom Entschluß zur Tat Tagereisen hinken?

ASPERMONTE: Sie sind zu rasch! Voreilig ist kein höh'rer Grad des Schnellen. In dem zu heißen Strahle der Sonne, der ein Gewächs versengt, wird es nie zeitig. Und was haben Sie jetzt von Ihrem Besuche als einen Widerhaken mehr im Herzen!

JULIUS: Hätten Sie sie gesehn, Sie würden nicht fragen! – O des entzückenden Streites der Religion und Liebe in ihrer Seele! Beide vermischten sich so in ihren Empfindungen, daß keine zur andern sagen konnte: diese Träne ist mein, und diese ist dein. Nur einmal sah ich in ihrem

Blicke das Lächeln der Liebe – auf ihrem Nonnengesichte wie eine Rose, die aus einem Grabe blühet. Auch öffnete sie mir ihr Herz nicht, bis es von selbst borst, und versiegelte ihr Geständnis mit einer Ohnmacht, dem Bilde des Todes, wie sie ihre Liebe mit dem Tode selbst versiegeln würde. Aspermonte, kein Geliebter war so glücklich als ich! – Ich habe zweimal die Wange eines Mädchens glühen sehn, als sie mir ihre Liebe nicht gestehen wollte und gestand. – Wunderbar! der erste Frühlingstag in einem Jahre zweimal!

ASPERMONTE: Ha, Prinz, Ihr Rausch von heute früh ist noch nicht verflogen!

JULIUS: Aber nennen Sie mir auch etwas, was ich nicht für Blancan tun will! Die mächtigsten Triebe und Kräfte brütet der allmächtige Strahl der Liebe in unserm Innersten, das zu erreichen der Strahl jeder andren Leidenschaft zu kurz ist, und ein Verschnittner mag sagen: die Menschheit ist schwach. Alles in meiner Seele lebet und wirket. – Kennen Sie den allmächtigen Hauch im Lenze, so reich an Kraft, daß es scheint, er werde die Grenzen der Schöpfung verrücken und das Leblose zum Leben erwecken? Ein solcher Hauch hat mein ganzes Wesen durchdrungen, und alles, was ich vermag, seh' ich nicht einmal immer. – Nur zuweilen zeigt mir ein Entschluß den ganzen Reichtum der Menschheit – zeigt ihn mir auf einen Augenblick, wie ein Blitz, der durch eine unterirdische Schatzkammer fährt, das aufgehäufte Gold.

ASPERMONTE: Ihre Phantasie brennt in einem Grade, daß ich mich fürchte.

JULIUS: Rede ich unvernünftig? – Gut, der Himmel und Ihr Mädchen vergeben es Ihnen, wenn Sie in ähnlichen Umständen vernünftig reden!

ASPERMONTE: Und mit ebendiesem Ton haben Sie zu Blanca geredet? Sie haben sie doch nicht gar in Ihren romanhaften Plan blicken lassen?

JULIUS: Romanhaft nennen Sie einen Plan, wozu ein wunderbares Zusammenstoßen von Charakteren und Umständen im geringsten nicht nötig ist, wozu ich kaum einen Menschen brauche? Meine Füße tragen mich über die Grenzen von Tarent. Sehen Sie da das ganze Wunder.

ASPERMONTE: Wunders genug, daß ein Jüngling, mit jeder Kraft für alles, was groß ist, begabt, diese Kräfte mit einem Liebesliedchen einschlummert! – Aber glauben Sie es mir, Julius, es wird eine Zeit kommen, in der Sie für Hunger nach edlen Taten schmachten werden.

JULIUS: Und ich sag' Ihnen, daß ich diesen Ruhm und diese Geschäfte hassen würde, wenn ich Blanca nie gesehn hätte. Es ist nichts in dem Stande eines Fürsten, was sich für mich schickte, von seiner heiligsten Pflicht an bis auf die goldenen Franzen an seinem Kleide. – Ach, geben Sie mir ein Feld für mein Fürstentum und einen rauschenden Bach für mein jauchzendes Volk! – Einen Pflug für mich und einen Ball für meine Kinder! – Ruhm? – denn mag die Geschichte mein Blatt in ihrem Buch leer lassen – der letzte Seufzer Blancas sei auch der letzte Hauch, den je ein Sterblicher auf meinen Namen verwendet.

ASPERMONTE: Wie listig Sie Ruhm und Pflicht miteinander verwechseln! – Die Menschen sind nicht da, um nebeneinander zu grasen, und ein Mann kann sich mit einem süßern Gedanken schlafen legen, als daß er satt ist! – Es gibt gesellschaftliche Pflichten. Im Schuldbuch der Gesellschaft steht Ihr Leben, Ihre Erziehung, Ihre Bildung, selbst diese Kraft zu sophistisieren. Was steht in Ihrer Gegenrechnung? – Prinz, ein Biedermann bezahlt seine Schulden.

JULIUS: Wahrhaftig, ich bin diesen gesellschaftlichen Einrichtungen viel schuldig. Sie setzen Fürsten und Nonnen und zwischen beiden eine Kluft. Beim Himmel, ich bin der Gesellschaft viel schuldig!

ASPERMONTE: Kaltes Blut, Prinz! Sie sollen jetzt untersuchen.

JULIUS: Jetzt soll ich kaltes Blut haben? – Glauben Sie, daß ich ein Tor sei? – Aber gut, der Staat gibt nur Schutz und fodert dagegen Gehorsam gegen die Gesetze. Ich habe diesen Gehorsam geleistet, die Rechnung hebt sich.

ASPERMONTE: Meine Behauptung wischt mehr Tränen ab als die deinige! Siehe, Jüngling, dein Vernünfteln ist falsch.

JULIUS: Ist denn Tarent der Erdkreis und außer ihm Unding? – Die Welt ist mein Vaterland, und alle Menschen sind ein Volk. – Durch eine allgemeine Sprache vereint! – Die allgemeine Sprache der Völker ist Tränen und Seufzer; – ich verstehe auch den hülflosen Hottentotten und werde mit Gott, wenn ich aus Tarent bin, nicht taub sein! – Und mußte denn das ganze menschliche Geschlecht, um glücklich zu sein, durchaus in Staaten eingesperrt werden, wo jeder ein Knecht des andern und keiner frei ist – jeder an das andre Ende der Kette angeschmiedet, woran er seinen Sklaven hält? – Narren können nur streiten, ob die Gesellschaft die Menschheit vergifte! – Beide Teile geben es zu, der Staat tötet die Freiheit! – Sehen Sie, der Streit ist entschieden! – Der Staub hat Willen, das ist mein erhabenster Gedanke an den Schöpfer, und den allmächtigen Trieb zur Freiheit schätze ich auch in der sich sträubenden Fliege. – Ach, nur zweierlei bitte ich vom Himmel: Blancan; und daß ich keinen Augenblick länger nach Luft als nach Freiheit schnappe.

ASPERMONTE: Wie sie umherschwärmen – Prinz, Ihre Schlüsse macht die Vernunft der Liebe.

JULIUS: Ist das Vorwurf? – – Wissen Sie es, Aspermonte, jeder hat seine eigene Vernunft wie seinen eignen Regenbogen! Ich die Vernunft der Liebe; – Sie die Vernunft der Trägheit. – Wenn wir keinen Augenblick von Leidenschaft frei sind, und die Leidenschaften über uns herrschen, was ist der eingebildete göttliche Funken? – Da dunsten aus dem kochenden Herzen feinere und kraftlosere Teile – steigen ins Gehirn und heißen Vernunft. Aber ebendeswegen müssen wir nicht streiten. Hören Sie lieber das Resultat meiner Entschließungen – ich kann, ich kann diesen fürchterlichen Monat nicht aushalten. – Morgen will ich mit Blanca von hier!

ASPERMONTE: Morgen?

JULIUS: Ja, morgen! – Ha! mir ist in Tarent so bange als wenn die Mauern über mich zusammenstürzen würden.

ASPERMONTE: Heute früh wollten Sie noch einen ganzen Monat abwarten und jetzt keinen Tag, und doch haben Sie jetzt keinen einzigen Grund zur Flucht mehr als heute früh.

JULIUS: Keinen Grund mehr? Hab' ich sie denn nicht weinen sehen?

ASPERMONTE: Ziehen Sie hin, und lassen Sie Ihren Vater in seinem Sterbezimmer umsonst nach einem Sohne suchen! – Ach, Sie wissen es noch nicht, was es für eine Wollust ist, einem kranken Vater die Küssen zu legen! – – Ziehen Sie hin! – Sie haben es noch nicht gesehen, wie ein Sohn jeden Morgen auf dem Gesicht des Vaters nach dem Lächeln der Genesung spürt – wie er auf den Nordwind zürnt, der um das Zimmer des Kranken heult, wenn er schlafen möchte. Ziehen Sie hin! – Wahrhaftig, Sie können es nicht gesehn haben, wie der schon sprachlose Vater das Gesicht noch einmal nach dem Jüngling dreht und es nicht wieder wendet; – Ziehen Sie hin!

JULIUS: Aspermonte, der Gedanke an meinen Vater, den Sie mir da erwecken, durchbohrt mir das Herz! – und doch: – meinen Plan auf ewig aufzugeben!

ASPERMONTE: Nicht auf ewig, nur diesen Monat sollen Sie abwarten – es ist ja nur ein Monat.

JULIUS: Einen Monat? – Ach ich mag tun, was ich will, so bin ich unglücklich! – Werd' ich am Ende des Monats Blancan oder meinen Vater weniger lieben?

ASPERMONTE: Das nicht, aber Sie werden kühler werden – und das ist notwendig – denn auf jeden Fall müssen Sie wählen.

JULIUS: Gut, – also einen Monat! – Aber das ist ein entsetzlicher Zeitraum – was werd' ich in demselben leiden!

ASPERMONTE: Vieles. Aber Sie werden sich auch oft zerstreuen, und wenn Sie Ihrem Schmerz noch so getreu bleiben wollten, so werden Sie doch endlich, wenn Sie lange an dem Gegenstand desselben gehaftet haben, auf einen benachbarten abgleiten und von diesem wieder auf einen andern, und so kommen Sie, ohne es zu wissen, über die Grenze der Traurigkeit! – Dies ist der einzige wahre Trost der Sterblichen, und so kann ein Sklave bei seiner Kette anfangen und bei einem Göttermahle aufhören, – aber ich bitte Sie, Prinz, geben Sie der Zerstreuung nach!

JULIUS: Ich will sehen.

ASPERMONTE: Fassen Sie sich, Cäcilia kommt, sie hat heute schon einigemal nach Ihnen gefragt.

JULIUS: Cäcilia? – und warum denn eben jetzt?

ASPERMONTE: Fassen Sie sich! Sie ist schon zu nahe, um abgewiesen zu werden. (Geht ab)

—

Sechster Auftritt

Julius, Cäcilia

JULIUS: Sie haben befohlen; – (Bietet ihr einen Stuhl. – Sie setzen sich)

CÄCILIA (etwas verwirrt): Verzeihen Sie, Prinz, ich habe Ihnen Dinge zu sagen, bei denen Sie es vergessen müssen, daß ich ein Mädchen bin, Dinge, die sonst nur der Freund dem Freund, die Freundin der Freundin entdeckt.

JULIUS: Sie machen mich äußerst aufmerksam.

CÄCILIA: Sie wissen es, wie Blanca und ich uns liebten. – Wir sind an einem Tage geboren und für einander geschaffen. Schon in der frühesten Kindheit beschwuren wir den Bund der unverbrüchlichen Treue und schlangen die kleinen Arme ineinander, um zusammen durch das Leben zu dringen. – Sie haben mir vieles zu verdanken. – Durch unsre warme Freundschaft reifte Blancas Herz für ihre überschwengliche Liebe; ich habe diese Liebe genährt und gepflegt von der Zeit an, da Blanca sprach: der Prinz ist reizend, bis dahin, da sie ausrief: Julius, Julius, Inbegriff aller Vollkommenheiten!

JULIUS (springt auf): Ihre Liebe bildete mich zu einem Gotte. – Beim Himmel, ich schätzte ihre Lobeserhebungen nicht halb so hoch, wenn sie wahr wären!

CÄCILIA (gerührt): Lassen Sie uns von Blanca abbrechen, ich bin nicht gekommen, um zu weinen. Nur das muß ich Ihnen sagen, ich halte ihre Liebe für ein heiliges Feuer, das jeden, der es zu entweihen wagte, verzehren würde.

JULIUS: Ich verstehe Sie nicht.

CÄCILIA: Haben Sie Geduld, und erfahren Sie hiermit das erste Geheimnis meines Herzens. Ich habe der Liebe auf ewig entsagt; frei geboren, will ich auch frei sterben; ich kann den Gedanken nicht ausstehn, die Sklavin eines Mannes zu werden; das Wort Heirat klingt mir wie ein Gerassel von Ketten, und der Brautkranz kömmt mir vor wie der Kranz der Opfertiere.

JULIUS: Cäcilia, ich bewundre Sie.

CÄCILIA: Wollen Sie mich durch eine Schmeichelei daran erinnern, daß ich ein Mädchen bin? Sie verbinden mich nicht, ich hasse mein Geschlecht, ob ich gleich kein Mann sein möchte!

JULIUS: Ich weiß nicht, was ich weiter denken soll; – Sie haben mich in ein Labyrinth geführet.

CÄCILIA (indem sie aufsteht): Gut, so will ich Sie herausführen: – Ihr Vater hat uns für einander bestimmt. (Geht schleunig ab)

—

Siebenter Auftritt

JULIUS: Das hätt' ich längst erwarten können. – Viel Reiz, viel Vollkommenheit! – und doch möcht' ich alles, was ich für sie empfunden habe, nicht mit meiner untersten Empfindung für meinen untersten Freund vertauschen. Und sie stand mir von jeher, durch Verwandtschaft und Umgang, so nahe, daß man hätte glauben sollen, sobald meine Empfindung nur aufloderte, müßte sie sie zuerst ergreifen. – Liebe, du bist ein Abgrund, man mag begreifen oder empfinden. – Verachtet die Liebe etwa alles, was sie nicht gemacht hat, sollt' es auch nur die Gelegenheit sein? – Oder gehören ihre ersten Ursachen unter die Dinge, die wir nicht wissen, und die wir in unserm Unwillen darüber Zufall nennen? – Dummkopf, sie sagte mir ja in diesem Gespräch die Ursach' meiner Kälte selbst. Sie ist kein Weib, darum lieb ich sie nicht, kein Mann, darum ist sie mein Freund nicht. Steh' ich nun nicht und grüble, warum ich Cäcilia nicht liebe? Hab' ich je gegrübelt, warum ich Blancan liebe?
Da ist mir der Name entfahren! Umsonst verwirrt' ich mich in diese Spitzfindigkeiten, um mich zu zerstreuen. All's im Himmel und auf Erden leitet zu dir; und wenn ich auch an dich nicht denke, so zeigt doch die Art, wie ich an andre Dinge denke, wie du herrschest.

—

DRITTER AUFZUG

Erster Auftritt

IM PALAST

Der Fürst, Cäcilia, Julius, Guido, der Erzbischof, Hofleute beiderlei Geschlechts in Gala, unter ihnen Aspermonte. Alle sind schon gegenwärtig, der Fürst sitzt mit bedecktem Haupte auf einem Sessel. Neben ihm stehn seine Söhne und sein Bruder, die andern im halben Zirkel

DER FÜRST (steht auf und tritt mit entblößtem Haupte in die Mitte der Versammlung): Ich dank' euch, meine Freunde, ich dank' euch. Wahrscheinlich fei'r ich heute meinen Geburtstag als Fürst zum letzten Mal. (Pause)
Ich gehöre nicht zu den Greisen, die nicht wissen, daß sie alt sind. Und wenn mich auch der Tod nicht ruft, so denk ich doch, in kurzem den Hirtenstab meinem Sohne zu übergeben. Meine Sonne ist schon untergegangen, und ich wollte so gern in der kühlen Dämmerung mit Ruhe das lange Tagewerk noch einmal überschauen. Ich hoffe, mein Gewissen wird mir nichts Unangenehmes zeigen. Freilich ist der Rand des Grabes der rechte Standpunkt zu dieser Übersicht. Jede Nation sollte eine Geschichte der letzten Augenblicke ihrer Fürsten unter den Reichskleinodien aufbewahren. Sie sollte immer offen vor dem Throne liegen; da sehe der Regent das Zittern des Tyrannen, der es zum ersten Male empfindet, daß er ein Untertan ist; aber er sehe auch die Ruhe des guten Fürsten und bezeuge durch eine gute Tat, daß er sie gesehen habe.
Was ihr auch sehen werdet, meine Kinder, so sollt ihr an meinem Sterbebett gegenwärtig sein.
Ich hoffe, ihr sollt nicht erschrecken.

EIN ALTER BAUER (der einen Blumenkranz in der Hand hat und sich durch die Hofleute drängt): Das werden sie nicht, wahrhaftig, das werden sie nicht!
Gnädiger Herr, ich bin ein Bauer aus Ihrem Dorfe Ostiola. Die Gemeine schickt Ihnen den Kranz zum Zeichen ihrer Liebe. Wir können Ihnen nichts Bessers schicken, denn wir sind so arm, daß wir verhungert wären, wenn Sie es gemacht hätten wie Ihr Vater.

DER FÜRST (gibt ihm die Hand): O, daß die Blumen so lange frisch blieben, bis ich sterbe. Ich wollte sie über mein Bette aufhängen lassen! – Ihr Duft wär doch wohl Erquickung für einen Sterbenden. – Nimm den Kranz, Julius, er gehört auch unter die Reichskleinodien.

DER BAUER (zu Julius): Ja, Prinz, machen Sie es wie Ihr Vater, und mein Sohn soll Ihnen auch so einen Kranz bringen.

JULIUS (weint und umarmt den Bauer): Dein Enkel noch nicht, guter Mann.

DER BAUER: Gnädiger Herr, Gott erhalte Sie und Ihr Haus.

DER FÜRST: Nein, Freund, ohne Geschenk kommst du nicht von mir.

DER BAUER (indem er abgeht): Nicht doch, gnädiger Herr, da würde ja aus dem ganzen ernsthaften Wesen ein Puppenspiel.

DER FÜRST: Mein Herz ist so voll. – (Gibt ein Zeichen; die Hofleute gehn ab) Meine Kinder, bleibt hier!

Zweiter Auftritt

Fürst, Julius, Guido

FÜRST: »Gott erhalte Sie und Ihr Haus« – wenn nur ein Haus erhalten werden könnte, das mit sich selbst uneins ist. Ihr kennet den Schmerz eines Vaters nicht, meine Söhne, und vermögt ihn nicht zu kennen, aber ihr wisset doch, daß es schmerzt, ein Gewächs verdorren zu sehn, das man selbst gepflanzt und gewartet hat. Nun, so denkt euch den Gram eines Vaters, der die Freude an seinen Kindern verliert.

JULIUS: Ich hoffe, Herr Vater, es ist Ihnen bekannt, daß ich an dem Zwist nicht schuld bin.

FÜRST: Diese Freude sollte mir alle Sorgen eurer Erziehung vergelten, aber itzt seh' ich's – ich glaubte, Vergnügen zu säen, und siehe, ich ernte Tränen. –
Was soll ich von der Zukunft hoffen? – Da ihr jetzt schon so handelt, was werdet ihr nicht tun, wenn euch Liebe und Furcht gegen mich nicht mehr zurückhalten! Mit welchen Empfindungen wollt ihr, daß ich sterben soll, wenn ich euch an meinem Todbett sehe? Euch beide soll ich segnen, und jeder von euch hält Fluch über den andern für Segen auf sein Haupt? – O Julius! o Guido!

die ganze Welt läßt diese grauen Haare in Frieden in die Grube fahren – nur ihr nicht, nur ihr nicht – ich bitt' euch, lieben Kinder, laßt mich in Ruhe sterben.

JULIUS: Ich versichre Ihnen bei allem, was heilig ist, ich bin unschuldig – und Sie würden meine Mäßigung bewundern, wenn Sie alle Beleidigungen wüßten, die er mir zugefügt hat. – O Bruder, es zerreißt mir das Herz, daß ich so reden muß.

GUIDO: Und die Geduld eines Märtyrers möchte zerreißen, wenn du von Beleidigungen reden kannst. – Keine Beleidigungen, nur die Wahrheit sollst du mit Mäßigung anhören, wollte Gott, daß du das könntest.

FÜRST: Seid ruhig – ich weiß es genau, in welchem Grade ihr beide schuldig seid. – Aber kannst du es leugnen, Guido, daß du heute den Degen gegen Julius' Freund zogest, in einem Streit über deinen Bruder zogest?

GUIDO: Ich tat es, Herr Vater – aber mein Bruder und nachher Aspermonte hatten meine Ehre so tief und mit so kaltem Blute verwundet; – ich wollte, Sie hätten es gehört, mit welcher Kälte sie meine Ehre –

FÜRST: Schämst du dich nicht, von Ehre gegen Bruder und Vater zu reden? Wenn diese Torheit auch die Weisen überschreit, so sollte sie doch wenigstens die Stimme des Bluts nicht übertäuben.

GUIDO: Verzeihen Sie, Herr Vater, meine Ehre ist nichts, wenn sie in Betracht des einen etwas anders ist als in Betracht des zweiten.

FÜRST: Halt, Guido, ich hör nicht gern Leute deines Temperamentes mit kochendem Blut von Grundsätzen reden – im Affekt trefft ihr sowenig als andre das rechte Ziel – und seid denn nachher immer bereit, jedes im Affekt gesprochne Wort mit eurem Blute zu versiegeln. Jetzt nichts mehr davon, ich will zu einer bequemern Zeit davon mit dir reden – wenn du mehr dazu aufgeräumt bist, einmal mit Ruhm aus einem Feldzuge zurückkommst oder sonst eben eine große Handlung getan hast.

GUIDO: Möchten Sie bald diese Gelegenheit finden!

FÜRST: Ich kann sie finden, wenn du willst, – und du, Julius, kannst mir eine ähnliche geben. Du brüstest dich mit deinem Mute und du mit deiner Philosophie. Eure törichte Liebe zu überwinden, ist eine rühmliche Laufbahn für beide. Laßt sehn, wer am ersten beim Ziel ist. Und daß euch jetzt noch die Eifersucht entzweit! Sonst glaubt' ich, es sei nichts törichter als eure Liebe; aber ich habe mich geirrt, eure jetzige Leidenschaft ist noch törichter. Unmöglich kann einer von euch Blancan besitzen, sie ist eine Nonne, – für euch tot. – Ihr könntet mit ebendem Rechte die schöne Helena oder Kleopatra lieben. Eure Liebe ist also ein Nichts – und doch seid ihr eifersüchtig? – Eifersüchtig ohne Liebe – das heißt keinen Wein trinken und Torheiten eines Berauschten begehn. – Oder glaubt ihr, der Liebe sei nichts unmöglich? – Versucht es – aber ihr werdet hier alles finden, was den Menschen aufhalten kann! – Schwur und Religion, Riegel und Mauern. – Überleg' das, Julius, und höre auf zu trauren.

JULIUS: Ich habe noch nicht einmal so lange getrau'rt als ein Witwer um seine Gattin – und Sie sagen ja, Blanca sei tot. Und sehen Sie, meine Klagen sind ja nicht das Haarausraufen am Sarg, es sind ja nur die Tränen am Grabsteine. Sehen Sie meiner Schwachheit etwas nach, lieber Vater!

FÜRST: Ich hab' ihr nachgesehn – aber wenn ich es länger tue, so wird auch meine Nachsicht selbst Schwachheit. Wach' endlich auf und sei das, was du sein sollst. – Du bist kein Mädchen, die Liebe ist nicht deine ganze Bestimmung. Du wirst ein Fürst und mußt dem Vergnügen der Tarentiner dein Vergnügen aufopfern lernen.

JULIUS: Da verlangen die Tarentiner zuviel.

FÜRST: Nicht zuviel, mein Sohn – hier ist nichts mehr als ein Tausch. Du gibst ihnen dein Vergnügen und sie dir ihren Ruhm.
In einem Jahrhundert bist du, der Fürst, der einzige von allen deinen Tarentinern, den man noch kennt, wie eine Stadt mit der Entfernung verschwindet und bloß noch die Türme hervorragen; – und doch war jeder vergeßne Tarentiner ein Teil des Staats, ohne den du kein Fürst sein konntest, jeder arbeitete für dich, trug ein Steinchen zu der Ehrensäule, auf die du zuletzt deinen Namen schreibst.

JULIUS: Aber Herr Vater, wenn ich nun ein verborgnes Leben so begierig suchte als die Liebe ein dunkles Myrtengebüsch; – so tauscht' ich auf die Art Schatten für ein wirkliches Gut ein.

Guido: Bruder, du redest wie ein Träumender.

Fürst: Julius, Julius, du bist tief gesunken! – Doch ich will mich nicht erzürnen. Ich seh, es ist noch zu früh, mit dir vernünftig zu reden. – Gründe sind eine stärkende Arznei, und bei dir hat sich die Krankheit noch nicht gebrochen. – Dir geht's wie den Leuten, die nichts sehen, weil sie zu lange starr auf einen Gegenstand sahen.

Julius: Ich will mich zwingen, Vater, einen Kampf kämpfen, der mir viel kosten wird.

Fürst: O Sohn, sollte mein graues Haupt nichts über dich vermögen – meine Runzeln nichts gegen ihre reizende Züge, meine Tränen nichts gegen ihr Lächeln, mein Grab nichts gegen ihr Bette?

Julius: O mein Vater!

Fürst: Julius, dies sind nicht die Tränen eines Mädchens –, es sind die Tränen eines Vaters –, auch um dich vergieße ich sie, Guido, du gehst mit deinem Bruder zu gleichem Teile. Wie du so sprachlos dastehst? – Ich bitt' euch, liebe Kinder, macht mir eine Freude und umarmt euch – sollt' es auch nur mit halben Herzen geschehn, ein Schauspiel sein, das ihr an meinem Geburtstage aufführt; – ich will mich täuschen, der getäuschte Zuschauer weint ja auch Freudentränen vor dem Schauplatz. (Sie umarmen sich) – Die Wollust hab ich lange nicht gehabt. (Er umarmt sie beide) Ich bitt' euch, liebe Kinder, laßt dies graue Haar mit Frieden in die Grube fahren.

—

Dritter Auftritt

Guido, Julius

Guido: Julius, kannst du die Tränen eines Vaters ertragen? Ich kann's nicht.

Julius: Ach Bruder, wie könnt' ich!

Guido: Meine ganze Seele ist aus ihrer Fassung, ich möchte mir das Gewühl einer Schlacht wünschen, um wieder zu mir selber zu kommen. – Und das kann eine Träne? Ach, was ist der Mut für ein wunderbares Ding! Fast möcht' ich sagen, keine Stärke der Seele, bloß Bekanntschaft mit einem Gegenstande – und wenn das ist, ich bitte dich, was hat der Held, den eine Träne außer sich bringt, an innrer Würde vor dem Weibe voraus, das vor einer Spinne auffährt!

JULIUS: Bruder, wie sehr gefällt mir dieser dein Ton!

GUIDO: Mir nicht, wie kann mir meine Schwäche gefallen! Ich fühle, daß ich nicht Guido bin. Wahrhaftig, ich zittre – o wenn das ist, so werd' ich bald auf die rechte Spur kommen – ich hab' ein Fieber.

JULIUS: Seltsam – daß sich ein Mensch schämt, daß sein Temperament stärker ist als seine Grundsätze.

GUIDO: Laß uns nicht weiter davon reden! – Meine jetzige Laune könnte darüber verfliegen, und ich will sie nutzen! Man muß gewisse Entschlüsse in diesem Augenblick ausführen, aus Furcht, sie möchten uns in dem künftigen gereuen. Du weißt es, Bruder, ich liebe Blancan und habe meine Ehre zum Pfande gegeben, daß ich sie besitzen wollte. – Aber diese Tränen machen mich wankend.

JULIUS: Du setzest mich in Erstaunen.

GUIDO: Ich glaube meiner Ehre genuggetan zu haben, wenn sie niemand anders besitzt, wenn sie bleibt, was sie ist – denn wer kann auf den Himmel eifersüchtig sein? Aber du siehst, wenn ich meine Ansprüche aufgebe, so mußt du auch die deinigen, mit alle den Entwürfen, sie jemals in Freiheit zu setzen, aufgeben. – Laß uns das tun und wieder Brüder und Söhne sein! – Wie wird sich unser Vater freuen, wenn er uns beide zu gleicher Zeit am Ziel sieht, wenn wir beide aus dem Kampfe miteinander als Sieger zurückkommen, und keiner überwunden: – und noch heute muß das geschehn, heute an seinem Geburtstage!

JULIUS: Ach Guido! –

GUIDO: Eine entscheidende Antwort!

JULIUS: Ich kann nicht.

GUIDO: Du willst nicht? so kann ich auch nicht. Aber von nun an bin ich unschuldig an diesen väterlichen Tränen, ich schwör' es, ich bin unschuldig. Auch ich bekäme meinen Anteil davon, sagt' er. – Siehe, ich wälze ihn hiermit auf dich. Dein ist die ganze Erbschaft von Tränen und Flüchen!

JULIUS: Du bist ungerecht – glaubst du denn, daß sich eine Leidenschaft so leicht ablegen lasse wie eine Grille, und daß man die Liebe an- und ausziehen könne wie einen Harnisch? – Ob ich will – ob ich will – wer liebt, will lieben und weiter nichts. – Liebe ist die große Feder in dieser Maschine; und hast du je eine so widersinnig künstliche Maschine gesehn, die selbst ein Rad treibt, um sich zu zerstören, und doch noch eine Maschine bleibet?

GUIDO: Ungemein fein, ungemein gründlich; – aber unser armer Vater wird sterben!

JULIUS: Wenn das geschieht, so bist du sein Mörder! – Deine Eifersucht wird ihn töten, und hast du nicht eben gesagt, du könntest deine Ansprüche aufgeben, wenn du wolltest – heißt das nicht gestehen, daß du sie nicht liebst, und doch bleibst du halsstarrig? Dein Aufgeben wäre nicht Tugend gewesen, aber dein Beharren ist Laster!

GUIDO: Bravo! bravo! das war unerwartet.

JULIUS: Und was meinst du denn –

GUIDO: Ich will mich erst ausfreuen, daß die Weisheit eben so eine schlanke geschmeidige Nymphe ist als die Gerechtigkeit, ebensogut ihre Fälle für einen guten Freund hat als diese. – Ich könnte meine Ansprüche aufgeben, wenn ich wollte? – Wenn die Ehre will! – Das ist die Feder in meiner Maschine – Du kannst nichts tun, ohne die Liebe zu fragen, ich nichts ohne die Ehre: – wir können also beide für uns selbst nichts, das, denke ich, ist doch wohl ein Fall.

JULIUS: Hat man je so etwas Unbilliges gehört, die erste Triebfeder der menschlichen Natur mit der Grille einiger Toren zu vergleichen!

GUIDO: Einiger Toren? – du rasest! – ich verachte dich, wie tief stehst du unter mir! Ich hielt meine Rührung durch Tränen für Schwachheit – aber zu diesem Grade meiner Schwachheit ist deine Tugend noch nicht einmal gestiegen!

JULIUS: Es ist immer dein Fehler gewesen, über Empfindungen zu urteilen, die du nicht kennst.

GUIDO: Und dabei immer ums dritte Wort von Tugend zu schwatzen! – ich glaube, wenn du nun am Ziel deiner Wünsche bist und deinen Vater auf der Bahre siehst, so wirst du, anstatt nach getaner Arbeit zu rasten, noch die Leichenträger unterrichten, was Tugend sei, oder was sie nicht sei –

JULIUS: Wie hab' ich mich geirrt! Bist du nicht schon wieder in deinem gewöhnlichen Tone.

GUIDO: Siehe, du hoffest auf seinen Tod; kannst du das leugnen? Glaubst du, daß ich es nicht sehe, daß du alsdenn das Mädchen aus dem Kloster entführen willst? – Es ist wahr, alsdenn bist du Fürst von Tarent, und ich bin nichts – als ein Mann. – Aber dein zartes Gehirnchen könnte zerreißen, wenn du das alles lebhaft dächtest, was ein Mann kann. – Gott sei Dank, es gibt Schwerter, und ich hab' einen Arm – einen Arm, der noch allenfalls ein Mädchen aus den weichen Armen eines Zärtlings reißen kann! – Ruhig sollst du sie nicht besitzen, ich will einen Bund mit dem Geiste unsres Vaters machen, der an deinem Bette winseln wird.

JULIUS: Ich mag sowenig als unser Vater, von dir im Affekt hören, was du tun willst. (Geht ab)

—

Vierter Auftritt

GUIDO: Gut, wenn du ewigen Krieg haben willst, so kannst du ihn finden – bleibt doch mein Plan dabei, wie er ist! Ich bin zum Kriege geboren. Nichts wird anders, als daß ich Blancas Namen zum Feldgeschrei nehme! – Aber dein Plan, Julius, wird verändert werden, du wirst mit ihr dein Leben nicht ruhig hintändeln! – Die Furcht vor deinem Nebenbuhler soll dich immer verfolgen, – ich will dir eine Erinnerung in die Seele setzen, die dir stets »Guido« zurufen soll, heller »Guido« rufen soll als das Gewissen eines Vatermörders: »Mörder!« – Jeden Gedanken in dir will ich mit meinem Namen stempeln, und wenn du Blancan siehst, sollst du nicht an sie, sondern an mich denken! – Mitten in euren Umarmungen soll plötzlich mein Bild in eurer Seele aufsteigen, und die Küsse werden auf euren Lippen zittern wie Tauben, über denen ein Adler hängt. Des Nachts sollst du im Traume sehn, wie ich sie dir entführe, und so erschrocken auffahren, daß Blanca aus deinen Armen gleiten, erwachen und schreien soll: »Guido«! (Ab)

—

Fünfter Auftritt

ASPERMONTE (tritt auf): Ich darf ihn diesen Monat keine Minute aus den Augen verlieren – und was ist ein Monat so kurz, um eine zerrüttete Phantasie in Ordnung zu bringen? – und doch konnte ich kaum diese Frist erhalten. – Das ist noch das Beste, daß ich den Weg weiß, den ich zu gehen habe. Seine Vernunft ist keine unparteiische Richterin mehr; ich muß an sein Herz appellieren.

JULIUS (tritt eilig auf): Gut, Aspermonte, daß ich Sie treffe. Schaffen Sie mir sichre Leute und ein Schiff, eilen Sie, ich gehe heute abend mit Blancan von hier.

ASPERMONTE: Prinz –

JULIUS: Ha, Aspermonte, keine Lobreden auf weise Fürsten und löbliche Regenten! – Ich bin sie müde; – Sie könnten mir den unsterblichen Ruhm anbieten, der die Unermeßlichkeit zu Schranken und die Sterne zu Gefährten hat; – ich gehe mit Blancan – nichts weiter! Mein Bruder hat recht, ich habe geschwatzt, wenn ich hätte handeln sollen.

ASPERMONTE: Ist der Monat schon wieder verstrichen – und haben Sie keinen Vater mehr?

JULIUS: Ich habe Ihnen gesagt – doch ich will meinen Vorsatz, nicht weiter über die Sache zu denken, noch einmal brechen. Wissen Sie denn, ich habe meinen Vater weinen sehn, und diese Tränen haben meinen Entschluß nicht wankend gemacht. – Freilich fehlte unendlich wenig daran, aber unendlich wenig ist hier genug! – Es ist unnütz, diesen Monat abzuwarten, was kann darin, was kann in meinem Leben meinen Plan wankend machen, da es die Tränen meines Vaters nicht getan haben?

ASPERMONTE: Das möcht' ich so dreist nicht behaupten.

JULIUS: Hören Sie mich ganz an. Sie sollen nicht über meine einzelnen Gründe, sondern über alle zusammengenommen urteilen. – Guido hat mir eine Aussicht in meiner Seele eröffnet, vor der mir schaudert.

Ich will es Ihnen gestehn: – in den Augenblicken, da mich der Gedanke verließ, Blancan heute zu entführen, verschob ich es bloß bis auf den Tod meines Vaters, in eine Zeit, in die meine Gedanken um keinen Schritt weiter vordringen sollten, als meine Wünsche. – Gott, ich kann die Idee nicht ausstehn, mein Glück von dem Tode meines Vaters zu erwarten. – Und wenn es mir einfällt; – ach, Sie wissen es, ich habe die Saite niemals berührt! – daß mein Vater Blancan ins Kloster bringen ließ: – Ich muß von hier, ich muß von hier, um meinen Vater zu ehren!

ASPERMONTE: Ich liebe diese tugendhaften Gründe, aber Sie überzeugen mich nicht.

JULIUS: Und wenn ich Blancan nicht aus ihrem Kerker reiße, so tut es Guido – er hat es gelobet, und auf sein Wort kann man bauen – Aspermonte, ich zittre vor der Vorstellung, diese Säle des Vaters könnten vom Blute der Söhne triefen.

ASPERMONTE: Unterdessen deucht mir die Gefahr noch nicht so dringend, daß Sie nicht noch einige Zeit abwarten könnten.

JULIUS: So soll ich es länger ansehen, daß diese Vollkommenheiten im Kloster verwittern, daß jeden Tag der Schmerz neue Anmut und Reiz von ihr wie von einem Baume abschüttelt! Soll sie noch länger über mich seufzen und es aus Edelmut sich verbergen wollen, daß sie es über mich tut! O je leiser diese versteckten Seufzer im Justinenkloster sind, desto lauter schreien sie im Ohre der Rache. – Unmensch, ich seh' es an deiner Kälte, du willst mich verlassen. Was sagte ich doch wahr: die Fürsten haben keine Freunde! – Gut so, ich gehe allein.

ASPERMONTE: Ich gehe mit Ihnen.

JULIUS (umarmt ihn): O so zärtlich haben Sie mich nie an Ihr Herz gedrückt – ich fühl' es schon, daß ich aufgehört habe, ein Fürst zu sein.

ASPERMONTE: So will ich itzt gehn, um unsre Angelegenheiten zu besorgen. – Vergessen Sie Ihre Kostbarkeiten nicht, sie müssen Ihren künftigen Unterhalt ausmachen. – Aber wohin denken Sie?

JULIUS: Das überlasse ich Ihnen.

ASPERMONTE: Ich habe einen Freund in einem entfernten Winkel von Deutschland, der uns gern aufnimmt.

JULIUS: So sei Deutschland die Freistatt der Liebe. – Eilen Sie. Ich will unterdessen auf einem Spazierritte den väterlichen Fluren Lebewohl sagen.

—

Sechster Auftritt

Blancas Zelle

Blanca sitzt vor einem Tische, worauf einige Bücher und andres geistliches Gerät liegen, sie liest in einem Folianten

Blanca: Ich kann nicht weiter, meine Andacht ist Sünde. Julius! immer um den dritten Gedanken dein Bild! (Macht das Buch zu und steht auf) Und dieser Wechsel von Metten und Vespern, von Begierden und Reue, das ist es, was sie das Leben nennen, und Jugend, der Frühling des Lebens? Gott, was gibt meiner Seele Friede? – vereinigt diese Empfindungen, von denen eine die andre bekämpft, und diese Geanken, von denen jeder den anderen Lügen straft? (Pause) Nichts als der Tod! Nach Julius mein Lieblingsgedanke. – In den Tagen der Freude dacht ich anders – ich dachte, Tod verändert die Liebe nicht. – Ich habe meine Unsterblichkeit nie so stark als in Julius' Armen gefühlt, ich empfand, meine Liebe ist ewig, also dacht' ich, muß es mein Geist auch sein. Aber itzt, da ich ihre Qualen kenne – er wird mein starres Auge nicht zudrücken. – Nein, nein, die Liebe stirbt. (Sie liest einige Augenblicke, schlägt aber bald das Buch zu) Ach, ich habe ja schon einmal das Entzücken der Andacht gefühlt; sie ist mit der Liebe die erste Empfindung unsrer Natur. Und sind sie nicht verwandt, verschiedne Gesänge auf eine Melodie? – Ich glaubte mich schon so stark und die Erde schon unter meinen Füßen; – Sein Bild, sein Bild! – ich sank ganz zurück und sah mit Erstaunen, daß ich kaum einen Schritt zurücksank – arme Blanca! (Weint)

—

Siebenter Auftritt

Äbtissin (tritt auf): Guten Abend, Schwester, was machst du?

Blanca: Ich weine.

Äbtissin: Übereile dich nicht, du brauchst noch lange Tränen.

Blanca: Noch lange? – Aber sind Tränen nicht wider unser Gelübde?

Äbtissin: Ich hoff' es nicht. Nur Taten, nicht Empfindungen kann ja der schwache Sterbliche geloben.

BLANCA: Gut, ich bin ein Weib, und bin ich nicht das, was ich sein soll? Ich beneide keine Heilige, gönne ihr ihren Weihrauch, ihren Glanz und ihre Palmen, ihr Bild unter Engeln stehe immer auf Altären, werde in Prozessionen getragen, ihre Wunder mögen Bücher anfüllen; – sei'n Sie versichert, Äbtissin, keine von diesen Weibern hat wie ich geliebt. Sonst hätten wir von ihr nur eine Legende: – sie starb vor Qualen der Liebe.

ÄBTISSIN: Du hast recht, eine Heilige ist bloß eine schöne Verirrung der Natur.

BLANCA: Ich darf also weinen? – von heut' an bin ich weniger unglücklich.

ÄBTISSIN: Aber mäßige dich, Kind, man kann sich zerstreuen.

BLANCA: Zerstreuen? – Meine Seele ist nicht zum Zerstreuen gemacht auch als ich noch lebte, hatt' ich nur *einen* Gedanken. – Was soll mich zerstreuen? Selbst in dem Gedanken, der von fern Andacht schien, liegt Julius verborgen; und die Betrachtung der Ewigkeit! – Ewigkeit ist ja die Dauer der Liebe. Sehen Sie, wie der Mond scheint! Sie denken sich ihn als einen leuchtenden Weltkörper – ich seh' in ihm bloß den Zeugen meines ersten Kusses – ein nicht zu raubendes Andenken meiner Liebe! – Sei gegrüßt, lieber Mond!

ÄBTISSIN: Auch Ricardo – (Sie drückt Blancas Hand. Pause)

BLANCA: Wie lange weint hier ein verliebtes Mädchen, ehe die letzte Hoffnung stirbt, die auf die entfernteste Möglichkeit gebaute Hoffnung?

ÄBTISSIN: Ach, die Hoffnung stirbt nie, aber wohl das Mädchen.

BLANCA: Haben Sie Beispiele? (Umarmt die Äbtissin) Nennen Sie sie mir, noch ehe der Tag anbricht, will ich ihr Grab mit Rosen und Maßlieben und meinen Tränen ehren.

ÄBTISSIN: Spare Rosen und Tränen! – Bald möchtest du sie für mein Grab brauchen.

BLANCA: Nein Äbtissin, Ihre Tränen und Rosen für mich! Ich will mit dem Tode einen Bund machen, Martern für mich ersinnen! – solche Seufzer sollen diese Mauren nie gehört haben, Augustin soll gestehn, seine Regel sei Weichlichkeit, Heilige, durch mich mit der Liebe versöhnt, sollen für Mitleiden und Märtyrer für Beschämung das Gesicht wegwenden.

ÄBTISSIN: Tochter, deine Phantasie wird wild!

BLANCA: Rosen und Tränen für mich! Die so gebogne Natur wird doch endlich einmal brechen.

ÄBTISSIN: Komm, es ist Zeit zur Hora, wir sind ohndem immer die letzten auf dem Chore.

BLANCA: Ha! wenn nun die freie Seele zum erstenmal über dem hohen Dom flattert. – Jahrhunderte werd' ich brauchen, ehe ich wieder Freuden fühlen kann, zumal unendliche Freuden – und, Äbtissin, wenn du denn meinem Gebeine das versprochne Opfer bringst, und du hörst ein sanftes Lispeln, so denke, das heißt auf irdisch: Schwester, bald Rosen und Tränen für dich.

ÄBTISSIN (im Herausgehn): Ach, solche Klagen hörte dies Gewölbe seit Jahrhunderten!

—

VIERTER AUFZUG

—

Erster Auftritt

IM PALAST

JULIUS: Auf ewig verlassen – auf ewig! Hätt' ich es von ferne dieser Empfindung angesehn, daß sie so stark wäre! Aber bisher habe ich nur auf meine Vereinigung mit Blancan und nicht auf Trennung von Vater und Vaterland gedacht. Einen Vater am Rande des Grabes verlassen! – Wie wird er sich ängstigen, eh' er mein Schicksal erfährt, und wenn er's erfährt, ist er glücklicher, wenn er gewisse Betrübnis für ungewisse Angst eintauscht? Nie dich wiedersehn, Tarent, nie wieder die Sonne hier heller scheinen und die Blumen frischer blühn sehn als an jedem andern Orte! Und ihr Freuden der Rückkunft, bestes Produkt des mütterlichen Landes, ich werde für euch tot sein, – nie das Jubelgeschrei des Schiffvolks hören, wenn es diese väterliche Küste sieht – nie in einer Abendsonne die Türme von Tarent wieder glänzen sehen und mein Pferd schärfer spornen! Niemals werd' ich wieder in diesem Saale alles, was ich liebte, an einem Tische versammlet finden; nie wieder hören, daß mein Vater spricht: Gott segne euch, meine Kinder! Und alle diese Bande, die ich zum Teil eher trug, als ich die Welt betrat, zerreiß' ich um eines Weibes willen! – um eines sterblichen Weibes willen! – nein, nicht für ein sterbliches Weib, für dich, Blanca, du bist mir Vaterland, Vater, Mutter, Bruder und Freund!

—

Zweiter Auftritt

Julius, Aspermonte

JULIUS: Wie steht's, Aspermonte?

ASPERMONTE: Alle Anstalten sind getroffen, die aufgehende Sonne muß uns schon auf dem Meere finden.

JULIUS: Und wie ist Ihr Plan?

ASPERMONTE: Ich habe zwanzig Bewaffnete zusammen, und die denk' ich in zwei Haufen zu teilen – mit dem einen fallen wir ins Kloster und versichern uns ihrer Person – der andre soll mit dem Reisegeräte an der Gartentür auf uns warten – ein Schiff liegt bereit, und der Wind ist vortrefflich

JULIUS: Aber Sie haben doch auch für Blancas Bequemlichkeit gesorgt?

ASPERMONTE: Als wenn sie meine Geliebte wäre.

JULIUS: Ich danke Ihnen; aber, lieber Aspermonte, ich hab' es nie so stark gefühlt, was Vaterland sei, als jetzt.

ASPERMONTE: Prinz, noch ist es Zeit! – Verlassen Sie Tarent nicht, wenn Sie es ungern verlassen!

JULIUS: Ich verlasse es wie ein Weiser das Leben, gerne, aber unwillkürliche Schauer regen sich – und für die kann er nicht.

ASPERMONTE: Haben Sie Ihren Spazierritt gemacht?

JULIUS: Ja, und diese melancholischen Empfindungen sind eben die Frucht davon. Ich habe mir das Bild aller dieser Gegenden tief eingeprägt; es ist so angenehm, in einer weiten Entfernung die väterlichen Fluren in Gedanken zu durchirren; – das soll mir Stoff für meine zukünftigen schwärmerischen Abende sein. Und ich versichre Sie, es ist hier kein Bach, kein Wäldchen, kein Hügel, der mir nicht durch eine kleine Begebenheit aus meiner Kindheit oder Jugend merkwürdig wäre – wirklich nur durch kleine

Begebenheiten, deren Andenken aber dem Manne, den sie angehn, schätzbarer sind als eine Weltgeschichte.

Aspermonte: Das Zitronenwäldchen, in dem sie Blancan zum erstenmal sahn, und in dem Sie so oft träumten, haben Sie vermutlich vergessen?

Julius: Wie sollt' ich, Aspermonte, wie sollte ich das? Ich habe darin noch einige unschätzbare Minuten zugebracht, und wenn ich etwas von der Gegend mitnehmen könnte, so sollte es dies Wäldchen sein.

Zuletzt besucht' ich noch die Gruft meiner Väter; – ein wahres Bild des Standes der Fürsten, dacht' ich, als ich die silbernen Särge und die verrotteten Fahnen sah! – Bei ihnen ist alles so wie in jedem andren Stande, die Flittern ausgenommen, die sie allem, was sie angeht, anhängen. Die Hand voll Staub in diesem Sarge, ehmals der große Theodorich, liebte den Schädel in jenem, einst die schöne Agnese! – Können sie doch jetzt ruhig schlafen, ohne daß ein Kammerherr im Vorsaale zu zischeln braucht; pst. Dieser erstickende Dunst ist wie der Dunst aus der Gruft eines Bettlers, und kein Schmeichler kann sagen: er duftet lieblich. Faulet nicht Theodorichs Hund so gut als Theodorich, obgleich auf seinem Grabe kein verrostetes Schwert und Szepter liegt. – Hm, dacht' ich, ich werd' auch schon vermodern, wenn es gleich in keinem Erbbegräbnisse geschieht!

Aspermonte: Ihre Anmerkungen sind richtig, aber es lassen sich bei ebender Gelegenheit auch andre machen, die ebenso richtig sind. – Lassen Sie den Stand eines Fürsten seine Flittern haben; – ist es dennoch der, für den Ihre große Seele gemacht ist. Sie verachten die Stände nicht, die diese Flittern nicht haben, denn sie sind Nebenwerk. – Gut, in dem Stande, der sie hat, sind sie auch Nebenwerk. – Julius, Sie sind bestimmt, die Glückseligkeit vieler Tausenden zu gründen, und Ihr ganzer Zweck soll nun das Vergnügen und der Zeitvertreib eines einzigen Weibes sein?

Julius: Sie erzürnen mich, Aspermonte! – Doch reden Sie, ich bin ja kein Fürst mehr.

Aspermonte: Auch auf die Art will ich es Ihnen zeigen, daß ein Fürst Freunde haben kann. Bedenken Sie noch einmal den Tausch: Vater und Vaterland für ein Weib!

Julius: Ich bin wie ein Standhafter auf der Folter; Ihre

Vorstellungen können mich quälen, aber meinen Entschluß nicht besiegen – Sie haben recht, ich opfre ihr Vater und Vaterland; aber ist ein minder edles Opfer Blancas würdig? – Wenn ich für sie diese teuren Gegenstände misse, so wird es mir vorkommen, als wenn sie mit ihr zusammenschmölzen. – Vater und Vaterland will ich in ihr lieben. – Ich bin auf meine eigne Liebe eifersüchtig; nichts soll sie mehr teilen, alles, was meine ganze Natur von Neigungen zu äußern Dingen aufbringen kann, soll ihr gehören.

ASPERMONTE: Noch eine Vorstellung, Prinz! Wenn Sie bloß das Glück ihres Volks nicht machten, so wären Sie zu entschuldigen, aber Sie machen sein Unglück. Ihrem Entschluß zufolge ist Guido sein künftiger Beherrscher.

JULIUS: Ich reise! – vielleicht haben Sie Ihren Entschluß geändert?

ASPERMONTE: Nein, Prinz, wenn Sie auf dem Ihrigen bestehen; – ich folge.

JULIUS: Und wo treffen wir uns heut abend?

ASPERMONTE: Um elf Uhr und an der Eleonorenkirche. – Kleider zum Unkenntlichmachen schick' ich Ihnen noch vorher zu.

JULIUS: Noch einen harten Stand hab' ich, den Abschied von meinem Vater. – Bedenken Sie, von ihm auf ewig Abschied zu nehmen, ohne daß er's weiß. Sehen Sie, so sehr bin ich Bürge für die Festigkeit meines Entschlusses, daß ich in Rücksicht auf ihn diese Zusammenkunft nicht scheue; – aber sie wird mein ganzes Wesen erschüttern.

ASPERMONTE: Fassen Sie sich, er kommt; ich kann seinen Anblick nicht ertragen. (Ab)

JULIUS: Himmel, jetzt und in meiner Todesstunde hilf mir!

—

Dritter Auftritt

Fürst. Julius, die ganze Szene durch tiefsinnig

FÜRST: Noch immer diese trauernde Miene, Julius? – Hast du denn heut nicht einen fröhlichen Blick für deinen Vater an seinem Geburtstage? – Doch genug; ich bitte dich um Verzeihung, wenn ich vorhin zu heftig gegen dich geredet habe.

JULIUS (sanft des Alten Hand ergreifend): Mein Vater –

FÜRST: O, mir zerschmilzt das Herz, wenn ich dich nur erblicke. Die Tage der Entwürfe sind bei mir vorbei, und die Zeit der Jugend ist vorüber, wo in einem Wunsche schon tausend andre liegen, wie in einem Samenkorn ein künftiger Wald schlummert. Siehe, hier ist für mich keine Zukunft mehr. Nur dich glücklich und groß zu sehen, das ist mein einziger Wunsch. (Pause)

Julius, nimm mir die reizende Aussicht nicht, daß du einst den Segen meiner Bürger, den ich dir hinterlasse, vergrößert deinem Nachfolger übergibst, und daß den künftigen Fürsten von Tarent bei deinem Namen das Herz für Nacheiferung poche.

Macht dich der Gedanke nicht wonnetrunken, daß durch Nachahmung deiner Taten andre edel handeln; und daß, durch deinen Nachruhm gereizt, deine Kinder berühmt werden, wie ein Feuer andre anzündet, ohne selbst zu verlöschen? (Pause. Julius steht tiefsinnig; Fürst umarmt ihn) Hinweg mit dieser trauernden Miene, Erstling meiner Liebe, der mir mein Weib teurer machte und mir zuerst den Namen Vater entgegenlallte – Mein Erstgeborner, dem ich meinen besten Segen aufhebe!

JULIUS: O mein Vater, geben Sie mir jetzt diesen Segen.

FÜRST (legt ihm die Hand aufs Haupt): Sei weise! (Julius küsset die Hand mit Wärme und geht ab)

FÜRST: O mein Sohn, warum fleuchst du das Angesicht deines Vaters?

—

Vierter Auftritt

Der Fürst, der Erzbischof

FÜRST: Gott! – Doch ich will mich zwingen. Ich habe heut viel getan, viel gelitten und, wie ich denke, einen vergnügten Abend verdient; wenn ich ihn nur haben könnte.

(Der Erzbischof tritt auf)

FÜRST: Bruder, ich bin in einer Laune, die sich für einen Geburtstag schickt. Meine Empfindungen sind so melancholisch feierlich. Laß uns eine Flasche zusammen trinken.

ERZBISCHOF: Wie du willt.

FÜRST: In dieser Laune zeigt der Wein, er sei ein Geschenk

des Himmels. Da knüpft er die beiden besten Zipfel, die Traurigkeit und Freude haben, zusammen.

(Unterdessen bringt ein Bedienter eine Flasche und Gläser)

He, Thomas, setz' dieses Tischchen dem Gemälde vom Anchises und Äneas gegenüber. (Sie setzen sich) Hier, Bruder, hab' ich meine vergnügtesten Stunden gehabt. Weißt du noch, wie mich unser Vater unter dem Bilde zum Ritter schlug?

ERZBISCHOF: Als wenn es heute gewesen wäre. Ich bat nachher den Vater auch um ein Schwert, er gab mir aber das Buch, auf das du geschworen hattest, und sagte, das wäre das Schwert eines Geistlichen.

FÜRST (der noch immer das Gemälde betrachtet): Damals glich ich noch fast dem Askanius; jetzt dem Anchises; bald werde ich aufwachen und sagen: Wahrhaftig, mir träumte, ich wär' Fürst von Tarent – (Er schenkt ein) Wenn ich nur nicht mit Schrecken auffahre!

ERZBISCHOF: Aufs Wohl unsers Hauses und unsers Volks! (Sie trinken) Du sorgest zuviel, übersieh denn jetzt das Tagewerk. Am Abend duftet alles, was man gepflanzt hat, am lieblichsten. Was geht dich die Nacht an!

FÜRST: Ach meine Söhne!

ERZBISCHOF: Verzeih mir, Bruder, du hast von jeher, von der Zeit an, da du noch dem Askanius glichest, zuviel gesorgt. Und nun sieh dich einmal um, ist dein Leben nicht zu beneiden?

FÜRST: . . . Bis jetzt hast Du recht!

ERZBISCHOF: Hast du nicht deine Untertanen glücklich gemacht, und das ohne Geräusch, ohne Revolution, durch ein einfaches Leben, in dem fast jeder Tag wie der andre war? Wenige deiner Taten lassen sich malen, aber wenn sich dein ganzes Leben malen ließe! (Sie trinken)

FÜRST: Mach' mich nicht stolz. Ich weiß es am besten, wie meine Werke gegen meine Entwürfe erblassen.

ERZBISCHOF: Freilich liegt höhere Schönheit in unserm Gehirn als in unsern Taten, aber demohngeachtet kannst du zufrieden sein. (Sie trinken) Glaubst du, daß unser kleines Fest hier das einzige im Lande sei? Jeder Bauer spart seine Henne drauf. Ich weiß, daß, wie einmal bei einem solchen Mahle die Alten so viel von dir schwatzten, ein Kind endlich fragte: »Was ist denn das, der Fürst?«

Seine Mutter wußte ihm bloß zu antworten: das für viele tausend, was dein Vater für mich und dich ist.

FÜRST: Ich danke dem Himmel, der mir ein so kleines Land gab, daß meine Regierungsgeschäfte häusliche Freuden sind. Glaubst du, Bruder, daß mir mein innres Haus einmal so viel Freude machen wird als das äußre?

ERZBISCHOF: Ganz gewiß.

FÜRST: Nun, ich will heute abend auch recht fröhlich sein. Vergessen, daß ich Vater; – Himmel! – Kurz, ich will fröhlich sein. O wenn ich mein künftiges Fest wieder unter meinen Kindern feiern könnte – und Cäcilia wär' Julius' Weib! Das Mädchen ist mein Abgott. – Bruder, mein bißchen Klugheit kostet mir sechsundsiebzig Jahr, und wenn du einen Tag davon nimmst, so nimmst du mir ein Stück von jener. Und bei diesem achtzehnjährigen Mädchen blühen Weisheit und Schönheit an einem Morgen. Gewächse verschiedener Himmelsstriche auf einem Beete, so nahe, daß ihre Farben ineinanderspielen. Und die Bescheidenheit – diese lieblichen Blumen scheuen den Strahl der Sonne und hauchen im Schatten ihre süßesten Gerüche aus. – Wie muß einem Jüngling, der sie gesehn hat, der Hofweiber ekeln, bei denen Schminke und Witzeln im schändlichen Bunde stehen.

ERZBISCHOF: Bruder, du deklamierst. Bist du Askanius oder Anchises?

FÜRST: Wenn nur Julius diese Reize fühlte! – Es ist noch etwas in der Flasche, laß uns das auf ein Motto trinken, das sich für Greise schickt. – Auf ein rühmliches Ende! (Sie trinken)

—

Fünfter Auftritt

EINE STRASSE · IN DER FERNE DAS JUSTINENKLOSTER

Guido. Ein Bedienter, beide verlarvt

GUIDO (nimmt die Larve ab): Woher kannst du das behaupten?

BEDIENTER: Ganz gewiß, gnädiger Herr, sie können noch nicht hier sein. Ihr Herr Bruder ging kaum fünf Minuten vor uns aus dem Palaste.

GUIDO: O deswegen achtete der Bube auf meine Versicherungen so wenig. – Nichts sollt' ich bei Blancan sein? – nicht einmal ein Nebenbuhler, nicht einmal eine Folie, um seinen Glanz zu erheben! Aber beim Himmel! – Siehe, ist das seine Bande, die dort die Justinengasse heraufzieht?

BEDIENTER: Ja, gnädiger Herr.

GUIDO: Laß uns etwas abseits treten, und daß du dich nicht unterstehst, einen Finger zu rühren. – Allein will ich sie zerstieben, und keiner soll nachher mein Gesicht sehen, ohne zu erröten, von Julius an bis auf den Knaben, der die Fackel trägt.

—

Sechster Auftritt

Julius. Aspermonte mit einigen Bewaffneten; alle verlarvt

ASPERMONTE: Hier lassen Sie uns warten. – Einen besseren Abend hätten wir nicht treffen können. Wie schön der Mond scheint.

JULIUS: Vortrefflich, und ich habe nie die Nachtigall zärtlicher schlagen oder die Grille angenehmer zirpen hören.

ASPERMONTE: Sie haben auch noch nie Ihr Brautlied gehört.

JULIUS: Und doch hör' ich es etwas bange, eher mit dem unruhigen Erwarten einer Braut als dem raschen Entzücken eines Bräutigams.

ASPERMONTE: Fassen Sie Mut.

JULIUS: Mein Mut wird schon wiederkommen, wenn nur erst Gefahr und Tumult da wär'.

ASPERMONTE: Sehn Sie, in der Kirche ist noch Licht, die Nonnen halten die letzte Hora.

JULIUS: Ach, Blanca hat auch für mich gebetet; – mein Name in Blancas Stimme im Himmel gehört, was für eine Idee.

EINER VON DEN BEWAFFNETEN: Sehen Sie, die Rakete – dort über der Kirchhofsmauer?

ASPERMONTE: Wo? ja dorten, so ist Philipp mit den andern schon an der Gartentür! Eine Pistole, Thomas! – Man möchte die Türen verschließen, wenn man uns so in hellen Haufen anziehen sähe. Ich will allein vorausgehn und mich des Türhüters versichern –

JULIUS: Tun Sie das.

(Aspermonte geht einige Schritte vorwärts)

GUIDO (der auf ihn mit gezogenem Dolche zuspringt): Halt, so leicht entführt man Guidos Geliebte nicht!

ASPERMONTE: Ist das die Stimme eines Fürsten oder eines Banditen?

GUIDO (reißt sich die Larve ab): Was? – Bandit?

JULIUS (der mit den übrigen näher gekommen): Sei ruhig, Bruder! – Du wirst mich nicht hindern. – Marcellus, Ämilius, haltet ihm die Hellebarden vor!

GUIDO: Mich halten? Guidon von Tarent? (Er ersticht Julius)

JULIUS (indem er sinkt): Blanca!

ASPERMONTE (wirft sich auf den Leichnam): Julius, Julius, ermuntern Sie sich!

GUIDO: So schwer wird mich der Himmel nicht strafen.

ASPERMONTE (schreit dem Leichnam ins Ohr): Blanca, Blanca! (Springt auf) Da er das nicht hört, wird er nie wieder hören. (Wirft sich wieder auf den Leichnam)

GUIDO: Erst eben starb er! – Denn erst eben fuhr der Fluch der Brudermörder durch meine Gebeine! – Seht ihr nicht das Zeichen an meiner Stirne, daß mich niemand töte? Aspermonte, Fluch über mich und dich!

ASPERMONTE (dreht sich um): Behalt deine Flüche für dich, ich will mir selber schon fluchen.

GUIDO: Nun so werde denn der ungeteilte Fluch über mich ausgegossen, und daß kein Blitz beizu sprütze. (Ab)

ASPERMONTE (nach einer Pause): Ach, es war dein Sterbelied. – (Springt auf und nimmt Guidos blutigen Dolch) Da, Thomas, bring' ihn dem Alten, frag' ihn, ob das sein und seines Sohnes Blut sei. Bei allem dem ist er doch ein Greis; – doch ich kann mich ja selbst zum Greise machen! (Zieht den Degen) Marcellus, führe mein Pferd vor!

MARCELLUS: Wohin, gnädiger Herr?

ASPERMONTE: Die Frage eines Dummkopfs! – nach Ungarn, in die Säbel der Ungläubigen.

—

FÜNFTER AUFZUG

—

Erster Auftritt

DIE GALERIE IM PALAST, SPARSAM ERLEUCHTET · HINTEN LIEGT JULIUS LEICHE AUF EINEM BETTE UND IST MIT EINEM TUCHE BEDECKT · EIN TISCH MIT EINIGEN LICHTERN

Der Fürst. Ein Arzt

FÜRST: Keine Hilfe! Keine Hilfe! Gott! Lieber Doktor, die Natur eines Jünglings ist stark, und meine siebenzigjährige Tugend ist auch stark.

ARZT: Ach gnädiger Herr!

FÜRST: Hilft denn nichts? – Nichts im Himmel und auf Erden? Kein Kraut, kein Balsam, nicht das Leben eines alten Mannes, nicht das Blut eines Vaters? – Lieber Doktor, jetzt glaub' ich Sympathie und Wunder und alles –

ARZT: Meine Kunst ist am Ende.

FÜRST: Ach, was ist es schwer, sein Unglück zu glauben. Noch immer redet eine innre Stimme so helle dawider, die Stimmes eines Gewissens, wenn ich sie kenne.

ARZT: Freilich läßt sich die Einbildung nicht so leicht überreden, daß ein Blitz in einem Augenblick die so lang gesehene Ernte dahingenommen –

FÜRST: Und den Acker in Fels verwandelt habe; denn ich werde keine Freuden mehr tragen. – Gut! ich bin Richter. – Also keine Hilfe, Doktor?

ARZT: Für den Prinzen nicht, aber für Sie. – Kommen Sie, gnädiger Herr.

FÜRST: Für mich? – Mir können Sie helfen und meinem Sohne nicht? – Gehn Sie. Ihre ganze Kunst ist Lügen! – (Zornig) Gehn Sie! (Arzt ab)

—

Zweiter Auftritt

FÜRST: Hätt' ich's doch nicht gedacht, daß in der bißchen Neige meines Lebens noch etwas Bittrers wäre als Tod!
(Er deckt Julius Gesicht auf)
Mein Sohn! Mein Sohn! –

So lange war ich Vater und mußte erst kinderlos werden, um zu wissen, was ein Vater sei! – Da liegen nun meine angenehme Entwürfe! – In deinen Kindern dacht' ich noch lange zu leben, das süße väterliche Band, dacht' ich, wird immer eine Generation mit der andern und mich mit einer späten Nachwelt verbinden. – Ja Nachwelt? – kinderlos, unbeweint werd' ich sterben! Ein Fremder drückt mir gleichgültig die Augen zu, spricht höchstens: Gott sei seiner armen Seele gnädig, und legt sich ruhig schlafen. – Hält es der Höfling der Mühe wert, um den letzten eines Hauses unbeobachtet zu weinen? und wenn ich vorher Klagen mietete und Seufzer bezahlte – sie würden mir nicht Wort halten.

Schändlich, schändlich bist du gefallen! (Er gibt dem Leichnam die Hand und schüttelt sie) Aber ich verspreche dir Rache! – Was lächelst du, Leichnam? fürchte nichts von der väterlichen Liebe! – Dein Mörder ist mein Sohn nicht, mein Weib war eine Ehebrecherin, und sein Vater ein Bube. – Was ist deine Hand so kalt – aber ebenso kalt will ich ihn dir opfern – daß sein kochendes Blut auf meiner Hand wie auf Eis zischen soll!

– Aber ist das der Ton eines Richters? – ich muß mich noch mehr abkühlen. – Noch einen Gang unter den Ulmen.

(Ab)

Dritter Auftritt

Blanca (mit aufgelöstem Haar läuft herein): Wohin, wohin haben sie dich getragen! (Deckt das Tuch ab und wirft sich über den Leichnam) Julius, Julius – ach, er ist wahrhaftig tot. Zeter über mir, ich bin sein Mörder! (Pause) Julius, Julius – ach könnt' ich nur meinen Schmerz in einen Schrei zusammenpressen, er müßte, er müßte erwachen. – Warum bin ich geboren, warum bin ich geboren! O würde doch alles, was da ist, vernichtet! – (Wirft sich wieder über den Leichnam; Pause, etwas gemäßigt) Julius, Julius, wenneh'r gibst du mir meinen Rosenkranz wieder zum besten Hochzeitsgeschmeide? aber auch ich, auch ich will ein Zeichen deines jetzigen Standes. (Zieht ein Messer hervor, faßt eine von Julius Locken, um sie abzuschneiden, fällt aber von neuem auf den Leichnam) Deine Mörderin, deine Mörderin! (Pause) Fasse Mut, Blanca! Du hast den Kelch des Leidens schon ganz ausgeleert, was du jetzt schmeckst, ist sein Hefen – Verzweiflung! (Schneidet die Locke ab und wickelt sie um den Finger) Das ist der Trauring, den ich meinem Kummer geben will, mich nicht von ihm zu scheiden, es sei denn, daß uns der Tod scheide – ist das Strafe genug für eine Mörderin? – O ich will tun, was ich kann. – Hier leg' ich dir das Gelübde eines beständigen Leidens ab, (küßt ihn) hier hast du alle meine Freuden, (küßt ihn) hier hast du mein ganzes Glück. – Nimm sie, Julius! – Seine Mörderin, seine Mörderin! – Umsonst lass' ich die Spitze des Gedankens auf meine Seele fallen, der Tod versteht den Wink nicht.

—

Vierter Auftritt

Blanca, Cäcilia

CÄCILIA: Du hier, Blanca!

BLANCA: Laß mich, laß mich! bist du gekommen, mir meinen Schmerz zu rauben. – Wahrhaftig nicht! – Wahrhaftig nicht. – Er ist jetzt mein Liebstes, jetzt hat er keinen Nebenbuhler mehr.

CÄCILIA: Ich bin nicht gekommen, dich zu trösten; – ich bin ja kein Bote des Himmels.

BLANCA (sieht den Leichnam tiefsinnig an): Seine Mörderin! seine Mörderin!

CÄCILIA: Ich bitte dich, Blanca, bedenke, was Verzweiflung ist, komm mit mir – laß deinen Schmerz Schmerz bleiben, auch ich, ich kann den Anblick des Leichnams nicht aushalten.

BLANCA (die immer den Leichnam starr ansieht, mit ruhiger Simme): O, daß der Mensch so über die Erde hingeht, ohn' eine Spur hinter sich zu lassen, wie das Lächeln über das Gesicht, oder der Gesang des Vogels durch den Wald!

CÄCILIA: Armes, unglückliches Geschöpf! –

BLANCA: Siehe, da liegt er im Schoße der Erde – Sonne und Mond halten über ihn den ewigen Zirkeltanz, öffnen und schließen das fruchtbare Jahr; und er weiß es nicht! Das Herz, das mich liebte, wird Staub, zu nichts mehr fähig, als vom Regen durchnässet und von der Sonne getrocknet zu werden –

CÄCILIA: Der ganze Julius ist nicht tot.

BLANCA: Kennst du die Haarlocke?

CÄCILIA: Es scheint Julius' Locke zu sein – aber ich bitte dich, warum rollst du die Augen so wild?

BLANCA (in einem muntern Tone): Wer du auch seist, liebes Mädchen, freue dich mit mir. Heut', heut' ist endlich der Tag meiner Verbindung! – O, was sind mir meine vorigen Qualen so lieb!

CÄCILIA: Hilf, gütiger Himmel! sie hat den Verstand verloren.

BLANCA: Aber siehe, es ist schon Mitternacht, alles wartet, und Julius kommt nicht! – Ich bitte dich, warum werden die Hochzeitsgäste so blaß? Siehe, das Schrecken sträubt mir das Haar empor, daß mir seine Spitzen den Brautkranz herabstoßen. – Ich unglückliche Braut, da bringen sie Julius' Leichnam. (Zeigt auf den Leichnam)

CÄCILIA (ängstlich): Kennst du mich nicht, Blanca? – Wenn sie der Alte hier fände! Komm mit mir, Blanca!

BLANCA: Merk' auf meine Worte, Mädchen, denn ich rede Wahrheit; das Menschengeschlecht wird nimmermehr aussterben, aber unter Tausenden kennt kaum einer die Liebe.

CÄCILIA: O ich dacht' es, daß ihre Ruhe betröge. Liebe –

BLANCA: Hilfe! Hilfe! – das Ungeheuer, das alle Augenblick seine Gestalten wandelt, verschlingt mich! In was für schreckliche Formen es seine Muskeln wirbelt – ein Leopard – Tiger – Bär! (schreiend) Guido!

CÄCILIA: Ich bitte dich, Kind, geh mit mir!

BLANCA (die in Cäciliens Arme sinkt): Liebe Cäcilia, es ist ein großes Unglück, seinen Verstand zu verlieren.

CÄCILIA: Gott sei Dank – ich hoffe, der Zufall soll bloß die Wirkung des ersten Schreckens, ohne folgende sein. Aber ich bitte dich, komm mit mir!

BLANCA: Ach, ich habe mein Gelübde des ewigen Leidens gebrochen! Da erscheint mir Julius, der Engel mit der Schale des Zorns, deren Dunst schon Tod ist – ach, ich habe mein Gelübde des ewigen Leidens gebrochen! Geuß deine Schale aus!
Julius, es ist eins, Vernichtung oder ewige Qual; und laß keine deiner lindernden Tränen hineinfallen, um sie zu mildern!

Eine Nonne (tritt auf und geht auf Blancan zu): Bist du hier, Blanca, wir haben dich alle gesucht.

Cäcilia: Ach, die Unglückliche ist verrückt – aber warum ließt ihr sie auch aus dem Kloster?

Nonne: Verrückt! – Verrückt! –

Cäcilia (zornig): Aber warum ließt ihr sie aus dem Kloster?

Nonne: Wahrhaftig, wir sind unschuldig – sie erfuhr es gleich und wollte zu ihm, wir hielten sie ab, und da hat sie einige Stunden in wütendem Schmerze zugebracht. – Gott, ich möchte das nicht noch einmal sehn! – auf einmal ward sie außerordentlich ruhig, wir brachten sie in ihre Zelle, und so ist sie uns entsprungen.

Blanca: Julius, diese Erschütterungen sind unnatürlich. Ich seh' es, ich seh' es, das Ende der Tage ist gekommen, die Schöpfung seufzet den lebendigen Odem wieder aus, und alles, was da ist, gerinnet wieder zu Elementen. Sieh, der Himmel rollet sich angstvoll wie ein Buch zusammen, und sein schüchternes Heer entflieht. – Im Mittelpunkt der ausgebrannten Sonne steckt die Nacht die schwarze Fahne auf – Julius, Julius, umarme mich, daß wir miteinander vergehen!

Cäcilia: O Gott – beste, beste Blanca, laß uns gehen!

Blanca (indem sie nahe an die Leiche tritt): Ha, wie ruhig er schläft, der schöne Schäfer! Laß uns einen Kranz winden und ihn dem Schlafenden aufs Haupt setzen, daß er, wenn er erwacht, unter den Schäferinnen eine sucht, die vor ihm erröte! (Leise) Aber ich werde zu laut! Pst! Pst! daß der schöne Schäfer nicht erwache!

(Geht schleichend mit Cäcilia und der Nonne ab)

—

Fünfter Auftritt

Fürst, Erzbischof

(Der Fürst drängt sich herein – der Erzbischof will ihn daran verhindern)

Fürst: Laß mich, laß mich!

Erzbischof: Nein Bruder, du darfst nicht in den Saal, dein Schmerz ist zu groß.

Fürst: Stelle mich für ein Gericht von Vätern, und ich will meinen Schmerz verantworten, – aber nicht gegen einen

Priester. Was väterliche Liebe ist, versteht niemand als ein Vater. Bruder, schwatze von Büchern und Kirchen!

ERZBISCHOF: Ich darf, ich darf dich nicht lassen.

FÜRST: Was! hier ist Tarent, und ich bin Fürst von Tarent! – Und was brauch' ich mich darauf zu berufen. Ist es ein Majestätsrecht, sein Haar am Sarge seines Sohnes auszuraufen? – das kann ja jeder Bettler.

ERZBISCHOF: Ich kenne dein Herz und schaudre für dem, was es jetzt leidet.

FÜRST: Nicht doch – mein Schmerz ist ja so ruhig, und hier bin ich am allerruhigsten, ich seh' hier an seinem Leichnam sein ruhiges Lächeln; aber abwesend erscheint er und fordert mit fürchterlichen Gebärden Blanca und sein Leben von mir.

ERZBISCHOF: Gut, Bruder, ich will dich noch eine halbe Stunde allein lassen – aber denn gehst du auch mit, versprich mir das.

FÜRST: Ich verspreche es dir.

(Erzbischof ab)

Jetzt bin ich so, wie ich sein soll. – He, Thomas!

(Ein Bedienter kommt)

Hast du den Pater geholt?

BEDIENTER: Ja, er ist im Vorzimmer.

FÜRST: Laß ihn ins Nebenzimmer treten und ruf Guido. (Bedienter geht ab) – Kalt, kalt, meine Seele, daß der Vater dem Richter nicht ins Amt greife, das ist billig, ich will ja dieses nur einen Augenblick sein und jenes mein ganzes Leben.

(Er nimmt unter dem Tuche zu Julius Füßen Guidos blutigen Dolch heraus und macht damit die Pantomime, als wenn er auf jemand zustieße)

Gut – Gut – die alten Sehnen sind stärker, als ich dachte – (Er legt den Dolch wieder weg)

Sechster Auftritt

Fürst, Guido

GUIDO: Hier bin ich, Vater – ich hasse das Leben, und ich werde mich an Sie halten; Sie haben es mir gegeben. Verbessern Sie nun, was Sie verdorben haben!

FÜRST: Still – tritt näher! (Indem er Julius Gesicht aufdeckt) Kennst du den Leichnam?

GUIDO: Den Tod, Vater!

FÜRST: Kennst du den Leichnam?

GUIDO: Ach, ich kenne ihn!

FÜRST (indem er Guidos Dolch zu Julius Füßen aufdeckt): Kennst du den auch?

GUIDO: Nur halb (indem er darnach greift), aber ich werde ihn ganz kennen lernen.

FÜRST (hält ihn ab): Häufe nicht Sünde auf Sünde! – Verflucht sei die Stunde, in der ich mein Weib zum erstenmal sah. – Verflucht jeder Tropfen, den die Hochzeitsgäste tranken, jeder Reigen, den sie tanzten, verflucht mein hochzeitliches Bette und seine Freuden!

GUIDO: Fluchen Sie nicht auf Ihr Leben! Ihren Namen wird die Nachwelt mit Ruhm nennen, aber wenn sie meinen kennt, so hat sie ihn an einer Schandsäule gelesen –: den Tod, Vater!

FÜRST: Guido, Guido, dachte ich es, du würdest mir zwei Söhne rauben, als die Hebamme zu mir sprach: Herr, Ihnen ist ein Sohn geboren, und dich zum ersten Mal auf meine Hände legte? Ach Guido, Guido!

GUIDO: Den Tod, Vater! Man hat mich auf ewig aus dem Tempel des Ruhms ausgeschlossen, und vielleicht bin ich es auch aus den Wohnungen der Seligen. – Nur Tod kann meine Verbrechen tilgen, das Brandmark der Sünde an meiner Stirne auslöschen. – Den Tod, Vater!

FÜRST: Daß ich keinen Vater mehr habe! – Armer alter Mann! Liegt doch genau so viel Unglück auf mir, als mein Gehirn tragen kann; gütiger Himmel, gib nur noch ein Quentchen Unglück mehr, als es trägt! Dann sehe ich in der Phantasie meine einträchtigen Kinder immer neben mir. Wer über ein Unglück verrückt ist, sieht ja immer das entgegengesetzte Glück. – Aber ich bin so ausgezeichnet unglücklich, daß das vielleicht nicht einmal bei mir einträfe. Und soll ich doch noch hier eine angenehme Stunde haben, so muß es ja in der Raserei sein. Nicht wahr, Guido?

GUIDO (kalt): Es gibt mehr Dolche, auch Feuer und Wasser, Berge und Abgründe. (Er will abgehen)

FÜRST: Du sollst sterben! – Als der Vater meiner Untertanen darf ich es nicht leiden, daß unschuldig Blut auf dem Lande klebe und Krieg und Pest und alle Landplagen herbeirufe. – Von meinen Händen, als ein Fürst, sollst du sterben. Daß aber das nicht unbereitet geschehe, wartet im Nebenzimmer ein Pater auf dich.

GUIDO: Ich bin augenblicklich wieder hier. (Ab)

Siebenter Auftritt

FÜRST: Wahrhaftig, es wird Tag – ich dacht', es würde nie wieder helle. – (Er nimmt den Dolch) Guidon straf' ich! Und wer ließ Blanca ins Kloster bringen? – (Besieht die Spitze des Dolches) Ha, ich bin lüstern nach dir – wenn du so gut Wesen zerschneiden könntest als das Band zwischen zwei Wesen! – Aber wer ist mir Bürge, daß in ewigen Strafen diese Geschichte nicht millionenmal wiederkomme? (Steckt den Dolch in die Tasche) Geh, Spielzeug, du bist um kein Haar besser als jeder andre Trost der Erde! Selbstmord ist Sünde! – aber wir werden dich ohne Selbstmord quälen, Constantin – wir werden dich quälen. Selbst meinen Hang zur Traurigkeit möcht' ich hassen können – Hang, das ist ja Vergnügen! – Was das Vergnügen hinterlistig ist! Aber dies eine, denk' ich, soll die andern schon verscheuchen – immer will ich diese Geschichte sehn – sie malen, oft malen lassen, auf ein Gemälde soll der erste und auf das andre der letzte Strahl der Sonne fallen. – Mit dem Namen Julius sollen sie mich einen Tag wecken und mit dem Namen Guido den andern! – Ein Lied will ich aus dem ganzen Jammer machen, und das soll mir Blanca um Mitternacht singen.

Achter Auftritt

Fürst, Guido

FÜRST: So geschwind, Guido? – hat dir der Himmel vergeben?

GUIDO: Ich hoff' es.

FÜRST (ihn umarmend): Ich vergebe dir auch. Bring' Julius diesen Kuß des Friedens.

GUIDO (stürzt sich auf den Leichnam): Erst jetzt mag ich mich dir nähern! – Verweile, verweile, Märtyrer, wenn du noch nicht in den Wohnungen der Seligen bist, verbirg mich Sünder in deinem Glanze, daß ich mit hineindringe!

FÜRST: Noch einmal umarme mich, mein Sohn! (Umarmt ihn mit dem einen Arm und durchsticht ihn mit der andern Hand) Mein Sohn! Mein Sohn!

GUIDO (fällt über den Leichnam und ergreift dessen Hand): Versöhnung, mein Bruder! (Gibt die andre Hand sprachlos seinem Vater)

FÜRST (fällt über die Toten, liegt einige Zeit auf denselben und geht nachher verzweifelnd auf und ab): Ja! Ja! ich lebe noch! (Geht wieder auf und ab)

—

Neunter Auftritt

Fürst, Erzbischof

ERZBISCHOF: Bruder! was hast du gemacht!

FÜRST: Mein oberrichterliches Amt zum letzten Male verwaltet. Jetzt gib den Kartäusern Befehl, daß sie mich bei sich aufnehmen, übernimm so lange die Regierung und laß den König von Neapel wissen, daß er mein Fürstentum in Besitz nehme.

ERZBISCHOF: Bedenke dein Alter, und was ein Kartäuser ist.

FÜRST: Mein Haus ist gefallen, die jungen Orangenbäume mit Blüte und Frucht sind umgehauen, es wär' ein schändlicher Anblick, wenn ich alter verdorrter Stamm allein da stünde.
Auch hat mich der Schmerz schon zum Kartäuser geweiht. *Memento mori.*

ERZBISCHOF: Ich beschwöre dich, bedenke, was du deinem Lande schuldig bist, und die harte neapolitanische Regierung!

FÜRST: *Memento mori.*

ERZBISCHOF (umarmt ihn): Bruder, Bruder!

JOHANN ANTON LEISEWITZ

DRAMATISCHE SZENEN UND ENTWÜRFE

DIE PFANDUNG

Ein Bauer und seine Frau

Abends in ihrer Schlafkammer

Der Mann: Frau, liegst du? so tu' ich das Licht aus. Dehne dich zu guter letzt noch einmal recht in deinem Bette. Morgen wird's gepfändet. Der Fürst hat's verpraßt.

Die Frau: Lieber Gott!

Der Mann (indem er sich niederlegt): Bedenk' einmal das wenige, was wir ihm gegeben haben, gegen das Geld, was er durchbringt; so reicht es kaum zu einem Trunke seines köstlichen Weins zu.

Die Frau: Das ist erschrecklich, wegen eines Trunkes zwei Leute unglücklich zu machen! Und das tut einer, der nicht einmal durstig ist! Die Fürsten können ja nie recht durstig sein.

Der Mann: Aber wahrhaftig! wenn auch in dem Kirchengebet das kommt: »Unsern durchlauchtigen Landesherrn und sein hohes Haus«, so kann ich nicht mit beten. Das hieße Gott spotten, und er läßt sich nicht spotten.

Die Frau: Freilich nicht! – Ach! ich bin in diesem Bette geboren, und, Wilhelm, Wilhelm! es ist unser Brautbett!

Der Mann (springt auf): Bedächte ich nicht meine arme Seele, so nähm' ich mein Strumpfband, betete ein gläubig Vaterunser, und hinge mich an diesen Bettpfosten.

Die Frau (schlägt ein Kreuz): Gott sei mit uns! – Da hättest du dich schön gerächt!

Der Mann: Meinst du nicht? – Wenn ich so stürbe, so würdest du doch wenigstens einmal seufzen!

Die Frau: Ach Mann!

Der Mann: Und unser Junge würde schreien! Nicht?

Die Frau: Gewiß!

Der Mann: Gut! An jenem Tage ich, dieses Seufzen und Schreien auf einer Seite – der Fürst auf der andern! Ich dächte, ich wäre gerächt.

Die Frau: Wenn du an jenen Tag denkst, wie kannst du so reden? Da seid ihr, der Fürst und du, ja einander gleich.

Der Mann: Das wollte Gott nicht! Siehe, ich gehe aus der Welt, wie ich über Feld gehe, allein, als ein armer Mann. Aber der Fürst geht heraus, wie er reist, in einem großen

Gefolge. Denn alle Flüche, Gewinsel und Seufzer, die er auf sich lud, folgen ihm nach.

DIE FRAU: Desto besser! – So sieh doch dies Leben als einen heißen Erntetag an! – Darauf schmeckt die Ruhe so süß; und dort ist Ruhe von Ewigkeit zu Ewigkeit.

DER MANN (legt sich wieder nieder): Amen! Du hast Recht, Frau. Laß sie das Bett nehmen, die Unsterblichkeit können sie mir doch nicht nehmen! Schlaf wohl.

DIE FRAU: Und der Fürst und der Vogt sind ja auch unsterblich. – Gute Nacht! Ach, morgen Abend sagen wir uns die auf der Erde!

—

DER BESUCH UM MITTERNACHT

Der Fürst und der Kammerherr am Schachbrett

DER FÜRST (nach einigen Zügen): Schachmatt! . . . Wahrhaftig es ist Mitternacht, und die Gorgone ist noch nicht da! Weiß sie denn nicht, daß ich morgen mit dem Frühesten mustre? . . . Eh ich's vergesse, Herr Kammerherr, ziehn Sie mir morgen die Halsbinde etwas fest. Man sieht bei dergleichen Gelegenheiten gern ein bißchen braun – ein bißchen martialisch aus. Die Gorgone hält doch nie Wort!

DER KAMMERHERR: Eure Durchlauchte belieben sich zu erinnern, daß Ihre Gemahlin noch auf ist, und daß sie dorten vorbei muß.

DER FÜRST: Sie haben Recht. Und ich muß itzt mit meiner Frau so behutsam umgehen, wie mit einem überlaufenden Gefäße.

DER KAMMERHERR: Aber in der Tat, ich begreife nicht, was die gute Dame will. Sie haben ja einmal einen Erbprinzen von ihr: und wenn Sie den auf eine andre Weise hätten bekommen können, so hätten Sie keine Gemahlin genommen.

DER FÜRST: Ich weiß nicht. Eine Gemahlin ist doch immer eine Maitresse mehr. Freilich von einer andern Seite . . . (Es erscheint ein Geist. Der Fürst fällt in Ohnmacht. Wie er sich nach einer langen Pause erholt, zum Kammerherrn) Gott! wer ist das?

DER GEIST: Hermann, der Cherusker! Siehe, hier klebt das Blut des Varus, und hier das meinige; beides nicht vergossen, daß du der Tyrann von Sklaven, und Sklave einer Hure seist!

DER KAMMERHERR (ganz leise): Ein respektwidriger Ausdruck!

DER GEIST (zum Fürsten): Edelknabe, hast du je die geweihte Last gefühlt, die auf deinen Schultern ruhen sollte? Glaubst du, daß süßer essen und trinken wie andre, sein Leben unter Weibern, verschnittenen und unverschnittenen Halbmännern vertändeln – daß das heiße ein Fürst sein? Und diese Üppigkeit in einem Lande, wo man in keinem Hause lacht, als in deinem! Und doch deucht mir das Jauchzen deines Hofes in deinem verwüsteten Gebiete, wie der Schall einer Trompete in einem Lazarett, daß man das Winseln der Sterbenden und Verstümmelten nicht höre!

DER FÜRST: Geist, warum kamst du zu mir?

GEIST: Um zu reden! – Hier hat noch niemand geredet! Alles, was du je gehört hast, war Widerschall deiner Begierden. Dies verdient es, daß ein Geist sichtbaren Stoff anziehe, und die Sonne noch einmal sehe. – Sie ist das einzige in Deutschland, was ich noch kenne! Aber Jüngling, höre, was ich rede! So gewiß jetzt dein Knie vor einem Geist und der Wahrheit zittert, so gewiß kommt eine Zeit, in der es Hermannen nicht gereuen wird, daß er für Deutschland starb! Verstehst du mich? – Nicht? – Despotismus ist der Vater der Freiheit! – Verstehst du mich jetzt? (Er verschwindet)

DER FÜRST: Ungarisch Wasser, Herr Kammerherr!

DER KAMMERHERR: Ich – ich – habe nichts bei mir.

DER FÜRST: Sie sind ein Freigeist, und haben in der Gespensterstunde kein ungarisch Wasser!

—

SELBSTGESPRÄCH EINES STARKEN GEISTES IN DER NACHT

Noch immer Krieg der Leidenschaften, und Empörungen längst besiegter Begierden! – Gott, wann wird's Friede in meiner Seele!
Und meine Vernunft, was für ein langsamer Streiter! Wie lang muß ich nach ihr rufen, wenn ich sie brauche! Ich verlange von meiner Philosophie, was mir mein Augenlid leistet. Es ist schon geschlossen, wenn mein Stäubchen von fern kömmt.
Immer steht das Gespenst meiner verstorbnen Unschuld vor mir. Der Himmel weiß, hat es je einen Körper bewohnt? Ist es von Anfang der Schöpfung ein Gespenst, oder der Dunst des gestrigen Abendessens, der in den Höhlen meines Gehirns irrt?
Nun – gern will ich an allem zweifeln. Untersuchung sei der Kräusel der Philosophen, und der meinige.
Wahrheit sei das, was der Witz will! Für ihn nichts, als eine Wolke, um seine farbigen Strahlen darin spielen zu lassen!
– Allein es ist Tugend; und schrecklich, immer vom Guten zum Bösen, und wieder zurückgewirbelt zu werden! An Einem Tage dreimal ein Heiliger und dreimal ein Schurk zu sein!
Warum bin ich verdammt, die Harmonie eines Charakters zu kennen, und jeden Mißton zu fühlen, wenn mein Leben ein Gemisch von Tönen ist, die am Marke der Gebeine kratzen? Verflucht sei der Adlerblick in sein Innres, wo man immer etwas sieht, was man lieber nicht gesehn hätte!
Wie beneid' ich den Sklaven seines Magens und seines Bauches, der sein Leben verschnarcht, und dem in diesem Schlafe gar träumt, er sei tugendhaft!
Wann werd' ich ruhig! – Kömmt auch einmal ein Tag, der, schwanger mit Lohn und Strafen, für die Taten itziger Zeit noch im Schoße der Zukunft schläft? – Und, wenn er kömmt, was wird der ewige Richter in die andre Wagschale gegen meine Taten legen? Mein Bestreben zum Guten, oder ewige moralische Schönheit? Die Tugend, oder meine Tugend?
– Ach! der Morgen verweilt lange.

—

BIBLIOGRAPHISCHE ANGABEN

H. W. VON GERSTENBERG · UGOLINO

1768 ohne Angabe des Verfassers erschienen. 1769 erste Aufführung in Berlin durch Karl Theophilus Doebbelin. Umarbeitung von Gerstenberg für die »Vermischten Schriften«, 3 Bde., Altona 1815–16. Unser Nachdruck folgt dem Erstdruck. Literatur: M. Jacobs, Gerstenbergs Ugolino, 1898; A. M. Wagner, H. W. von Gerstenberg und der Sturm und Drang, 2 Bde. 1920–24; H. Dollinger. Die dramatische Handlung in Klopstocks »Der Tod Adams« und Gerstenbergs »Ugolino«, 1930; J. W. Eaton, Gerstenberg and Lessing, 1938.

GOETHE

Raumgründe machen es leider unmöglich, die ersten Fassungen der großen dramatischen Werke Goethes hier abzudrucken, obgleich sie für Sturm und Drang von entscheidender Bedeutung sind. Der Leser kann sie – Stella ausgenommen – in Einzelausgaben bequem erreichen. Es handelt sich insbesondere um:

Geschichte Gottfriedens von Berlichingen mit der eisernen Hand. Dramatisiert (1771). Handschrift im Goethe- und Schiller-Archiv in Weimar. Erstdruck in der Ausgabe letzter Hand, Bd. 42 (1833). Nachdruck, einzeln, z. B. in der Insel-Bücherei Nr. 160 (1915).

Faust in ursprünglicher Gestalt nach der Göchhausen'schen Abschrift (Urfaust, 1772–75). Erstdruck 1887, hsg. von Erich Schmidt. Nachdrucke: Reclam Nr. 5273, hsg. von Robert Petsch, 1948; Insel-Bücherei. Bd. 61, 1952.

Stella. Ein Schauspiel für Liebende in fünf Akten. Berlin 1776 bei August Mylius. Nachdruck dieser Fassung bei Max Morris, Der junge Goethe, Bd. 5.

Hier werden lediglich die kleineren dramatischen Arbeiten Goethes abgedruckt, die relativ schwer zugänglich sind. Die Abdrucke folgen in der Textgestaltung den Erstdrucken; soweit die Abdrucke den Handschriften folgen müssen, ist die vorbildliche Ausgabe von Max Morris, Der junge Goethe, 6 Bde. 1909–1912 zugrunde gelegt. Zum Vergleich wurde auch immer die Hamburger Ausgabe von Goethes Werken, Bd. IV, herangezogen, den Wolfgang Kayser vorbildlich herausgegeben hat.

Literatur: H. A. Korff, Geist der Goethezeit. Bd. I. 1923; R. Weißenfeld, Goethe in Sturm und Drang, 2 Bde. 1894; H. Sudheimer, Der Geniebegriff des jungen Goethe, 1935; K. Viëtor, Der junge Goethe, 1950; H. Kindermann, Goethes Menschengestaltung, Bd. I. 1932; R. Ibel, Der junge Goethe. Leben und Dichtung, 1949. Vgl. Hans Pyritz, Goethe-Bibliographie. Nr. 2539—2719.

GOETHE · PROMETHEUS

Entstanden im Sommer 1773. Abdruck nach der Handschrift Goethes in der Universitätsbibliothek in Straßburg; zuerst gedruckt bei Morris, Bd. 3.
Literatur: W. von Biedermann, Goethe Forschungen, 1879; E. Schmidt in seinen »Charakteristiken«, Bd. 2. 1901; F. Saran, Goethes Mahomet und Prometheus, 1914 *(beste Übersicht, Zusammenfassung und Kritik der früheren Literatur)*; Lamberg, Die Prometheus-Handschrift, in Goethe (Jahrbuch) 14/15, 1952–53; dies. Die Minervagestalt in Goethes Prometheus, in Goethe (Jahrbuch) 16, 1954.

GOETHE · JAHRMARKTSFEST ZU PLUNDERSWEILERN

Entstanden Anfang 1773, zuerst gedruckt in: Neueröfnetes moralisch-politisches Puppenspiel. Leipzig und Frankfurt 1774 bei Weygand. (Inhalt: S. 1–6 Prolog; S. 7–20 Künstlers Erdenwallen. Drama; S. 21–60 Jahrmarktsfest zu Plundersweilern; S. 61–96 Pater Brey.) Unser Abdruck folgt dieser Ausgabe.
Literatur: Max Herrmann, Jahrmarktsfest zu Plundersweilern. Entstehungs- und Bühnengeschichte, 1900.

GOETHE · EIN FASTNACHTSSPIEL VOM PATER BREY

Wohl 1773 entstanden. Erstdruck in: Neueröfnetes moralisch-politisches Puppenspiel. (Vgl. oben). Unser Abdruck folgt dieser Ausgabe.
Literatur: E. Castle, Pater Brey und Satyros in Jahrbuch der Goethe-Gesellschaft, Bd. 5, 1918; Aus Herders Nachlaß, hsg. von H. Düntzer und F. G. von Herder, Bd. III. 1857; V. Tornius, Die Empfindsamen in Darmstadt, 1910.

GOETHE · SATYROS

Erster Druck 1817 in Bd. 9 von Goethes Werken be Cotta. Die dort von Goethe beigesetzte Jahreszahl 1770 soll auf die Entstehungszeit hinweisen – aber die Angabe beruht auf einem Irrtum. Der Satyros ist erst 1773 geschrieben. Unser Abdruck folgt diesem Erstdruck.
Literatur: W. Scherer, Satyros und Brey. Goethe-Jahrbuch I, 1880; Th. Matthias, Herder-Satyros, Zeitschrift für deutschen Unterricht, 16, 1903; G. Bäumer, Goethes Satyros, 1905; Ed. Castle, Pater Brey und Satyros, Jahrbuch der Goethe-Gesellschaft, V, 1918; H. Neumann, Satyros, Dissertation Erlangen, 1925; F. J. Schneider, Goethes Satyros und der Urfaust, Hallische Monographien, 1949; Hans W. Wolff, Satyros, German Review, 1949.

GOETHE · GÖTTER, HELDEN UND WIELAND

Entstanden im Herbst 1773. Ohne Angabe des Verfassers im März 1774 erschienen. Der Erscheinungsort ist fingiert. Von Lenz in Kehl zum Druck gegeben. Noch im gleichen Jahr erfolgten drei Nachdrucke. Die Handschrift, von Goethe selbst geschrieben, gab Kurt Wolff in einer Faksimile-Ausgabe 1911 heraus.

Literatur: B. Seuffert, Der junge Goethe und Wieland. Zeitschrift für deutsches Altertum, 26, 1882; H. Hüchting, Die Literatursatire der Sturm- und Drang-Bewegung, 1942; L. E. Geneinhardt, The dramatic Structure of Goethe's »Götter, Helden und Wieland«, Journal of English and German Philology, 41, 1942; A. Beck, Griechisch-deutsche Begegnung, 1947; F. Sengle, Wieland, 1949; ders. Wieland und Goethe, in Wieland, Vier Biberacher Vorträge, 1954.

GOETHE · PROLOG ZU DEN NEUESTEN OFFENBARUNGEN GOTTES

1774 in Darmstadt ohne Angabe des Verfassers erschienen, vermutlich – wie der Urgötz – im Selbstverlag von Goethe und Merck. Der Verlagsort Gießen auf dem Titelblatt ist fingiert. Er soll auf den Schauplatz der Handlung hinweisen.

Literatur: E. Schmidt: Jahresberichte für neuere deutsche Literatur-Geschichte. I. (1890); H. Henkel, Herrigs Archiv 92, 307.

JAKOB MICHAEL REINHOLD LENZ

Literatur über Lenz: O. F. Gruppe, R. Lenz, Leben und Werke, 1861; M. N. Rosanow, J. M. R. Lenz, Sein Leben und seine Werke, 1909; E. Schmidt, Lenz und Klinger, 1878; H. Kindermann, Lenz und die deutsche Romantik, 1925; E. Nahke, Über den Realismus in J. M. R. Lenz's sozialen Dramen und Fragmenten, Dissertation Berlin, 1955; G. Skersil, Adel und Bürgertum bei Lessing und Lenz, Dissertation Wien, 1945.

LENZ · DER HOFMEISTER

Entstanden 1772–73. Goethe vermittelte die Drucklegung bei Weygand in Leipzig. Ohne Angabe des Verfasser 1774 erschienen. Nachdruck in Biel 1775. Erste Aufführung am 26. November 1778 in Berlin.

Literatur: W. Stammler, Der Hofmeister von J. M. R. Lenz. Ein Beitrag zur Literaturgeschichte des 18. Jahrhunderts, 1908; G. Unger, Lenz' Hofmeister, Dissertation Göttingen, 1949.

LENZ · DER NEUE MENOZA

Ohne Angabe des Verfassers im Spätsommer 1774 erschienen. Goethe hatte wiederum die Drucklegung bei Weygand vermittelt.

Literatur: Selbstrezension von Lenz in den Frankfurter Gelehrten Anzeigen 1775, Nr. 55–56; J. G. Schlosser, Prinz Tandi an den Verfasser des neuen Menoza, 1775.

LENZ · DIE SOLDATEN

Entstanden im Winter 1774–75. Ohne Angabe des Verfassers im März 1776 erschienen. Den Verlag vermittelte Herder über Johann Georg

Zimmermann (1728-1795), Arzt und Popularphilosoph. Lenz erhielt zwei Dukaten Honorar.

Literatur: Lenz, Über die Soldatenehen. Nach der Handschrift der Berliner Königlichen Bibliothek zum ersten Male hsg. von Karl Freye, 1914.

LENZ · DIE FREUNDE MACHEN DEN PHILOSOPHEN

Entstanden im Winter 1775-76. Ohne Angabe des Verfassers 1776 erschienen.

Literatur: J. Kaiser, Lenzens Dramen: Die Freunde machen den Philosophen, Der Engländer, Der Waldbruder. (Dissertation Erlangen) 1917.

LENZ · DER TUGENDHAFTE TAUGENICHTS

Entstanden im Winter 1775-76. Erstveröffentlichung in: Dramatischer Nachlaß von J. M. R. Lenz. Zum ersten Male herausgegeben und eingeleitet von Karl Weinhold. Frankfurt a. M. 1884. Hier abgedruckt nach Karl Freye, Sturm und Drang, der die Handschrift erneut verglichen hat.

LENZ · CATO

Entstanden Ende 1775. Erstdruck bei Weinhold, siehe oben.

LENZ · DER MAGISTER

Entstanden wohl im Winter 1775-76. Erstdruck bei Weinhold, siehe oben.

LENZ · FRAGMENT AUS EINER FARCE

Wohl 1776 in Weimar entstanden. Erstdruck in: Deutsches Museum 1777, Bd. I. S. 254-256.

Literatur: Tille, Die Faustsplitter in der Literatur des 16. bis 18. Jahrhunderts, 1900.

LENZ · PANDAEMONIUM GERMANICUM

Entstanden im Frühjahr 1775. Erstdruck 1819, herausgegeben von G. F. Dumpf. Kritische Ausgabe von Erich Schmidt, 1896. Unser Text nach der älteren Handschrift aus dem Besitz von Wendelin von Maltzahn (1815-1889, Literaturhistoriker), veröffentlicht von Karl Freye, Sturm und Drang, Bd. I. Teil 2.

Literatur: J. Froitzheim, Lenz und Goethe, 1891; Martin Sommerfeld, Lenz und Goethes Werther, in Euphorion 24. Bd. 1922.

LENZ · LUSTSPIELE NACH DEM PLAUTUS

Entstanden in den Jahren 1772-73. Goethe besorgte den Verlag bei Weygand. Ohne Namen des Verfassers und Verlegers 1774 erschienen. In seinem Verlagskatalog nannte Weygand als Verfasser Goethe und Lenz. Inhalt des Bandes: S. 1: Das Väterchen (Asinaria.) S. 57: Die

Aussteuer. (Aulularia). S. 121: Die Entführungen. (Miles gloriosus.) S. 201: Die Buhlschwester. (Truculentus.) S. 273: Die Türkensclavin. (Curculio.)

Literatur: Reinhardstoettner, Plautus, 1886; H. Düntzer, Zur Goetheforschung, 1891; Froitzheim, Zu Straßburgs Sturm- und Drangperiode, Anzeiger für Deutsches Altertum, 6, 49.

JOHANN ANTON LEISEWITZ

Literatur: Gregor Kutschera von Aichbergen, J. A. Leisewitz, hsg. von K. Tomascheck, 1876; G. Kraft, J. A. Leisewitz, 1894.

LEISEWITZ · JULIUS VON TARENT

Entstanden im Sommer und Herbst 1774. Ohne Angabe des Verfassers erschienen. R. M. Werner (siehe unten) stellte mit der Jahreszahl 1776 bei Weygand weitere zwei Nachdrucke (Doppeldrucke) fest. Die zweite Auflage erschien 1797, die dritte 1816 und die vierte 1828. Erstaufführung 1776 in Berlin, dann folgte 1777 Hamburg. – (Neue Ausgabe: Ein Trauerspiel, in 5 Akten. Aufgeführt am S. Meiningschen Hofe. Im Jahre 1780.) Neudruck der Erstausgabe mit vorzüglichem kritischen Apparat von Richard Maria Werner, Deutsche Literaturdenkmale, No. 32, 1889.

Literatur: E. Sierke, Die Hamburger Preiskonkurrenz von 1775, 1875; W. Kühlhorn, Leisewitzens Julius von Tarent, 1912; Peter Spycher, Die Entstehungs- und Textgeschichte von Leisewitz's Julius von Tarent. (Dissertation Zürich) 1951.

LEISEWITZ · DIE PFANDUNG

Erstdruck im Göttinger Musenalmanach 1775, S. 65–68.

LEISEWITZ · DER BESUCH UM MITTERNACHT

Erstdruck im Göttinger Musenalmanach 1775, S. 226–229.

LEISEWITZ · SELBSTGESPRÄCH EINES STARKEN GEISTES

Erstdruck im Deutschen Museum, 1776. 1, 504f.

2. Auflage 1963

Gesamtherstellung Passavia Passau